# O Mito do Normal

# GABOR MATÉ, M.D.
## com DANIEL MATÉ

# O Mito do Normal

TRAUMA, SAÚDE E CURA EM UM MUNDO DOENTE

SEXTANTE

Título original: *The Myth of Normal*

Copyright © 2022 por Gabor Maté
Copyright da tradução © 2023 por GMT Editores Ltda.

Publicado mediante acordo com Sterling Lord Literistic e Agência Riff.

Todos os direitos reservados. Nenhuma parte deste livro pode ser utilizada ou reproduzida sob quaisquer meios existentes sem autorização por escrito dos editores.

*tradução:* Fernanda Abreu
*preparo de originais:* Pedro Siqueira
*revisão:* Ana Grillo e Hermínia Totti
*diagramação:* Valéria Teixeira
*capa:* Pete Garceau
*adaptação de capa:* Natali Nabekura
*impressão e acabamento:* Lis Gráfica e Editora Ltda.

CIP-BRASIL. CATALOGAÇÃO NA PUBLICAÇÃO
SINDICATO NACIONAL DOS EDITORES DE LIVROS, RJ

M377m

Maté, Gabor
   O mito do normal / Gabor Maté, Daniel Maté ; [tradução Fernanda Abreu]. - 1. ed. - Rio de Janeiro : Sextante, 2023.
   496 p. ; 23 cm.

Tradução de: The myth of normal
ISBN 978-65-5564-676-4

1. Saúde - Aspectos sociais. 2. Doenças - Aspectos sociais. 3. Medicina social. I. Maté, Daniel. II. Abreu, Fernanda. III. Título.

23-83608  CDD: 362.1
          CDU: 614

Gabriela Faray Ferreira Lopes - Bibliotecária - CRB-7/6643

Todos os direitos reservados, no Brasil, por
GMT Editores Ltda.
Rua Voluntários da Pátria, 45 – 14.º andar – Botafogo
22270-000 – Rio de Janeiro – RJ
Tel.: (21) 2538-4100
E-mail: atendimento@sextante.com.br
www.sextante.com.br

*À querida Rae, minha parceira de vida, que me enxergou antes de eu conseguir ver a mim mesmo e me amou por inteiro muito antes de eu conseguir me amar. Nada do meu trabalho existiria sem ela. E aos filhos que juntos geramos e são a luz do nosso mundo: Daniel, Aaron e Hannah.*

*O melhor médico é também um filósofo.*

— GALENO DE PÉRGAMO

*Se quiser realizar sua grande missão, a medicina deve intervir na vida política e social. Deve apontar os obstáculos que impedem o funcionamento social normal de processos vitais, e agir para removê-los.*

— RUDOLF VIRCHOW, *médico alemão do século XIX*

*Quando alguém está tentando sobreviver, transforma a doença em estratégia de adaptação, e a perda em cultura.*

— STEPHEN JENKINSON

## NOTA DO AUTOR

Não existem personagens misturados ou fictícios neste livro. Todas as histórias contadas são de pessoas reais, cujas palavras foram transcritas a partir de entrevistas e reproduzidas de forma precisa, com ocasionais edições por motivo de clareza. Quando apenas o primeiro nome é mencionado, trata-se de um pseudônimo a pedido do entrevistado para preservar sua privacidade. Nesses casos, alguns dados biográficos também podem ter sido levemente alterados. Quando nome e sobrenome são usados, a identidade é real.

Exceto quando indicado, todos os grifos são meus.

Uma palavrinha sobre autoria: este livro foi escrito em parceria com meu filho Daniel. Geralmente, a palavra *com* usada para identificar um autor designa um ghost-writer, alguém que coloca no papel as ideias do autor principal. Não foi o caso: na maior parte dos capítulos, o autor principal fui eu, e Daniel então releu o texto prestando especial atenção no estilo, no tom, na clareza da argumentação e na acessibilidade, muitas vezes contribuindo com as próprias ideias. Ocasionalmente, quando eu ficava sem saber o que dizer ou como dizer, ele assumia durante algum tempo as rédeas da escrita, redigindo uma seção ou um capítulo específico com base no material organizado e anotado por mim. Em todos os casos, fazíamos leituras alternadas dos capítulos até ficarmos ambos satisfeitos. A estrutura e a fluência do livro também foram em grande parte uma colaboração contínua entre nós dois, desde a preparação da proposta editorial até a versão final.

Assim, embora a *autoria* esteja distribuída de forma desigual, no sentido de que este livro reflete meu trabalho – incluindo pesquisas, análises e experiências –, ele foi em grande medida *coescrito*. Eu realmente não poderia ter levado a cabo essa empreitada sem a brilhante parceria com Daniel.

GABOR MATÉ
*Vancouver, Colúmbia Britânica*

# SUMÁRIO

INTRODUÇÃO  Por que o normal é um mito (e que importância isso tem)    11

PARTE UM  **Nossa natureza interconectada**    21

  1  O último lugar em que você quer estar: aspectos do trauma    23
  2  Viver num mundo imaterial: emoções, saúde e a unidade corpo-mente    43
  3  Você me vira a cabeça: nossa biologia altamente interpessoal    57
  4  Tudo aquilo que me cerca: despachos da nova ciência    63
  5  Motim no corpo: o mistério do sistema imunológico rebelde    71
  6  Não é uma coisa: a doença como processo    86
  7  Uma tensão traumática: apego *versus* autenticidade    96

PARTE DOIS  **A distorção do desenvolvimento humano**    111

  8  Quem realmente somos? Natureza humana, necessidades humanas    112
  9  Uma base robusta ou frágil: as necessidades irredutíveis das crianças    119
 10  Problemas no limiar: antes de virmos ao mundo    130
 11  Qual é a minha escolha? O parto numa cultura medicalizada    139
 12  Uma horta na Lua: a criação dos filhos sabotada    151
 13  Forçar o cérebro na direção errada: a sabotagem da infância    168
 14  Um template para a angústia: como a cultura forma nosso caráter    185

PARTE TRÊS  **Repensar o anormal: as doenças como adaptações**    195

 15  Não sendo você: a desmistificação da dependência    196
 16  Quem se identificar levante a mão: uma nova visão da dependência    208

| | | |
|---|---|---|
| 17 | Um mapa impreciso da nossa dor: onde erramos em relação à doença mental | 218 |
| 18 | A mente é capaz de coisas incríveis: da loucura ao significado | 234 |

## PARTE QUATRO  As toxicidades da nossa cultura — 253

| | | |
|---|---|---|
| 19 | Da sociedade para a célula: incerteza, conflito e perda de controle | 254 |
| 20 | O espírito humano roubado: a desconexão e seus descontentes | 264 |
| 21 | Eles não estão nem aí se você morrer: a sociopatia como estratégia | 274 |
| 22 | A noção de si sob ataque: como raça e classe se entranham na pele | 286 |
| 23 | Os amortecedores da sociedade: por que as mulheres sofrem mais | 302 |
| 24 | Nós sentimos a dor deles: nossa política impregnada de trauma | 315 |

## PARTE CINCO  Os caminhos da inteireza — 329

| | | |
|---|---|---|
| 25 | A mente no comando: a possibilidade de cura | 330 |
| 26 | Quatro disposições e cinco compaixões: alguns princípios de cura | 342 |
| 27 | Um presente terrível: a doença como professora | 356 |
| 28 | Antes de o corpo dizer não: primeiros passos no retorno a si | 372 |
| 29 | Ver para desacreditar: como desfazer crenças autolimitantes | 384 |
| 30 | Inimigos que viram amigos: como lidar com os obstáculos à cura | 391 |
| 31 | Jesus na tenda: psicodélicos e cura | 406 |
| 32 | Minha vida como uma coisa genuína: tocar o espírito | 420 |
| 33 | Um mito desfeito: visão de uma sociedade mais sã | 436 |

AGRADECIMENTOS — 451

NOTAS — 455

INTRODUÇÃO

# Por que o normal é um mito (e que importância isso tem)

> *O fato de milhões de pessoas compartilharem os mesmos vícios não faz desses vícios virtudes, assim como o fato de compartilharem tantos erros não faz desses erros verdades; e o fato de milhões de pessoas compartilharem as mesmas formas de patologia mental não torna essas pessoas sãs.*
>
> – ERICH FROMM, *The Sane Society*

Na sociedade mais obcecada por saúde que já existiu, as coisas não vão nada bem.

A saúde e o bem-estar se tornaram uma fixação moderna. Indústrias multibilionárias contam com o investimento contínuo – mental e emocional, sem esquecer o financeiro – das pessoas, em sua busca interminável para comer melhor, parecer mais jovem, viver mais, ter mais energia ou simplesmente ter menos sintomas do que quer que seja. Vemos notícias "revolucionárias" nas capas de revistas, matérias de televisão, anúncios onipresentes e uma enxurrada diária de conteúdo viralizado na internet, tudo nos empurrando essa ou aquela forma de melhorar a nós mesmos. Fazemos o possível para nos manter atualizados: tomamos suplementos, nos matriculamos em aulas de ioga, experimentamos todas as novas dietas, pagamos por testes genéticos, traçamos estratégias para evitar o câncer ou a demência, e buscamos conselhos médicos ou terapias alternativas para doenças do corpo, da mente e da alma.

Apesar disso tudo, nossa saúde está piorando.

O que está acontecendo? Como devemos interpretar o fato de, neste mundo tão moderno, no auge do conhecimento e da sofisticação da medicina, vermos cada vez mais doenças físicas crônicas e transtornos mentais? E como não estamos alarmados com isso? Por fim, como devemos agir para prevenir e curar os muitos males que nos assolam, mesmo sem considerar as catástrofes terríveis como a pandemia de covid-19?

Com mais de três décadas de exercício da medicina, num trabalho que inclui desde partos até a administração do setor de cuidados paliativos num hospital, sempre me interessei pelos vínculos entre os indivíduos e os contextos sociais e emocionais nos quais nossa vida se desenrola, e nos quais a saúde ou a doença subsequentemente ocorrem. Com o tempo, essa curiosidade, ou, melhor dizendo, esse fascínio, me levou a examinar a fundo a inovadora ciência que estabeleceu esses vínculos. Meus livros anteriores exploraram algumas dessas conexões manifestadas em males específicos, como o transtorno do déficit de atenção com hiperatividade (TDAH), a dependência, o câncer e todos os tipos de doenças autoimunes. Escrevi também sobre desenvolvimento infantil durante o período mais decisivamente formador de nossa vida.[1]

O escopo deste livro, *O mito do normal*, é bem mais abrangente. Passei a acreditar que, por trás da verdadeira epidemia de mazelas crônicas, tanto mentais quanto físicas, que assolam nossa época, existe algo de errado em nossa própria cultura, que gera ao mesmo tempo a profusão de males dos quais sofremos *e* os pontos cegos ideológicos que nos impedem de ver a situação com clareza e tomar alguma providência mais eficaz. Esses pontos cegos, prevalentes na cultura de modo geral – porém endêmicos em trágica escala na minha profissão –, nos mantêm ignorantes em relação às conexões entre nossa saúde e nossa vida socioemocional.

Outra forma de dizer a mesma coisa: uma doença crônica, seja ela mental ou física, é em grande medida uma *função* ou um *aspecto* do modo como as coisas são, e não uma *disfunção*; ela não é uma aberração misteriosa, mas uma consequência do nosso modo de viver.

A expressão "cultura tóxica", que muitas vezes usamos para descrever a nossa sociedade, pode sugerir coisas como poluentes ambientais, tão prevalentes desde os primórdios da era industrial e tão nocivos para a saúde humana. De partículas de amianto até a propagação desenfreada de dióxido de carbono, de fato não faltam entre nós toxinas reais, concretas. Também poderíamos entender o adjetivo "tóxico" em sua acepção mais contemporânea, mais pop-psicológica, como a propagação de negatividade, desconfiança, hostilidade e polarização que, de modo irrefutável, caracteriza o momento sociopolítico atual.

Com certeza podemos incluir ambos os significados em nossa discussão, mas neste livro uso a expressão "cultura tóxica" para caracterizar algo ainda mais amplo e mais profundamente arraigado: *todo o contexto de estruturas sociais, sistemas de crença, pressuposições e valores que nos cerca, e que necessariamente permeia todos os aspectos da nossa vida.*

O fato de a vida social influenciar a saúde não é uma descoberta nova, porém o reconhecimento desse fato nunca foi tão urgente. Vejo isso como a questão de saúde mais crucial e com mais consequências da nossa época, movida pelos efeitos do aumento do estresse, da desigualdade econômica e da catástrofe climática, para citar apenas alguns fatores. Nosso conceito de bem-estar precisa passar do individual para o global em todos os sentidos da palavra. Isso vale em especial para essa era do capitalismo globalizado que, nas palavras do historiador cultural Morris Berman, se tornou "o ambiente comercial total que circunscreve todo um mundo mental".[2] Dada a unidade entre corpo e mente que será destacada neste livro, eu acrescentaria que isso constitui também um ambiente fisiológico total.

A meu ver, pela sua própria natureza, nossa cultura social e econômica gera fatores de estresse crônicos que prejudicam nosso bem-estar de forma grave, como vem fazendo com cada vez mais força ao longo das últimas décadas.

Eis uma analogia que pode ser útil: num laboratório, uma "cultura" é um caldo bioquímico criado sob medida para o desenvolvimento de uma forma de vida específica. Pressupondo que os microrganismos em questão comecem o experimento com uma saúde e uma adequação genética perfeitas, uma cultura adequada e uma boa manutenção deveria permitir o desenvolvimento e a proliferação saudável deles. Se esses microrganismos começam a apresentar patologias em taxas incomuns ou não conseguem se desenvolver direito, das duas uma: ou a cultura se contaminou, ou desde o início não constituía a mistura certa. Fosse como fosse, poderíamos denominar isso corretamente de *cultura tóxica*, ou seja, inadequada para as criaturas que deveria sustentar. Ou pior: perigosa para sua existência. O mesmo vale para as sociedades humanas. Como afirma o apresentador, ativista e escritor Thomas Hartmann, "a cultura pode ser saudável ou tóxica, promover o bem-estar ou então matar".[3]

Da perspectiva do bem-estar, nossa cultura atual, vista como um experimento de laboratório, é uma demonstração cada vez mais globalizada do que pode dar errado. Apesar de recursos econômicos, tecnológicos e médicos espetaculares, ela leva um número incalculável de seres humanos a padecerem de doenças geradas por estresse, desigualdade, degradação ambiental, mudança climática, pobreza e isolamento social. Ela permite que milhões de pessoas morram prematuramente de doenças que sabemos evitar ou de privações de recursos de que dispomos em quantidades suficientes para eliminar.

Nos Estados Unidos, o epicentro do sistema econômico globalizado, 60% dos adultos têm algum distúrbio crônico como hipertensão arterial ou diabetes, e mais de 40% apresentam dois ou mais distúrbios desse tipo.[4] Quase 70% dos americanos tomam um ou mais remédios vendidos com receita; mais da metade toma dois diariamente.[5] No Canadá, meu país, metade de todos os *baby boomers* terão hipertensão em poucos anos caso a tendência atual se mantenha.[6] Entre as mulheres, vê-se um aumento desproporcional dos diagnósticos de doenças autoimunes potencialmente debilitantes, como a esclerose múltipla (EM).[7] Entre os jovens, os cânceres não relacionados ao tabagismo parecem estar aumentando. As taxas de obesidade, juntamente com os vários riscos para a saúde que a acompanham, estão subindo em muitos países, entre eles Canadá, Austrália e, em especial, os Estados Unidos, onde mais de 30% da população adulta atende aos critérios que a definem. Recentemente, o México ultrapassou seu vizinho mais ao norte nessa nada invejável categoria, resultando em 38 mexicanos diagnosticados com diabetes a cada hora. Graças à globalização, a Ásia está recuperando o atraso. "A China adentrou a era da obesidade", relata o pesquisador de saúde infantil Ji Chengye, em Pequim. "A velocidade de crescimento é chocante."[8]

Em todo o mundo ocidental, os diagnósticos de distúrbios mentais aumentam exponencialmente entre os jovens, adultos e idosos. No Canadá, depressão e ansiedade são os diagnósticos que mais crescem; e em 2019, mais de 50 milhões de americanos – o que corresponde a mais de 20% da população adulta dos Estados Unidos – teve algum episódio de doença mental.[9] Na Europa, segundo os autores de uma pesquisa internacional recente, os transtornos mentais se tornaram "o maior desafio do século XXI".[10] Milhões de crianças e jovens americanos vêm sendo medicados com estimulantes, antidepressivos e até mesmo drogas antipsicóticas, cujos efeitos a longo prazo no cérebro em desenvolvimento ainda não foram estabelecidos. Uma manchete arrepiante no site de notícias ScienceAlert fala por si: "Tentativas de suicídio por crianças explodem nos Estados Unidos, e ninguém sabe por quê."[11] O panorama é igualmente grave no Reino Unido, onde o jornal *The Guardian* recentemente noticiou: "Universidades britânicas veem aumento de ansiedade, colapso nervoso e depressão em alunos."[12] À medida que a globalização toma conta do mundo, distúrbios até então encontrados em países "desenvolvidos" estão começando a adentrar novos territórios. Por exemplo, o TDAH em crianças tornou-se "uma questão de saúde pública cada vez mais grave" na China.[13]

A catástrofe climática que já nos afeta introduziu um risco inteiramente novo, uma versão amplificada – se é que isso é possível – da ameaça que a guerra nuclear representa desde Hiroshima. "A preocupação com a mudança climática está associada à percepção dos jovens de que eles não têm futuro, de que a humanidade está condenada", constataram os autores de uma pesquisa de 2021 sobre as atitudes de mais de 10 mil indivíduos em 42 países. Além da sensação de terem sido traídos e abandonados pelos governos e pelos adultos, o desânimo e a falta de esperança demonstrados pelos participantes da pesquisa "são fatores de estresse crônicos que terão implicações negativas significativas, duradouras e progressivas na saúde mental de crianças e jovens".[14]

Voltando à analogia do laboratório, podemos concluir, inquestionavelmente, que nossa cultura é tóxica. E mais: nós nos acostumamos – ou, talvez seja mais adequado dizer, *nos aculturamos* – a grande parte do que nos aflige. Essas coisas se tornaram, na falta de um adjetivo melhor, normais.

Na prática clínica, a palavra *normal* designa, entre outras coisas, o estado que é nosso objetivo como médicos, e que serve de fronteira para distinguir a saúde da doença. "Níveis normais" e "funcionamento normal" são as nossas metas ao indicar procedimentos ou medicações. Também avaliamos o sucesso ou o fracasso de um tratamento em comparação com "normas estatísticas": tranquilizamos pacientes aflitos de que tal sintoma ou efeito colateral é totalmente normal, no sentido de "esperado". Todos esses são usos específicos e legítimos da palavra, que nos permitem avaliar situações de modo realista para podermos mirar adequadamente nossos esforços.

Não é nesses sentidos que a palavra "normal" é usada no título deste livro, mas sim em uma acepção mais insidiosa que, em vez de nos ajudar a progredir em direção a um futuro mais saudável, nos impede de tentar fazer isso já de saída.

Para o bem ou para o mal, nós humanos temos um grande talento para nos acostumar às coisas, em especial quando as mudanças são progressivas. A palavra "normalizar" refere-se ao mecanismo por meio do qual uma coisa antes aberrante se torna comum o suficiente para não ser captada pelo nosso radar. Num nível social, portanto, "normal" muitas vezes significa "não há nada diferente a ser visto por aqui": todos os sistemas estão funcionando como deveriam, não é preciso mais nenhuma investigação.

A verdade, do meu ponto de vista, é muito diferente.

O saudoso David Foster Wallace, artífice da palavra, escritor e ensaísta, certa vez abriu um discurso com uma parábola bem-humorada que ilustra bem o problema do conceito de normalidade. A história fala sobre dois peixes jovens que cruzam com um peixe ancião, que os cumprimenta alegremente: "Bom dia, rapazes. Como está a água?" E depois de os dois jovens peixes passarem um tempo nadando, um deles olha para o outro e pergunta: "O que é água?" A questão que Wallace queria levantar era que "as realidades mais evidentes, mais onipresentes e mais importantes muitas vezes são as mais difíceis de ver e de abordar". Na superfície, reconheceu ele, isso poderia soar como um "clichê banal", mas "nas trincheiras do dia a dia da existência adulta, os clichês banais *podem ter uma importância de vida ou morte*".

Ele poderia muito bem estar se referindo à tese deste livro. De fato, a vida – e também a morte – das pessoas, sua qualidade e em muitos casos sua duração, estão intimamente ligadas aos aspectos da sociedade moderna "mais difíceis de ver e de abordar": fenômenos que, como a água para os peixes, são ao mesmo tempo demasiado vastos e demasiado próximos para serem devidamente valorizados. Em outras palavras, aqueles aspectos da vida cotidiana que hoje nos parecem normais são os que mais alto gritam para serem examinados. Esse é o meu argumento central. Minha intenção de fundo, consequentemente, é propor um novo modo de ver e de falar sobre esses fenômenos, trazendo-os do fundo para a frente da cena, para que talvez possamos encontrar mais rapidamente seus tão necessários remédios.

Acredito que muito daquilo que se considera normal hoje não é nem saudável nem natural, e que corresponder aos critérios de normalidade da sociedade moderna significa, sob muitos aspectos, conformar-se a exigências profundamente *anormais* no que tange às necessidades que a natureza nos deu, ou seja: pouco saudáveis e prejudiciais nos níveis fisiológico, mental e até espiritual.

Se pudéssemos começar a ver muitas doenças não como uma reviravolta cruel do destino ou um mistério insondável, mas como algo *esperado, e, portanto, uma consequência normal de circunstâncias anormais e antinaturais*, isso teria implicações revolucionárias para o modo como abordamos tudo que tem a ver com saúde. Os corpos e as mentes doentes não seriam mais considerados expressões de patologias individuais, mas sim alarmes vivos que direcionam nossa atenção para aquilo que não está funcionando bem em nossa sociedade e para questionamentos do tipo: até que ponto nossas certezas e pressuposições dominantes a respeito da saúde na verdade são ficções? Vistas com clareza, elas também talvez nos forneçam pistas do que seria preciso para reverter o curso e construir um mundo mais saudável.

Bem mais do que uma falta de perspicácia tecnológica, verba ou novas descobertas, a noção equivocada que nossa cultura tem da normalidade é o maior impeditivo para criar um mundo mais saudável, e chega a nos impedir de usar os conhecimentos de que já dispomos. Seus efeitos oclusivos são particularmente dominantes na área em que uma visão desimpedida é mais necessária: a medicina.

Devido a um viés ostensivamente científico que, sob alguns aspectos, mais se assemelha a uma ideologia do que a um conhecimento empírico, o paradigma médico atual comete um erro duplo: reduz eventos complexos à sua biologia e separa a mente do corpo, preocupando-se quase exclusivamente com um sem levar em conta a unidade essencial entre os dois. Essa falha não invalida as conquistas inquestionavelmente milagrosas da medicina, tampouco macula a boa intenção de tantos que a praticam, mas restringe o bem que a ciência médica poderia estar fazendo.

Um dos fracassos mais persistentes e calamitosos que prejudicam nossos sistemas de saúde é a ignorância – no sentido de não saber ou de ignorar *aquilo que já foi estabelecido pela ciência*. Por exemplo: os indícios abundantes e crescentes de que as pessoas vivas não podem ser separadas em órgãos e sistemas distintos, nem mesmo em "mentes" e "corpos". De modo geral, o mundo da medicina não quis ou não conseguiu metabolizar esses indícios e ajustar suas práticas de forma adequada. A nova ciência, boa parte da qual não é conceitualmente tão nova assim, ainda não tem impacto significativo na formação em medicina, o que obriga profissionais de saúde bem-intencionados a trabalharem no escuro. Muitos acabam tendo que ligar os pontos sozinhos.

Para mim, o processo de juntar as peças começou muitas décadas atrás, quando um palpite me fez ir além do repertório padrão de perguntas médicas áridas e profissionais sobre apresentação de sintomas e históricos médicos, e passei a perguntar aos meus pacientes sobre o contexto mais geral de suas doenças: a vida deles. Sou grato pelo que esses homens e mulheres me ensinaram com sua forma de viver e de morrer, de sofrer e de se recuperar, e com as histórias que compartilharam comigo. O centro da questão, que está de acordo com o que a ciência mostra, é o seguinte: saúde e doença não são estados aleatórios num corpo específico ou numa parte específica do corpo. Elas são, isso sim, expressão de uma vida inteira vivida, vida esta que, por sua vez, não pode ser compreendida isoladamente: ela é influenciada por, ou melhor, decorre de toda uma teia de circunstâncias, relacionamentos, acontecimentos e experiências.

É claro que temos motivo para comemorar os avanços espantosos da medicina nos dois últimos séculos e a incansável coragem e genialidade daqueles cujo trabalho possibilitou passos gigantescos em muitas áreas distintas da saúde humana. Para citar um exemplo apenas, a incidência de poliomielite, doença terrível que matava ou deixava sequelas em muitas crianças apenas duas ou três gerações atrás, caiu mais de 99% desde 1988 nos Estados Unidos; a maioria das crianças hoje em dia provavelmente nunca ouviu falar nessa doença.[15] Até a mais recente epidemia de HIV foi atenuada num período relativamente curto e passou de uma sentença de morte a uma doença crônica administrável, pelo menos para quem tem acesso ao tipo certo de tratamento. E, por mais destruidora que tenha sido a pandemia de covid-19, o rápido desenvolvimento de vacinas pode ser listado entre as vitórias da ciência e da medicina modernas.

O problema de notícias boas como essas – e são mesmo notícias muito boas – é que elas instigam a tranquilizadora convicção de que estamos, de modo geral, avançando em direção a uma vida mais saudável, o que nos coloca num estado de falsa passividade. O verdadeiro cenário é bem diferente. Longe de estarmos prestes a vencer os desafios de saúde contemporâneos que nos confrontam, nós mal estamos conseguindo acompanhar a velocidade da maioria deles. Muitas vezes o melhor que podemos fazer é mitigar sintomas, seja por via cirúrgica, farmacológica ou ambas. Por mais bem-vindos que sejam os avanços da medicina e por mais frutíferas que possam ser as pesquisas, o xis da questão não é uma falta de fatos nem uma falta de tecnologia ou de técnicas, mas sim uma perspectiva empobrecida e ultrapassada que não é capaz de explicar o que estamos vendo. Meu objetivo aqui é propor uma perspectiva nova que, acredito, traz enormes possibilidades para um paradigma mais saudável: uma nova visão do normal que alimente o melhor que existe em nós.

O arco narrativo deste livro segue os círculos concêntricos de causa, conexão e consequência que influenciam quão saudáveis ou quão pouco saudáveis nós somos. Começando por dentro, no nível da biologia humana, e examinando em seguida os relacionamentos estreitos nos quais nosso corpo, nosso cérebro e nossa personalidade se desenvolvem, avançaremos de dentro para fora em direção às dimensões mais macro de nossa existência coletiva, ou seja, as dimensões socioeconômica e política. Pelo caminho, mostrarei como nossa saúde física e mental está intrincadamente vinculada a como nos sentimos, a nossas percepções e crenças em relação a nós mesmos e ao mundo, e às maneiras como a vida satisfaz ou não nossas necessidades humanas inegociáveis. Como o trauma é uma camada que constitui um dos alicerces da experiência da vida moderna, mas é em grande parte ignorado ou erroneamente interpretado, começarei com uma definição de trabalho que servirá de base para tudo que virá a seguir.

Em cada etapa, minha tarefa é erguer o véu do senso comum e do conhecimento transmitido e considerar o que a ciência e a observação atenta nos dizem, com o objetivo de desfazer os mitos que mantêm o *status quo* cristalizado. Como em meus livros anteriores, a ciência e suas implicações de saúde serão explicadas por meio de histórias reais e estudos de caso de pessoas que tiveram a generosidade de compartilhar comigo um pouco de sua jornada na doença e na saúde. São histórias que oscilam entre levemente surpreendentes e verdadeiramente inacreditáveis, entre comoventes e inspiradoras.

Inspiradoras, sim. Pois há uma consequência animadora para todas essas notícias ruins. Quando conseguimos olhar de frente para o que nós, como cultura, normalizamos em relação à doença e à saúde, e entender que esse na verdade não é o modo como as coisas devem ser, surge a possibilidade de voltar ao que sempre foi a intenção da natureza para nós. Daí o sentido de "cura" no subtítulo deste livro: quando tomamos a decisão de olhar para como as coisas são, o processo de cura – palavra cuja raiz significa "voltar à inteireza" – pode começar. Essa afirmação não contém nenhuma promessa de curas milagrosas, apenas o reconhecimento de que cada um de nós contém possibilidades ainda não imaginadas de bem-estar, possibilidades que só se revelam quando enfrentamos e desmistificamos os mitos[16] equivocados a respeito da normalidade aos quais nos acostumamos passivamente. Se isso é verdade para nós como indivíduos, também deve ser verdade para nós como espécie.

A cura não está garantida, mas está disponível. Não é um exagero dizer, a essa altura da história da Terra, que ela é também necessária. Tudo que vi e tudo que aprendi ao longo dos anos me dá a certeza de que nós a temos dentro de nós.

# PARTE UM

# NOSSA NATUREZA INTERCONECTADA

*Como pensamos de modo fragmentado, vemos fragmentos. E esse modo de ver nos leva a criar verdadeiros fragmentos do mundo.*

— **SUSAN GRIFFIN**, *A Chorus of Stones*

Quadro pintado por minha mulher, Rae, a partir de uma fotografia de 1944 (vista no canto superior esquerdo) de minha mãe, Judith, me segurando no colo aos 3 meses. A estrela amarela que ela usa é o emblema da vergonha obrigatório para todos os judeus da Hungria, assim como nos outros territórios ocupados pelos nazistas. Rae captou muito bem a expressão atormentada e o medo em meus olhos infantis. Acrílico sobre tela, 100 × 75 cm, 1997.

# 1
# O último lugar em que você quer estar: aspectos do trauma

> *É difícil imaginar o percurso de uma vida individual sem visualizar algum tipo de trauma, e é difícil para a maioria das pessoas saber o que fazer em relação a isso.*
>
> – MARK EPSTEIN, *The Trauma of Everyday Life*[1]

Imagine a seguinte cena: na tenra idade de 71 anos, seis antes de escrever isto, este autor retorna a Vancouver depois de uma rápida ida a Filadélfia para uma palestra. A palestra foi um sucesso, a plateia se mostrou entusiasmada, meu recado sobre o impacto da dependência e do trauma na vida das pessoas foi calorosamente recebido. Viajei num conforto inesperado, pois graças a uma cortesia da Air Canada recebi um upgrade para a classe executiva. Ao descer sobre a paisagem imaculada de mar e céu de Vancouver, estava quieto no meu canto do avião, curtindo a sensação de dever cumprido. Quando pousamos e começamos a ir até o portão de desembarque, uma mensagem de texto de minha mulher, Rae, faz a pequena tela se acender: "Desculpe. Ainda não saí de casa. Quer que eu vá te buscar mesmo assim?" Reteso o corpo, a satisfação substituída pela raiva. "Deixa", dito para o aparelho com a voz tensa. Amargurado, desembarco, passo pela alfândega e pego um táxi para casa, uma viagem de 20 minutos. (Tenho certeza de que você já está segurando o livro com força, tamanha sua indignação solidária com o ultraje sofrido pelo autor.) Ao encontrar Rae, rosno um oi que é mais acusação do que cumprimento, e mal olho para a cara dela. Na verdade, passo as 24 horas seguintes praticamente sem fazer contato visual. Quando ela fala comigo, balbucio pouco mais de grunhidos breves e sem entonação. Meu olhar está desviado, a parte superior do meu corpo tensa e rígida, e meu maxilar permanentemente retesado.

O que está acontecendo comigo? Seria essa a reação de um adulto maduro na oitava década de vida? Só na superfície. Em momentos como esse, o Gabor adulto quase desaparece. A maior parte de mim está presa a um passado distante, próximo ao início da minha vida. Essa espécie de viagem no tempo físico-emocional, que me impede de habitar o momento presente, é uma das marcas do trauma, um tema subjacente para muitas pessoas em nossa cultura. Na verdade, ele é tão profundamente "subjacente" que muitos de nós não sabem que está lá.

O significado da palavra *trauma*, em sua origem grega, é *ferida*. Quer nos demos conta disso ou não, são as nossas feridas, ou o modo como lidamos com elas, que ditam grande parte do nosso comportamento, formam nossos hábitos sociais e influenciam nossa maneira de pensar o mundo. Elas podem até mesmo determinar se somos ou não capazes de algum pensamento racional em todas as questões que mais importam em nossa vida. Para muitos de nós, elas surgem em nossas relações mais próximas, causando todo tipo de problema.

Foi em 1889 que o pioneiro psicólogo francês Pierre Janet descreveu pela primeira vez a memória traumática como algo guardado em "ações e reações automáticas, sensações e atitudes [...] repetidas e reencenadas como sensações viscerais".[2] No século atual, o renomado psicólogo especializado em trauma e curador espiritual Peter Levine escreveu que determinados choques no organismo "podem alterar o equilíbrio biológico, psicológico e social de uma pessoa a tal ponto que a lembrança de um acontecimento específico passa a contaminar e dominar todas as outras experiências, estragando a vivência do momento presente".[3] Levine chama isso de "tirania do passado".

No meu caso, a origem da minha hostilidade em relação à mensagem de Rae está no diário que minha mãe escreveu, num garrancho quase ilegível e de modo intermitente, em meus primeiros anos em Budapeste durante e após a Segunda Guerra Mundial. O trecho a seguir, traduzido por mim do húngaro, foi escrito por ela em 8 de abril de 1945, quando eu tinha 14 meses:

> Meu querido homenzinho, só depois de longos meses é que pego de novo a caneta para lhe descrever brevemente os horrores indizíveis desta época, cujos detalhes não quero que você conheça [...] Foi em 12 de dezembro que os Flechas Cruzadas[4] nos forçaram a ir para o gueto de Budapeste, de onde, com extrema dificuldade, conseguimos nos refugiar numa casa protegida pela Suíça. De lá, dois dias depois, mandei você com uma total desconhecida para ir ficar com sua tia Viola, porque vi que o seu pequenino organismo não suportaria as condições de vida naquele prédio. Então começaram as cinco ou seis semanas mais terríveis da minha vida, nas quais não pude vê-lo.

Sobrevivi graças à bondade e à coragem da cristã desconhecida a quem minha mãe me confiou na rua, e que me levou até parentes escondidos em circunstâncias relativamente mais seguras. Quando reencontrei minha mãe, depois de o exército soviético ter posto os alemães para correr, passei vários dias sem sequer olhar para ela.

O grande psiquiatra e psicólogo britânico do século XX John Bowlby conhecia esse comportamento: chamava-o de desapego. Em sua clínica, ele observou 10 crianças pequenas obrigadas a suportar uma separação prolongada dos pais devido a circunstâncias impossíveis de controlar. "Ao encontrar a mãe pela primeira vez após dias ou semanas separadas, todas as crianças apresentaram algum grau de desapego", observou Bowlby. "Duas pareceram não reconhecer a mãe. As outras oito viraram a cara ou até se afastaram da mãe. A maioria chorou ou chegou perto de fazê-lo; várias alternaram entre uma expressão de choro e uma ausência de expressão."[5] Pode parecer contraintuitivo, mas esse reflexo de rejeição da mãe amorosa é uma adaptação: "Fiquei tão magoada quando você me abandonou", diz a mente da criança pequena, "que não vou me reconectar com você. Não me atrevo a me expor novamente a essa dor." Em muitas crianças, e eu certamente fui uma delas, reações precoces como essa se entranham no sistema nervoso, na mente e no corpo, e causam problemas em relações posteriores. Elas aparecem ao longo da vida em reação a qualquer incidente ainda que vagamente semelhante à impressão original, muitas vezes sem qualquer lembrança das circunstâncias causadoras. Minha reação petulante e defensiva com Rae estava sinalizando que circuitos emocionais antigos, arraigados no cérebro e programados na infância, tinham assumido o controle, enquanto as partes racionais, tranquilizadoras e autorregulatórias do meu cérebro se desligavam.

"Todo trauma é pré-verbal", escreveu o psiquiatra Bessel van der Kolk.[6] Essa afirmação é verdadeira em dois sentidos. Em primeiro lugar, as feridas psíquicas que sofremos muitas vezes nos são infligidas antes de nosso cérebro ser capaz de formular qualquer tipo de narrativa verbal, como no meu caso. Em segundo lugar, mesmo depois de adquirida a linguagem, algumas feridas ficam gravadas em regiões de nosso sistema nervoso em nada relacionadas a linguagem ou a conceitos; isso inclui áreas do cérebro, claro, mas o resto do corpo também. Elas ficam guardadas em partes de nós que palavras e pensamentos não conseguem acessar diretamente; podemos inclusive chamar esse nível de codificação do trauma de "subverbal". Como explica Peter Levine:

> A memória consciente, *explícita*, é apenas por assim dizer a ponta de um iceberg muito profundo e poderoso. Ela não é nem uma fração das camadas submersas de *experiência implícita primeva* que nos movem de maneiras que a mente consciente não consegue sequer imaginar.[7]

Uma coisa devo dizer em relação à minha mulher: ela não admite que eu me safe jogando nos nazistas, nos fascistas e no trauma de infância toda a culpa pelo piti que dei quando ela não foi me buscar no aeroporto. Sim, esse passado merece compaixão e compreensão, o que ela já me demonstrou em larga medida, mas chega um ponto em que o argumento "eu fiz isso por causa do Hitler" não cola mais. A responsabilidade pode e deve ser assumida. Depois de 24 horas daquele silêncio punitivo, Rae chegou ao seu limite. "Ah, para com isso, vai", disse ela. E eu parei, um sinal de progresso e relativa maturidade. No passado, teria levado dias ou mais para "parar com isso": para esquecer meu ressentimento e permitir que meu âmago descongelasse, meu rosto relaxasse, minha voz abrandasse e minha cabeça se virasse espontânea e amorosamente para minha parceira de vida.

"Meu problema é ser casado com uma pessoa que me entende", já resmunguei muitas vezes, só em parte brincando. Na verdade, é claro, minha grande bênção é ser casado com uma mulher que tem limites saudáveis, que me vê como sou agora e não está mais disposta a suportar o peso de minhas visitas prolongadas e não planejadas ao passado remoto.

## O QUE O TRAUMA É E O QUE ELE FAZ

A marca do trauma é mais endêmica do que pensamos. Essa pode parecer uma afirmação difícil de entender, uma vez que "trauma" se tornou quase um chavão em nossa sociedade. Além disso, a palavra passou a adquirir vários sentidos coloquiais que confundem e diluem seu significado. Está na hora de uma reavaliação clara e completa, em especial na área da saúde e, já que tudo está conectado, em praticamente todas as outras áreas da sociedade.

A concepção habitual de trauma evoca ideias de acontecimentos catastróficos: furacões, abuso, negligência flagrante, guerra. Isso tem por efeito involuntário e equivocado relegar o trauma ao domínio do anormal, do inabitual, do excepcional. Se existe uma classe de pessoas denominadas "traumatizadas", isso deve significar que a maioria de nós não o é. É aí que estamos redondamente enganados. O trauma permeia nossa cultura, desde o nível pessoal até as relações sociais, parentais, a educação, a cultura popular, a economia e a política. Na realidade, alguém *sem* marcas de trauma seria um pária em nossa sociedade. Estamos mais perto da verdade quando perguntamos: onde cada um de nós se encaixa no amplo e surpreendentemente inclusivo espectro do trauma? Qual de suas muitas marcas cada um de nós carregou por toda (ou quase toda) a vida, e quais foram seus impactos? E que possibilidades se abririam se conhecêssemos melhor essas marcas, ou mesmo nos tornássemos íntimos delas?

Mas primeiro uma pergunta mais básica: o que é trauma? Na minha concepção, "trauma" é uma ferida interna, uma ruptura ou uma clivagem duradoura do ego devido a acontecimentos difíceis ou dolorosos. Segundo essa definição, trauma é principalmente o que acontece dentro da pessoa como resultado de acontecimentos difíceis ou dolorosos que lhe acometem; não são os acontecimentos em si. "Trauma não é o que acontece *com* você, mas sim o que acontece *dentro* de você", é como eu o defino. Pense num acidente de carro em que alguém sofre uma concussão: o acidente foi o que aconteceu; a lesão é o que perdura. Da mesma forma, o trauma é uma ferida psíquica alojada em nosso sistema nervoso, em nossa mente e em nosso corpo, que dura muito mais do que o(s) incidente(s) que a originou (originaram) e é passível de ser despertada a qualquer instante. Trata-se de uma constelação de dificuldades, composta pela ferida em si e pelos fardos residuais que o fato de termos sido feridos impõe a nosso corpo e a nossa alma: as emoções não resolvidas que ela nos provoca; a dinâmica adaptativa que impõe; os roteiros trágicos, ou melodramáticos, ou neuróticos que encenamos de modo involuntário, porém inexorável; e, igualmente importante, o custo que ela cobra de nosso corpo.

Quando uma ferida não cicatriza por si só, uma de duas coisas vai acontecer: ela pode continuar aberta ou, o mais comum, ser substituída por uma camada mais grossa de tecido, uma cicatriz. Se aberta, a ferida é uma fonte de dor constante e um lugar onde podemos ser machucados repetidamente, mesmo pelos mais tênues estímulos. Isso nos leva a uma vigilância constante – estamos, em certo sentido, sempre lambendo nossas feridas – e limita nossa capacidade de nos mover com flexibilidade e de agir com autoconfiança por causa do medo de sermos novamente feridos. A cicatriz é preferível por proporcionar proteção e sustentar os tecidos, mas tem desvantagens: é rígida, dura, inflexível, incapaz de crescer, uma zona desprovida de sensibilidade. A carne original, saudável e viva, não se regenera.

Seja uma ferida aberta ou uma cicatriz, um trauma não resolvido é uma limitação do eu, tanto física quanto psicológica. Ela restringe nossas capacidades natas e gera uma distorção duradoura da nossa visão do mundo e dos outros. Até ser trabalhado, o trauma nos mantém presos ao passado, nos roubando a riqueza do momento presente e limitando quem podemos ser. Ao nos impelir a reprimir as partes machucadas e indesejadas de nossa psique, ele fragmenta o eu. A menos que seja visto e reconhecido, ele é também um empecilho ao crescimento. Em muitos casos, como no meu, ele prejudica a noção de valor próprio da pessoa, envenena relacionamentos e compromete a fruição da vida em si. No início da infância, ele pode inclusive interferir no desenvolvimento cerebral sadio. Além disso, como vamos testemunhar, o trauma é um fator que antecede e contribui para doenças de todo tipo ao longo da vida.

Considerados em conjunto, esses impactos constituem um impedimento importante e fundamental para a inteireza em muitas, muitas pessoas.

Citando mais uma vez Peter Levine: "O trauma talvez seja a causa mais evitada, ignorada, menosprezada, negada, mal compreendida e não tratada de sofrimento humano."[8]

## DOIS TIPOS DE TRAUMA

Antes de prosseguirmos, vamos distinguir dois tipos de trauma. O primeiro, no sentido em que a palavra é empregada por médicos e professores como Levine e Van der Kolk, envolve reações automáticas e adaptações da mente e do corpo a acontecimentos dolorosos e avassaladores específicos, identificáveis, seja na infância ou depois. Como meu trabalho médico me ensinou e as pesquisas demonstraram amplamente, coisas dolorosas acontecem com muitas crianças, desde um abuso direto ou uma negligência grave na família de origem até a pobreza, o racismo ou a opressão, aspectos cotidianos de muitas sociedades. As consequências podem ser terríveis. De maneiras bem mais frequentes do que em geral se reconhece, esses traumas dão origem a vários sintomas e síndromes, e a distúrbios classificados como patologias, sejam elas físicas ou mentais – um vínculo que permanece quase invisível aos olhos da medicina e da psiquiatria tradicionais, exceto no caso de "doenças" específicas como o transtorno de estresse pós-traumático. Houve quem chamasse esse tipo de ferida de "trauma com T maiúsculo". Ele está por trás de boa parte do que se classifica como doença mental. Esse tipo de trauma cria também uma predisposição à doença física, causando inflamações, aumentando o estresse fisiológico e prejudicando o funcionamento saudável dos genes, entre muitos outros mecanismos. Resumindo, então: o trauma com T maiúsculo ocorre quando acontecem coisas que *não* deveriam ter acontecido com pessoas vulneráveis, como por exemplo quando uma criança sofre abuso, ou quando há violência na família, ou em caso de divórcio conturbado ou de perda de um dos genitores. Tudo isso faz parte dos critérios de perturbação infantil nos conhecidos estudos sobre experiências adversas na infância (EAI). Aqui também, os acontecimentos traumáticos em si não são idênticos ao trauma, ou aos danos ao eu, que ocorrem imediatamente depois dentro da pessoa.

Existe uma outra forma de trauma, e é esse o tipo que estou chamando de quase universal em nossa cultura, que já foi chamado de "trauma com T minúsculo". Muitas vezes pude observar as marcas duradouras que acontecimentos aparentemente banais, o que um pesquisador seminal chamou com grande sensibilidade de "os menos memoráveis, porém dolorosos e muito mais prevalentes infortúnios da infância", podem deixar na psique das crianças.[9] Entre eles podem estar o bullying, os comentários ásperos casuais mas frequentes de um pai ou de uma mãe bem-intencionada, ou mesmo apenas uma falta de vínculo emocional suficiente com os adultos cuidadores.

As crianças, em especial as muito sensíveis, podem ser feridas de várias formas: quando coisas ruins acontecem, sim, mas também quando coisas boas não acontecem, como por exemplo quando suas necessidades emocionais de conexão não são atendidas, ou quando elas deixam de ser vistas e aceitas, mesmo por pais amorosos. O trauma desse tipo não requer uma perturbação ou um infortúnio do tipo mencionado anteriormente, e também pode conduzir à dor de se desconectar do eu, resultando em necessidades básicas não satisfeitas. Esses não acontecimentos são aquilo a que o pediatra britânico D. W. Winnicott se referiu como "nada acontecer quando algo poderia de modo vantajoso ter acontecido", tema ao qual retornaremos quando abordarmos o desenvolvimento humano. "Os traumas do dia a dia podem facilmente nos fazer sentir tal qual uma criança órfã de mãe", escreve o psiquiatra Mark Epstein.[10]

Se, a despeito de décadas de indícios, o "trauma com T maiúsculo" mal foi registrado no radar da medicina, o trauma com T minúsculo nem sequer é notado.

Mesmo ao fazermos essa distinção entre os traumas com T maiúsculo e os traumas com T minúsculo, levando em conta a continuidade e o amplo leque da experiência humana, não esqueçamos que, na vida real, as linhas são fluidas, difíceis de traçar, e não deveriam ser rígidas. O que os dois tipos têm em comum foi resumido de forma sucinta por Bessel van der Kolk: "Trauma é quando não somos vistos nem conhecidos."

Embora haja diferenças brutais no modo como os dois tipos de trauma podem afetar a vida e o funcionamento das pessoas, e o tipo com T maiúsculo em geral seja muito mais perturbador e debilitante, há também uma grande sobreposição. Ambos representam uma fratura de si e do relacionamento da pessoa com o mundo. *Essa fratura é a essência do trauma.* Como escreve Peter Levine, o trauma "tem a ver com uma perda de conexão: com nós mesmos, com nossa família e com o mundo à nossa volta. Essa perda é difícil de reconhecer porque acontece lentamente, ao longo do tempo. Nós nos adaptamos a essas mudanças sutis; às vezes nem sequer as notamos."[11] À medida que é internalizada, a conexão perdida molda nossa visão da realidade: passamos a acreditar no mundo que vemos através dessa lente rachada. É perturbador perceber que quem pensamos ser e nosso modo de agir habitualmente, inclusive muitas de nossas aparentes "forças", os aspectos menos e mais funcionais de nosso eu "normal", costumam ser em parte produtos de perdas traumáticas. Também pode ser desconcertante para muitos de nós pensar que, por mais felizes e bem-ajustados que possamos nos considerar, talvez nos situemos em algum ponto do espectro do trauma, ainda que distantes do polo do T maiúsculo. Em última instância, as comparações não funcionam. Não importa se podemos apontar outras pessoas que parecem mais traumatizadas do que nós, pois não há como comparar sofrimentos. Tampouco é adequado usar nosso próprio trauma para nos colocar acima dos outros – "Você não sofreu como eu sofri" – ou como uma arma para diminuir as queixas legítimas dos outros quando nos comportamos de forma destrutiva. Cada um de nós carrega suas feridas à sua maneira; não há sentido nem valor em compará-las com as dos outros.

## O QUE O TRAUMA NÃO É

A maioria de nós já ouviu alguém, talvez nós mesmos, dizer algo como: "Ah, meu Deus, que filme perturbador aquele de ontem à noite, saí do cinema traumatizado." Ou então vemos pessoas argumentando que deveria haver nos livros um alerta de conteúdo sensível para evitar serem "traumatizados" pelo que leem. Em todos esses casos, o uso da palavra *traumatizado* é compreensível, mas equivocado; nesses casos, aquilo a que as pessoas estão se referindo é *estresse*, seja ele físico e/ou emocional. Como assinala muito adequadamente Peter Levine: "Todos os acontecimentos traumáticos são estressantes, mas nem todo acontecimento estressante é traumático."[12]

Um acontecimento é traumatizante, ou retraumatizante, apenas quando torna a pessoa *diminuída*, quer dizer, psiquicamente (ou fisicamente) *mais limitada* do que antes de maneira *persistente*. Muito do que aconteceu na vida, inclusive nas artes e/ou nas relações sociais e políticas, pode ser perturbador, desestabilizante ou mesmo muito doloroso, sem que isso constitua um trauma novo. Isso não quer dizer que reações traumáticas antigas, que nada têm a ver com o que quer que esteja ocorrendo, não possam ser provocadas por estresses do presente; vejam o exemplo de um determinado autor voltando para casa depois de uma palestra. Isso não é a mesma coisa que ser retraumatizado, a menos que, com o tempo, nos deixe ainda mais limitados do que antes.

Eis uma lista razoavelmente confiável que serve como processo eliminatório. Uma coisa *não é* trauma se alguma das seguintes afirmações permanecer verdadeira a longo prazo:

- Se não limitar você, não restringir você, nem diminuir sua capacidade de pensar, confiar ou se afirmar, de suportar sofrimento sem sucumbir ao desespero ou de observá-lo com um olhar compassivo.
- Se não impedir você de reconhecer sua dor, tristeza e medo sem se sentir sobrepujado, e sem precisar recorrer às escapatórias do trabalho ou de um comportamento compulsivo de autotranquilização ou autoestimulação de qualquer tipo.
- Se você não se sentir impelido nem a se supervalorizar, nem a se apagar com o intuito de conseguir ser aceito ou para justificar a própria existência.
- Se não comprometer sua capacidade de sentir gratidão pela beleza e pelo assombro que é estar vivo.

Se, por outro lado, você *reconhecer* essas restrições crônicas em si mesmo, pode ser que elas representem a sombra do trauma na sua psique, a presença de uma ferida emocional não curada, independentemente do tamanho do T.

## O TRAUMA NOS SEPARA DO NOSSO CORPO

"Depois que alguém invade e entra em você, seu corpo não lhe pertence mais", contou para mim a escritora V, anteriormente conhecida como Eve Ensler, rememorando o abuso sexual que sofreu do pai quando menina.[13]

Ele passa a ser uma paisagem de apreensão, traição, tristeza e crueldade. O último lugar em que você quer estar é dentro do próprio corpo. Então você começa a viver dentro da própria cabeça, começa a viver ali sem qualquer capacidade de proteger seu corpo, de conhecer seu corpo. Olha, eu tinha um tumor do tamanho de um abacate dentro de mim e não sabia... era esse o meu grau de separação de mim mesma.

Embora os detalhes do meu passado sejam radicalmente distintos dos de V, sei de que lugar ela está falando. Durante muitos anos, a pergunta mais difícil que se podia fazer para mim era: "O que você está sentindo?" Minha resposta habitual era um irritado "Como é que eu vou saber?". Eu não tinha esse problema quando me perguntavam o que eu estava pensando: sobre isso posso falar de cadeira. Não saber como ou o que você está sentindo, por sua vez, é um sinal certeiro de desconexão em relação ao corpo.

O que causa essa desconexão? No meu caso, a resposta nem precisa de especulação. Quando eu era bebê, na Hungria em guerra, tive que suportar a fome e a disenteria crônicas, situações de extremo desconforto e ameaçadoras e perturbadoras para pessoas adultas, quanto mais para uma criança de 1 ano. Também absorvi os terrores e o abalo emocional constante da minha mãe. Na ausência de alívio, a reação natural de uma pessoa jovem, na verdade sua única reação, é reprimir e se desconectar dos estados emocionais relacionados ao sofrimento. Ela passa a não conhecer mais o próprio corpo. Estranhamente, esse autoalheamento pode surgir mais tarde na vida na forma de uma aparente *força*, como minha capacidade de ter um desempenho de alto nível quando estou com fome, estressado ou cansado, seguindo em frente sem consciência de que preciso de uma pausa, comida ou descanso. Em algumas pessoas, a desconexão do próprio corpo pode também se manifestar como não saber quando parar de comer ou de beber: o sinal de "chega" não é transmitido.

Seja de que forma for, a desconexão é proeminente na experiência de vida de pessoas traumatizadas, e é um aspecto essencial da constelação do trauma. Como no caso de V, ela começa como um mecanismo de adaptação natural e obrigatório por parte do organismo. Ela não teria conseguido sobreviver aos horrores da sua infância se tivesse permanecido no momento presente e consciente, instante após instante, daquela experiência de tormento físico e emocional, absorvendo plenamente o que estava acontecendo. Assim, esses mecanismos de adaptação são como uma salvação, por assim dizer, que vêm resgatar nossa vida a curto prazo. Com o tempo, porém, se não forem cuidados, eles ficam gravados de modo indelével na psique e no soma (corpo), como reações condicionadas enrijecidas em mecanismos fixos que não são mais adequadas à situação. O resultado é um sofrimento crônico, e com frequência, como exploraremos a seguir, até mesmo alguma doença.

"O mais notável no meu encontro com o câncer", continuou contando V,

> foi que a jornada inteira de acordar depois de nove horas de cirurgia, tendo perdido vários órgãos e 70 nodos... eu acordei com bolsas, tubos, todo tipo de coisa saindo de mim, mas pela primeira vez na vida eu era um corpo... Doía, mas era também muito empolgante. Eu pensava: "Eu sou um corpo. Ai, meu Deus, eu estou aqui dentro. *Estou dentro deste corpo.*"

Seu relato de uma súbita sensação de estar em casa dentro do seu eu físico é emblemático de como funciona a cura: quando os grilhões do trauma começam a se soltar, voltamos com alegria a nos unir às partes separadas de nós mesmos.

## O TRAUMA NOS SEPARA DA NOSSA INTUIÇÃO

Para a pessoa comum em uma situação semelhante à que V passou na infância, o melhor conselho da natureza seria fugir ou lutar contra o uso indevido de seu corpo e a agressão à sua alma. Mas é aí que está o problema: nenhuma das duas alternativas está disponível para uma criança pequena, pois tentar qualquer uma delas seria se colocar em mais perigo ainda. Assim, a natureza recorre ao plano C: ambos os impulsos são suprimidos diminuindo as emoções que provocariam essas reações. Essa supressão poderia se assemelhar à reação de *congelamento* que as criaturas muitas vezes exibem quando tanto a *luta* quanto a *fuga* são impossíveis. A diferença crucial é a seguinte: quando o gavião vai embora, o gambá fica livre para seguir com a própria vida, pois sua estratégia de sobrevivência deu certo. Um sistema nervoso traumatizado, por sua vez, nunca consegue *des*congelar.

"Temos sentimentos porque eles nos dizem o que sustenta nossa sobrevivência e o que nos afasta dela", disse certa vez o falecido neurocientista Jaak Panksepp. As emoções, ressaltou ele, vêm não do cérebro pensante, mas de antigas estruturas cerebrais associadas à sobrevivência. Uma raiva intensa ativa a reação de lutar; um medo intenso mobiliza a fuga. Portanto, se as circunstâncias ditarem que esses impulsos naturais e saudáveis (de se defender ou de fugir) devem ser sufocados, seus gatilhos intuitivos, as emoções em si, também terão que ser suprimidos. Sem alarme não há mobilização. Se isso parece contraproducente, é só num sentido limitado: num nível existencial, essa é a opção "menos pior", já que é a única disponível capaz de reduzir o risco de mais danos.

O resultado é um sufocamento do mundo emocional da pessoa, e muitas vezes, para uma proteção suplementar, o enrijecimento da carapaça psíquica dela. Um exemplo vívido é dado pela autora Tara Westover em seu livro de memórias, o best-seller *Educated* (Educada). No trecho a seguir, ela recorda o impacto do abuso perpetrado por um irmão e propositalmente ignorado pelos pais:

> Eu me via como inquebrável, dura como pedra. No início apenas acreditava nisso, até que um dia isso se tornou a verdade. Então pude dizer a mim mesma, sem mentir, que aquilo não me afetava, que *ele* não me afetava porque nada me afetava. Eu não entendia quão morbidamente certa estava. Como tinha me esvaziado por dentro. De tanto ficar obcecada com as consequências daquela noite, eu tinha entendido errado a seguinte verdade crucial: que o fato de aquilo não ter me afetado *era* o seu efeito.[14]

## O TRAUMA LIMITA A FLEXIBILIDADE REATIVA

Um flashback para a trágica cena inicial de nosso capítulo, só que dessa vez situado num universo paralelo, no qual as impressões do meu trauma não me dominam: o avião pousa, e leio a mensagem de texto de Rae no celular. "Humm, não era o que eu esperava", penso. "Mas eu entendo: ela deve estar entretida pintando. Não há nada de novo aqui, nem nada de pessoal. Na verdade eu me solidarizo com ela: quantas vezes *eu mesmo* já não fiquei tão absorto no trabalho que nem vi o tempo passar? Tá, o jeito é pegar um táxi." Eu poderia muito bem notar alguns sentimentos de decepção, e nesse caso me permitiria senti-los até eles irem embora; efetivamente, estaria escolhendo a vulnerabilidade em vez da vitimização. Ao chegar em casa não haveria clima ruim, nem distanciamento emocional ou cara feia; talvez uma provocação gentil, mas tudo dentro dos limites do humor amoroso e com nossa afinidade intacta.

Eu teria exibido assim o que se denomina *flexibilidade reativa*: a capacidade de escolher como vamos reagir aos altos e baixos inevitáveis da vida, às suas decepções, triunfos e desafios. "A liberdade humana envolve nossa capacidade de fazer uma pausa entre o estímulo e a reação, e nessa pausa escolher a reação em direção à qual desejamos ir", escreveu o psicólogo Rollo May.[15] O trauma nos rouba essa liberdade.

A flexibilidade reativa é uma função da parte medial frontal do nosso córtex cerebral. Nenhum bebê nasce com essa capacidade: o comportamento dos bebês é dominado pelo instinto e pelo reflexo, não pela seleção consciente. A liberdade de escolha se desenvolve à medida que o cérebro se desenvolve. Quanto mais grave e mais precoce for o trauma, menos oportunidade a flexibilidade reativa tem de se codificar nos circuitos cerebrais adequados, e mais depressa ela fica prejudicada. A pessoa fica presa a reações defensivas previsíveis, automáticas, em especial aos estímulos de estresse. Emocional e cognitivamente, nossa amplitude de movimento fica quase petrificada, e quanto maior o trauma, mais rígidas as restrições. O passado sequestra e coopta repetidamente o presente.

## O TRAUMA GERA UMA VISÃO DE SI BASEADA NA VERGONHA

Uma das cartas mais tristes que já recebi foi de um morador de Seattle que tinha lido meu livro sobre dependência, *In the Realm of Hungry Ghosts* (No reino dos fantasmas famintos), no qual mostro que a dependência é um desfecho do trauma de infância, não o único possível, mas um prevalente. Depois de nove anos sóbrio, ele continuava com dificuldades na vida, não trabalhava havia uma década, e vinha recebendo tratamento para um transtorno obsessivo-compulsivo (TOC). Embora tivesse achado o livro fascinante, escreveu: "Eu resisto à vontade de culpar minha mãe. Sou um merda por minha causa mesmo." Tudo que pude fazer foi dar um suspiro: a vergonha e a autoagressão muitas vezes se disfarçam de responsabilidade pessoal. Além do mais, ele não tinha entendido: nada no meu livro culpava os pais ou recomendava fazê-lo; na verdade, passo várias páginas explicando por que culpar os pais é inadequado, inexato e pouco científico. O impulso daquele homem de proteger a mãe não era uma defesa contra nada que eu tivesse dito ou dado a entender, mas contra sua própria e não reconhecida raiva. Guardada no congelador e sem qualquer vazão sadia possível, a emoção tinha se voltado contra ele na forma de ódio por si mesmo.

"Contida na experiência da vergonha", escreve o psicólogo Gershen Kaufman, "está uma consciência aguda de nós mesmos como seres humanos fundamentalmente deficientes em algum aspecto vital."[16] Pessoas que carregam as cicatrizes do trauma desenvolvem, de modo quase uniforme, uma visão central de si mesmas baseada na vergonha, uma autopercepção negativa da qual a maioria tem plena consciência. Entre as consequências mais venenosas da vergonha está a perda de compaixão por si. Quanto mais severo o trauma, mais total essa perda é.

A visão negativa de si mesmo pode nem sempre penetrar a consciência, e pode até se disfarçar como seu oposto: a supervalorização de si. Para não sentir essa vergonha irritante, algumas pessoas se cercam de uma armadura de grandiosidade e negação de qualquer falha. Essa soberba, embora muito mais normalizada, é uma manifestação tão certeira de ódio por si mesmo quanto a mais abjeta autodepreciação. O fato de alguns indivíduos que escapam da vergonha adentrando um narcisismo desavergonhado poderem até conquistar grande status e sucesso social, econômico e político é uma das marcas da insanidade da nossa cultura. Nossa cultura joga na lama muitos dos traumatizados, mas pode também, dependendo da origem de classe, da condição econômica, da raça e de outras variáveis, alçar alguns deles às mais altas posições de poder.

A forma mais comum que a vergonha assume em nossa cultura é a crença de que "eu não sou suficiente". A escritora Elizabeth Wurtzel, morta de câncer de mama aos 52 anos em 2020, sofreu de depressão desde muito nova. Ela teve uma infância traumática, a começar por um segredo que lhe foi propositalmente escondido, acerca de quem tinha sido seu verdadeiro pai. "Eu era intensamente retraída", relatou ela num texto autobiográfico para a *New York Magazine*,

> e tinha uma depressão crônica que começou por volta dos 10 anos, mas em vez de matar minha força de vontade a depressão me motivou: pensei que, se conseguisse ser boa o bastante em qualquer tarefa que tivesse pela frente, fosse ela grande ou pequena, talvez conseguisse ter alguns minutos de felicidade.[17]

Essa convicção da própria inadequação já alimentou muitas carreiras brilhantes e instigou diversos casos de doença, muitas vezes as duas coisas no mesmo indivíduo.

## O TRAUMA DISTORCE NOSSA VISÃO DE MUNDO

"Tudo tem a mente no comando, a mente em primeiro plano, tudo é fabricado pela mente." Assim começa o *Dhammapada*, a coletânea atemporal de dizeres de Buda.[18] Dito de outra forma, o mundo no qual acreditamos se torna o mundo no qual vivemos. Se vejo o mundo como um lugar hostil em que só os vencedores prosperam, posso muito bem me tornar uma pessoa agressiva, egoísta e grandiosa para poder sobreviver nesse meio. Mais tarde na vida, irei gravitar para ambientes e empreitadas competitivas, que só farão confirmar essa visão e reforçar sua validade. Nossas crenças não só se autoconcretizam, mas também constroem o nosso mundo.

Eis o que Buda deixou de fora, se me permitem tal ousadia: antes de a mente poder criar o mundo, o mundo cria nossa mente. O trauma, em especial o trauma severo, impõe uma visão de mundo matizada de dor, medo e desconfiança; ele é uma lente que ao mesmo tempo distorce e determina nossa visão de como as coisas são. Ou então pode, pela pura força da negação, engendrar uma perspectiva ingenuamente cor-de-rosa que nos deixa cegos em relação aos perigos reais e presentes, um verniz a ocultar temores que não nos atrevemos a reconhecer. Também podemos passar a descartar realidades dolorosas mentindo com frequência para nós e para os outros.

## O TRAUMA NOS ALIENA DO PRESENTE

Certa vez, fui comer num restaurante de Oslo com o psicólogo alemão Franz Ruppert. O barulho era ensurdecedor: uma música pop saindo aos berros de vários alto-falantes, e vários canais de TV em volume altíssimo nas telas brilhantes afixadas bem alto nas paredes. Preciso pensar que quando o grande dramaturgo norueguês Henrik Ibsen costumava frequentar aquele mesmo estabelecimento, pouco mais de um século antes, o ambiente era muito mais sereno. "Por que isso tudo?", gritei para meu companheiro em meio à cacofonia, balançando a cabeça de tanta irritação. "É o trauma", respondeu ele, dando de ombros. Ruppert queria dizer apenas que as pessoas estavam buscando desesperadamente um jeito de fugir delas mesmas.

Se o trauma acarreta uma desconexão de si, faz sentido dizer que estamos sendo coletivamente inundados por influências que ao mesmo tempo exploram e reforçam o trauma. Pressões profissionais, multitarefas, redes sociais, notícias, múltiplas fontes de entretenimento: tudo isso nos leva a nos perder em pensamentos, atividades frenéticas, aparelhos ou conversas sem significado. Ficamos entretidos em atividades de todo tipo, que nos atraem não por serem necessárias, inspiradoras ou revigorantes, ou por enriquecerem ou darem significado à nossa vida, mas pelo simples fato de obliterarem o presente. Numa distorção absurda, economizamos para comprar os mais modernos aparelhos para "poupar tempo" de modo a poder "matar" melhor o tempo. A consciência do momento presente tornou-se algo a ser temido. A especialidade do capitalismo avançado é fomentar esse sentimento de medo em relação ao momento presente; na verdade, muito do seu sucesso depende de aumentar o abismo entre nós e nossa maior dádiva, o presente, e a cultura do consumo é destinada a preencher essa lacuna.

O que se perde é descrito muito bem pela escritora de origem polonesa[19] Eva Hoffman como

> *nada mais e nada menos do que a experiência da experiência em si*. É o que seria isso? Talvez algo como a capacidade de adentrar as texturas ou sensações do momento; de relaxar o suficiente para poder se entregar aos ritmos de um episódio ou de um encontro pessoal, de seguir o fio da

emoção ou do pensamento sem saber aonde ele conduz, ou de parar por tempo suficiente para refletir ou contemplar.[20]

Em última instância, somos distraídos da vida em si.

## NÃO COMEÇOU COM VOCÊ

Jessica, uma senhora de 67 anos que mora no interior da província da Colúmbia Britânica, cuida dos dois netos depois que o pai, seu filho, morreu de overdose. Seu outro filho teve o mesmo destino. Quando a entrevistei, me ocorreu que o simples fato de Jessica se dispor a falar comigo era notável, conhecendo minha opinião de que a dependência se origina no trauma de infância, com maior frequência na família de origem. "Quando volto e olho para a vida dos meus filhos, entendo que houve muito trauma", explicou ela. "Como eu morava com eles, eu fazia parte disso. Fui mãe solteira desde que eles tinham 3 e 2 anos até me casar de novo, quando eles tinham 6 e 7. Entendo que o modo como eu vivia, o que fazia, o que sabia e o que não sabia os afetou."

Depois que o pai biológico abandonou a família cedo, um padrasto abusou dos meninos tanto física quanto emocionalmente. "Eu me sentia muito sozinha, assustada, encurralada", relembrou Jessica. O fato de lhe faltar a intuição para não escolher homens assim e de ela não se impor e proteger os filhos contra o abuso era por sua vez marcas de um trauma de infância da própria Jessica. Além de ser castigada fisicamente pelo pai até os 10 anos com palmadas nas nádegas nuas, Jessica teve que suportar um tormento emocional. "Quando criança, eu tinha vergonha de vários dos meus sentimentos", relembrou ela. "Era muito sensível, chorava muito."

Em muitos casos, o trauma é multigeracional. A cadeia de transmissão passa de pai ou mãe para filhos, estendendo-se do passado até o futuro. O que não resolvemos dentro de nós é passado para nossos filhos. A casa torna-se um lugar no qual involuntariamente recriamos, como eu fiz, cenas reminiscentes daquelas que nos feriram quando éramos pequenos. "Traumas afetam mães e as formas de ser mãe, pais e as formas de ser pai, e as formas de ser marido e esposa", me disse o terapeuta de constelação familiar Mark Wolynn. "Os traumas repetidos seguem se proliferando a partir disso, como resultado de nunca serem curados." Wolynn é autor do adequadamente intitulado *It Didn't Start with You: How Inherited Family Trauma Shapes Who We Are and How to End the Cycle* (Não começou com você: como o trauma familiar herdado determina quem somos, e como pôr fim a esse ciclo). Como veremos, o trauma pode afetar até mesmo a atividade genética através das gerações.[21]

Não é surpresa, portanto, que o neto mais velho de Jessica tenha tido problemas com abuso de substâncias e dificuldades de aprendizado. Mas, graças a tudo que ela aprendeu, e apesar das perdas incomensuráveis, ela pode estar presente para ele de modo bem mais afetuoso e eficiente do que jamais esteve para os próprios filhos. Note também a ausência de autojulgamento em como Jessica descreve a situação: em vez de se recriminar pelo que não entendeu, ou melhor, pelo que não tinha como entender na época, ela fala em "compreensão". O ato de se culpar, com seu centro de gravidade firmemente plantado no passado, só a impediria de estar presente para seu neto no aqui e agora.

A culpa se torna um conceito inútil quando compreendemos como o sofrimento num sistema familiar ou mesmo numa comunidade remonta a gerações. "Reconhecer isso rapidamente dissipa qualquer tendência a ver pai ou mãe como vilões", escreveu John Bowlby, o psiquiatra britânico que mostrou a importância decisiva dos relacionamentos adulto-criança na formação da psique. Por mais que recuemos na cadeia de consequência – até os bisavós, os ancestrais pré-modernos, Adão e Eva ou a primeira ameba unicelular –, o dedo acusador não consegue encontrar um alvo fixo. Isso deveria constituir um alívio.

As notícias ficam melhores ainda: ver o trauma como uma dinâmica interna nos proporciona uma oportuna capacidade de agir. Se tratamos o trauma como um acontecimento externo, algo que ocorre *com a gente* ou à nossa volta, ele se torna um pedaço da história que nunca conseguimos desalojar. Se, por outro lado, o trauma é o que aconteceu *dentro* de nós como resultado desse ocorrido, no sentido de uma ferida ou de uma desconexão, aí a cura e a reconexão se tornam possibilidades tangíveis. Tentar manter afastada a consciência do trauma atrapalha nossa capacidade de nos conhecer. Por outro lado, usá-la para forjar uma identidade rígida, na qual a atitude seja de confronto, cinismo ou autocomiseração, é deixar passar tanto o objetivo quanto a oportunidade da cura, já que por definição o trauma representa uma distorção e uma limitação de quem nascemos para ser. Encará-lo, sem negá-lo nem se identificar excessivamente com ele, é um portal para a saúde e o equilíbrio.

"São essas adversidades que abrem sua mente e sua curiosidade de ver se existem novas formas de fazer as coisas", me disse Bessel van der Kolk. Ele então citou Sócrates: "Uma vida sem exame não vale a pena ser vivida. Enquanto não se examina, a pessoa permanece completamente à mercê do que quer que esteja programada para fazer, mas uma vez que perceba que tem escolhas ela pode exercitá-las." Repare que ele não disse "uma vez que a pessoa faça décadas de terapia". Como irei apresentar mais adiante, podemos acessar a liberação até mesmo por meio de um modesto autoexame: uma disposição para questionar "muitas das verdades às quais nos agarramos", e o "determinado ponto de vista" que as faz parecer tão reais, como disse o fantasma de um célebre mestre *jedi* ao seu jovem aprendiz num momento decisivo numa galáxia muito, muito distante.[22]

Embora este capítulo tenha focado as dimensões pessoais do trauma, ele também existe na esfera coletiva, e afeta nações e povos inteiros em diferentes momentos da história. Até hoje ele atinge com força desproporcional determinados grupos, como os povos originários do Canadá, por exemplo. A privação e a perseguição multigeracional que eles sofreram nas mãos do colonialismo, e sobretudo a agonia de cem anos de seus filhos, raptados das famílias e criados em colégios internos administrados pela Igreja, onde os abusos físicos, sexuais e emocionais eram constantes, deixou-lhes um trágico legado de dependência química, doenças mentais e físicas, suicídio e a transmissão continuada do trauma para novas gerações. O legado traumático da escravidão e do racismo nos Estados Unidos é outro exemplo notável. Terei mais a dizer sobre esse doloroso tema na parte 4.

# 2
# Viver num mundo imaterial: emoções, saúde e a unidade corpo-mente

*A menos que se possa medir algo, a ciência não vai reconhecer sua existência, motivo pelo qual se recusa a lidar com "não coisas", tais como as emoções, a mente, a alma ou o espírito.*

– CANDACE PERT, *Molecules of Emotion*

"Eu estava com 36 anos quando me disseram que eu tinha um câncer de mama em fase muito inicial", disse Caroline, moradora das Montanhas Pocono na Pensilvânia. Esse diagnóstico foi em 1988, mais de três décadas atrás. O tumor foi tratado com cirurgia e radiação. Poucos anos depois, quando um novo tumor maligno surgiu no quadril esquerdo e no fêmur, Caroline teve que fazer uma cirurgia de emergência para pôr uma prótese na articulação; os médicos também tiveram que retirar uma parte grande do osso da coxa dela. "Na época, me deram uma previsão de um ou dois anos de vida", relembra ela. "Meus filhos eram bem novos, tinham só 8 e 9 anos. Acabei de fazer 56, então bati todos os recordes deles."

Caroline fez várias rodadas de quimioterapia ao longo dos anos seguintes. Na época da nossa conversa, o câncer tinha chegado ao estágio paliativo após se espalhar para o quadril e a coxa direita. Quando falamos, ela não tinha esperança de ultrapassar muito seu prognóstico da época;[1] mesmo assim, aquela mãe de dois filhos irradiava uma profunda satisfação com o modo como as coisas tinham corrido. Ela havia, afinal, ganhado duas décadas imprevistas para criar os filhos. "Ter visto de frente minha própria mortalidade, sabe", filosofou ela, "e eles me dizendo que eu tinha de 12 a 24 meses… Fui extremamente desbocada com o médico e falei: olha aqui, foi mal, mas preciso de 10 anos para criar meus filhos até eles virarem homens. Vou fazer qualquer coisa que estiver ao meu alcance para criá-los."

"'Desbocada'", repeti. "O que você disse, exatamente?"

"Eu falei um palavrão. 'Que se fodam as suas estatísticas!'"

"Muito bem", retruquei. "Isso deve ter ajudado a prolongar sua vida."

"Bom, foi isso que eu disse ao médico." Caroline riu.

Eu disse: "Que se fodam as suas estatísticas!" Ele saiu da sala. Não gostou nadinha do meu palavreado. Me achou uma mulher maluca, vulgar. Já quis muitas vezes procurar esse médico, que de lá para cá se mudou para a Califórnia, e dizer a ele que os meus meninos hoje têm 24 e 25 anos. Um está fazendo pós-graduação em Princeton. O outro passou por um período complicado, conseguiu se reerguer, e vai se formar com três diplomas e menção honrosa.

O rompante de Caroline que pegou seu médico desprevenido não era típico dela. Durante toda a vida, ela havia se encaixado no perfil da pessoa simpática que evita confrontos. "Meu papel sempre foi o de cuidadora, de ser necessária, de estar sempre a postos para socorrer alguém, várias vezes em detrimento de mim mesma", contou ela. "Nunca queria ter conflito com ninguém. E queria sempre estar no comando, me certificando de que tudo estivesse bem." Caroline exibia o que já foi chamado de "autossuficiência superautônoma",[2] que significa exatamente o que parece significar: uma aversão exagerada e desproporcional a pedir qualquer coisa a qualquer um.

Um lembrete rápido: ninguém nasce com esses traços. Eles são invariavelmente causados por reações adaptativas a traumas do desenvolvimento, a começar pela abnegação na primeira infância. Tal supressão tem um custo duradouro, processo que exploraremos de modo mais completo no capítulo 7.

"Passei a acreditar que praticamente toda doença, se não tiver uma origem psicossomática, tem certamente um componente psicossomático", escreveu a pioneira da neurociência Candace Pert no livro *Molecules of*

*Emotion* (Moléculas de emoção), de 1997. Ao dizer "psicossomático", Pert não estava se referindo à minimização moderna e muitas vezes irônica da doença como uma ilusão neurótica. Ela estava usando a conotação estrita e científica da palavra: algo relacionado à integração da *psique* humana (mente e espírito) com o *soma* (corpo), unidade que muito se esforçou para medir e registrar em seu laboratório. Suas descobertas, como ela muito justamente reivindicava, ajudariam a fundamentar "uma síntese entre comportamento, psicologia e biologia".[3]

Não há nada novo no conceito de mente e corpo estarem intrinsecamente ligados; pelo contrário, a novidade é a crença, tacitamente mantida e abertamente praticada por muitos médicos bem-intencionados, de que é possível separá-los. Práticas de cura tradicionais mundo afora, embora não tenham a espetacular tecnologia e o conhecimento científico desenvolvidos no Ocidente, compreendem de forma implícita essa unidade há muito tempo. Apesar de a medicina ocidental ter separado artificialmente os dois, a maioria das pessoas ainda sabe, mesmo que num nível apenas intuitivo, que o que pensam e como se sentem tem tudo a ver entre si. É inteiramente normal, por exemplo, especular sobre quais estresses da vida contribuíram para a úlcera de alguém, que pressão mental está por trás de uma dor de cabeça, ou que medos não processados levam alguém a sofrer ataques de pânico. O mesmo princípio se aplica quando consideramos não apenas sintomas individuais, mas a maioria dos tipos de doenças. Perturbações emocionais advindas de problemas de relacionamento, preocupações financeiras ou qualquer outra fonte de aborrecimento crônico impõem cargas fisiológicas que podem resultar em doenças.

Pert cunhou o termo "corpomente" (*bodymind*) para descrever essa unidade. O site oficial dedicado ao trabalho e ao legado dela tem o cuidado de observar que essa expressão foi "escrita intencionalmente sem hífen *de modo a enfatizar a unidade das partes que a compõem*". Corpo e mente, embora não sejam idênticos, não têm como ser compreendidos separadamente. Podemos ignorar ou negar esse paradoxo, mas não temos como escapar dele. Desde o trabalho pioneiro de Pert, os impactos biológicos das emoções, essas "não coisas" cujo não reconhecimento ela lamentava, foram extensamente estudados e documentados em milhares e milhares de engenhosos estudos. Vale a pena examinar alguns deles, tendo sempre em mente que cada um é apenas a ponta de um iceberg de achados igualmente fascinantes.

Um estudo alemão de 1982, apresentado no IV Simpósio Anual de Prevenção e Detecção de Câncer, em Londres, constatou que determinados traços de personalidade têm uma forte associação com o câncer de mama. Cinquenta e seis mulheres internadas no hospital para biópsia tiveram avaliadas características como supressão emocional, racionalização, comportamento altruísta, evitação de conflitos e a autossuficiência superautônoma que vimos personificada em Caroline. Com base apenas nos resultados das entrevistas, tanto os entrevistadores quanto classificadores "cegos" sem contato direto com as mulheres puderam prever o diagnóstico correto em até 94% de todas as pacientes de câncer, e em cerca de 70% dos casos benignos.[4] Num estudo britânico anterior, realizado no hospital do King's College, em Londres, também foi demonstrado que mulheres com nódulos cancerígenos nos seios apresentavam caracteristicamente "supressão extrema da raiva e de outras emoções" numa "proporção significativamente mais elevada" do que o grupo de controle, formado por mulheres internadas para biópsias ao mesmo tempo que as outras, mas que se havia constatado apresentarem tumores benignos nas mamas.[5]

Em 2000, a publicação *Cancer Nursing* examinou a relação entre repressão da raiva e câncer, muitas vezes observada, entre outros, pelos próprios enfermeiros de oncologia: "Por algum motivo, as enfermeiras e os enfermeiros tinham uma compreensão intuitiva de que essa 'gentileza' era nociva. Essa visão está agora sendo comprovada pelas pesquisas."[6] A percepção dos enfermeiros me fez pensar num artigo sobre esclerose lateral amiotrófica (ELA)[7] apresentado por dois neurologistas da Cleveland Clinic na década de 1990 num congresso internacional na Baviera.[8] Os funcionários da clínica também achavam que seus pacientes de ELA eram extraordinariamente gentis, tanto que podiam na maioria dos casos prever com precisão quem seria diagnosticado com a doença e quem não. "Infelizmente acho que essa pessoa tem ELA, ela é gentil demais", anotavam eles no prontuário do paciente. Ou: "Essa pessoa não pode ter ELA, não é gentil o bastante." Os neurologistas ficaram pasmos. "Apesar da brevidade do contato dos funcionários com os pacientes, e do método obviamente não científico por meio do qual formavam suas opiniões, estas quase invariavelmente se revelavam corretas", observaram eles.

Entrevistei Asa J. Wilbourn, principal autor do artigo. "É quase universal", disse ele. "Isso se torna um senso comum no laboratório quando se avalia uma grande quantidade de pacientes com ELA, e processamos um número imenso de casos. Acho que qualquer um que lide com a ELA sabe que esse é um fenômeno real." Essas observações empíricas foram desde então reafirmadas por pesquisas mais formais, como se vê no título de um artigo recente num periódico de neurologia: "'Pacientes com esclerose lateral amiotrófica (ELA) são em geral pessoas gentis': como os médicos experientes em ELA veem as características de personalidade de seus pacientes."[9]

Num estudo com homens afetados pelo câncer de próstata, a supressão da raiva estava associada a uma diminuição da efetividade das células NK (de *natural killer*), uma defesa de primeira linha do sistema imunológico contra doenças e invasores estranhos. Essas células têm um papel-chave na resistência a tumores.[10] Em pesquisas anteriores, a atividade das células NK se reduzia em pessoas jovens e saudáveis em reação até mesmo a estresses relativamente sem importância, em especial para as que estivessem emocionalmente isoladas, uma fonte significativa de estresse crônico.

A tristeza também tem uma dimensão fisiológica profunda. Um esclarecedor estudo do periódico britânico *The Lancet Oncology* descreveu o impacto de fatores fisiológicos nos intrincados caminhos que interligam o sistema imunológico, o endócrino e o nervoso em situações de luto, por exemplo. Entre pais que perderam um filho adulto num acidente ou conflito militar, os autores relatavam uma ocorrência maior de tumores linfático e hematológico – cânceres do sangue, da medula e dos linfonodos – além de câncer de pele e de pulmão.[11] A guerra mata, e pelo visto uma perda emocional profunda também pode matar. O mesmo que vale para o câncer vale para outras doenças. Num estudo nacional na Dinamarca, pais enlutados tinham o dobro de risco de desenvolverem esclerose múltipla.[12]

(Apesar de indícios tão reveladores, não creio que a perda de alguém querido, por mais trágica que seja, represente por si só um risco de saúde. Acredito que essa correlação depende de como as pessoas conseguem processar sua perda, inclusive de quais apoios podem solicitar e receber. Não são só os acontecimentos em si, mas também nossas reações emocionais e a forma como as processamos que afetam nossa fisiologia.)

Um estudo de 2019 no periódico *Cancer Research* deveria bastar para fazer todo médico começar depressa a explorar a medicina "corpomente". Constatou-se que mulheres com transtorno de estresse pós-traumático (TEPT) grave têm duas vezes mais risco de desenvolver câncer de ovário em comparação a mulheres que não foram expostas ao trauma.[13] O *Daily Gazette*, publicado pela Universidade Harvard, onde o estudo foi feito, noticiou:

> Os achados indicam que ter níveis mais elevados de sintomas de TEPT, como assustar-se facilmente com barulhos comuns ou evitar coisas que possam lembrar a experiência traumática, pode estar associado a riscos aumentados de câncer de ovário mesmo décadas depois de as mulheres passarem por um acontecimento traumático.

Quanto mais severos os sintomas de trauma, mais agressivo se revelava o câncer.

Esse estudo de Harvard forneceu outros indícios impressionantes de que os estresses emocionais são inseparáveis dos estados físicos do corpo, tanto na doença quanto na saúde. Em trabalhos anteriores, a depressão já foi associada a um risco maior de câncer de ovário. O impacto do estresse também foi estudado: entre ratas de laboratório que tiveram células de câncer de ovário injetadas em sua cavidade abdominal, aquelas submetidas a estresses emocionais, como serem fisicamente confinadas ou isoladas, tinham uma incidência muito maior de crescimento e disseminação de tumores do que aquelas abrigadas em condições de sociabilidade e que não fossem confinadas.[14] Os cientistas de Harvard teorizaram que o estresse pode "favorecer o desenvolvimento de câncer de ovário inibindo defesas importantes contra a proliferação desenfreada de células". Em outras palavras, o estresse pode prejudicar a capacidade do nosso sistema imunológico de controlar e eliminar doenças.

Essas implicações se estendem muito além do TEPT, uma vez que na nossa cultura o estresse e o trauma afetam muitas pessoas que não se qualificam para tal diagnóstico. Pesquisadores finlandeses, publicados no *British Journal of Psychiatry* em 2005, constataram, de modo impressionante, que pessoas passando por "acontecimentos de vida" – estresses e perdas emocionais relativamente comuns, como questões de relacionamento ou problemas profissionais que não as qualificassem para um diagnóstico formal – apresentavam mais sintomas semelhantes ao TEPT, como sonhos ruins ou anestesia emocional, do que pessoas mais obviamente traumatizadas que tivessem passado por alguma guerra ou tragédia.[15]

O artigo de Harvard sobre câncer de ovário apontava algumas possibilidades promissoras de tratamento, sugerindo que mulheres cujos sintomas de TEPT houvessem se atenuado, talvez devido a uma psicoterapia eficaz, tinham menos risco de desenvolver tumores malignos do que mulheres com sintomas ativos. É animador pensar nos potenciais preventivos e curativos, bem como nas implicações sociais, de uma perspectiva de bem-estar que trate as emoções como as "coisas" reais e relevantes que são.

Embora tudo isso seja oportuno, e os dados científicos venham de produção recente, os princípios não são novidade. Numa palestra dada em 1939 para uma turma de formandos em medicina, publicada no *Journal of the American Medical Association* (*JAMA*), Soma Weiss informou à plateia que "os fatores sociais e psíquicos têm um papel em todas as doenças, *mas em muitos distúrbios eles constituem influências dominantes*".[16] O celebrado médico húngaro-americano acrescentou que "os fatores mentais representam uma força tão ativa no tratamento dos pacientes quanto os agentes químicos e físicos". Ele fez esses comentários não como um teórico da psicanálise, mas como respeitado profissional clínico de fisiopatologia e farmacoterapia, o uso de remédios para tratar doenças. Na Escola de Medicina de Harvard, a lembrança de Weiss é mantida com um dia de pesquisa anual em sua homenagem, mas seu ponto de vista integrativo e a extensa literatura que hoje o ampara ainda escapam ao pensamento médico convencional. "Essa conversa de mente-corpo é, historicamente, um interesse que acarreta um grande risco para uma carreira em Harvard", disse-me recentemente um importante médico e acadêmico da tradicional instituição. "Isso está começando a mudar, mas é algo muito difícil."[17]

Difícil, de fato. Quando dou palestras, com frequência peço a integrantes da plateia que levantem a mão se, nos últimos cinco anos, tiverem consultado um neurologista, cardiologista, pneumologista, reumatologista, gastroenterologista, dermatologista ou imunologista – "qualquer tipo de *ologista*", digo. Muitas mãos se levantam. "Agora mantenham as mãos levantadas", continuo, "se esses especialistas tiverem feito perguntas sobre seus estresses ou traumas de infância, sobre o seu relacionamento com seus pais, sobre a qualidade dos seus relacionamentos atuais, sobre seu nível de solidão ou de sociabilidade, sobre sua satisfação profissional e seu modo de se relacionar com o trabalho, sobre o que você acha do seu chefe ou como ele trata você, sobre sua experiência com a alegria ou a raiva, sobre qualquer estresse atual, ou sobre como você se sente em relação a si mesmo como pessoa." Numa sala lotada por centenas de pessoas, a quantidade de mãos que continuaram erguidas na maioria das vezes podia ser contada nos dedos de uma só mão. "Entretanto", acrescento, "essas perguntas não feitas tiveram tudo a ver com o motivo que fez a maioria de vocês ter ido buscar ajuda médica."

Apesar disso, um panorama mais claro está surgindo à medida que as pesquisas modernas confirmam o saber tradicional. Uma ciência (relativamente) nova, a psiconeuroimunologia, mapeia as inúmeras rotas da unidade corpo-mente; sua área de estudo inclui as conexões entre as emoções e nosso sistema nervoso e imunológico, e como o estresse pode provocar doenças. Até mesmo *conexão* é uma palavra enganosa: apenas entidades distintas uma da outra podem estar conectadas, enquanto a realidade só conhece a unidade. Às vezes denominada de modo ainda mais difícil de pronunciar – psiconeuroimunoendocrinologia –, essa nova disciplina está fundamentada na unidade entre *todas* as partes que nos constituem: mente, cérebro, sistemas nervoso e imunológico, e o aparato hormonal (essa é a parte "endócrina"). As partes podem ser estudadas em separado, mas não temos como entender plenamente nenhuma delas sem captar o cenário todo. Desde o córtex cerebral até os núcleos emocionais do cérebro e o sistema nervoso autônomo, desde o aspecto sólido ou fluido do aparato imune até os órgãos e as secreções hormonais, do sistema de resposta ao estresse às vísceras... é tudo uma coisa só.

O fato de a evolução ter nos equipado com instintos, emoções, comportamentos complexos e órgãos e sistemas individualizados não diminui, em qualquer grau que seja, essa unidade. Por mais sofisticada que possa ser nossa mente, o fato de o seu conteúdo básico – aquilo que pensamos, aquilo em que acreditamos de forma consciente ou não, ou aquilo que somos proibidos de sentir – ter um efeito poderoso em nosso corpo, para o bem ou para o mal, permanece. Por outro lado, o que nosso corpo vivencia da concepção em diante não tem como não afetar o modo como pensamos, sentimos, percebemos e nos comportamos. Isso, muito resumidamente, é a lição central da psiconeuroimunologia.

Um exemplo fascinante é o vínculo comprovado entre o centro do medo no cérebro, a amígdala, e as doenças cardiovasculares. Quanto mais estresse uma pessoa percebe ou vivencia, mais alta a atividade basal da amígdala e maior o risco de problemas no coração. O caminho desde a ativação da amígdala até os problemas cardíacos passa por uma atividade maior da medula e pela inflamação arterial.[18] O estresse emocional também afeta o coração de modo mais geral. Em 2012, um estudo da Escola de Medicina de Harvard mostrou que mulheres submetidas a grande pressão no trabalho têm 67% mais chances de infartar do que mulheres com trabalhos menos estressantes.[19] No mesmo ano, um estudo canadense da Universidade de Toronto constatou que homens que sofreram abuso sexual na infância tinham uma taxa de infarto três vezes maior.[20] A pressuposição natural dos pesquisadores foi de que os homens abusados estariam mais propensos a comportamentos de alto risco, como tabagismo e consumo de bebida alcoólica, o que explicaria sua taxa mais alta de infarto. Para surpresa da equipe, os impactos do abuso eram mais diretos e bastante independentes de fatores comportamentais.

## A MÁQUINA DO ESTRESSE

Compreender o estresse e seus mecanismos pode nos ajudar a entender melhor como a unidade "corpomente" funciona em tempo real e em tecidos de verdade.

Assim como a reação à dor, o estresse é uma função de sobrevivência obrigatória para qualquer ser vivo. Quando ativado, nosso aparato de estresse nos possibilita imediatamente enfrentar ou fugir de ameaças à nossa existência ou à existência e ao bem-estar daqueles que amamos. Ele é um impressionante acontecimento do corpo inteiro, que envolve quase todos os órgãos e sistemas.

O estresse pode surgir em dois formatos: uma reação imediata a uma ameaça, ou um estado prolongado induzido por pressões externas ou fatores emocionais internos. Enquanto o *estresse agudo* é uma reação necessária, que ajuda a manter nossa integridade física e mental, o *estresse crônico*, contínuo e sem trégua, mina ambas. A raiva situacional, por exemplo, é uma situação de estresse agudo sendo canalizada com um propósito positivo: pense numa situação de autodefesa ou de estabelecer limites pessoais. Ele nos torna mentalmente mais alertas, mais rápidos e mais fortes. A raiva crônica, por sua vez, inunda o sistema com hormônios do estresse bem depois de transcorrido o tempo regulamentar. A longo prazo, esse excedente hormonal, independentemente do que o tenha instigado, pode:

- causar ansiedade ou depressão;
- suprimir a imunidade;
- promover inflamação;
- estreitar os vasos sanguíneos, favorecendo a doença cardiovascular no corpo inteiro;
- incentivar o crescimento de cânceres;
- afinar os ossos;
- criar resistência à insulina, induzindo diabetes;
- contribuir para a obesidade abdominal, elevando o risco de problemas cardiovasculares e metabólicos;
- prejudicar circuitos cognitivos e emocionais essenciais no cérebro;
- elevar a pressão arterial e aumentar os coágulos no sangue, aumentando o risco de infarto ou AVC.

O eixo do nosso corpo que lida com o estresse de modo fluido e econômico é denominado "eixo HPA". Essa sigla em inglês descreve os caminhos e circuitos que ligam o *hipotálamo* – a pequena e crucial área central do nosso cérebro, cujo papel é manter nosso corpo num estado saudável e equilibrado – à glândula *pituitária* ou *hipófise*, situada na parte superior do tronco cerebral, e às glândulas *adrenais* ou *suprarrenais*, que ficam acima dos rins. Pense num corredor de transporte movimentado interligando três grandes centros urbanos, cheios de rampas de acesso, saídas e trevos, e você começará a ter uma ideia.

Embora nossa espécie consiga sobreviver num leque amplo de ambientes *externos*, bem maior do que quase qualquer outro animal, nosso ambiente *interno* precisa estar dentro de uma margem relativamente estreita de estados fisiológicos. A temperatura corporal, o pH do sangue, a pressão arterial e a frequência cardíaca, entre muitas outras métricas corporais, são obrigados pela natureza, sob risco de morte, a permanecer dentro de limites definidos e não negociáveis.

O renomado pesquisador americano do estresse Bruce McEwen[21] popularizou a palavra "alostase" para designar a tentativa do corpo de manter um equilíbrio interno diante de circunstâncias instáveis. A palavra combina os gregos *állos*, "variável", e *stásis*, "estase" ou "paralisação"; juntas, elas produzem algo como "permanecer estático em meio à mudança". Não podemos prescindir disso, e nosso corpo fará um grande esforço para manter esse estado, a ponto de causar desgaste a longo prazo se os estresses não cederem. Esse desgaste nos mecanismos regulatórios do corpo, que McEwen chama de "carga alostática", causa uma liberação excessiva e prolongada dos hormônios do estresse adrenalina e cortisol, tensão nervosa, disfunção imune e, em muitos casos, exaustão do próprio aparato do estresse.

Hoje sabemos que a infraestrutura do eixo HPA é estabelecida cedo na vida, começando no útero e prolongando-se pelos primeiros anos da infância. Estresses ou abusos durante esse período delicado podem distorcer para a vida inteira o aparato estresse-hormonal. Repetidamente, vemos supostas "não coisas" sem importância, como as emoções, tendo um impacto material claro e decisivo.

Reduzir o estresse onde possível, acessar as emoções, sejam elas abertas ou reprimidas, e cuidar de nosso bem-estar psíquico pode ter efeitos profundos na saúde física: isso é intuitivamente óbvio para muita gente. No entanto, apesar de toda a sua impressionante perícia fisiológica e técnica, os médicos de modo geral não são apresentados na sua formação aos antigos conhecimentos e aos novos dados científicos da unidade "corpomente". Os profissionais da medicina com frequência pouco fazem para incentivar, podendo até desencorajar, as pessoas a confiarem nos próprios palpites, que tendem a sintetizar sinais tanto da mente quanto do corpo.

## LEMBRANÇAS EM CHAMAS: A HISTÓRIA DE GLENDA

Foi este o caso de Glenda, uma moradora de Montreal hoje com 58 anos que, três décadas atrás, teve partes do intestino removidas devido à doença de Crohn grave, uma doença inflamatória ulcerativa do intestino que causa muita dor. Em 2010, Glenda recebeu más notícias ao ser diagnosticada com um câncer de mama agressivo em estágio dois. Foi durante a jornada de cura desse câncer que ela recuperou lembranças reprimidas de ter sido estuprada quando menina. "Por meio da escrita de um diário e dos sonhos que tive", contou ela, "lembranças inconscientes da minha infância começaram a vir à tona, acompanhadas por sensações de puro pânico e terror."

Com medo de saber a verdade, ela tentou manter as lembranças afastadas, mas elas não a deixaram em paz. "Toda vez que vinham à tona", prosseguiu ela, "as lembranças do trauma eram acompanhadas por sensações emotivas muito viscerais e por sintomas físicos digestivos que incluíam indigestão, enjoo e dores na barriga."

Essas lembranças revirariam o estômago até mesmo de um observador externo que as escutasse. Aos 8 anos, Glenda e uma amiguinha menor sofreram um estupro coletivo praticado por quatro adolescentes do bairro. Quem as socorreu foi a mãe de Glenda, que levou a filha correndo para dentro de casa, segundo ela, "e me pôs direto na banheira. Ela me disse que nunca contaríamos a ninguém tudo aquilo nem tocaríamos mais no assunto. Disse que aquele sempre seria 'o nosso segredinho' e me botou na cama".

Ao retornarem quando Glenda estava com 53 anos, essas lembranças surgiram como "uma imagem intensa e nítida" dela menina dentro da banheira, com a mãe agachada no chão ao seu lado "tentando lavar o estupro". Perguntei a Glenda se ela tinha algum indício independente dessas memórias resgatadas. Ela fez que sim com a cabeça.

> Minha irmã mais velha se lembra de ter chegado a entrar no banheiro nesse dia. Ao chegar em casa e ouvir minha mãe aos prantos, ela foi e abriu a porta. Eu estava de costas para ela; minha irmã perguntou: "O que houve com a Glenda?" Minha mãe respondeu: "Nada, ela vai ficar bem. Sai daqui." [Minha irmã] me disse que eu estava toda despenteada (minha mãe nunca nos deixava sair despenteadas) e que o meu corpo inteiro tremia.

Como se essa cena já não fosse intensa o bastante, a compreensão intuitiva de Glenda, que agora ia se tornando consciente depois de uma vida inteira submersa para se proteger, produziu uma camada visual suplementar. "Assim que recuperei a lembrança de estar no banheiro", disse ela,

> vi meu corpo e eu estava transparente… vi meu sistema digestivo inteiro, da boca até o reto. Meu sistema digestivo inteiro estava tomado por erupções vermelhas. Uma lava flamejante e quente escorria, alimentando ainda mais o fogo. Eu estava simplesmente em chamas, e para mim

isso foi um guia me dizendo que aquelas duas coisas estavam ligadas, o estupro e a doença de Crohn.

Não é preciso um psicanalista nem um professor de poesia para ver na imagem do fogo "abrasador" uma potente analogia da raiva e da dor que Glenda teve que enterrar no mais profundo dela mesma, dada a total incapacidade da mãe de ampará-la emocionalmente.

A "imagem" de Glenda não é adequada apenas do ponto de vista metafórico, mas do científico também. Para citar apenas um questionário de pesquisa em meio a uma profusão que não para de aumentar, existem

> fortes indícios de que acontecimentos traumáticos na infância têm impacto significativo no sistema imunológico inflamatório [...] proporcionando uma rota molecular potencial por meio da qual um trauma precoce confere vulnerabilidade ao desenvolvimento de transtornos psiquiátricos e físicos mais tarde na vida.[22]

Nenhum dos muitos médicos de Glenda, nem mesmo seu psiquiatra – "todo ciência e medicina", segundo seu relato – perguntaram sequer uma vez sobre os possíveis antecedentes de suas perturbações psíquicas na infância.

Candace Pert imaginou a mente como algo que envolvia o fluxo inconsciente de informações "entre as células, órgãos e sistemas do corpo [...] que ocorrem abaixo do nível da consciência". Assim, afirmou ela, "a mente tal como a vivenciamos é imaterial, mas tem um substrato físico que é ao mesmo tempo o corpo e o cérebro". Ao dizer "imaterial", ela não estava empregando a palavra em seu sentido usual, insignificante ou irrelevante, mas pelo contrário: queria dizer que a mente, ao contrário do cérebro, não é uma coisa material; não podemos segurá-la, colocá-la dentro de um tubo de ensaio ou sobre uma placa de Petri, ou mesmo "vê-la" diretamente. Seus impactos e suas consequências, porém, são, sim, materiais.

A oportunidade que temos hoje é de criar uma abordagem de atendimento de saúde multivalente, que leve em conta o impacto das "não coisas" nos corpos "coisificados" em que nos tornamos especialistas tão maravilhosos. A mente "imaterial" e seu "substrato físico", o cérebro e o corpo, realizam uma dança sem fim, ao mesmo tempo íntima e complexa.

Ao olhar mais de perto, vemos que essa coreografia de *psique* e *soma* envolve bem mais de dois "parceiros" contidos numa mesma pessoa: existe também um componente *interpessoal* vital e subvalorizado. Afinal, mente e corpo existem de modo inequívoco no contexto dos relacionamentos, nas situações sociais, na história e na cultura. Se quisermos uma visão clara e precisa da saúde humana, teremos que ampliar nosso conceito de "corpo-mente" para incluir nele os inúmeros papéis que *outras* mentes e *outros* corpos desempenham na formação de nosso bem-estar, e de fato ampliarmos nosso próprio conceito de nós mesmos. A verdade é que a unidade vai muito além do indivíduo sozinho.

# 3
# Você me vira a cabeça: nossa biologia altamente interpessoal

*Pois cada átomo que há em mim também habita você.*

– WALT WHITMAN, "Canção de mim mesmo", *Folhas de relva*

*"All my relations"*. Todas as minhas relações. Já escutei esse cumprimento muitas vezes ao visitar comunidades originárias no Canadá. É nesses lugares que o meu país vergonhosamente observa suas mais altas taxas de doença física e mental, dependência química e morte prematura, situação trágica análoga à das igualmente colonizadas populações autóctones dos Estados Unidos e da Austrália. A expressão, conforme a entendo, refere-se ao vínculo multidimensional do indivíduo com o mundo inteiro, o que inclui pessoas – de parentes próximos a desconhecidos, de pessoas vivas a antepassados que viveram muito tempo antes – e também pedras, plantas, a terra, o céu e todas as criaturas. As culturas ancestrais já entenderam há muito tempo que existimos em relação a isso tudo, que somos afetados por tudo e que tudo afetamos.

No escrito hindu Bhagavad Gita, o divino avatar Krishna declara: "Sábios aqueles que se veem em todos e todos em si." O clérigo anglicano e poeta seiscentista John Donne cunhou a célebre reflexão: "Nenhum homem é uma ilha, inteiro por si só." Talvez não por acaso, ele compôs isso durante um período de doença e convalescença. Walt Whitman, que escreveu nos Estados Unidos de meados do século XIX, poderia ter tirado o verso da epígrafe deste capítulo da física quântica atual.

E então temos Gautama, nascido 2.500 anos atrás. "Contemple a natureza da cocriação interdependente a cada instante", disse Buda.

> Quando olhar para uma folha ou uma gota de chuva, medite sobre as condições, próximas e distantes, que contribuíram para a presença dessa folha ou gota de chuva. Saiba que o mundo é uma trama de fios interconectados. Isto é porque aquilo é. Isto não é porque aquilo não é. Isto nasce porque aquilo nasce. Isto morre porque aquilo morre.

A folha, conforme Buda deu a entender, é ao mesmo tempo uma entidade em si, uma coisa, e um *processo* que deriva do sol, do céu e da terra: luz, fotossíntese, chuva, matéria orgânica e minerais, e talvez até a atividade humana e animal. "O um contém os muitos, e os muitos contêm o um. Sem o um não pode haver os muitos. Sem os muitos não pode haver o um." Esses não são apenas ensinamentos de sabedoria esotérica: eles descrevem com exatidão o universo físico e orgânico, saúde e patologia incluídas. De fato, Friedrich Nietzsche certa vez se referiu a Buda como "o mais profundo dos fisiologistas".

O pioneiro clínico geral e psiquiatra americano George Engel afirmou, quase meio século atrás, que a "falha incapacitante" da medicina moderna é "não incluir o paciente e seus atributos como pessoa. Mas no trabalho cotidiano do médico seu principal objeto de estudo é a pessoa". Precisamos levar em conta a pessoa inteira, em sua "natureza psicológica e social" plena,[1] afirmou ele, defendendo uma abordagem *psicossocial*: que reconheça a unidade das emoções e da fisiologia, sabendo que ambas são processos dinâmicos ocorrendo num contexto de relacionamentos, desde os pessoais até os culturais.[2]

O grande traumatologista Bessel van der Kolk observou que "nossa cultura nos ensina a nos concentrar em nossa singularidade pessoal, mas num nível mais profundo nós mal existimos como seres individuais".[3] Isso com certeza será uma novidade para o ego típico. A palavra *ego*, conforme a uso aqui, não se refere ao traço de arrogância ou soberba em determinadas pessoas "egocêntricas", mas sim ao eu distinto e internamente percebido com que cada um de nós se identifica: o "eu", "me" e "mim" ao qual nos referimos ao usar tais pronomes pessoais, como fazemos centenas de vezes por dia. Até mesmo um ego saudável tem certeza da própria separação, percepção esta inteiramente sensata: a capacidade de vivenciar a individualidade sob todos os seus aspectos (físico, psicológico, biográfico, etc.) é parte da experiência humana. Nossas dificuldades começam quando perdemos de vista o outro lado da equação, que apesar de menos aparente é igualmente real.

A inter-relação entre organismos aparentemente isolados hoje já foi descoberta até mesmo na vida das árvores que formam redes vivas, comunicando-se por meio de impulsos elétricos comparáveis aos sistemas nervosos, hormônios, sinais químicos e cheiros dos animais e seres humanos. Como relata um artigo na revista *Smithsonian*: "Árvores da mesma espécie são comunitárias, e com frequência formam alianças com árvores de outras espécies." Peter Wohlleben, engenheiro florestal alemão que ganhou fama ao popularizar essas informações, usa a astuta expressão *"wood wide web"* (de *wood*, "floresta") para se referir a esse fenômeno.[4]

O fato de nossa mente e corpo individuais estarem ligados de forma tão íntima é relativamente simples de entender. Menos óbvio, porém não menos verdadeiro, é o fato de esses mesmos "corpomentes" serem sob muitos aspectos formados, tanto inicialmente quanto ao longo da vida, por fatores *externos* a nós. Embora o foco da medicina moderna no organismo individual e seus processos internos não esteja intrinsecamente errado, ele deixa de lado uma coisa vital: a influência decisiva dos ambientes mental, emocional, social e natural em que vivemos. Nossa própria biologia é interpessoal.

O conceito de *neurobiologia interpessoal* foi introduzido alguns anos atrás por Daniel Siegel,[5] psiquiatra, pesquisador e prolífico escritor. Assim como eu e muitos de nossos colegas, Siegel começou a se sentir incomodado com as limitações da própria formação. "Quando eu estava na faculdade de medicina", escreve ele,

> muitos dos ótimos professores que tínhamos abordavam seus pacientes, e alunos também, como se estes não tivessem nenhum âmago de experiência interna, nenhum centro interno subjetivo que pudéssemos chamar de vida mental. Era como se fôssemos simples sacos de elementos químicos e órgãos do corpo sem um eu, sem uma mente.[6]

Ele sentia que tanto a pesquisa quando a prática careciam de uma definição consensual de "saúde" e, supreendentemente, na área da saúde mental careciam até mesmo de um consenso geral em relação ao que é "mente", quanto mais de uma visão comum da relação entre mente e corpo. Ele recrutou colegas da medicina, neurologia, psiquiatria, psicologia, antropologia, sociologia, história, fisiologia, biologia, física e disciplinas correlatas que estudam a experiência humana, e se lançou numa exploração do que poderia ser esse consenso. Os achados da equipe confirmaram que nosso cérebro e nossa mente não são operadores independentes, que funcionam isolados de outros cérebros e mentes. Na realidade, nada em relação a nós, seja mental ou físico, pode ser compreendido fora do meio multifacetado no qual existimos. Talvez possamos tratar a biologia humana como estritamente autocontida num ambiente artificial, como um laboratório médico ou uma sala de aula de patologia, mas não na vida real. "A neurobiologia interpessoal é tanto uma forma de entender o mundo por meio de muitas disciplinas quanto a realidade da nossa natureza interconectada", disse Dan numa entrevista. Minha retificação seria remover o prefixo "neuro", o que nos daria a mais ampla "biologia interpessoal", na qual o termo guarda-chuva *interpessoal* abrange não só o cérebro e o sistema nervoso, mas também toda a nossa constituição mental e física.

O cérebro em si é o órgão central de um supersistema que se estende pelo corpo e influencia todos os aspectos do funcionamento fisiológico, desde o calibre dos vasos sanguíneos até as contrações dos intestinos, os batimentos cardíacos, a formação de células imunológicas na medula, a secreção de hormônios pelas glândulas sexuais e o funcionamento dos rins. Aqui também é tudo uma coisa só: as emoções afetam os nervos e vice-versa; os nervos agem sobre os hormônios; os hormônios agem sobre o sistema imunológico; o sistema imunológico age sobre o cérebro; o cérebro, sobre os intestinos; os intestinos, sobre o cérebro; e todos eles agem sobre o coração e vice-versa. Por sua vez, nosso corpo influencia nosso cérebro e nossa mente, e necessariamente o cérebro, a mente e o corpo de outras pessoas.

Devido a uma vida inteira de experiência pessoal, todos conhecemos o poder da biologia interpessoal. Pense no efeito que outras pessoas podem ter sobre você: ele pode ser literalmente visceral. Poetas e compositores nos falam sobre ficar com as pernas bambas, levar uma flechada no coração, ou mesmo, na imagem vívida de Bruce Springsteen, ser apunhalado no cérebro por uma lâmina serrilhada e cega.[7] Jerry Lee Lewis tinha razão: nós realmente sacudimos os nervos e chacoalhamos o cérebro uns dos outros.[8]

Como se sabe, quanto mais próximos somos de alguém, mais nossa fisiologia interage com a dessa pessoa. Por esse motivo, o fenômeno da biologia interpessoal foi bem estudado no caso de relacionamentos íntimos. Pessoas casadas têm taxas de mortalidade mais baixas do que seus contemporâneos solteiros da mesma faixa etária, sejam eles separados, divorciados, viúvos ou pessoas que nunca se casaram.[9] Pessoas solteiras apresentam um risco elevado para doenças cardíacas e certos tipos de câncer, para doenças infecciosas como pneumonia e gripe, e para distúrbios relacionados aos hábitos de vida, como cirrose hepática e doenças pulmonares. De modo revelador, o grau de proteção proporcionado pelo status de casado é cinco vezes maior para os homens do que para as mulheres, achado que remete aos respectivos papéis de cada gênero na nossa cultura, com implicações profundas para a saúde (tópico ao qual voltarei no capítulo 23). De modo interessante, "pessoas infelizes no casamento apresentam um estado de espírito pior do que pessoas solteiras".[10]

Em outros estudos, os níveis de hormônios do estresse de casais casados perfeitamente saudáveis aumenta naqueles que apresentam graus mais altos de hostilidade durante conflitos, e sua função imunológica diminui. Os resultados foram os mesmos tanto para recém-casados quanto para septuagenários.[11]

Devido à sua vulnerabilidade e dependência, as crianças têm uma fisiologia especialmente suscetível ao estado emocional de seus cuidadores. Os níveis de hormônio do estresse de crianças pequenas, por exemplo, são altamente influenciados pelo clima emocional da casa, sejam conflitos abertos ou uma tensão à flor da pele.[12] A asma é um exemplo bem estudado: a inflamação pulmonar da criança é diretamente afetada pelas emoções da mãe ou do pai.[13] Nas palavras de um artigo recente: "Ficou demonstrado de modo consistente que pais num estado de saúde mental desfavorável, como 'depressão', 'estresse' ou 'irritação crônica', podem apontar para uma condição de futura piora na asma da criança."[14]

O racismo é outro fator de risco para a asma. Num grupo grande de mulheres pretas americanas, experiências de discriminação racial foram associadas à ocorrência da doença na idade adulta.[15] E isso levanta a questão incontornável sobre a qual todos nós precisamos refletir: será a inflamação e a constrição das vias respiratórias dessas mulheres um caso de patologia individual, ou a manifestação de um mal-estar social?

Quanto mais aprendemos, mais percebemos que nossa saúde é uma consequência integral de "todas as nossas relações", e não só as mais próximas (familiares, amigos, outros relacionamentos íntimos, etc.). Os renomados pesquisadores do estresse americanos Teresa Seeman e Bruce McEwen observaram, em 1996, que a biologia humana "parece ser altamente sensível" também a fatores como o status social de uma pessoa em relação a outras, ou mesmo a quão estável ou precária a ordem social se apresenta em determinado momento.[16] Num estudo britânico, pessoas desempregadas tinham marcadores de inflamação no corpo mais altos; quanto mais prolongado o desemprego, maior o risco. Os níveis de inflamação mais severos foram registrados na Escócia, parte do Reino Unido em que o desemprego era mais endêmico e crônico.[17] Até quem está empregado pode sofrer consequências fisiológicas: num estudo sobre servidores públicos britânicos, um cargo mais baixo na hierarquia era um indicador de morte por doenças cardíacas mais importante do que fatores de risco normalmente listados, como tabagismo, colesterol ou hipertensão. De modo análogo, pesquisadores australianos constataram que um emprego ruim é pior para a saúde mental do que o desemprego.[18] Portanto, da próxima vez que ouvir de algum colega a reclamação, "Este emprego está me matando", pode lhe dizer que talvez ele esteja certo.

A biologia interpessoal também explica por que a solidão pode matar, especialmente no caso de pessoas idosas isoladas de fontes de prazer, conexões sociais ou apoio. Um amplo exame de vários estudos, envolvendo mais de 300 mil participantes, concluiu que o efeito letal da falta de relacionamentos interpessoais é comparável a fatores de risco como fumar e consumir bebida alcoólica, e supera até mesmo os perigos advindos da falta de atividade física e da obesidade.[19]

O renomado monge budista e líder espiritual Thich Nhat Hanh, falecido em 2022, por muito tempo ensinou o conceito de "interser". Nós não apenas somos, ele afirmou: nós "intersomos". "Não existem entidades separadas", escreveu ele, "apenas manifestações que se apoiam umas nas outras para serem possíveis."[20] Nesse caso também, estaríamos bastante equivocados se relegássemos essas observações ao domínio das crenças místicas. Até mesmo um cientista sem um fiapo de espiritualidade, mas ciente do conjunto de indícios cada vez maior, concordaria dizendo "É, isso resume mais ou menos a situação".

# 4

# Tudo aquilo que me cerca: despachos da nova ciência

*Muito do que deixa as pessoas bem ou mal vem não de dentro delas mesmas, mas das suas circunstâncias. Isso me faz pensar muito mais em justiça social e nas questões mais amplas que ultrapassam o âmbito do indivíduo.*

— ELIZABETH BLACKBURN[1]

Em 2009, Elizabeth Blackburn dividiu o Prêmio Nobel de Fisiologia e Medicina por seu trabalho sobre os telômeros, minúsculas estruturas de DNA localizadas nas extremidades dos cromossomos. Não muito diferentes das ponteiras plásticas postas nas extremidades dos cadarços de sapato para evitar que se esfiapem, essas pequenas capas ajudam a proteger a identidade dos cromossomos. E que bom que isso acontece, porque à medida que os cromossomos começam a se desintegrar, nós também nos desintegramos. Monitorar o comprimento e a estabilidade dos telômeros ao longo da vida na verdade pode nos fornecer muitas informações sobre saúde e longevidade.

Ninguém pensaria nisso olhando para eles, mas o que se descobriu a respeito dessas minúsculas estruturas biológicas também tem implicações sociais gigantescas. Um dos achados de Blackburn foi que os telômeros exibem efetivamente as marcas, ou melhor, os marcadores das circunstâncias nas quais vivemos. Surpreendentemente, ela descobriu que fatores como pobreza, racismo e a deterioração dos centros urbanos podem ter um impacto direto em nosso funcionamento genético e molecular. Como me disse numa entrevista a psicóloga Elissa Epel, colaboradora de pesquisa de Blackburn e coautora do sucesso de vendas *O segredo está nos telômeros: Receita revolucionária para manter a juventude, viver mais e melhor*: "Esses efeitos não são pequenos."

A neurocientista Candace Lewis – cuja própria área de pesquisa é a epigenética, campo em expansão que investiga o impacto da experiência de vida na atividade dos nossos genes – vê as coisas da mesma forma. "Cada vez mais, a ciência está provando esse modelo holístico de quem somos", disse ela. "É mais do que apenas aquilo que está contido na minha pele: é tudo o que me cerca. Não ver isso é remover a cura da medicina." Por ter observado moléculas e cadeias de DNA, Lewis também se pegou erguendo os olhos para a pessoa como um todo, e do indivíduo para questões sociais mais amplas. "Como especialista na complexidade do cérebro e do comportamento, sei que a coisa não se resume a cérebro e comportamento", disse a ex-pesquisadora do programa Fulbright. "Um dos pontos mais importantes a serem lembrados no meu trabalho é quão maleáveis somos como organismo, quão reativos somos a estímulos ambientais ao longo da vida."

A pressuposição dominante em nossa cultura é de que a herança genética determina a maior parte do nosso destino, de quem somos, daquilo que nos aflige e daquilo de que somos capazes. Em 2000, num pronunciamento na Casa Branca, Bill Clinton declarou que os achados do Projeto Genoma Humano eram "o mapa mais assombroso jamais produzido pela humanidade", emendando que "estamos hoje aprendendo o idioma no qual Deus criou a vida". A nova ciência, previu aquele que em breve se tornaria ex-presidente, "vai revolucionar o diagnóstico, a prevenção e o tratamento da maioria, senão de todas as doenças humanas", levando à cura de males como o de Alzheimer, o de Parkinson e o câncer "por meio do ataque às suas origens genéticas".[2]

Duas décadas mais tarde, sabemos que pouca coisa desse tipo aconteceu.[3] E por um bom motivo: na verdade os genes não são a linguagem da vida, assim como um alfabeto embaralhado ou um dicionário aleatoriamente organizado não são uma peça de Shakespeare, e uma escala musical não é o equivalente a um solo de John Coltrane. Para que letras ou palavras se transformem numa linguagem, elas precisam ser organizadas, enunciadas, declinadas, pontuadas por pausas, ENFATIZADAS ou suavizadas. Assim como qualquer bloco de construção, os genes ajudam a criar a linguagem da existência, mas é por meio das engrenagens da epigenética que eles são ativados, acentuados ou atenuados. Entre vários outros, um dos mecanismos da epigenética é acrescentar determinadas moléculas a sequências de DNA para mudar a função do gene, modificando o número de receptores para determinados mensageiros químicos e influenciando as interações entre genes.[4]

Em outras palavras, no fim das contas, a experiência determina como nosso potencial genético irá se expressar. É disso que trata a área da epigenética, que significa "por cima" dos genes. Os processos epigenéticos agem sobre os cromossomos, entregando e traduzindo mensagens do entorno que lhes "dizem" o que fazer. Tudo isso ocorre sem alterar em absolutamente nada os genes em si. Como explica Martha Henriques, da BBC, a epigenética oferece "um modo de se adaptar a condições instáveis sem provocar uma mudança mais permanente em nossos genes".[5]

Não que os genes não tenham importância; com certeza têm. Só que eles não são capazes de ditar nem mesmo os comportamentos mais simples, quanto mais de explicar a maioria das doenças ou apontar possíveis curas para elas. Longe de serem árbitros autônomos do nosso destino, os genes respondem ao seu entorno; sem sinais do ambiente eles não teriam como funcionar. Na verdade, a vida para nós seria impossível não fossem os mecanismos epigenéticos que "ligam" ou "desligam" os genes em reação a sinais internos e externos ao nosso corpo.[6]

A epigenética renova nossa compreensão do desenvolvimento humano, desde o embrião até a pessoa adulta, e até mesmo de como nossa espécie chegou aonde chegou. Conversei com um dos principais pesquisadores dessa área, Moshe Szyf, na prestigiosa faculdade de medicina da McGill University. "A teoria evolucionária é difícil de mudar porque ela se tornou quase uma religião, uma religião da ciência", disse ele. "E qualquer questionamento dela fica parecendo uma heresia, um questionamento do sistema como um todo, o que obviamente não é. A epigenética não nega a evolução. A epigenética faz parte da evolução, mas exige um olhar novo sobre como ela funciona." A nova biologia aprimora a visão darwiniana padrão de mutações espontâneas e seleção aleatória como motor da adaptação das espécies; ela demonstra que as circunstâncias em si podem determinar a forma como os genes se ajustam ao entorno.

Dito de outra forma: nossa vida é o que acontece quando a vida age sobre a vida.

Szyf e sua equipe em Montreal conduziram um dos mais citados estudos de epigenética, com implicações importantes para a nossa forma de ver o desenvolvimento, o comportamento e a saúde. Eles trabalharam com ratos de laboratório para examinar o efeito das interações da mãe e do filhote, durante os primeiros dias após o parto, na forma como os descendentes reagem ao estresse pelo resto da vida: se de modo adequado e confiante, ou, pelo contrário, com ansiedade e hiper-reatividade. O foco era o eixo HPA, o circuito de regulação do estresse entre o hipotálamo e a hipófise e as suprarrenais.[7] Em especial, os pesquisadores observaram as moléculas receptoras do cérebro responsáveis por modular o estresse, ou seja, por garantir um comportamento adequado na presença deste. Criaturas com reações ao estresse mal autorreguladas serão mais ansiosas, menos capazes de enfrentar desafios ambientais corriqueiros e apresentarão estresse excessivo mesmo em circunstâncias normais.

O estudo mostrou que a qualidade do cuidado materno inicial tinha um impacto causal na capacidade bioquímica do cérebro dos descendentes de reagir ao estresse de forma saudável até a idade adulta. Marcadores epigenéticos cruciais, ou seja, o modo como determinados genes se expressavam, eram diferentes no cérebro dos ratos que tinham recebido mais ou menos cuidado no contato com a mãe.[8] De modo impressionante, os descendentes por sua vez transmitiam aos *próprios* descendentes o tipo de cuidado materno que houvessem recebido. Szyf e seus colegas mostraram também que, nas descendentes mulheres, a qualidade do cuidado materno afeta a atividade receptora do estrogênio, um hormônio feminino fundamental, impactando os padrões de cuidado materno em sucessivas gerações.[9] Por meio da manipulação engenhosa da população de ratos estudada, inconcebível numa pesquisa com humanos, constatou-se que tanto os efeitos fisiológicos quanto os comportamentais de padrões iniciais de cuidado eram *não genéticos*, ou seja: não eram transmitidos por meio do chamado código genético, que permanecia intacto. Eram, isso sim, *epigenéticos*, ou seja: determinados pela forma como os diversos tipos de cuidado materno influenciavam a atividade genética no cérebro dos descendentes. (O comportamento materno específico monitorado por esses pesquisadores era quão "amorosamente" as mães "limpavam" ou lambiam seus filhotes.)

Pode ser que você se pegue dizendo: "Tá, mas isso eram roedores num laboratório. O que esses achados significam para pessoas no mundo real?" Uma pergunta sensata, para a qual a natureza providenciou uma resposta eloquente na forma de uma nevasca devastadora em janeiro de 1998, justamente na mesma província em que Szyf e sua equipe tinham trabalhado.[10] Considerada um dos piores desastres naturais da história do Canadá, a nevasca deixou muitos moradores de Quebec sem calefação e energia elétrica. Quanto mais "estresse objetivo" as grávidas tiveram que suportar durante esses dias difíceis – em fatores concretos e mensuráveis como blecaute, frio intenso e estragos em casa[11] –, mais a fisiologia de seus filhos foi marcada por essa adversidade até próximo da puberdade. (Os participantes tinham origens socioeconômicas, culturais e étnicas semelhantes, e moravam numa mesma área fora do centro metropolitano.) "Ao longo dos anos [de acompanhamento das crianças]", disse Suzanne King, professora de psiquiatria na McGill University, "observamos que esse estresse objetivo explicava como as crianças se diferenciavam em toda uma série de coisas: linguagem, IMC [índice de massa corporal] e obesidade, secreção de insulina, o sistema imunológico."[12] Até o QI delas foi afetado. "Vimos também um aumento da incidência de asma", acrescentou Szyf, "bem como um aumento dos genes inflamatórios e imunes vinculados à autoimunidade."

Eu deveria enfatizar que as mães não são as únicas a transmitirem para os filhos perturbações crônicas no aparato de estresse do corpo. Num experimento, ratos machos saudáveis foram incomodados por uma série de fatores de estresse: mudanças frequentes de gaiola, luz ou ruído branco constantes, exposição ao cheiro de raposas, confinamento dentro de um pequeno tubo, e assim por diante. Eles então eram cruzados com fêmeas não estressadas, que proporcionavam aos filhotes um cuidado materno totalmente adequado. Seus descendentes apresentaram reações enfraquecidas ao estresse e padrões atenuados de hormônio do estresse. Em outras palavras: apesar de todos os esforços das mães, os pais haviam transmitido os efeitos perturbadores pelo seu esperma.[13] Em humanos, o estresse paterno no início da vida de uma criança também pode ter efeitos duradouros, no mínimo até a adolescência. A adversidade *tanto* nas mães quanto nos pais apresenta "vínculos confiáveis" com o perfil epigenético dos filhos, concluiu um grupo de pesquisadores.[14]

As circunstâncias socioeconômicas também podem alterar o epigenoma, a rede de influências epigenéticas sobre os genes. O incansável Szyf se uniu a cientistas do Canadá e do Reino Unido para estudar o funcionamento epigenético de uma ampla gama de genes em amostras de sangue de homens britânicos de meia-idade. Os alvos do estudo tinham começado a vida em extremos opostos do espectro pobreza-riqueza, alguns pobres, outros ricos. A expressão dos genes daqueles nascidos mais ricos era marcadamente distinta daquela observada em seus equivalentes criados em situação de desvantagem.[15]

Outro estudo observou taxas mais elevadas de inflamação em afro-americanos do que em pessoas de origem étnica caucasiana, efeito epigenético que perdurava mesmo ao se comparar pessoas de mesmo nível socioeconômico.[16] "Constatamos que as experiências de racismo e discriminação respondiam por mais de 50% da diferença entre pretos e brancos na atividade dos genes que aumentam a inflamação", escreveu a autora principal, April Thames, num artigo intitulado "O racismo encurta vidas e prejudica a saúde dos negros ao promover genes que conduzem à inflamação e à doença".[17]

De modo bem semelhante à expressão dos genes, os telômeros manifestam os caprichos do destino e da história, da classe e da raça, do estresse e do trauma. De que maneira? No nascimento os telômeros têm muitas "unidades", os pares de DNA que os constituem, e na velhice bem menos. "Começamos com cerca de 10 mil quando bebês, e baixamos para 4 mil ao morrer", afirmou Elissa Epel. Cada vez que uma célula do nosso corpo se divide, os telômeros se encurtam; quando eles ficam curtos demais, a célula-hospedeira morre, ou pode se deteriorar e se tornar disfuncional. À medida que eles encolhem, a função imune é prejudicada, a inflamação aumenta, e ficamos mais propensos a adoecer.

Os telômeros já foram chamados de "relógios celulares", no sentido de que medem não a idade cronológica, mas a idade celular. Duas pessoas, até mesmo gêmeos idênticos, podem ter a mesma idade computada em anos, meses, semanas e dias, mas mesmo assim uma pode ser biologicamente mais velha do que a outra dependendo de quanto estresse, adversidade ou trauma teve que suportar. Isso acontece porque o estresse encurta os telômeros. (Os médicos deveriam tomar um cuidado especial: os telômeros de residentes em medicina sofrem mais desgaste do que o de outros jovens adultos da mesma faixa etária.)[18] Um dos estudos de Epel constatou que mães que cuidam de filhos com doenças crônicas tinham telômeros mais curtos do que suas semelhantes de mesma idade. Esse déficit de idade biológica era proporcional *tanto* ao número de anos de prestação desses cuidados *quanto* ao grau de estresse conforme percebido pelas mães.[19] Resultados semelhantes foram observados em cuidadores de pessoas com demência: telômeros encurtados e imunidade prejudicada, o que reforça a ideia de que "o estresse psicológico crônico tem impacto negativo no funcionamento das células imunes e pode acelerar seu envelhecimento".[20] Em outras palavras, o estresse envelhece nossos cromossomos, e portanto envelhece a nós.

Assim como pobreza e racismo afetam o funcionamento epigenético, esses fatores também encurtam os telômeros, e portanto a vida. Esse vínculo desolador foi ilustrado vividamente por um estudo com homens pretos americanos em 2014. "Nossos achados literalmente sugerem que o racismo envelhece as pessoas", comentou seu autor principal.[21] O mesmo vale para as mulheres. Como parte do Estudo Nacional da Saúde Feminina (SWAT, na sigla em inglês) nos Estados Unidos, compararam-se os telômeros de mulheres de meia-idade pretas e brancas. Os resultados foram chocantes: as pretas eram em média mais de sete anos biologicamente mais velhas do que suas equivalentes brancas, achado condizente com taxas mais elevadas de pobreza, estresse, hipertensão, obesidade e problemas de saúde correlatos.[22]

Como observou Epel: se soubermos o que procurar, os efeitos do nosso ambiente socioeconômico estão visíveis dentro das nossas células. "O desfavorecimento de alguns bairros, a criminalidade, a renda naquele CEP", disse ela, "tudo isso está ligado ao envelhecimento celular. Isso, para mim, é uma das maiores demonstrações de que a nossa saúde está fora do nosso corpo." Szyf falou num tom parecido:

> Nós passamos um século obcecados com mudanças químicas, pensando que tudo que é químico é verdadeiro, e qualquer coisa que não seja química é falsa. O que a epigenética nos ensinou é que as mudanças sociais na verdade não são diferentes das mudanças químicas.

Uma se manifesta na outra.

Felizmente, a porta dos efeitos ambientais se abre para os dois lados: de fato, as experiências que aumentam a resiliência ao estresse podem *alongar* nossos telômeros, mesmo diante da doença ou da adversidade. Isso foi demonstrado pelo trabalho de Epel e seus colegas com pessoas que meditam, pelo trabalho de Gene Brody com adolescentes americanos desfavorecidos, e em outra pesquisa com homens afetados pelo câncer de próstata.[23] Este será um tema recorrente conforme avançarmos: a aparente má notícia cederá lugar a algo empoderador, contanto que a abordemos de modo sensato. Ao aprender sobre os impactos da adversidade, podemos também encontrar caminhos rumo à cura.

# 5
# Motim no corpo: o mistério do sistema imunológico rebelde

*Várias vezes tive de fingir que estava me sentindo bem quando estava me sentindo péssima.*

– VENUS WILLIAMS

"Eu meio que me machuquei", me contou Mee Ok[1] recentemente, "porque estava indo muito bem e aí tropecei enquanto subia uma escada correndo. Então dei uma topada com o dedão." Seu humor caloroso e travesso permeia o relato, bem como uma certa sensação de orgulho. Para a maioria de nós, essa seria uma reação estranha a um acidente doloroso assim. Para a Mee Ok de sete anos atrás, porém, seria impossível falar assim dessa lesão, ocorrida ao se movimentar vigorosamente contra a gravidade. Diagnosticada aos 27 anos com esclerodermia, ela havia ficado inteiramente debilitada em pouco tempo, apesar de tudo que a medicina convencional tinha a oferecer. Moradora da região de Boston, fora avaliada e tratada num dos estabelecimentos mais venerados da ciência médica ocidental.

Oriunda da expressão grega que significa "pele dura", a esclerodermia é um transtorno autoimune que se manifesta em inflamações debilitantes nas articulações e em um doloroso enrijecimento dos tecidos conjuntivos. Um nome mais inclusivo da doença é esclerose sistêmica, já que a acumulação de tecido enrijecido pode ocorrer em muitos órgãos, entre eles o esôfago, os vasos sanguíneos e os pulmões. No caso de Mee Ok, ele transparecia num cruciante inchaço das mãos, dos ombros e dos joelhos. "Doía tudo", recorda ela. "A dor inundava meu corpo inteiro." Ela logo foi obrigada a largar o emprego como assistente de um importante acadêmico em Harvard. Antes capaz de digitar 120 palavras por minuto, começou a ver as próprias mãos se enrijecerem como garras, retesando-se quase a ponto de ficarem paralisadas. O simples fato de tocar o teclado era uma agonia. A primeira vez que a entrevistei, em 2014, sua fisionomia era soturna, o rosto uma máscara enrijecida, e os lábios contraídos mal conseguiam cobrir os dentes. Ela era irreconhecível para si mesma, e totalmente incongruente com a pessoa que se vê hoje, de sorriso fácil e reativo.

Poucos anos depois de a doença se manifestar, quando ainda estava com 30 e poucos, Mee Ok quis pôr fim à própria vida. Diante de um diagnóstico que era uma sentença de morte, obrigada a andar de cadeira de rodas, incapaz até mesmo de sair da cama sem ajuda e prevendo que seu tormento só aumentaria quanto mais vivesse, ela investigou a possibilidade de suicídio assistido. "Se eu estivesse num país em que a eutanásia fosse legalizada, teria me encaixado em todos os critérios. A dor era inacreditável", contou ela. "Não havia nenhum prognóstico que realmente me desse um motivo para continuar viva. Eu estava perdendo meu corpo tão depressa que sabia que, se esperasse muito mais tempo, ficaria presa e não seria mais capaz sequer de apertar um botão."

Hoje, desafiando toda a lógica convencional da medicina, Mee Ok, que já não toma nenhum remédio, anda, viaja e pratica caminhadas de forma independente. Está escrevendo seu livro de memórias, ainda que ao ritmo de 50 palavras por minuto, uma verdadeira vitória em comparação ao seu estado não muito tempo atrás.

A esclerodermia é uma das 80 ou mais doenças correlacionadas denominadas autoimunes, cada qual representando uma verdadeira guerra civil dentro do corpo. De fato, a autoimunidade equivale a um ataque do próprio sistema imunológico contra o corpo que ele deveria defender. A forma específica da doença depende dos tecidos ou órgãos que se tornarão alvo dessa rebelião interna destruidora. Se o que estiver sendo atacado for o sistema nervoso, o resultado pode aparecer na forma de esclerose múltipla; se for o intestino, de doença celíaca ou de uma doença inflamatória intestinal (DII) como a doença de Crohn ou a colite ulcerativa; se forem as articulações e os tecidos conjuntivos, de lúpus eritematoso sistêmico (LES), artrite reumatoide (AR) ou esclerodermia; se for a pele, de psoríase ou eczema autoimune; se for o pâncreas, de diabetes tipo 1; se forem os pulmões, de fibrose pulmonar; se for o cérebro, talvez de Alzheimer. Em muitas dessas doenças, várias partes do corpo são afetadas ao mesmo tempo. A síndrome da fadiga crônica, conhecida também como encefalomielite miálgica (EM), que afeta milhões de pessoas mundo afora, é um dos mais conhecidos acréscimos recentes a essa lista.

Praticamente todas as doenças autoimunes são caracterizadas por inflamação dos tecidos, órgãos e outras partes do corpo, o que explica por que os tratamentos médicos de primeira linha muitas vezes começam com medicamentos anti-inflamatórios. Quando anti-inflamatórios não esteroides como ibuprofeno ou uma artilharia mais pesada como os corticoides em si passam a se mostrar ineficazes, os médicos podem receitar medicamentos destinados a suprimir a atividade imunológica do corpo.

No caso de Mee Ok, como a doença havia afetado primeiro as articulações, os médicos acharam que fosse artrite reumatoide. Foram receitados corticoides: análogos sintéticos do cortisol, hormônio natural do estresse secretado pelas glândulas suprarrenais em reação a uma ameaça. Em última instância, foi o fracasso tanto dos corticoides quanto dos imunossupressores que levou Mee Ok ao desalento suicida. Seus médicos não tinham mais nada a lhe prescrever. (Devo acrescentar que a doença de Mee Ok era tão extrema que, segundo o pensamento médico padrão, sua recuperação foi totalmente inesperada, na verdade inexplicável. Entrei em contato com seu clínico em Boston, que confirmou os detalhes.)

Embora sejam muitas vezes perturbadores e altamente debilitantes, os sintomas autoimunes podem no início ser nebulosos e difíceis de identificar, nem tanto para o paciente que deles padece e busca validação e apoio, mas para o profissional de medicina em busca de achados precisos. Assim, não é incomum que tais doenças, com frequência sobrepostas, passem despercebidas pelo radar do diagnóstico. Foi essa a experiência da estrela do tênis Venus Williams, cuja doença se manifestou por meio de inchaço nas mãos, cansaço persistente e articulações deformadas, sintomas que seriam alarmantes para qualquer um, porém mais ainda para uma atleta de alto nível. "Eu ia a médicos, mas como nunca conseguia nenhuma resposta não podia fazer nada a não ser seguir em frente", disse ela a um jornalista. "Você quase que se acostuma a ter todos esses sintomas", falou. "Diz a si mesma para deixar para lá. Simplesmente continuar. Com o tempo, você começa a se perguntar o que está acontecendo e se está ficando louca."[2] Finalmente descobriu-se que Williams sofria de síndrome de Sjögren, doença que afeta principalmente as glândulas produtoras de umidade, fazendo as pessoas ficarem com a boca e os olhos secos, mas que pode também causar disfunção em muitos órgãos como pulmões, rins, pâncreas e vasos sanguíneos. Como muitas outras pessoas, ela ficou aliviada ao saber enfim que havia uma razão objetiva, e até mesmo um nome para as atribuições físicas que sentia.

No caso de Mee Ok, coube à própria paciente fazer o diagnóstico: não é uma inversão de papéis rara na era da internet, em especial nos casos em que os médicos já jogaram a toalha. "Meu corpo simplesmente continuou a enrijecer", recordou ela.

> Era como se eu estivesse passando por uma mumificação, uma automumificação ao longo do tempo. Ela ia se espalhando cada vez mais pelo meu corpo, e a dor era simplesmente inacreditável... Eles me davam corticoides e me diziam que eu teria que tomá-los para sempre, que a artrite nunca sararia... que aquilo não tinha cura. Eu insisti em fazer testes para esclerodermia, e foi aí que descobri meu diagnóstico, seis meses depois de iniciados os sintomas.

As doenças autoimunes estão entre os grandes mistérios insolúveis da profissão médica. A maioria é considerada de natureza "idiopática", o que significa apenas "de origem desconhecida". Naturalmente, se não conseguimos identificar a *causa* de uma doença, nossos esforços para curá-la ou revertê-la ficarão prejudicados. Em muitos casos, a supressão dos sintomas, ou às vezes a reparação ou a remoção cirúrgica do tecido danificado é o que de mais moderno a medicina tem a oferecer. Essas medidas trazem um alívio bem-vindo para muita gente, mas não conseguem reverter o curso da doença e, como no caso de Mee Ok, relegam uma quantidade muito grande de pessoas à deterioração e à deficiência prolongadas.

Por mais perturbadora que seja essa falta de clareza, tanto para médicos quanto para pacientes, essas doenças também apresentam alguns outros fatores intrigantes, cientificamente falando.

O primeiro mistério é por que elas estão se tornando mais frequentes. Em muitos países ocidentais, as taxas de todas as doenças autoimunes, de doença celíaca a DII, de lúpus a diabetes tipo 1, e até mesmo das alergias estão aumentando de forma constante, intrigando os pesquisadores.[3] "No último meio século, a prevalência de doenças autoimunes [...] aumentou de forma acentuada no mundo desenvolvido", observou um artigo de 2016 do *The New York Times*. "Estima-se que um em cada 13 americanos tenha uma dessas doenças muitas vezes debilitantes, e que duram em geral toda a vida."[4] No Reino Unido, o diagnóstico da doença de Crohn mais do que triplicou entre 1994 e 2014,[5] enquanto no Canadá a taxa de DII em crianças cresceu mais de 7% ao ano entre 1999 e 2010, atribuindo a esse país uma das mais altas taxas dessa doença no mundo.[6]

Essas tendências descartam de imediato a explicação médica padrão: causas genéticas. Seja qual for a influência da genética, e embora ela sem dúvida esteja presente em alguns casos, logicamente não pode explicar o aumento de transtornos autoimunes. "Os genes não mudam num intervalo tão curto", disse em 2012 ao *Medical News Today* Virginia Ladd, diretora-executiva da Associação Americana de Doenças Relacionadas à Autoimunidade. "O rápido crescimento das doenças autoimunes [...] sugere claramente que há fatores ambientais em jogo."[7] Em outras palavras, alguma coisa ou uma combinação de coisas em nosso ambiente está inflamando nosso corpo.

Para a maioria de nós, ouvir "fatores ambientais" num contexto ligado a doenças tende a fazer nossa mente pensar em fatores materiais muito difundidos, como poluição atmosférica, tintas com chumbo e radiação emitida por aparelhos de telefonia celular. Uma teoria interessante, porém não comprovada, é que o aumento do consumo de ultraprocessados é responsável pelo aumento mundial de doenças autoimunes.[8] Os estudos ainda não identificaram esse vínculo.[9] Seja como for, uma compreensão completa da saúde e da doença requer uma visão bem mais abrangente da palavra *ambiente*: uma visão biopsicossocial.

O segundo mistério é a distribuição de gênero altamente desigual das doenças autoimunes. Cerca de 70% a 80% das pessoas atingidas são mulheres, entre as quais essas doenças são uma causa importante de incapacitação e morte. A artrite reumatoide, por exemplo, tem três vezes mais probabilidade de atingir mulheres do que homens; o lúpus afeta as mulheres numa proporção de nove para um. A doença de Mee Ok, esclerose sistêmica, é três vezes mais comum em pessoas do sexo feminino.[10] Mais intrigante ainda é por que o desequilíbrio entre gêneros está *aumentando*, como por exemplo na esclerose múltipla, doença crônica do sistema nervoso, altamente debilitante e potencialmente vitalícia.

No Canadá dos anos 1930, a proporção do diagnóstico de EM entre os gêneros era mais ou menos equivalente; hoje, mais de três mulheres para cada homem recebem um diagnóstico de EM no país.[11] A tendência se reflete internacionalmente. "Há uma incidência cada vez maior de esclerose múltipla em mulheres na Dinamarca. O risco de as dinamarquesas desenvolverem EM mais do que duplicou em 25 anos, enquanto nos homens se manteve praticamente o mesmo", observou um artigo recente no *Danish Medical Journal*. Então, em total sincronia com as observações de Ladd: "A explicação para essas mudanças epidemiológicas *precisa ser buscada no entorno*, uma vez que a genética só explica uma pequena parte do risco de EM. As mudanças são rápidas demais para serem explicadas por alterações nos genes."[12]

Nenhum dos especialistas que tratou Mee Ok perguntou sobre as condições, tanto físicas quanto emocionais, que precederam a doença que lhe arruinou a vida. E isso apesar das numerosas pesquisas vinculando estresse, trauma e inflamação, e apesar dos múltiplos estudos que ao longo de muitas décadas exploraram tais conexões na artrite reumatoide, na EM e em outras doenças autoimunes. Essas linhas de investigação não só deixam de ser exploradas, como também parecem proibidas nos círculos médicos tradicionais. "Passei a me sentir um pouco excêntrica ao falar sobre essas questões", contou-me uma especialista em doenças reumatológicas num dos hospitais-escola mais conhecidos dos Estados Unidos.

> Desde que me formei, mudei drasticamente minha maneira de praticar a medicina, pois comecei a observar em meus pacientes a relação entre o estresse e o surgimento da doença deles, e o tamanho do papel que o trauma, tanto psicológico quanto físico, desempenha nela.

Essa médica, que pediu anonimato por medo da oposição dos colegas (!), pôde observar em primeira mão o que qualifica de "resultados notáveis" entre seus pacientes, tanto em termos de recuperação quanto até, em alguns casos, de não precisar mais tomar qualquer medicação. "Estou cercada por estimados colegas da universidade pesquisadores, sabe, e ninguém está olhando para essas coisas." Ao ouvir isso, lembrei do médico de Harvard que me disse que os médicos seguem esse tipo de fio "por sua própria conta e risco", ainda que ele achasse que isso está mudando.

Se até mesmo os profissionais de medicina que se aventuram além da ortodoxia médica podem se sentir intimidados e incompreendidos, qual será a experiência dos pacientes? Outro aspecto lamentável da prática médica ocidental – não universal, mas vista com demasiada frequência – é uma hierarquia de poder que coloca os médicos como especialistas incensados e os pacientes como receptores passivos de tratamento. Por maior que seja a dedicação e a boa intenção dos médicos, esse desequilíbrio compromete a capacidade de ação dos pacientes sobre a própria saúde e o próprio processo de cura. Perguntas essenciais sobre sua vida nunca são feitas, enquanto eles, por sua vez, não têm autoconfiança suficiente para insistir que suas intuições e percepções em relação a si mesmos possam contribuir para o processo, quanto mais conduzi-lo.

Se os médicos de Mee Ok tivessem feito perguntas nessa linha quando ela começou a apresentar aqueles inquietantes sintomas, teriam sabido que ela sofrera dois abandonos importantes antes de completar 1 ano: nascida na Coreia, foi posta num orfanato pela mãe solteira aos 6 meses. Com 1 ano, foi adotada e levada para os Estados Unidos por um casal evangélico que a criou segundo os mais rígidos princípios fundamentalistas. Antes de ela completar 10 anos, a mãe adotiva teve um colapso nervoso. Em algum momento da sua adolescência, num acesso de remorso religioso, o pai adotivo lhe confessou ter abusado dela sexualmente durante boa parte da primeira infância, dos 2 anos em diante. Ela havia reprimido por completo essas lembranças, escondendo-as bem fundo abaixo da superfície da sua consciência junto com todos os sentimentos a elas associados: dor, pânico, raiva. Como veremos adiante ao discutir a cura, a improvável recuperação de Mee Ok, verdadeiramente uma ressurreição do leito de morte, deve-se ao fato de ela ter confrontado esse baú de sofrimento havia muito enterrado.

No cemitério emocional do que não podia se dar ao luxo de sentir, Mee Ok construiu um edifício impressionante: uma personalidade positiva, sempre disposta a tudo, que não só a impedia de sentir o próprio desespero e a levava a ignorar as próprias necessidades, mas também a ajudou a alcançar um sucesso muito além daquele ao que ela de fato acreditava fazer jus. Em seu trabalho como assistente do mundialmente famoso professor, a Mee Ok adulta achava o emprego estressante, e com frequência suportava as tensões e pressões de todos à sua volta. "Eu na verdade não era eu mesma quando estava lá", disse ela. "Vivia tendo que me mostrar uma pessoa que funcionava num nível muito mais elevado do que eu realmente funcionava." Esse hiperfuncionamento por cima de um abalo interno oculto é um tema recorrente entre os muitos pacientes autoimunes com quem já deparei em todos os meus anos de clínica e de ensino.

Imediatamente antes de a excruciante inflamação nas articulações se manifestar, Mee Ok estava num relacionamento amoroso complicado, cujos muitos altos e baixos lhe cobraram um alto preço psíquico e que culminou numa separação devastadora. Toda a mágoa que ela não se permitiu externar a vida inteira, todo o seu pânico de ser abandonada, tudo isso veio à tona quando o relacionamento terminou. Foi uma reação de luto do corpo todo. Mais uma vez, nada em sua história, desde a infância até o presente, foi considerado um indício pelos especialistas altamente treinados que trataram sua esclerodermia. "Meu corpo na verdade parecia um campo de batalha, e eu estava perdendo", disse Mee Ok. Eu entendia a língua que ela estava falando: há muito tempo imagino a doença autoimune como algo semelhante a um poderoso exército invadindo a própria pátria, num violento motim contra o corpo. De fato, sem disporem de um escoamento consciente e na falta de uma resolução, as emoções inflamadas de Mee Ok se rebelaram, manifestando-se na inflamação de seus tecidos.

Hoje em dia, os especialistas em microbiologia falam em "inflamação neurogênica", uma inflamação induzida pelo estresse disparada por descargas do sistema nervoso, sistema que hoje entendemos ser poderosamente influenciado pelas emoções.[13] E há pesquisas que relacionam adversidades precoces, tais como os traumas suportados por Mee Ok na infância, com inflamação na vida adulta. Um estudo americano recente constatou que o abuso emocional e físico na infância mais do que dobra o risco de lúpus eritematoso sistêmico, sendo a inflamação um dos caminhos prováveis.[14] Conexões entre o estresse e um comprometimento autoimune foram encontradas em outros estudos.[15] Em 2007, cientistas britânicos constataram que adultos que tinham sofrido maus-tratos na infância apresentavam taxas sanguíneas mais elevadas de determinadas substâncias indicadoras de inflamação produzidas no fígado,[16] independentemente de comportamentos pessoais e considerações a respeito do estilo de vida. "Os maus-tratos na infância são um fator de risco previamente não descrito, independente e evitável para inflamação na idade adulta", escreveram os pesquisadores.[17] "A inflamação *talvez seja* um mediador de desenvolvimento importante para relacionar experiências adversas no início da vida a má saúde na idade adulta", acrescentaram com cautela. Muitos estudos desde então atestam não se tratar de "talvez".

Alguns médicos já notaram uma relação entre a artrite reumatoide e alguns tipos ou aspectos da personalidade. Ainda teremos muito mais a dizer sobre personalidade no capítulo 7, mas, para evitar mal-entendidos, é bom fazer um rápido esclarecimento aqui. O que denominamos traços de personalidade, além de refletirem um temperamento e qualidades genuínas natas, expressam também os modos como as pessoas, na infância, tiveram de se adaptar ao seu ambiente emocional. Eles refletem muitas coisas que não são nem inerentes nem imutáveis em relação a alguém, por mais estreita que seja a identificação da pessoa com elas. Tampouco se trata de falhas de caráter: embora possam nos causar dificuldades, esses traços surgiram como modos de sobrevivência.

Já em 1892, o grande médico de origem canadense William Osler, da Universidade Johns Hopkins – posteriormente condecorado como cavaleiro pela rainha Vitória por suas contribuições para a medicina britânica – havia notado "a associação da doença com choque, preocupação e tristeza". Muitos anos mais tarde, uma pesquisa de 1965 revelou a prevalência, em pessoas com tendência a artrite reumatoide, de uma série de traços de abnegação: um "comportamento compulsivo de autossacrifício em relação aos outros, de supressão da raiva e de preocupação excessiva com aceitação social".[18] Um especialista canadense em doenças autoimunes mais perceptivo do que o habitual, C. E. G. Robinson, escreveu em 1957 que seus pacientes com AR "em geral se esforçavam muito para agradar, tanto nos contatos profissionais quanto pessoais, e das duas uma: ou ocultavam a hostilidade, ou a expressavam de modo indireto. Muitos eram perfeccionistas". A ocorrência da doença era muitas vezes antecedida por estresse. Sabiamente, ele acrescentou:

> Com frequência é necessário tanto tempo para lidar com os problemas emocionais do paciente acometido por artrite reumatoide crônica quanto com os transtornos articulares ou sistêmicos [...] Penso que o aspecto emocional e psicológico de muitos pacientes reumatoides seja de suma importância.[19]

Quatro décadas depois de Robinson publicar seus comentários, pesquisadores americanos também constataram que o grau de estresse interpessoal estava correlacionado com a gravidade da doença num grupo de mulheres com artrite reumatoide.[20]

Um bom exemplo é o de Julia, 42 anos, moradora de uma das províncias da região das pradarias do Canadá diagnosticada com artrite reumatoide aos 29. Atingida por trás num acidente de carro, no dia seguinte ela sentiu um pouco de dor no ombro esquerdo, que logo se resolveu... apenas para ressurgir em diversas articulações do corpo inteiro, migrando com uma imprevisibilidade espantosa. "A dor aparecia em uma articulação e depois sumia", contou ela. "Aí ao mesmo tempo eu acabava com 26 articulações todas inflamadas simultaneamente." Exames de sangue revelaram um dos indicadores de artrite reumatoide muito elevado, o que cravou o diagnóstico. Seu perfil emocional estava alinhado às personalidades hiper-responsáveis e supressoras da raiva descritas na literatura, traços desenvolvidos numa família de origem em que o pai era alcoólatra e a mãe uma mulher emocionalmente dependente, para quem ela não pudera revelar o abuso sexual que tinha sofrido de um amigo da família que vitimizara também sua irmã mais nova, que Julia tentara proteger.

Nenhum dos médicos que tratou Julia nunca lhe perguntou sobre sua vida interior. Qual a relevância disso? A relevância é que os padrões de personalidade do tipo observado por Robinson e outros são reversíveis, portanto a doença também pode ser. Apesar de ter sido informada de que sua artrite reumatoide teria uma progressão inevitável, Julia hoje está livre de sintomas e de medicação. "Hoje em dia tenho lindas conversas com minha artrite reumatoide; só de contar me dá vontade de chorar", disse ela. "Estou me sentindo ótima." O que tal afirmação poderia significar, e por que ela causava em Julia uma emoção tão profunda? Voltaremos a essas "lindas conversas" mais adiante, ao falarmos sobre a cura.[21]

## TRISTEZA E IRRITAÇÃO: MIRAY, BIANCA E A ESCLEROSE MÚLTIPLA

Miray é uma médica turca de 51 anos que hoje trabalha como coordenadora de estudos clínicos num hospital canadense. A primeira vez que foi acometida por diplopia, ou visão dupla, ela estava com 18 anos, mas sem as técnicas de imagem avançadas disponíveis hoje no começo não foi diagnosticada. "Consultei um oftalmologista, e ele disse: 'ah, isso é só temporário'", lembrou ela.

> Então tomei corticoides por seis semanas e passou. Aos 22 anos, tive várias crises. *Toda vez que encontrava minha mãe, eu começava a ver dobrado*. Fui estudar em outra cidade e ficou tudo bem, mas sempre que voltava para Istambul tinha outro ataque toda vez que via minha mãe.

Aos 24 anos, Miray fez uma ressonância magnética que confirmou o diagnóstico de esclerose múltipla. Depois de emigrar para o Canadá, passou anos livre de qualquer sintoma. Durante a gravidez, porém, seu marido passou por alguns problemas profissionais e tornou-se abusivo. "Ele sentia uma raiva, um ódio das mulheres", disse ela, "e projetava tudo em mim." Um estresse levava a outro.

> Como ele não ganhava dinheiro suficiente para contratar alguém, eu trabalhava no hospital de manhã até a tarde, depois tinha que ficar na loja das quatro à meia-noite. Quando dei à luz, as coisas pioraram. Ele começou a gritar e a ficar extremamente bravo. Vivia me diminuindo, zombando de mim e me ridicularizando.

Miray acabou saindo de casa, e depois de muitos anos reviu os pais. Quando isso aconteceu, ela em pouco tempo parou de andar, o que perdura até hoje. Os gatilhos emocionais de medo e raiva reprimidos que lhe tinham sido instilados na infância eram ativados na presença da família, e isso por sua vez inflamava seu sistema nervoso.

A esclerose múltipla é outra doença autoimune para a qual as histórias pessoais, a adversidade na infância e a influência decisiva do estresse já foram extensamente estudadas. O primeiro a descrever essa doença, o médico francês Jean-Martin Charcot, às vezes chamado de pai da neurologia moderna, propôs em 1872 que a EM era resultado de "tristeza e irritação prolongadas". Como no caso das percepções de seu contemporâneo mais jovem e também gigante da medicina William Ostler sobre a artrite reumatoide, desde então muitas informações vieram se somar à formulação pioneira de Charcot. "A maioria dos pacientes de EM cresceu num ambiente familiar infeliz", revelou um estudo de 1958 em dois hospitais de Montreal. "A discórdia conjugal, os lares desfeitos, o alcoolismo e a falta de amor e de carinho de pai e mãe foram apresentados como motivos de infelicidade." A grande maioria havia sofrido um estresse emocional prolongado antes do surgimento da doença. Igualmente importantes como gatilhos de recaída eram "preocupações de natureza financeira, vida doméstica infeliz e aumento de responsabilidade, seja isoladamente ou combinados a outros fatores como cansaço, excesso de esforço físico, excesso de trabalho, acidentes, lesões e parto".[22] Uma década mais tarde, outro estudo (do qual participou George Engel, cunhador do adjetivo "biopsicossocial") também concluiu que "a maioria dos pacientes [...] relatou experiências psicológicas estressantes anteriores ao início dos sintomas que acabaram levando ao diagnóstico de esclerose múltipla, achados corroborados por membros da família quando disponíveis".[23]

Os indícios não param de se acumular. Constatou-se que pacientes de EM que passam por estresses de vida importantes apresentam uma incidência quase quatro vezes maior de crises da doença.[24] Por fim, uma análise importante da literatura apresentada numa conferência internacional em Portugal, em 2013, constatou uma série de padrões em pacientes com EM, entre eles:

- mais estresse indesejado ou acontecimentos traumáticos ocorridos de seis meses a dois anos antes do início dos sintomas;
- uma correlação cumulativa entre estresse e recaída: após um acontecimento de vida estressante, o risco de recaída duplica ou triplica; após três ou mais acontecimentos, o risco aumenta de cinco a sete vezes;
- históricos de trauma na infância, duas ou três vezes mais do que a população geral;
- históricos de abuso físico e sexual correlacionados a taxas de recaída mais elevadas;

- estarem menos em contato com as próprias emoções de modo geral, e portanto serem menos capazes de se proteger do estresse;
- apoio social para mitigar o efeito dos estresses da vida.[25]

Ao longo dos anos, entrevistei dezenas de pessoas com EM, muitas delas tempos antes de ter conhecimento desses estudos. Ainda não encontrei uma só exceção a esses achados gerais. A "tristeza e irritação prolongadas" a que Jean-Martin Charcot se referiu um século e meio atrás têm uma influência brutal na presença e na gravidade da doença. Assim como em outros distúrbios autoimunes, em praticamente todos os casos os padrões da infância que tinham levado essas pessoas a se tornarem excessivamente exigentes, hiper-responsáveis e emocionalmente estoicas em relação às próprias necessidades eram evidentes, assim como o eram os estresses anteriores à doença, como por exemplo conflitos interpessoais, crises familiares, perda de um relacionamento ou obrigações suplementares no trabalho.

Bianca, médica assim como Miray, também teve visão dupla (diplopia) como primeiro sintoma da EM. Hoje com 37 anos, ela apresentou o sintoma pela primeira vez aos 20 e poucos, num período de estresse com as provas da faculdade. "Ao longo dos anos", disse-me ela quando falamos pela internet, ela de sua casa em Bucareste e eu de Vancouver,

> durante todo o tempo em que tive visão dupla eu estava me preparando para provas ou passando por muito estresse no trabalho. Hoje faço a conexão de que os outros sintomas, como dormência ou sensação de formigamento ou paralisia, em geral acontecem quando tenho problemas pessoais e emocionais.

Ao contrário da expectativa médica, Bianca fez sua doença funcionar a seu favor. Ela aprendeu a torná-la sua amiga, e a se permitir ser instruída por um distúrbio que a maioria de nós naturalmente consideraria pura falta de sorte. "Passei a vida inteira fazendo mais do que precisava, trabalhando demais e tentando agradar aos outros", disse ela. "Com a EM, finalmente tive motivo para relaxar e me concentrar em mim mesma."

## POR QUE AS DOENÇAS AUTOIMUNES ESTÃO AUMENTANDO?

Já que as explicações genéticas não acertam o alvo, a caça aos esquivos "fatores ambientais" prossegue: no mundo moderno, necessariamente haverá muitos.[26] Acredito, porém, que um desses fatores se destaque, seja onipresente e na maioria dos casos tristemente ignorado. Nesse caso, o próprio tratamento dos distúrbios inflamatórios oferece uma pista essencial e até mesmo óbvia de suas origens, pista essa que pode ajudar a solucionar o mistério de onde no mundo essas doenças provêm. Nós, médicos, com frequência receitamos grandes quantidades de hormônios do estresse sintéticos para inflamações da pele, das articulações, do cérebro, dos intestinos, dos pulmões, dos rins e assim por diante. Fazemos isso por um bom motivo: os hormônios muitas vezes aliviam ou melhoram os sintomas, ainda que com muitos efeitos colaterais potencialmente negativos. No entanto, raramente nos ocorre perguntar a nós mesmos ou a nossos pacientes se o estresse em si teria um pouco a ver com a doença que estamos tratando.

Muitos indícios apontam para essa possibilidade. Um estudo sueco recente do *Journal of the American Medical Association* mostrou que pessoas com transtornos relacionados ao estresse tinham um risco significativamente maior de desenvolver uma doença autoimune.[27] De modo revelador, aqueles cuja doença mental relacionada ao estresse tinha sido tratada com medicamentos do tipo ISRS – a mais receitada classe de antidepressivos,[28] entre os quais o mais conhecido provavelmente é o Prozac – tinham um risco menor para a autoimunidade: uma indicação clara do "corpomente", para usar a expressão de Candace Pert que designa a relação entre psicologia e fisiologia em humanos, e o papel das emoções nas doenças.

E não só em humanos. Num estudo de 2013, ratos de laboratório foram submetidos a três semanas de estresse a fim de imitar "a diversidade de acontecimentos estressantes na vida humana diária". Isso significou mergulhar os animais em água fria, emitir cheiros de predadores na sua direção, obrigá-los a suportar luzes fortes, confinamento ou isolamento, ou seja: estresses imprevisíveis, de duração variável, aos quais eles não conseguiam se adaptar com facilidade. Os pesquisadores chamaram isso de "estresse crônico variável". Constatou-se que os ratos expostos a essas situações tinham um risco elevado de autoimunidade patogênica, em outras palavras, uma atividade imunológica direcionada contra si mesmos.[29]

Acredito que a vida em nossa cultura atual transforma qualquer um de nós em ratos de laboratório submetidos a um "estresse crônico variável" fora do nosso controle.[30]

Um alerta necessário: ao trazer para o primeiro plano o papel dos fatores biográficos nas doenças, devemos prestar atenção para evitar a culpabilização. "Algumas pessoas veem o lúpus como um agressor externo", escreveu uma britânica que sofre da doença. "Mas prefiro pensar que fiz isso comigo mesma [...] Esforcei-me demais, vivi no limite demais, me estressei demais. Porém, apesar das consequências, eu não poderia mudar o jeito como vivi minha vida. Isso é o que eu sou, portanto essa doença também é quem eu sou."[31]

Há sabedoria nessa visão, mas ouço nela também uma autoacusação desnecessária e uma falta de compaixão demasiado típica. Ninguém *é* sua doença, e ninguém *fez* isso consigo mesmo, pelo menos não num sentido consciente, proposital ou culposo. A doença é o desfecho de gerações de sofrimento, de condições sociais, de condicionamento cultural, de traumas de infância, da fisiologia suportando o peso do estresse e da história emocional das pessoas, tudo isso em interação com o entorno físico e psicológico. Sim, ela é com frequência uma manifestação de traços de personalidade intrínsecos, mas essa personalidade não é mais quem nós somos do que as doenças às quais pode nos predispor.

No entanto, mesmo que nossa autora britânica se engane ao se identificar excessivamente com a própria doença, mesmo assim ela está nos apontando um profundo e fértil conjunto de perguntas. Será que uma doença como "agressora externa" é sequer concebível em se tratando de distúrbios tão crônicos, tão fora de controle quanto os que examinamos neste capítulo?[32] E se a doença na verdade não for uma entidade fixa, mas um *processo dinâmico* expressivo de vidas reais em condições concretas? Que novos (ou antigos) caminhos para a cura, impensáveis na perspectiva médica predominante, poderiam advir de uma mudança tão paradigmática de perspectiva?

# 6

# Não é uma coisa: a doença como processo

> *O câncer é tanto uma doença das células quanto o engarrafamento é uma doença dos carros. Um estudo de todo o ciclo de vida do motor de combustão interna não ajudaria ninguém a entender nossos problemas de tráfego [...] Um engarrafamento se deve a um fracasso do relacionamento normal entre os carros dirigidos e seu entorno, e pode ocorrer quer os carros em si estejam funcionando normalmente ou não.*
>
> – SIR DAVID SMITHERS, *The Lancet*, 1962

V, antes conhecida como Eve Ensler,[1] ganhou fama nos anos 1990 como autora de *Os monólogos da vagina*, peça teatral qualificada pelo *The New York Times* como "provavelmente a mais importante peça política da última década". Seu estrondoso sucesso nos palcos deu origem a uma vida de ativismo. Destemida advogada e defensora dos direitos das mulheres, V percorreu o mundo para testemunhar as sangrentas consequências do estupro em massa e da brutalidade misógina na Bósnia e na República Democrática do Congo, dilacerada pela guerra.

O político, para V, é pessoal. Em seu dilacerante mas triunfal livro de memórias, em que conta sobre ter sobrevivido a um câncer de útero em estágio 4, *In the Body of the World* (No corpo do mundo), ela faz uma pergunta de franqueza e sensibilidade espantosas: "Será que eu tenho câncer de estupro?" Desde uma idade muito tenra e ao longo de muitos anos, seu pai a violentou sexualmente, agressão crônica à qual se sobrepuseram vários abusos emocionais, e posteriormente uma violência física aterrorizante. Durante todo esse tempo, sua mãe, estropiada pela herança do próprio sofrimento infantil, permaneceu alheia e/ou calada. A Eve criança sentia estar "traindo" a mãe por ter um caso com o próprio pai. "Quando se é criança e seu próprio pai comete incesto, você se sente a traidora", disse-me ela numa entrevista pela internet. "E minha mãe me odiava por isso. Me odiava pelo quanto ele me adorava." A autoculpabilidade tóxica é um dos tormentos impostos à criança traumatizada. V passou grande parte da vida se odiando, como acabam fazendo muitas vítimas de abuso precoce.

"Como peguei isso?", escreve ela sobre o início do câncer que teve.

Teria sido a preocupação diária, durante 57 anos, de não ser boa o bastante? Teria sido a pressão de encher o Madison Square Garden com 18 mil pessoas ou o Superdome com 40 mil? Teria sido a fala de 200 mil mulheres repetida em centenas de cidadezinhas por tantos anos após cada apresentação, após cada discurso, mulheres enfileiradas me mostrando suas cicatrizes, suas feridas, suas tatuagens de guerra? Teriam sido os pesticidas dos gramados suburbanos? Teria sido o fato de o meu primeiro marido transar com uma amiga minha? Teria sido por eu transar com homens casados? Teria sido a falta de limites? Teria sido o excesso de muros?

Quando lhe perguntei o que ela pensa hoje, V fez um prefácio à sua resposta com uma risada talvez sardônica. "Eu acho que é uma combinação de tudo isso", falou. "Mas acho que, se havia algum único motivo subjacente para eu ter ficado doente, ele não foi reconhecido... eu não tinha ido fundo o suficiente no processamento do meu trauma." Ela então fez uma profunda observação sobre a natureza da doença em si:

Uma doença *não é igual a uma coisa*. Ela é um fluxo de energia, uma corrente; é uma evolução ou involução que ocorre quando não se está desperto e conectado, e o trauma essencialmente governa sua vida. Acho que é um baita erro identificar a doença como uma coisa, porque isso a transforma em matéria dura quando ela na verdade é uma condição bem mais psicológica, espiritual, emocional.

Esse ponto de vista conquistado a duras penas suscita algumas perguntas desconhecidas e potencialmente férteis. E se, escreve ela,

> quando você adoecesse não estivesse num estágio [de uma doença], mas sim *num processo*? E se o câncer fosse um professor, assim como a desilusão amorosa, ou conseguir um emprego novo, ou ir à escola? E se, em vez de ser isolado e definido por alguma categoria terminal, você fosse identificado como alguém no meio de uma transformação capaz de aprofundar a própria alma e de abrir o próprio coração?

A sobrevivência de V a um diagnóstico quase terminal muito se deveu aos heroicos esforços e capacidade da medicina moderna, que incluíram cirurgias complexas e quimioterapia. Na sua opinião, porém, não foi só isso que a salvou. A própria V gerou um poderoso complemento para essas intervenções na sua maneira de abordar a cura: uma disposição para vivenciar a doença não como uma "coisa", um inimigo externo, mas sim como um processo que abarca sua vida inteira – presente, passado e futuro – e, em última instância, até como professora.

## ALÉM DA METÁFORA DA GUERRA

Estamos acostumados a ver a doença como uma coisa da qual se livrar ou um inimigo a combater, como na expressão "guerra contra o câncer". ("Guerra" essa, só para deixar registrado, que tem passado longe de ser vencida.)[2] Algum dia, dizemos a nós mesmos, com pesquisas suficientes, nós como sociedade "venceremos" e erradicaremos o câncer; enquanto isso, mantemos uma atitude tenazmente desafiadora, conforme expressada na hashtag viral #FuckCancer. Nossa linguagem cotidiana dá voz à nossa postura combativa: ouvimos sempre falar em amigos ou familiares "lutando" corajosamente contra a EM; ou eles prevalecerão nessa batalha, ou então "sucumbirão".

Pode ser que essas metáforas bélicas sejam atraentes porque sua força está à altura de nossos sentimentos de raiva e desespero; só que isso não as torna úteis. Num trabalho anterior, citei a oncologista canadense Karen Gelman, uma renomada especialista em câncer de mama, que vê com desconfiança a representação militar do tratamento e da pesquisa do câncer.

"O que acontece no corpo é uma questão de fluxo: há as entradas e há as saídas", disse ela

> e não se pode controlar todos os aspectos desse fluxo. Precisamos compreendê-lo, saber que há coisas que podemos influenciar e outras que não. Não se trata de uma batalha, mas de um fenômeno de puxa-empurra para encontrar equilíbrio e harmonia, de sovar as forças em conflito até formar uma só massa.[3]

Reparei na estreita semelhança entre o seu uso da palavra *fluxo* e a linguagem de V: uma fala como especialista médica, a outra por meio de uma compreensão duramente conquistada e de origem subjetiva.

Para além das declarações de guerra, existe outra classe ainda mais popular de equívocos de compreensão que obscurecem nossa visão da doença: "Eu *tenho* câncer." "Ela *tem* EM." "Meu sobrinho *tem* TDAH." Em cada uma dessas frases está a pressuposição não verificada de que existe um *eu* (ou um *alguém*) distinto e independente da *coisa* chamada doença que esse "eu" tem, como por exemplo na frase "eu tenho uma TV de tela plana". Aqui está minha vida, e ali a doença que nela se aboletou. Vista assim, a doença é algo externo dotado de uma natureza própria, que existe independentemente da pessoa em quem surge. Considerando aonde essa perspectiva nos levou, está na hora de pensar em uma nova.

Já demos uma olhada nos incontáveis caminhos hormonais, neurológicos, moleculares, imunológicos, intracelulares e epigenéticos que tornam nossa fisiologia inseparável de nossa vida emocional, psicológica, espiritual e social. A compreensão de V do trauma e do estresse como fontes importantes do processo que quase a acabou matando está completamente alinhada com a ciência moderna. Num estudo britânico de cinco décadas que acompanhou quase 10 mil pessoas do nascimento até os 50 anos de idade, constatou-se que a adversidade no início da vida – por exemplo, em caso de abuso, desfavorecimento socioeconômico, dificuldades familiares – aumentava muito o risco de câncer antes dos 50 anos. Mulheres que vivenciavam duas ou mais adversidades desse tipo tinham um risco duas vezes maior ao chegar à meia-idade.[4]

"Esses achados sugerem que o risco de câncer pode ser influenciado pela exposição a condições e acontecimentos estressantes no início da vida", escreveram os pesquisadores, de novo empregando uma linguagem cuidadosamente reticente com os verbos "sugerem" e "pode". Para minha sensibilidade médica, por mais preocupado que eu esteja com a maneira como as pessoas adoecem e encontram a cura, esses resultados, corroborados incontáveis vezes por vários outros estudos, não *sugerem* coisa alguma: eles gritam bem alto. O impacto desorganizador dos hormônios do estresse no sistema imunológico como risco de câncer está longe de ser um segredo da ciência. Também já vimos como o estresse e o trauma são condutores importantes de inflamação, outra engrenagem central no aparato que provoca o câncer. De forma parecida, meninas vítimas de abuso sexual e físico têm, na idade adulta, um risco maior de apresentar endometriose, doença dolorosa e muitas vezes debilitante que aumenta o risco do câncer de ovário e cujas origens intrigam o pensamento médico convencional.[5] Considerado da perspectiva psiconeuroimunológica mente-corpo, o quebra-cabeça se torna bem menos difícil de resolver.[6]

Reafirmando uma questão essencial para o nosso tema: e se víssemos a doença como um desequilíbrio do organismo inteiro, não só como uma manifestação de moléculas, células ou órgãos invadidos ou desnaturados pela patologia? E se aplicássemos as descobertas da pesquisa ocidental e da ciência médica num arcabouço de sistemas, buscando todas as conexões e condições que contribuem para a doença e para a saúde?

Tal reestruturação revolucionaria nosso modo de praticar a medicina. Em vez de tratar a doença como uma entidade sólida que impõe ao corpo sua malévola vontade, estaríamos lidando com um *processo*, processo esse impossível de separar de nossa história pessoal e do contexto e da cultura em que vivemos. Essa mudança de abordagem tem muito a seu favor, e não só por levar em conta a biologia interpessoal. Quando deixamos de ver a doença como uma coisa concreta e autônoma, dotada de uma trajetória predeterminada, e dispomos da ajuda adequada e de uma vontade de olhar tanto para dentro quanto para fora, podemos começar a exercer alguma influência na questão. Afinal, se a doença é a manifestação de algo em nossa vida mais do que apenas sua cruel perturbadora, nós temos alternativas: podemos tentar buscar novas compreensões, fazer novas perguntas, talvez novas escolhas. Assumimos nosso lugar de direito como *participantes ativos do processo*, em vez de continuarmos a ser suas vítimas, impotentes a não ser pela nossa confiança em milagrosos profissionais da medicina.

A doença em si é tanto um clímax do que veio antes quanto um indicador de como as coisas podem se desenrolar no futuro. Nossa dinâmica emocional, que inclui nosso relacionamento com nós mesmos, pode ser um dos fatores determinantes desse futuro. Já foi demonstrado que uma atitude de impotência e desesperança no momento do diagnóstico, por exemplo, exerce um efeito adverso importante na sobrevivência de mulheres com câncer de mama mesmo 10 anos depois.[7] Inversamente, uma diminuição dos sintomas depressivos está associada a uma sobrevida mais longa.[8] Mesmo num estudo com mulheres que precisam fazer biópsia devido a anomalias no colo do útero identificadas em exames de rotina, aquelas que tinham uma visão desanimadora da vida *antes* do diagnóstico tinham muito mais probabilidade de receber um diagnóstico de câncer.[9] Nos homens, a capacidade de o sistema imunológico reagir ao câncer de próstata diminuía naqueles com tendência a reprimir a raiva.[10] Outro estudo sobre a próstata constatou que o apoio social reduzia esse risco.[11]

Steven Cole[12] é um pesquisador prolífico, cujo trabalho lançou uma forte luz sobre o processo das doenças. "Hoje sabemos que a *doença é um processo de longo prazo*", conta ele, "um processo fisiológico que ocorre dentro do corpo, e o modo como vivemos influencia quão rápido isso vai nos alcançar num nível clínico... Quanto mais entendemos sobre as doenças, menos claro fica quando se tem uma e quando não." Dentro do mito do normal, é claro, esse tipo de nuance é praticamente incompreensível: ou a pessoa está "doente" ou então está "bem", e em que campo ela se encontra deveria ser uma coisa óbvia. Mas na verdade não existe uma linha divisória entre a doença e a saúde. Ninguém de repente "pega" uma doença autoimune nem um câncer, embora essas doenças possam se fazer notar de modo súbito e com um impacto brutal.

Poucos anos atrás, a revista *The New Yorker* publicou um artigo intitulado "O que há de errado comigo?", um comovente relato em primeira pessoa de mais uma doença autoimune "idiopática".[13] O artigo era também um retrato perfeito da doença como um processo de longo prazo, e não uma entidade distinta. "Eu adoeci", escreve a autora com um humor dolorido,

> do mesmo jeito que Hemingway diz que se empobrece: "primeiro aos poucos, depois de repente." Uma forma de contar esta história é dizer que passei muito tempo doente, no mínimo uns 12 anos, antes de

qualquer médico que consultei acreditar que eu tivesse qualquer coisa. Outra forma é dizer que ela começou em 2009, o estressante ano em que minha mãe morreu, quando fui subjugada por um cansaço debilitante, meus nódulos linfáticos passaram meses doendo e um exame sugeriu que eu tinha contraído recentemente o vírus de Epstein-Barr.

Os sinais característicos do processo da doença estão presentes: a duração prolongada, a incompreensão dos profissionais diante da falta de marcadores específicos no exame físico, nas análises de sangue ou nos estudos de imagem; e o estresse interpessoal repentino que finalmente acarreta as manifestações plenas da doença. Mais para o final do texto, a autora menciona uma pista reveladora quanto à origem de sua doença, pista que deveria ter sido um sinal para os médicos que a trataram: "Em maio, meu endocrinologista cogitou, depois de várias ressonâncias magnéticas, que eu pudesse ter um transtorno 'idiopático' do hipotálamo, provavelmente sem tratamento."

A pista? Já vimos que o hipotálamo é o centro do aparato do estresse do corpo e do cérebro, um modulador-chave da atividade imunológica, e o ápice do sistema nervoso autônomo. É ele quem traduz em dados fisiológicos nosso funcionamento emocional, e portanto nossos relacionamentos interpessoais e nossa relação com nós mesmos. Traduz medo, perda, tristeza e estresse em reações em nosso fluxo sanguíneo, órgãos, células, nervos, nódulos linfáticos, mensageiros químicos e moléculas por todo o organismo. Assim, de um ponto de vista mais amplo da biologia interpessoal, a doença da autora no fim das contas talvez não fosse tão idiopática assim, mas o desfecho compreensível de um estresse crônico e agudo. Ainda que impossível de tratar com as técnicas médicas atuais, ela não precisa ser impossível de curar, principalmente se incluirmos uma avaliação mais sensata e baseada na ciência da complexidade interconectada do processo da doença e da unidade "corpomente".

Voltando ao tema do câncer, o trabalho de Cole e seus colegas mostrou que a ativação da resposta do corpo ao estresse é capaz de promover o crescimento e o espalhamento de tumores. É importante ressaltar, como eles alertaram,

> que o estresse *em si* não causa câncer; no entanto, dados clínicos e experimentais indicam que o estresse e demais fatores, tais como estado de

ânimo, mecanismos de adaptação e apoio social, podem influenciar de forma significativa os processos celulares e moleculares subjacentes que facilitam o crescimento de células malignas.[14]

Isso levanta uma questão-chave. O estresse não pode "causar" câncer pela simples razão de que nosso corpo naturalmente contém células potencialmente malignas a todo instante. O corpo contém mais de 37 trilhões de células, todas em estágios variados de desenvolvimento, maturidade e decomposição. A transformação maligna é uma ocorrência frequente, um subproduto acidental da divisão celular natural. Em circunstâncias normais, as defesas do organismo conseguem eliminar essas ameaças ao bem-estar. Sabemos por exemplo, graças às autopsias, que muitas mulheres têm células de câncer de mama, da mesma forma que muitos homens têm células de câncer de próstata, e nunca desenvolvem câncer. A pergunta é: o que leva a evolução dessas células a uma doença clínica? O que impede o sistema imunológico de enfrentar com sucesso a ameaça interna? É aí que o estresse desempenha seu papel incendiário: por meio da liberação de proteínas inflamatórias na corrente sanguínea, por exemplo, proteínas capazes de causar danos ao DNA e impedi-lo de se autorreparar diante de transformações malignas. Essas proteínas, chamadas citoquinas, podem também inativar genes que normalmente impediriam o crescimento de um tumor, capacitar mensageiros químicos que sustentam o crescimento e a sobrevivência de células tumorais, estimular a bifurcação de vasos sanguíneos que levam nutrientes para alimentar o tumor e minar o sistema imunológico. Mesmo nos níveis celular e molecular, a geração de má saúde é um processo multifacetado e com muitos passos.

Em 1962, o respeitado oncologista britânico David Smithers publicou um artigo de força profética. Ele explorou o processo do câncer: não como uma doença de células individuais descontroladas, mas como a manifestação de um ambiente em desequilíbrio, "apenas o [acontecimento] terminal numa cadeia progressiva de circunstâncias bem mais longa e sem um ponto inicial definido". Médicos e pesquisadores não vivenciam a "qualidade essencialmente dinâmica do câncer", escreveu ele; "eles veem seus efeitos estáticos, não o processo em ação".[15] A atividade celular, assinalou Smithers, "só é possível em relação ao seu entorno, e nenhuma de suas ações pode ser explicada apenas pelas leis que governam eventos iniciados intracelularmente". Essa presciente afirmação já foi mais do que validada pelo meio século de pesquisa de lá para cá.

"Hoje tenho uma visão bem mais complexa da causalidade", afirmou Steve Cole.

> Se você pega uma doença, toda uma série de coisas precisa ter dado errado. Parte disso pode ter a ver com seus genes; parte pode ter a ver com a exposição a algum patógeno. Parte ainda tem a ver com uma vida dura, passível de causar desgaste e danos ao corpo e ao que sem isso seriam tecidos resilientes. É melhor pensar nesse processo como uma causalidade em várias etapas… Uma das coisas que muitas doenças têm em comum é a inflamação, que age como uma espécie de fertilizante para o seu desenvolvimento. Descobrimos que quando nos sentimos ameaçados ou inseguros, especialmente ao longo de um período prolongado, nosso corpo está programado para ativar os genes inflamatórios.

## UMA MÉDICA CURA A SI MESMA

Ameaçada e insegura durante um período prolongado foi exatamente como a obstetra e ginecologista Lissa Rankin se sentiu desde a infância, estado emocional que sua formação em medicina só fez exacerbar. Seu livro, *The Anatomy of a Calling* (A anatomia de uma vocação), começa com um relato, digno de um pesadelo, de como ela, então residente em medicina, teve que passar a noite inteira correndo de uma sala de parto para outra, lidar com sucessivos partos complicados, dar suporte a pais depois que seus quatro bebês morreram, enquanto era o tempo todo repreendida por seus superiores para sufocar a própria tristeza, mesmo na privacidade do vestiário. "Os médicos se tornam mestres em sufocar as próprias emoções", disse ela. "Não podemos chorar quando estamos sofrendo ou quando alguém nos magoou, nem quando ficamos tristes." Conversei recentemente com ela, que mora na Califórnia. "Na escola de medicina, eu era assediada sexualmente o tempo inteiro pelos meus professores de cirurgia", contou ela. "O tempo inteiro. Tinha que aguentar e pronto… Nunca procurei o diretor da faculdade, nunca contei para ninguém nem pedi proteção, porque isso fazia parte da minha ferida: eu não tinha permissão para pedir ajuda, nem para ser 'carente' ou reclamar."

Aos 27 anos, Rankin deu entrada na unidade coronariana do hospital em que trabalhava por causa de um preocupante episódio de taquicardia que não reagia às medidas não invasivas habituais. Após ser tratada com eletrochoques para restabelecer um ritmo cardíaco normal, ela foi mandada direto de volta ao trabalho. Aos 33, já tomava vários remédios para diferentes problemas, entre eles três para hipertensão e palpitações, anti-histamínicos e um corticoide – hormônio do estresse, lembremos –, além de injeções semanais para alergia, que segundo ela precisaria tomar até o fim da vida. Ela também foi tratada de uma anomalia no colo do útero, um estágio anterior ao câncer que ressurgiu logo depois da intervenção. Durante todo esse tempo – eis algo que vai soar familiar – nenhum médico lhe perguntou que estresses poderiam estar afetando-a, promovendo os problemas autoimunes e potencializando malignidades.

Hoje em dia, Rankin goza de plena saúde e não toma remédio algum. No seu caso, a cura não veio de um tratamento médico convencional, mas graças à transformação pessoal que ela foi guiada a realizar, jornada iniciada quando, aos 35 anos, chegou às raias do suicídio. "Seis meses depois de pedir demissão do trabalho, eu já tinha parado de tomar todos os meus remédios", relata ela, hoje mãe, curadora espiritual, orientadora de estudos e autora de vários livros. Sua principal percepção foi reconhecer a vida como um terreno para as diversas doenças das quais sofria, tanto físicas quanto mentais: ver que elas não eram entidades separadas, mas sim processos dinâmicos que expressavam suas interações com seu mundo. "Eu sempre tinha sido o estereótipo de uma boa moça: superestudiosa, primeira aluna da turma, sempre me esforçando para desenvolver meu talento e meu intelecto, não para satisfazer a mim mesma, mas para ser aceita pelos outros", disse ela. Rankin aprendeu que essa pressão incansável estava se manifestando na forma de problemas de saúde. Era preciso se livrar dela.

Como Lissa Rankin percebeu, interagir sem ideias preconcebidas com o processo que a doença representa pode fazer muito bem. Ela pode ser uma convidada que nunca desejamos ver, mas um mínimo de hospitalidade não nos custa nada: acolher, por assim dizer, a visita indesejada. Isso pode inclusive conduzir a uma oportunidade de descobrir por que essa visita específica apareceu, e o que isso pode nos dizer sobre nossa vida.

# 7
# Uma tensão traumática: apego *versus* autenticidade

> *A maioria de nossas tensões e frustrações vem da necessidade compulsiva de desempenhar o papel de alguém que não somos.*
>
> – JÁNOS (HANS) SELYE, *The Stress of Life*

Do jeito que Anita Moorjani conta, fica parecendo que a doença que quase a matou não foi um infortúnio aleatório. "A pessoa que eu era antes de ter câncer", me disse essa autora de sucesso,

> tinha medo de decepcionar os outros. Eu vivia tentando agradar. Me perdia tentando satisfazer os outros, e fui ficando esgotada. Eu não conseguia dizer não; era sempre a salvadora da pátria, e a que estava a postos para ajudar qualquer um. Nem quando tive câncer aprendi que estava tudo bem ser eu mesma. Para ver isso precisei entrar em coma.

Hoje vibrante aos 61 anos, Moorjani está convencida de que o estresse crônico induzido pela supressão compulsiva das próprias necessidades foi uma das raízes de seu linfoma metastático, considerado terminal quando ela recebeu o diagnóstico, aos 43. "Minha personalidade era de um jeito que eu precisei de uma coisa tão drástica quanto o câncer para me dar motivo para cuidar de mim mesma."

Muitos de nós já ouvimos esses sentimentos: a ideia de "encontrar um lado bom" em meio à tragédia não é nem um pouco desconhecida, e tampouco se limita à esfera das crises de saúde. Mas o conceito de que aspectos da nossa personalidade possam contribuir para o surgimento de patologias é um anátema para muitos. Em seu ainda influente ensaio de 1978, "A doença como metáfora", a falecida diretora de cinema, ativista e brilhante intelectual Susan Sontag, então sobrevivente do câncer aos 45 anos, rejeitou terminantemente a possibilidade de a sua má saúde talvez significar algo além de uma calamidade do corpo. "As teorias segundo as quais doenças são causadas por estados mentais [...] são sempre uma mostra de quanto não se entende sobre o terreno físico de uma doença", escreveu ela.[1] Afirmar que as emoções contribuem para as doenças era, para ela, promover "fantasias punitivas ou sentimentaloides", manipular "metáforas absurdas" e suas "armadilhas". Ela considerava essa visão especialmente de mau gosto porque a via como um jeito de culpar o paciente. "Eu decidi que não seria culpabilizada."[2]

A dura rejeição feita por Sontag da conexão mente-corpo reverberou não só nas rodas intelectuais, mas também em alguns dos mais venerados centros de pensamento médico. Poucos anos depois, a futura primeira editora mulher do *New England Journal of Medicine*, Marcia Angell, citou-a em tom de aprovação, descartando como "folclore" a ideia de que "o estado mental seja um fator na causa e na cura de doenças específicas", um "mito" cujas provas são, no melhor dos casos, "empíricas". Como Sontag, Angell via nessa linha de raciocínio uma tendência insidiosa a culpar o paciente: "Numa fase em que já estão suportando o peso da doença, os pacientes não deveriam ser ainda mais sobrecarregados por ter que aceitar a responsabilidade por esse desfecho."[3]

Concordo inteiramente que ninguém, em momento algum, deveria ser levado a sentir culpa pelo que quer que aconteça com seu corpo, quer essa culpa venha da própria pessoa, quer seja imposta por terceiros. Como já afirmei, a culpa é inadequada, injusta e cruel; e também anticientífica. Mas precisamos tomar cuidado para não cair numa falácia. Afirmar que aspectos da personalidade contribuem para o surgimento de doenças, e de modo mais geral perceber conexões entre traços, emoções, históricos de desenvolvimento e doenças *não significa* culpar. Significa entender o contexto geral com o objetivo de prevenir e curar, e em última instância de alcançar autoaceitação e autoperdão.

Meu propósito ao reformular o ponto de vista de Sontag, portanto, é proporcionar uma visão mais útil. Eu me solidarizo com sua apreensão em relação a ser culpada por ter ficado doente, apesar de ver sua recusa da confluência mente-corpo como equivocada e cientificamente insustentável. Um exame direto e honesto dos fatores biográficos capazes de perturbar nosso bem-estar biológico nos ajuda a reagir à doença de forma inteligente e eficaz ou, de preferência, a mitigar os riscos antes mesmo de a doença ocorrer. Isso vale tanto para os indivíduos quanto para a sociedade.

Não há nada de radical na ideia de que determinados traços de personalidade podem acarretar riscos para doenças; na verdade, isso é a reafirmação, em termos científicos modernos, de uma percepção bem mais antiga. Os caminhos fisiológicos que ligam um temperamento irascível aos males do coração, por exemplo, já são bem compreendidos há muito tempo; entre eles estão, por exemplo, uma pressão arterial e um ritmo cardíaco aumentados, uma formação maior de coágulos e vasos sanguíneos comprimidos.[4, 5, 6] Já na Antiguidade, Hipócrates falava sobre o temperamento "colérico", que atribuía a um excesso de cólera (bile amarela). A língua inglesa ainda se refere a pessoas habitualmente mal-humoradas como *bilious*, referente à bile. Na medicina tradicional chinesa, também o fígado – origem da bile – é associado à raiva, à amargura e ao ressentimento. Em 1896, o renomado clínico geral e professor de medicina Sir William Osler, muitas vezes chamado de pai da medicina moderna, afirmou diante de alunos de pós-graduação no hospital Johns Hopkins de Baltimore que "não é a pessoa delicada e neurótica que terá tendência a angina [um dos sintomas principais da doença coronariana], mas a pessoa robusta, vigorosa de mente e corpo, o homem intenso e ambicioso [...] cujo motor está sempre na velocidade máxima". Ele estava prenunciando o conceito moderno da personalidade de tipo A – ambiciosa, compulsivamente preocupada, impaciente, facilmente irritável e propensa a adoecer do coração –, uma dinâmica biopsicossocial fácil de compreender tanto do ponto de vista científico quanto "empírico".

Em 1987, a psicóloga Lydia Temoshok[7] sugeriu o que se tornou conhecido como "personalidade de tipo C", referente a traços fortemente associados com a ocorrência de malignidades.[8] Esses traços não poderiam ser mais distantes, no espectro do temperamento, dos traços de tipo A: entre eles estava "ser cooperativo e tranquilizador, ser pouco assertivo, ter paciência, não expressar emoções negativas (em especial a raiva) e obedecer a autoridades externas". Ela havia entrevistado 150 pessoas com melanoma, e constatado que esses pacientes eram "excessivamente agradáveis, simpáticos ao extremo, nunca reclamavam e nunca eram assertivos". Eles eram identificados como "pessoas que vivem tentando agradar": embora aflitos com o avanço da doença, suas preocupações estavam focadas numa direção especificamente externa, para longe de si mesmos, e nos efeitos que sua doença estava tendo em suas famílias. Essa abnegação foi extremamente bem tipificada num artigo que li certa vez no *The Globe and Mail*, escrito por uma mulher que acabara de receber um diagnóstico de câncer de mama. "Estou preocupada com meu marido", disse ela ao médico na mesma hora. "Não vou ter forças para apoiá-lo."[9]

Por volta da mesma época, uns 10 anos depois de eu começar a clinicar, passei a notar padrões semelhantes na vida de muitos pacientes meus, pessoas com todo tipo de doença. Isso apesar da minha falta de familiaridade, na época, com o grande volume de pesquisas que, no último meio século, tinham lançado luz sobre como o estresse, inclusive o estresse da supressão de si, pode perturbar nossa fisiologia, incluindo nosso sistema imunológico. Sem conhecer o trabalho de Temoshok na ocasião, cheguei a conclusões semelhantes porque elas praticamente se impuseram a mim; não tive como não ver o que estava vendo. Repetidamente, eram as pessoas "simpáticas", as que punham compulsivamente as expectativas e necessidades dos outros à frente das suas e reprimiam emoções supostamente negativas, que apareciam na minha clínica com doenças crônicas ou passavam a ser tratadas por mim na ala de cuidados paliativos que eu dirigia num hospital. Fiquei impressionado com o fato de esses pacientes terem uma probabilidade mais alta de câncer e prognósticos piores.

O motivo, acredito, é bem direto: a repressão desarma a capacidade da pessoa de se proteger do estresse. Num estudo, a resposta fisiológica ao estresse dos participantes foi medida em como a pele deles reagia eletricamente a estímulos emocionais desagradáveis, ao mesmo tempo que os pacientes relatavam quanto esses estímulos os incomodavam. Numa tela eram mostradas afirmações ofensivas, como "Você merece sofrer", "Você é feio", "Ninguém te ama" e "A culpa é toda sua". Três grupos de participantes foram avaliados assim: pessoas com melanoma, pessoas com doenças cardíacas, e um grupo de controle saudável. No grupo do melanoma houve uma diferença consistentemente grande entre o que as pessoas relatavam – ou seja, até que ponto elas se sentiam *conscientemente* chateadas com as mensagens desdenhosas e ofensivas – e o nível de estresse físico que as reações de sua pele revelavam. Em outras palavras, elas tinham reprimido as próprias emoções até abaixo do nível consciente. Não há como isso não afetar o corpo: afinal de contas, se você passa a vida estressado *sem saber que está estressado*, há pouco que possa fazer para se proteger das consequências psicológicas de longo prazo disso. Sendo assim, os cientistas concluíram que a repressão deveria ser vista como "um construto mente-corpo, não somente um construto mental".[10]

Alguns anos mais tarde, psicólogos da Universidade da Califórnia em Berkeley investigaram os efeitos fisiológicos não da repressão, processo em grande parte inconsciente, mas da *supressão*, definida como "a inibição *consciente* do próprio comportamento emocional sob estímulo emocional". Se eu sei que estou com medo, mas decido esconder tal fato de um cão raivoso capaz de "farejar o medo", estou suprimindo meus sentimentos; reprimi-los, por sua vez, seria fingir compulsivamente concordar com opiniões que se consideram repulsivas e só se dar conta depois. No estudo de Berkeley, mostrou-se aos participantes vídeos que geralmente provocavam nojo, como pacientes sendo tratados por queimaduras ou um braço sendo cirurgicamente amputado. Alguns participantes foram instruídos especificamente a não revelar emoções durante a exibição, enquanto o grupo de controle ficou livre para exprimir emoções por meio de expressões faciais ou corporais. Em várias avaliações fisiológicas, o grupo da supressão revelou uma ativação maior do sistema nervoso simpático, ou sistema de luta ou fuga: em outras palavras, uma reação de estresse.[11] Pode ser que haja determinadas situações em que uma pessoa, por motivos perfeitamente válidos, opte deliberadamente por não expressar o que sente; se alguém faz isso de forma habitual ou por compulsão, o impacto tem grande probabilidade de ser tóxico.

Já fiz minha própria lista dos traços de personalidade mais frequentemente presentes em pessoas com doenças crônicas, conforme observado por mim e muitos outros. Eles podem lembrar algumas das histórias que contei até aqui. Quer uma pessoa apresente um, alguns ou todos esses traços, todos eles, cada um ao seu modo, têm a ver com autossupressão e/ou autorrepressão. Constatei que eles não estão apenas presentes, mas são *proeminentes* nas pessoas com todo tipo de doença crônica, do câncer às doenças autoimunes e problemas dermatológicos persistentes, passando por toda uma gama de doenças, entre elas enxaqueca, fibromialgia, endometriose, encefalomielite miálgica (síndrome da fadiga crônica) e muitas outras.

Sem qualquer ordem específica, esses traços são:

- uma preocupação automática e compulsiva com as necessidades emocionais dos outros, ao mesmo tempo que ignora as próprias;
- uma rígida identificação com papéis, deveres e responsabilidades sociais (intimamente relacionada ao próximo traço);
- uma sensibilidade excessiva e concentrada em fatores externos e a realização de múltiplas tarefas concomitantes, com base na convicção de que é preciso justificar a própria existência fazendo e dando;
- uma repressão da agressividade e da raiva saudáveis e autoprotetoras; e
- ter e externar compulsivamente duas crenças: "Sou responsável pelo modo como os outros se sentem" e "Nunca devo decepcionar ninguém".

Essas características nada têm a ver com desejo ou escolha conscientes. Ninguém acorda de manhã e resolve: "Hoje vou pôr os desejos do mundo inteiro em primeiro lugar e não levar em consideração os meus", ou "Mal posso esperar para reprimir minha raiva e frustração, e em vez disso fingir que estou contente". Ninguém tampouco nasce com esses traços: se você já tiver conhecido um bebê recém-nascido, sabe que eles têm zero compunção quanto a demonstrar o que sentem, tampouco pensam duas vezes antes de chorar com medo de incomodar alguém. O motivo por que esses hábitos de personalidade, como podemos chamá-los, se desenvolvem e se tornam proeminentes em algumas pessoas é ao mesmo tempo fascinante e preocupante. Na base, esses hábitos são padrões adaptativos: adaptações para preservar algo essencial e inegociável.

O motivo de esses traços e sua notável prevalência na personalidade de pessoas com doenças crônicas serem com tanta frequência ignorados, ou então nem sequer percebidos, é o cerne de nossa temática: eles estão entre os modos de ser mais *normalizados* da nossa cultura. Normalizados como? Principalmente sendo considerados forças dignas de admiração, e não riscos em potencial. Esses perigosos traços de autonegação tendem a passar despercebidos pelo nosso radar, porque são facilmente fundidos com seus análogos mais saudáveis: compaixão, honra, diligência, gentileza, generosidade, temperança, consciência, e assim por diante. Repare que as qualidades dessa última lista, embora possam superficialmente se parecer com as da primeira, não *supõem* nem exigem que uma pessoa releve, ignore ou suprima quem é e o que sente e necessita. A verdadeira compaixão, por exemplo, é uma oferta de oportunidades iguais, concedida a outros justamente pelo fato de conhecermos e honrarmos aquilo que nós próprios sentimos. Podemos muito bem admirar alguém que ponha as necessidades dos outros na frente das próprias numa crise, ou alguém que lidere uma luta pelos direitos de muitos, mas esses sacrifícios são feitos de maneira consciente e limitada no tempo, de acordo com a situação em pauta e com plena consciência dos riscos.

Tenho um hábito um tanto fora do padrão na hora de ler o jornal: costumo há muito tempo ler os obituários, onde amigos e parentes prestam homenagem a pessoas queridas que faleceram. Com frequência noto neles um comovente paradoxo. Escritos com afeto e tristeza, esses emocionantes textos com frequência revelam e involuntariamente celebram os traços de abnegação de seu finado parente ou amigo, sem reconhecer que estes podem ter tido um papel central na doença que pôs fim à vida ali lembrada. Considere, por exemplo, o caso de um médico de Ontario que chamaremos Stanley, morto de câncer. A proximidade de Stanley com a mãe foi louvada no obituário publicado na seção diária "Vidas vividas" do *The Globe and Mail*, jornal canadense de circulação nacional:[12]

> Stanley e a mãe tinham um relacionamento incrivelmente especial, um vínculo aparente em todos os aspectos da vida deles até a morte dela. Casado e com filhos pequenos, Stanley fazia questão de ir jantar com os pais todos os dias, enquanto a esposa Lisa e os quatro filhos do casal esperavam por ele em casa. Quando chegava era recebido por mais um jantar, que saboreava e apreciava. Sem nunca querer decepcionar nenhuma das duas mulheres de sua vida, Stanley acabou jantando duas vezes por dia durante anos, até que o ganho de peso gradual começou a levantar suspeitas.[13]

Outra coluna homenageia uma mulher que, apesar do câncer metastático, "não abriu mão de nenhuma das suas atividades", entre elas "vários treinos de hóquei, conselho escolar, uma orquestra e outras atividades extracurriculares", e chegou até mesmo a assumir novas – todas direcionadas a ajudar terceiros – à medida que a doença se espalhava por seu corpo. Sou totalmente a favor de uma participação entusiástica na própria comunidade. Mas existe algo chamado vontade de viver, e existe o fato de ser levado a derivar a própria sensação de valor de uma atividade constante, a ponto de não conseguir fazer uma pausa para cuidar de si quando acontece uma tragédia.

Como último exemplo, temos um viúvo lembrando da esposa (morta de câncer no seio aos 55 anos) nos seguintes termos: "Ao longo de toda a vida, ela nunca brigou com ninguém [...] Não tinha ego; simplesmente se fundia ao entorno de forma muito discreta". A frase "não tinha ego" deveria nos fazer parar e pensar. Apesar do objetivo de transmitir uma falta de arrogância ou soberba admiráveis, para mim essas três palavras revelam uma história mais profunda. Um ego saudável é um elemento vital de um ser humano pujante; ego não só no sentido de superioridade, mas de identidade estável e base do respeito próprio, da autorregulação, da capacidade de tomar boas decisões, de uma memória em bom estado e muito mais. Sem saber, o que o marido enlutado estava descrevendo era a mesma repressão da vida inteira dos próprios sentimentos – em especial a raiva saudável – que mina o sistema imunológico e representa um risco de outras doenças.

De onde vem esse abandono de si? "O tipo C", assinalou Lydia Temoshok, "não é uma personalidade, mas sim um padrão de comportamento que pode ser modificado."[14] Concordo plenamente com o ponto de vista dela. Justamente por ninguém nascer com esses traços enraizados, nós podemos desaprendê-los. Existe um caminho para a cura; não é uma estrada fácil, longe disso, e iremos analisá-la em detalhes mais adiante. Mas vejamos primeiro se conseguimos identificar as origens desses padrões.

Um tema recorrente, talvez o tema central de todas as minhas palestras ou workshops, é a tensão inescapável, e para a maioria de nós o eventual conflito, entre duas necessidades essenciais: o *apego* e a *autenticidade*. Esse conflito é o terreno inicial da forma de trauma mais generalizada em nossa sociedade, a saber: o trauma "com T minúsculo" expressado por uma desconexão de si, mesmo na ausência de algum abuso ou ameaça avassaladora.

O *apego*, conforme definiu meu colega e antigo coautor, o psicólogo Gordon Neufeld, é o anseio por proximidade: proximidade com os outros não só no sentido físico, mas também emocional. Seu principal objetivo é facilitar o ato de cuidar ou a condição de ser cuidado. Para os mamíferos e até para as aves, o apego é indispensável à vida. Para o bebê humano em especial, que ao nascer é um dos mais imaturos, dependentes e indefesos animais que existem, e que assim permanece de longe pelo período mais longo, a necessidade de apego é obrigatória. Sem adultos de confiança propensos a cuidar de nós, e sem nosso impulso de sermos próximos desses cuidadores, simplesmente não conseguiríamos sobreviver nem por um dia sequer. Como veremos no próximo capítulo, todos chegamos ao mundo "esperando encontrar" apego, da mesma forma que nossos pulmões esperam encontrar oxigênio. Arraigado em nosso cérebro, nosso impulso de conseguir apego é mediado por vastos e complexos circuitos neuronais, que governam e promovem comportamentos destinados a nos manter próximos daqueles sem os quais não podemos viver. Para muita gente, esses circuitos de apego se sobressaem em relação àqueles que nos conferem racionalidade, a capacidade de tomar decisões objetivas, ou à vontade consciente, fato que explica muito de nosso comportamento em várias áreas.

Na primeira infância, nossa dependência é algo obrigatório e de longa duração. Tudo, desde o choro até a fofura – dois sinais impossíveis de ignorar transmitidos pelos bebês –, é um comportamento intrínseco criado pela natureza para fazer com que nossos cuidadores continuem sendo gentis e atenciosos. Mas a necessidade de apego não termina quando largamos as fraldas: ela segue nos motivando ao longo de toda a vida. Como vimos no capítulo 3, apegos insatisfatórios podem provocar o caos até mesmo na fisiologia de um adulto. O que distingue nossos primeiros relacionamentos de apego – e, fator crucial, os estilos de adaptação que desenvolvemos para mantê-los – é que eles formam o modelo de como vamos abordar *todos* os nossos relacionamentos importantes, muito depois de já termos saído da fase de dependência total. Nós os levamos para nossas interações com cônjuges, sócios, patrões, amigos, colegas; nós os levamos para todos os aspectos de nossa vida pessoal, profissional, social e até mesmo política. Consequentemente, o apego é uma preocupação fundamental da cultura, como se pode ver, de maneira trivial, nos tabloides que noticiam quem ama quem, quem larga quem e quem mente para quem. O apego nunca está distante de nossa mente, e junto com ele a frustração do apego, como na "satisfação" que, de acordo com a música de Mick Jagger, nunca conseguimos ter.

Nossa outra necessidade central é a *autenticidade*. Existem várias definições para ela, mas eis uma que, na minha opinião, melhor se aplica a esse debate: a qualidade de ser verdadeiro em relação a si mesmo, e a capacidade de moldar a própria vida com base num profundo conhecimento desse verdadeiro eu. O que pode não ficar aparente é que a autenticidade não é uma aspiração abstrata, um simples luxo para aquele pessoal esotérico que se interessa por autoconhecimento. Assim como o apego, ela é um impulso enraizado no instinto de sobrevivência. Em sua essência mais concreta e pragmática, autenticidade significa simplesmente o seguinte: reconhecer nossos instintos quando eles surgem e honrá-los. Imagine nossa antepassada africana na savana, ao pressentir a presença de um predador natural: quanto tempo ela sobreviveria se os seus instintos naturais de alerta para o perigo estivessem suprimidos?

A raiz da palavra *autenticidade* é o grego *autos*, ou "si", que tem uma relação próxima com "autor" e "autoridade". Ser autêntico ou autêntica é honrar uma noção de si advinda de uma essência própria única e genuína, conectar-se a esse GPS interno e usá-lo para orientar-se. Uma noção saudável de si não impede de cuidar dos outros, ou de se deixar afetar ou influenciar por eles. Não é algo rígido, mas sim expansivo e inclusivo. O único ditame da autenticidade é sermos nós, não expectativas impostas por terceiros, os verdadeiros autores e as verdadeiras autoridades de nossa própria vida.

A semente do problema não é o fato de termos essas duas necessidades, mas sim o fato de a vida com demasiada frequência promover um impasse entre elas. O dilema é o seguinte: *o que acontece se nossa necessidade de apego for posta em risco por nossa autenticidade, nossa conexão com aquilo que verdadeiramente sentimos?* Em outras palavras, o que acontece quando as circunstâncias jogam uma contra a outra duas necessidades inegociáveis? Essas circunstâncias podem incluir dependência dos pais, doença mental, violência e pobreza na família, conflito aberto ou uma profunda infelicidade – os estresses induzidos pela sociedade tanto em crianças quanto em adultos. Mesmo sem eles, a tensão trágica entre apego e autenticidade pode surgir. Não sermos vistos e aceitos por quem somos já basta.

As crianças muitas vezes recebem o recado de que determinadas partes suas são aceitáveis enquanto outras não, dicotomia que, se internalizada, conduz inevitavelmente a uma clivagem na própria noção de si. A afirmação "criança boazinha não grita", dita num tom irritado, traz em si uma ameaça involuntária, mas muito eficiente: "Crianças com raiva não são amadas." Ser "bonzinho" (ou seja: enterrar a própria raiva) e se esforçar para o pai ou a mãe aceitá-lo se torna para a criança uma forma de sobreviver. Ou então uma criança pode internalizar a ideia de que "só sou digna de amor quando estou fazendo bem as coisas", o que a predispõe a uma vida de perfeccionismo e rígida identificação de papéis, sem contato com sua parte vulnerável que precisa saber haver espaço para o fracasso – ou até mesmo para ser apenas espetacularmente comum – e ainda assim receber o amor de que precisa.

Embora as duas necessidades sejam essenciais, existe uma ordem: durante a primeira fase da vida, o apego invariavelmente vem primeiro. Assim, quando os dois entram em conflito mais adiante na vida de uma criança, o desfecho está praticamente predeterminado. Se a escolha for entre "esconder meus sentimentos até de mim mesmo e conseguir os cuidados básicos de que preciso" e "ser eu mesmo e passar necessidade", escolherei todas as vezes a primeira opção. Assim, nosso verdadeiro eu vai se adaptando aos poucos, numa trágica transação na qual garantimos nossa sobrevivência física ou emocional abrindo mão de quem somos e de como nos sentimos.

O fato de não escolhermos conscientemente esses mecanismos de adaptação os torna ainda mais tenazes. Não podemos simplesmente expulsá-los com a força da vontade quando eles não mais nos servem justamente por não termos lembrança de eles um dia *não terem* estado ali, nem noção de nós mesmos sem eles. Como um papel de parede, eles se misturam ao cenário de fundo; são nosso "novo normal", literalmente nossa *segunda* natureza, por oposição à nossa natureza original ou autêntica. Conforme esses padrões vão ficando programados em nosso sistema nervoso, a necessidade percebida de ser o que o mundo exige se embaralha com nossa noção de quem somos e de como buscar o amor. A inautenticidade, portanto, é confundida com a sobrevivência, porque as duas eram sinônimos nos nossos anos de formação, ou pelo menos assim parecia para nosso eu mais jovem.

Aqui podemos ver a perigosa desvantagem de nossa assombrosa e tão alardeada capacidade de adaptação a circunstâncias diversas e desafiadoras. Afinal, a maioria das adaptações se destina a situações específicas, e não é uma reação eternamente aplicável em todos os casos possíveis. Eis uma analogia tirada das manchetes de jornal: durante a escrita deste livro, o

Texas está enfrentando uma onda de frio.[15] As pessoas se adaptam vestindo mais roupas, aquecendo as casas quando há energia elétrica disponível e se enrolando em cobertores quentes; todas são estratégias necessárias para sobreviver num inverno inclemente. Essas mesmas adaptações, que deveriam ser temporárias, poriam em risco a saúde e a vida caso não fossem descartadas quando chegasse o calor abrasador do verão. As adaptações internas que fazemos em nossa própria personalidade para poder sobreviver às adversidades no início da vida apresentam o mesmo risco quando as condições mudam, mas temos bem menos consciência do perigo. Por mais que o tempo mude, o equipamento de proteção agora soldado à personalidade nunca é retirado.

É revelador perceber que muitos dos traços de personalidade que passamos a acreditar *ser nós mesmos, e dos quais* talvez até sintamos orgulho, na verdade exibem as cicatrizes de onde, num passado remoto, perdemos a conexão com nós mesmos. As origens dessas cicatrizes são mais evidentes no seu formato, por assim dizer: em muitos casos, a origem de traços específicos pode ser rastreada até tipos específicos de ferida. Por exemplo, se não recebemos a atenção plena e incondicional de que todos precisamos, uma das formas de nos proteger dessa privação é começarmos a nos preocupar com a beleza física ou outros atributos ou capacidades passíveis de chamar atenção. Uma criança que não tem uma experiência de si como um ser *digno de amor* de modo consistente e incondicional pode muito bem, quando adulta, tornar-se assustadoramente amável ou charmosa, como no caso de vários políticos ou personalidades da mídia. Alguém que não for *valorizado* ou *reconhecido* por quem é no início da vida pode desenvolver um apetite desmedido por status ou riqueza. Se não conseguimos nos sentir importantes apenas por quem somos, podemos buscar significado nos tornando ajudantes compulsivos, síndrome essa que conheço bem.

E a última parte desse truque de desaparecimento é a seguinte: como já mencionei, na nossa cultura muitas dessas compensações para aquilo que perdemos são consideradas não apenas normais, mas até mesmo admiráveis. Valorizadas como "força", elas muitas vezes envelopam e isolam o eu autêntico, assumindo seu lugar.

Esses traços e os comportamentos deles resultantes são "extremamente viciantes", na expressão de Gordon Neufeld. De modo um tanto engraçado, essa força de atração fenomenal existe exatamente porque esses comportamentos *não* funcionam, ou, para ser mais exato, funcionam de modo apenas temporário. Gosto do comentário astuto do médico e pesquisador do trauma Vincent Felitti sobre dependência: "É difícil se fartar de algo que quase funciona." De modo bem parecido com a onda que um dependente sente imediatamente após se drogar, o alívio que compramos com nossas pseudoforças compensatórias não dura: ficamos ansiando por mais e mais, um número incontável de vezes. Na verdade, a analogia é totalmente adequada do ponto de vista fisiológico, pois as substâncias químicas cerebrais liberadas quando experimentamos momentos em que nos sentimos amados, valorizados ou aceitos são nossos próprios opioides internos, ou endorfinas. E, da mesma forma que um opioide como a heroína não sacia, a onda temporária de endorfina da valorização, apreciação, aprovação ou sucesso não tem como solucionar a dor da alma. Nós nos sentimos compelidos a perseverar na busca dessas fontes externas de alívio efêmero, só para termos que reabastecê-las quando a emoção passa. Daí a aparente robustez da personalidade: vivemos experimentando as mesmas emoções e estados corporais a elas associados, e insistimos em manifestar os mesmos comportamentos. No entanto, é mais próximo da verdade pensar na personalidade como um fenômeno *recorrente*, não um fenômeno *fixo* ou *permanente*, de modo bem parecido a como quadros individuais de uma imagem projetados em rápida sucessão criam a ilusão de ótica de uma narrativa única e contínua.

Para a maioria de nós, pode ser preciso algum tipo de crise para começarmos a questionar a veracidade e a solidez desse conceito de nós mesmos que nos faz agir, antes que nos ocorra que ele talvez esconda algo mais verdadeiro em relação a nós. Essas crises podem assumir a forma de alguma catástrofe relacional, como um divórcio ou quase; de uma dependência debilitante que perturbe de tal forma nosso funcionamento que não possa mais ser ignorada ou tolerada; a perplexidade da meia-idade, que pode nos anuviar quando estamos na casa dos 40 ou 50 anos; uma súbita depressão que nos abate quando estamos seguindo o que pensávamos ser nosso alegre caminho; ou ainda um problema de saúde como o enfrentado por Anita Moorjani. Tudo isso pode acontecer, e muitas vezes parece ter sido impressionantemente criado com este fim: apontar para a necessidade de uma reavaliação fundamental de quem pensamos ser.

De modo notável, Susan Sontag identificou involuntariamente em suas reflexões particulares a dinâmica emocional para a qual seu câncer era uma metáfora perfeita. "Estou sendo devastada pela autocomiseração e pelo autodesprezo", escreveu ela em seu diário.[16] O câncer, claro, é uma doença devastadora, que destrói o corpo por dentro. Sontag também situou a origem do ódio por si mesma em sua infância atormentada. "Todo mundo que teve uma infância ruim sente raiva. Eu devo ter sentido raiva no começo (cedo). Aí 'fiz' alguma coisa com essa raiva. Eu a transformei em... no quê mesmo? Em ódio por mim mesma." De modo arrepiante, Sontag tocou o elo proibido logo após seu diagnóstico original de câncer de mama em 1971, uns oito anos antes de escrever *Doença como metáfora*. "A primeira coisa que pensei foi: o que fiz para merecer isso? Levei a vida errada, fui reprimida demais." A palavra *errada* nesse contexto é algo delicado, claro, que depende muitíssimo do espírito em que é dita. Sontag não levou uma vida *incorreta*; essa seria uma visão dura, acusadora. Mas a palavra leva a entender também que ela tampouco pôde ter a vida que talvez tivesse desejado para si.

Ao reler *Doença como metáfora* hoje, sabendo o que sei, fico triste. Sontag desdenhou a conexão entre emoção, personalidade e doença de modo mais veemente e mais articulado do que qualquer outra pessoa, e com uma ironia amarga e também involuntária. A vida e a morte dessa pensadora potente, matizadas de tragédia, têm muito a nos revelar.

Abandonada quando bebê pela mãe e uma segunda vez poucos anos depois, após um breve reencontro, Sontag aprendeu cedo a reprimir a própria raiva: "Sempre inventei desculpas para ela. Nunca autorizei minha raiva, minha indignação." Adulta, ela afirmou "fervilhar de ressentimento. Só que não me atrevo a mostrar". "Profundamente negligenciada, ignorada, não percebida quando criança", ela compensou desenvolvendo traços de caráter que promoveram seu sucesso no mundo.

Uma das coisas mais saudáveis a meu respeito – minha capacidade de "aguentar", de sobreviver, de me reerguer, fazer, prosperar – está intimamente ligada à minha maior fragilidade neurótica: *minha facilidade de me desconectar dos meus sentimentos* [...] Quando eu era pequena, sentia-me abandonada e mal-amada. Minha reação a isso foi querer ser muito boa.

"A culpa é um horror", disse Sontag numa declaração tocante; e, de fato, é mesmo. Só que a culpa *não existe* quando não existe escolha. Não há nenhuma condição concebível na qual um ser humano tenha menos poder de ação ou menos alternativas do que na primeira infância. O imperativo de sobreviver supera todo o resto, e essa sobrevivência depende da manutenção do apego, seja qual for o custo em matéria de autenticidade. É por isso que tantas infâncias, em especial numa cultura que ao mesmo tempo gera e se alimenta de estresse, são marcadas por um tenso impasse entre os dois, cujo desfecho é previsível e cujas consequências duram a vida inteira.

Há outra coisa também que passei a saber, e que torço para ser um consolo tão grande para você quanto para mim: deixar a culpa e a responsabilização para trás na estrada rumo à cura, trocar a autoacusação pela curiosidade, a vergonha pela "capacidade de reação", tudo isso não é apenas necessário, mas também sempre possível. "O que mudou para mim foi perceber que eu tinha escolha", diz Anita Moorjani. "Quando você está condicionado a alguma coisa, não tem sequer consciência de estar agindo assim. Nem a consciência de estar se autossuprimindo, porque você está operando no modo de sobrevivência."

O advento da inautenticidade pode não ser uma escolha, mas com consciência e autocompaixão a autenticidade pode.

# PARTE DOIS
# A DISTORÇÃO DO DESENVOLVIMENTO HUMANO

> *Se nossa sociedade valorizasse de fato o significado dos vínculos emocionais das crianças nos primeiros anos de vida, não toleraria mais o fato de crianças serem criadas, ou de pais e mães terem de passar dificuldade, em situações que não têm a menor chance de fomentar um crescimento saudável.*
>
> — STANLEY GREENSPAN, *A evolução da mente**

---

* Stanley Greenspan (1941-2010), ex-diretor do Programa Clínico de Desenvolvimento Infantil do Instituto Nacional de Saúde Mental dos Estados Unidos.

# 8

# Quem realmente somos? Natureza humana, necessidades humanas

*Por trás de uma doutrina de ordem social ou mudança social há sempre alguma concepção da natureza humana, seja implícita ou explícita.*

– **NOAM CHOMSKY**, *Natureza humana: justiça vs. poder*

Qual é nossa natureza? Trata-se de uma pergunta ancestral, em parte por ser de abordagem tão difícil. Se considerarmos o vasto horizonte de feitos e conquistas, das que representam uma afirmação de vida às francamente assassinas, com certeza "ser humano" parece ser algo bastante plástico e maleável.

Embora possa não ser óbvio por que um livro sobre saúde no século XXI deveria se preocupar com um tema tão amplo e tão esquivo, acredito que essa questão seja central e tenha implicações muito abrangentes. A relativa saúde de qualquer forma de vida depende de suas necessidades essenciais serem ou não atendidas. Assim, saber que tipo de seres somos é saber do que precisamos para *sermos* esses seres do modo mais pleno. Quem pensamos ser dita o modo como organizamos nossa vida, tanto do ponto de vista individual quanto coletivo, e determina até que ponto uma cultura preenche ou não os requisitos de uma saúde e de um funcionamento ideais.

Toda sociedade pressupõe coisas a respeito da natureza humana, e a nossa não é nenhuma exceção. "É da natureza humana", dizemos, dando de ombros diante do comportamento manipulador e autocentrado de alguém,

alguém esse que muitas vezes somos nós mesmos. "De modo interessante", observa o educador Alfie Kohn, "as características que explicamos assim são quase sempre negativas; um ato de generosidade raramente é descartado com a justificativa de ser 'apenas a natureza humana.'"[1] Há uma tendência nessa cultura de considerar as pessoas inerentemente agressivas, materialistas e individualistas, seja com aprovação ou consternação. Podemos valorizar a gentileza, a caridade e o senso comunitário, a "melhor parte da nossa natureza", por assim dizer, mas essas qualidades muitas vezes são mencionadas num tom enlevado, como se fossem exceções a uma regra rígida.

Nem toda cultura aceita isso como a quintessência da humanidade. O antropólogo Marshall Sahlins, que estudou diversas sociedades na bacia do Pacífico, escreveu: "Para a maior parte da humanidade, o interesse próprio tal como o conhecemos é algo antinatural [...] considerado loucura [...] Em vez de expressar a natureza humana, tal avareza é considerada uma perda de humanidade."[2] Alguns povos chegam a nomear essa loucura. A palavra cri *wétiko* (com variantes em outros idiomas nativos como ojibwa e powhatan) denota uma criatura, espírito ou mentalidade de cobiça e dominação, que canibaliza povos e os leva a explorar e aterrorizar outros povos. (De modo notável, na língua quíchua dos Andes peruanos, uma entidade semelhante, associada aos colonizadores espanhóis implacáveis e ávidos por ouro, se chama *pishtako*.) Longe de representar nossa natureza, tal busca incansável de um interesse próprio de estreita definição é vista como seu contrário: "uma doença muito contagiosa e que se espalha depressa", segundo o estudioso indígena americano Jack Forbes.[3]

A meu ver, debates sobre uma natureza humana fixa têm pouca serventia, e acho até que podem levar a uma compreensão equivocada. Basta um exame superficial de nossa história para confirmar que não somos de um jeito só: Jesus era humano, Hitler também. Podemos ser nobres e narcisistas, generosos e genocidas, engenhosos e estúpidos. Pelo visto somos tudo isso. Sendo assim, por onde começar?

Em vez de tentar legislar sobre as muitas visões conflitantes do que um ser humano é, poderíamos, isso sim, ver nossa natureza como um leque de desfechos possíveis. Gosto muito desta formulação de Robert Sapolsky, professor de neurologia e biologia na Universidade Stanford:[4] "A natureza de nossa natureza é *não se ater particularmente aos limites de nossa natureza.*" Se nos atemos a alguma coisa, talvez seja justamente a essa falta de limites; por mais estranho que possa soar, nosso milagroso talento de adaptação também poderia ser uma fragilidade. Como a nossa natureza é muito influenciável, condições diferentes evocam versões diferentes de nós, que vão de benignas a desastrosas. Quando endeusamos – quando gravamos em pedra, de um ponto de vista mental – o modo específico como o comportamento humano se apresenta em determinado lugar e momento, cometemos o erro de confundir como estamos nos comportando com como somos. Esse erro pode nos impedir de considerar outras possibilidades, mesmo que nossa maneira de funcionar atual não nos faça bem. Então replicamos condições inadequadas ao nosso bem-estar, e a triste saga continua. Por isso, na busca pela visão de um mundo mais saudável, melhor seria nos desfazermos de qualquer crença fixa ou limitadora acerca do que nos constitui, e em vez disso perguntar: que circunstâncias produzem que tipo de desfecho?

Algumas necessidades e potenciais básicos estão codificados em nossa biologia. O modo como nossa natureza se desdobra depende de quão bem essas necessidades são supridas, de como esses potenciais são incentivados ou frustrados. Isso é válido ao longo da vida, mas em nenhum momento gera mais consequências do que durante o processo de desenvolvimento. Cronologicamente, podemos delinear o arco do desenvolvimento partindo da concepção até a adolescência, embora, é claro, sob muitos aspectos, nunca paremos de crescer, mudar, nos adaptar e nos desenvolver e, se tivermos sorte, de fazer isso em direção a mais saúde e mais sabedoria.

Mais do que qualquer outro fator, o que determina que potenciais vão ou não se manifestar é o entorno: as *condições* sob as quais o desenvolvimento ocorre, que suprem ou não nossas múltiplas necessidades. Isso vale tanto para nós quanto para qualquer outra forma de vida. Considere uma bolota de carvalho. Poderíamos dizer que é da natureza de uma bolota de carvalho virar um carvalho, mas só se o clima e o solo forem adequados, e contanto que nenhum esquilo empreendedor a surrupie para seu sustento invernal. Mesmo que a bolota consiga criar raízes e brotar, o tamanho da árvore que vai nascer dessa bolota e o desenvolvimento de galhos saudáveis dependerão dos nutrientes que o solo consegue prover, das condições climáticas, da luz e da irrigação, de seu distanciamento ou proximidade de outras árvores da mesma espécie, e assim por diante.

Nós também temos necessidades que o entorno precisa suprir se quisermos prosperar. Antes de explorar essa dinâmica, precisamos mais uma vez descartar o mito prevalente de que os traços genéticos explicam o comportamento humano. Isso não é verdade. Embora tenhamos uma determinada carga biológica, não somos geneticamente programados para sentir, acreditar ou agir de nenhuma forma específica. Como disse Robert Sapolsky quando conversamos: "Somos mais livres em relação à genética do que qualquer outra espécie na face da Terra." Graças à nossa adaptabilidade e capacidade de invenção, por exemplo, podemos habitar uma gama de biomas mais ampla do que qualquer outro mamífero de grande porte. Além disso, como vimos em nosso debate sobre epigenética, a expressão dos genes, que em si são inertes, depende do entorno. Assim, a experiência é a influência decisiva em como nossa biologia se manifesta em nossa vida. "Em última instância, o indivíduo [está] geneticamente determinado a *não estar geneticamente determinado*", foi o que disseram dois cientistas franceses, reafirmando em termos biológicos a espirituosa observação de Sapolsky sobre "a natureza de nossa natureza".[5]

Embora seja da nossa natureza nos ajustar e sobreviver numa gama quase infinita de ambientes, certamente mais do que os carvalhos, nem todos eles promovem necessariamente nosso máximo bem-estar ou nossa máxima saúde. Alguns entornos, sejam eles físicos, emocionais ou sociais, tornarão o bem-estar uma luta inglória ou um luxo para os que tiverem sorte, em vez de uma norma disponível para todos.

As necessidades que lançam as premissas da saúde humana não são nem de longe arbitrárias. Elas foram surgindo ao longo de milhões de anos com os progenitores hominídeos e homininíos[6] que precederam o advento relativamente tardio de nossa espécie, no máximo 200 mil anos atrás. Até onde é possível falar de modo coerente sobre necessidades humanas, precisamos levar em conta como elas se desenvolveram ao longo de muitas eras antes da história oral ou escrita. Aquilo que denominamos civilização abarca pouco mais de 5% da nossa existência como espécie; na totalidade do período de existência do gênero humano, ela representa menos de 1%. A encruzilhada evolutiva que forjou quem somos e o que necessitamos estava submetida a condições muito distintas das nossas. Assim, embora expresse aspectos do nosso potencial, a civilização não pode em si ser usada como uma baliza válida.

Em *The Continuum Concept: In Search of Happiness Lost* (O conceito de continuum: em busca da felicidade perdida), Jean Liedloff sugeriu que toda vida se desenvolve como "uma *expectativa* em relação a seu entorno". Podemos considerar que nossos pulmões têm uma expectativa em relação ao oxigênio, nossas células em relação à água e nutrientes, nossos ouvidos em relação à vibração de ondas sonoras. É esta a essência da evolução: a programação de longo prazo das criaturas e de todas as partes que as constituem para que cheguem na vida prontas para um determinado tipo de entorno. O mesmo vale para toda forma de vida, desde órgãos até organismos e espécies. "*Se alguém quiser saber o que é correto para qualquer espécie, é preciso conhecer as expectativas inerentes dessa espécie*", acrescentou Liedloff.[7] Uma expectativa inerente é uma necessidade intrínseca, algo que, se negado, interfere em nosso equilíbrio físico e psicológico, levando a desfechos de saúde piores do ponto de vista físico, mental e social.

Eis uma expectativa inerente em ação: você entra numa mercearia e escolhe um chocolate. Sorri ao cumprimentar a pessoa atrás do guichê com um olá. A pessoa no caixa está tendo um dia ruim; talvez esteja com dor de cabeça, passando por uma crise familiar, ou o time dela esteja enfrentando uma derrota acachapante no último minuto de jogo. Ela encara você com a cara fechada (se é que chega a encarar), pega seu dinheiro com um grunhido monossilábico e lhe dá o troco com um gesto brusco. Sua fisiologia se altera: você sente uma tensão quando seu corpo se retesa, seu ritmo cardíaco se acelera e sua respiração se encurta. Você se irrita. Dependendo do seu estado de humor no dia, pode sentir raiva, ou mesmo imaginar coisas ruins acontecendo com a pessoa da loja.

Por quê? Segundo o neurocientista e influente pesquisador Stephen Porges, uma de nossas necessidades inerentes é a reciprocidade, estar em sincronia; o "bom encontro" como diz o cumprimento antigo em inglês *well met*. Ele chama isso de expectativa neural. Nosso cérebro pode interpretar a falta de reação de boas-vindas como uma agressão, uma ameaça à segurança.

A expectativa inerente de reciprocidade e conexão de nosso sistema nervoso faz sentido se considerarmos como nossa espécie se desenvolveu. Durante a maior parte de nosso passado evolutivo, até 10 ou 15 mil anos atrás, os seres humanos viviam em pequenos grupos de caçadores-coletores.[8] De fato, se a existência humana fosse medida na duração de uma hora num relógio, nós só estaríamos habitando novos ambientes nos últimos seis minutos ou algo assim. Liedloff descreveu esses nossos ancestrais como "pessoas cujas boas relações são mais importantes do que suas negociações".

Sua observação direta dos povos aborígines em seu habitat na floresta está de acordo com o grande volume de pesquisa acumulado, por exemplo, pela psicóloga Darcia Narvaez, professora emérita da Universidade de Notre Dame. Descobrimos que esses grupos defendiam valores que enfatizavam a hospitalidade, o compartilhamento, a generosidade e a troca recíproca, não com o objetivo de enriquecimento pessoal, mas sim de conexão. Esses valores eram diretrizes inteligentes e testadas ao longo do tempo para a sobrevivência mútua. E as tradições que eles produziram, passadas de pai para filho, de geração em geração, caracterizaram a vida humana durante a maior parte da nossa existência. Sim, a violência, o mau comportamento e tudo o mais existiam; nunca fomos "perfeitos". Mas sabíamos algo sobre criar o contexto adequado para nossa humanidade poder florescer e dar frutos; pode-se dizer que era a única coisa que sabíamos.

Essas diretrizes, e as tradições que as inscreviam no comportamento cultural, sobreviveram por muito tempo mesmo depois de as sociedades se assentarem (ou seja, deixarem de ser nômades), como povos ocidentais em contato com povos indígenas constaram por muitas centenas de anos. "A comunidade existe para eles, e eles existem para a comunidade", escreveu Frans de Waal sobre o povo do Kalahari, também conhecido como san, grupo que muitos pensam representar um modo de vida que remonta à pré-história. "O povo san dedica muito tempo e atenção à troca de pequenos presentes que abarca muitos quilômetros e múltiplas gerações."[9]

Nenhuma espécie de hominínio poderia ter sobrevivido por tempo suficiente para evoluir se os seus membros tivessem se considerado indivíduos atomizados, programados pela natureza para combater seus semelhantes. Ao contrário de nosso modo de operação atual, uma visão tradicional de interesse próprio seria *aumentar a própria conexão e pertencimento à comunidade, para o bem de todos*. O autêntico interesse próprio não precisa ser confundido com uma postura desconfiada e competitiva em relação aos outros.

Decorre daí minha pressuposição de que a nossa natureza, caso tudo o mais permaneça constante, *espere* ou mesmo *prefira* como estado basal uma condição de cuidado, de relativa harmonia e equilíbrio, do tipo que se consegue quando a prioridade é a interconexão. Não que nossa natureza *seja* ser assim, mas ela *quer* que essas coisas estejam presentes. Quando elas estão, nós vicejamos; quando não, sofremos.

O que pensar, portanto, do postulado moderno segundo o qual somos fundamentalmente agressivos e egoístas? De onde vem tal ideia?

Num sistema capitalista, os conceitos e expressões da natureza humana ao mesmo tempo espelharão o ideal individualizado e competitivo e o justificarão como sendo o *status quo* inevitável. Faz sentido: caso se suponha que o que é normal é natural, a norma vai perdurar; por outro lado, quando começam a surgir suspeitas de que o modo como as coisas são talvez não seja como devessem ser... bem, nesse caso talvez o *quo* não dure muito tempo como *status*. É assim que as culturas materialistas criam conceitos, na realidade mitos, sobre a busca e o predomínio do egoísmo e da agressividade como bases do comportamento, incentivando características que atribuem um valor menor à conexão com os outros e com a própria natureza. Em nossa sociedade capitalista atual, sugeriu Darcia Narvaez, nós nos tornamos "atípicos da espécie", uma ideia perturbadora de se conceber: nenhuma outra espécie jamais teve a capacidade de ser infiel a si mesma, de ignorar as próprias necessidades, quanto mais de se convencer de que é assim que as coisas devem ser.

Como os próximos capítulos vão explorar, a cultura de hoje em dia apressa o desenvolvimento humano em linhas pouco saudáveis, a começar pela concepção, levando a um "normal" que, do ponto de vista das necessidades e da história evolutiva de nossa espécie, é uma pura e simples aberração. E isso, para afirmar o óbvio, é um risco de saúde em tamanho real.

# 9

# Uma base robusta ou frágil: as necessidades irredutíveis das crianças

*Nascemos sem saber quem somos, não sabemos como pensar. Só sabemos como sentir. É por meio dos sentimentos que o modo como somos criados traça a trajetória de nossa vida futura.*

– NATASHA KHAZANOV[1]

Um dia, em 1997, Raffi Cavoukian acordou de repente às seis da manhã. "Sobressaltei-me na cama", contou-me ele, "boquiaberto, com os olhos arregalados e as palavras 'honrar a criança' dançando bem na frente dos meus olhos, como expressão e como nome de uma filosofia." Na década seguinte, o mundialmente querido trovador infantil tirou uma folga do palco e do estúdio de gravação para se dedicar a imaginar, possibilitar e defender um mundo que honrasse as crianças. Ele até hoje mantém esse compromisso.[2] Ao falar sobre isso, brilha com o mesmo entusiasmo brincalhão e o mesmo respeito profundo pelos jovens que permeiam sua música; eram essas mesmas qualidades que inspiravam meu filho Aaron, quando pequeno, a se fantasiar no Halloween como seu herói da música, com direito a uquelele e barba pintada no rosto. "No fundo, honrar a criança significa respeitar a pessoa", diz Raffi. "As crianças estão aqui para aprender a própria canção."

A questão das necessidades de desenvolvimento das crianças não é nem abstrata nem sentimentaloide: ela é de uma importância prática urgente.

Embora muitas vezes nos refiramos à infância como "os anos de formação", nossas normas sociais são um testemunho consternador de nossa valorização de quão formadores esses anos realmente são, de exatamente quanto está sendo "formado". As implicações individuais e coletivas são muito maiores do que tendemos a imaginar.

"Descobrimos quem somos de dentro para fora", diz Raffi. "O que está sendo formado não é nada menos do que a sensação de ser humano. E estou escolhendo com cuidado as minhas palavras: a *sensação* de ser humano." Nossa cultura muitas vezes subordina o conhecimento sentido ao intelecto. Esse sistema de classificação invertido subverte a forma de criar nossos filhos, o que por sua vez serve para reforçar o erro de alto a baixo na cultura. Nós somos acima de tudo, afirma o cantor, "criaturas do sentir".

A ciência concorda com ele. O neurocientista António Damásio explora a primazia do sentimento em seu contundente livro *O erro de Descartes: Emoção, razão e o cérebro humano*. "A natureza parece ter construído o aparato da racionalidade não só por cima do aparato de regulação biológica, mas também *a partir* dele e *dentro* dele", escreve o autor.[3] *Regulação biológica* significa o funcionamento das estruturas homeostáticas[4] e emocionais de nosso cérebro e corpo que, antes e depois do nascimento, estão muitos meses à frente do córtex pensante na fila do desenvolvimento, da mesma forma que, no contexto mais amplo, o precederam em muito ao longo da evolução de nossa espécie.

Essas áreas do sistema nervoso formam a estrutura inconsciente de nossos pensamentos e sentimentos conscientes, e portanto de nossos atos. "Os primeiros elementos da composição psicológica de uma criança a se estabelecerem são os mais formativos do seu horizonte de vida", observa Jean Liedloff. "O que ela sente antes de conseguir pensar é um *poderoso determinante do tipo de coisa em que ela pensa quando o pensamento se torna possível*."[5] Na realidade, o impacto vai muito além do conteúdo dos pensamentos: pesquisas mostraram, sem sombra de dúvida, que as experiências precoces moldam comportamentos, padrões emocionais, crenças inconscientes, estilos de aprendizado, dinâmicas relacionais e a capacidade de manejar o estresse e de se autorregular.

O novo conhecimento é bem resumido em dois parágrafos curtos de um artigo publicado na revista *Pediatrics*, periódico oficial da Academia Americana de Psiquiatria; seus autores são ligados ao que talvez seja o principal instituto do mundo dedicado à infância, o Centro da Criança em Desenvolvimento da Universidade Harvard:

> A arquitetura do cérebro se constrói por meio de um processo em andamento que *começa antes do nascimento*, adentra a idade adulta e estabelece ou uma base robusta ou então uma base frágil para *toda* a saúde, aprendizado e comportamento que se seguem.
> A interação dos genes com as experiências literalmente molda os circuitos do cérebro em desenvolvimento e é criticamente influenciada pela *reatividade mútua do relacionamento adulto-criança*, em especial durante os primeiros anos da infância.[6]

Em outras palavras, o desenvolvimento inicial prepara o terreno, sólido ou movediço, para todo o aprendizado, comportamento e saúde (ou falta de saúde) que virão. As palavras dos pesquisadores, se levadas ao pé da letra, poderiam chamar nossa atenção para muita coisa em nossa atual cultura, que grita por uma reforma imediata.

Se a emoção é o terreno da cognição, os relacionamentos são as placas tectônicas que moldam esse terreno. Entre estes, as primeiras interações emocionais de uma criança com o(s) cuidador(es) que a protege(m) são a principal influência no modo como o cérebro será programado; aqui também, o inconsciente vem em primeiro lugar, seguido por coisas como o intelecto.[7] Nas palavras do renomado psiquiatra do desenvolvimento Stanley Greenspan e colegas: "A principal arquiteta da mente é a interação emocional, não a interação intelectual."[8]

Dada essa ordem de funcionamento, a sensação de segurança das crianças, sua confiança no mundo, suas relações com os outros, e acima de tudo sua conexão com as próprias e autênticas emoções dependem da disponibilidade constante de cuidadores *sintonizados*, *não estressados* e *emocionalmente confiáveis*. Quanto mais estressados ou perturbados os cuidadores, mais precária será a arquitetura emocional da mente da criança.

Se isso parece uma acusação aos pais, essa não é nem de longe a minha intenção. Correndo o risco de me repetir em excesso, permita-me afirmar mais uma vez que culpar os pais não é só cruel e injusto, mas tampouco faz sentido. Basta dizer que a qualidade dos primeiros cuidados é determinada em grande parte, de modo decisivo até, pelo contexto societal em que eles ocorrem. Como vamos ver, as crianças são cada vez mais atacadas por um acúmulo de poderosas influências – sociais, econômicas, culturais – que atropelam e sob muitos aspectos subjugam seu aparato emocional interno a imperativos que nada têm a ver com bem-estar; que são, na verdade, inimigos do crescimento saudável da mente. Segundo Greenspan, "esse crescimento está sendo seriamente ameaçado pelas instituições e padrões sociais modernos". "Há um descaso crescente pela importância das experiências emocionais que constroem a mente em quase todos os aspectos da vida diária, inclusive na criação dos filhos, no ensino e na vida familiar." Podemos ver o resultado na quantidade crescente de crianças, adolescentes e jovens com supostas doenças mentais[9] como TDAH, depressão e ansiedade, ou apresentando comportamentos de automutilação em particular ou nas redes sociais.

Como disse Gordon Neufeld numa sessão do Parlamento Europeu em Bruxelas: "O desabrochar do potencial humano é espontâneo, mas não inevitável [...] Todos nós envelhecemos, mas nem todos viramos adultos. *'Criar' verdadeiramente um filho, portanto, seria conduzir essa criança ao seu pleno potencial como ser humano.*"[10] Por que então, em nossa cultura moderna, fracassamos cronicamente em alcançar esse objetivo? O problema começa com não conseguir entender as necessidades da criança em desenvolvimento.

Neufeld resume com eloquência o que toda criança, independentemente do temperamento, precisa em primeiro lugar: "As crianças devem se sentir convidadas a existir na nossa presença, exatamente como são." Com isso em mente, a principal tarefa dos pais, além de prover o necessário à sobrevivência da criança, é transmitir-lhe com palavras, atos e (acima de tudo) presença energética uma mensagem simples: de que ela é exatamente a pessoa que eles amam, acolhem e desejam. A criança não precisa fazer nada, nem ser diferente sob qualquer aspecto para conquistar esse amor; na verdade ela não *pode* fazer nada porque esse abraço de aceitação não tem como ser conquistado, tampouco é passível de revogação. Ele não depende do comportamento nem da personalidade da criança; ele simplesmente existe, quer a criança esteja sendo "boa" ou "má", "levada" ou "comportada".

Sendo assim, devemos ignorar comportamentos perigosos ou inaceitáveis? Não, isso tampouco seria uma coisa amorosa de se fazer, já que entre as necessidades das crianças estão também a condução e a orientação, que incluem o estabelecimento de limites. O que fazemos, isso sim, é nos esforçar ao máximo para monitorar e neutralizar atos indesejados *a partir de um lugar de amor incondicional*: um modo de ser que leve as crianças a entenderem que nada que elas façam vai ameaçar a relação, mesmo que suscite uma raiva momentânea ou demande correção. Operar a partir dessa atitude pode inclusive nos permitir ver o "mau comportamento" da criança sob uma perspectiva mais ampla e compassiva: talvez ela esteja expressando uma necessidade frustrada, uma comunicação não ouvida, uma emoção não processada. Nós entendemos e reagimos às necessidades e emoções que a criança está "expressando com ações", em vez de simplesmente punir o comportamento e expulsar a emoção.

O que Neufeld diz sobre o amadurecimento ser "espontâneo, mas não inevitável" é fundamental. A mesma evolução que ao longo de muitos milênios nos tornou criaturas sociáveis e empáticas pressupõe também um tipo específico de ambiente de desenvolvimento ou, para remeter ao capítulo 8, tem essa "expectativa". "Nós de fato nascemos para o amor", afirmam a autora de ciência Maia Szalavitz e o psiquiatra infantil e neurocientista Bruce Perry, "[mas] os presentes da nossa biologia são potenciais, não garantias."[11] Determinados tipos de experiência regam as sementes do amor e da empatia que a natureza plantou em nós; na falta dessa nutrição constante, o crescimento fica comprometido.

A essência dessas experiências pode ser expressada numa só palavra: segurança.

Daniel, meu filho mais velho e coautor deste livro, identifica a falta de segurança como um aspecto central de suas próprias lembranças mais antigas. "Eu não sabia o que poderia acontecer", diz ele,

> porque tudo virava de cabeça para baixo a qualquer instante, dependendo da disposição de vocês dois ou do estado da relação de vocês em determinado dia. Quando era pequeno, tinha pesadelos recorrentes em que o chão se abria debaixo dos meus pés e eu caía para outra dimensão, e lá a mesma coisa acontecia. Não é difícil decifrar esses sonhos: no mundo da minha infância, *o piso não era o piso*.

De fato, sem um "piso" de apego seguro, é difícil para alguém jovem sentir qualquer chão sólido em que a vida possa ser vivenciada.

Apesar de todo o amor que sentíamos por nossos três filhos, Rae e eu não sabíamos como proporcionar o ambiente de estabilidade que eles requeriam, pois em nossos primeiros anos de vida tínhamos deixado de ter alguns cuidados essenciais. A organização de nossa vida no fim do século XX tampouco nos ajudou a criar o entorno necessário, devido às tensões da nossa relação e às minhas tendências ambiciosas e compulsivas em relação ao trabalho, engessadas e intensificadas pelas exigências da formação e da prática da medicina. E estávamos longe de ser o único casal com essas limitações.

De onde vem uma sensação de segurança? Mais uma vez, o ingrediente-chave são interações carinhosas e sintonizadas com os cuidadores. Um estudo da Universidade Duke feito em 2010 revelou que "o cuidado e o carinho no início da vida têm efeitos positivos duradouros na saúde mental em boa parte da idade adulta". Os cientistas examinaram quase 500 binômios mãe-bebê, registrando o afeto das mães com seus filhos de 8 meses e dividindo-as em categorias como "carinhosa" ou "ocasionalmente negativa" ou "tátil" ou "extravagante". Mais de três décadas depois, os filhos crescidos eram submetidos a uma bateria de testes de saúde mental para avaliar seu nível de ansiedade e de perturbação emocional. Descobriu-se que os adultos que tinham recebido os maiores níveis de afeto materno na primeira infância tinham os níveis mais baixos de perturbação.[12] O líder da pesquisa se arriscou a dizer que "talvez demonstrar afeto nunca seja demais [...] Da perspectiva de políticas públicas, os achados certamente se somam às pesquisas segundo as quais deveríamos conseguir proteger tempo para mães e pais poderem ser afetuosos com os filhos." Considero um sinal de insanidade cultural o fato de algo tão elementar, tão essencial, estar tão ameaçado que precisamos insistir com os responsáveis pelas políticas públicas para que o "protejam".

Durante muito tempo, partiu-se do pressuposto de que os bebês eram impelidos a se apegar aos cuidadores só por causa de sua dependência e sua vulnerabilidade em relação a alimento, calor e abrigo. Hoje sabemos que as necessidades sociais e emocionais estão igualmente codificadas em nosso circuito neural pela evolução, e que nosso desenvolvimento ideal requer que elas sejam supridas. O neurocientista Jaak Panksepp nomeou o aparato cerebral que governa essas necessidades de sistema do "PÂNICO/LUTO" porque, assim como o alarme de um carro, essas são as emoções ativadas *na ausência* de um apego seguro. O recado é: somos programados para nos apegar, para nos conectar uns com os outros, algo que conseguimos fazer graças ao vínculo precoce com nossos cuidadores. Não só isso, mas a programação funciona nos dois sentidos: os bebês, nas palavras de Panksepp, "nasceram para chorar" justamente para ativar as estruturas cerebrais de cuidado e comportamentos afetuosos dos pais, algo que ele denominou sistema do CUIDAR.[13]

Refletir sobre isso me levou de volta ao diário da minha mãe. Dessa vez o diário não tinha nada a ver com a guerra nem com nazistas: era apenas uma mulher de 24 anos tentando amar seu bebê dentro das restrições das normas culturais, incluindo conselhos médicos que contrariavam seus instintos maternos. Segundo a prática aceita na época, o médico orientou que eu fosse amamentado de acordo com um rígido cronograma. Sendo a obediente filha de um médico, minha mãe temeu desobedecer. Ainda no hospital, quando eu estava com poucas semanas de idade, ela escreve:

> Agora você está mesmo me dando trabalho. Para variar, berrou da meia-noite e meia até as duas da manhã, quando a enfermeira apareceu e sugeriu que eu o amamentasse pelo menos um pouquinho, então finalmente dormiu. Meu filho comilão, eu com certeza preciso lhe avisar que não podemos transformar isso num hábito. Na verdade, em breve vamos ter de eliminar a mamada das sete da manhã. Acredite, meu precioso filhinho, meu coração se parte ao meio quando o escuto choramingar suas amargas queixas, mas você agora já está bem grandinho para entender que, me perdoe, a noite é feita para dormir, não para comer.

Essa era a minha mãe, seguindo ordens médicas e portanto, por 90 longos minutos, suportando minhas desesperadas vocalizações e o seu próprio desconforto emocional, e lidando com isso da melhor maneira que era capaz, usando o senso de humor seco que seria sua marca registrada até morrer, em 2001.

Quando revisito esse material hoje, versado na neurobiologia do apego mãe-bebê, vejo uma jovem em cujo cérebro o instintivo sistema do CUIDAR descrito por Panksepp está em conflito com a norma cultural. Ao sucumbir aos ditames antinaturais das autoridades médicas, seu coração de mãe sofre.

E o bebê dessas páginas hoje amareladas? O que ele vivencia? Umas três décadas depois, em 1975, Jean Liedloff alertou os leitores de seu *The*

*Continuum Concept* da "moda atual de deixar o bebê chorar até ele se cansar e desistir, prostrar-se e se transformar num 'bebê bonzinho'". E eu de fato me tornei um bebê muito bonzinho. Ainda com 4 ou 5 anos, ficava deitado na cama antes de o dia raiar, suportando estoicamente as pontadas de dor de uma otite média e choramingando baixinho para não incomodar o sono dos meus pais.

Embora isso sem dúvida seja o total oposto das intenções da maioria dos pais e mães, uma criança a cujo choro não se reage, que não é alimentada nem abraçada junto ao calor do corpo do pai ou da mãe, quando incomodada aprende uma lição clara, ainda que tácita: que as suas necessidades não serão providas, que ela precisa se esforçar constantemente para encontrar descanso e paz, que não pode ser amada do jeito que é. Ao sobrecarregar o sistema de PÂNICO/LUTO do meu cérebro, a não reatividade da minha pobre mãe também ajudou a programar meu cérebro para minhas tendências crônicas que expressam a ativação excessiva desse sistema: a ansiedade e a depressão. "Quando nosso cérebro não recebe todo o devido cuidado", escreve Darcia Narvaez, "ele se torna mais reativo ao estresse e sujeito a ser dominado por nossos sistemas de sobrevivência: medo, pânico, raiva." Como se eu não soubesse.

"A questão passa a ser: quais são as necessidades irredutíveis da criança?", disse Gordon Neufeld. "Irredutível", no seu entender, seria uma necessidade de que a criança não pode prescindir de modo a alcançar o potencial com que a natureza lhe dotou; aquela que, não provida, acarretará consequências negativas. Como disse ele ao Parlamento Europeu: "O segredo para se tornar plenamente humano, tanto no sentido evolutivo quanto emocional, *não é* o ensino, o aprendizado ou a genética, e sim o verdadeiro amadurecimento." Não se pode *ensinar* o amadurecimento; tampouco se pode fazer uma criança alcançá-lo por meio da insistência, de tentações ou coerção. O que devemos fazer é garantir as condições de desenvolvimento que satisfaçam as suas necessidades inegociáveis; a partir daí, a natureza mais ou menos se encarrega do resto. Segundo a astuta formulação de Neufeld, a maturidade humana tem quatro necessidades irredutíveis. Essas quatro necessidades são ao mesmo tempo simultâneas e construídas umas sobre as outras, como uma pirâmide. Convido você, leitor, leitora, a refletir sobre quão bem nossa cultura as satisfaz ou deixa de satisfazer para nossos filhos.[14]

**1. *A relação de apego: uma sensação profunda de contato e conexão das crianças com seus responsáveis.***

Observe como minha própria expectativa neural em relação a esse contato, instilada no meu eu bebê por milênios de evolução, foi frustrada logo em meus primeiros dias e semanas de vida. Não esqueça que o que importa é a *sensação* de apego que a criança tem; isso não tem nada a ver com quanto a mãe ou o pai a amam ou se sentem conectados com ela. Muitos pais e mães jovens e bem-intencionados, entre os quais eu e minha mulher nos incluímos, cometem o erro de julgar a relação pelo que *eles* estão sentindo, pelo tanto de apego que *eles* estão vivenciando. No entanto, o que faz a maior diferença não é tanto o que é *enviado* quanto o que é *recebido* pela criança. É preciso pais e mães relativamente maduros e/ou com uma grande rede de apoio que lhes permita se sintonizarem com as necessidades emocionais da criança independentemente das próprias.

**2. *Uma sensação de segurança no apego que permite à criança descansar do trabalho de conquistar o direito de ser quem é e do jeito que é.***

Uma vez estabelecida a segurança básica, a criança pode relaxar. Essa é a condição que Neufeld identifica como "descanso", em que a criança não precisa se esforçar para se vincular ao pai ou à mãe nem para manter o equilíbrio de contato adequado. Esse estado é o solo em que as raízes do desenvolvimento saudável podem se fincar. A partir daí, podemos esperar que decorra o crescimento emocional, social e intelectual.

Apesar do amor da minha mãe por mim, fui basicamente posto para trabalhar desde o momento em que nasci; não há descanso para os inocentes. Ao contrário da sua afirmação aflita e tentando ser bem-humorada de que eu deveria ser um menino "bem grandinho para entender que [...] a noite é feita para dormir, não para comer" antes de completar 3 semanas de idade, ainda faltavam *anos* para eu ser fisiologicamente capaz de "entender" o que quer que fosse, quanto mais que minhas necessidades eram negociáveis.

*3. Permissão para sentir as próprias emoções, em especial luto, raiva, tristeza e dor; em outras palavras, segurança para ficar vulnerável.*

"Como a emoção é o motor do amadurecimento, quando as crianças perdem a sensibilidade emocional elas ficam empacadas na própria imaturidade", explica Neufeld. Para as emoções permanecerem acessíveis, o entorno precisa permitir que elas sejam expressadas com segurança, ou seja: a expressão de sentimentos pela criança *não pode ameaçar a relação de apego* com a mãe ou o pai.

Por motivos que já começamos a vislumbrar, muitas crianças na nossa cultura se isolam dos próprios sentimentos autênticos.[15] E como não fazê-lo, considerando as expectativas conformistas da sociedade amplificadas por conselhos generosos a pais e mães dados por "especialistas" em comportamento? Considere a orientação do psicólogo e autor de enorme sucesso Jordan Peterson:

> Uma criança com raiva deve ficar sentada sozinha até se acalmar. Só então se deve autorizar que ela retorne à vida normal. Isso significa que quem vence é a criança, não a sua raiva. A regra é: "Venha ficar conosco assim que for capaz de se comportar como deve." Esse é um arranjo muito bom para a criança, para o pai, a mãe e para a sociedade.[16]

Mas será mesmo? Repare no pressuposto: a raiva numa criança pequena não é nem normal nem aceitável. Contrariando sua necessidade nata de acolhimento incondicional, qualquer reação positiva à criança deve ser absolutamente *condicional*. Ela não deve ser aceita como quem é, apenas como *está sendo*. O problema é o seguinte: mesmo que a mãe ou o pai vençam esse jogo de modificação de comportamento, a criança sai perdendo. Nós lhe instilamos a ansiedade de ser rejeitada caso seu eu emocional venha à tona. Isso tem um preço alto para a saúde, tanto física quanto mental. Embora a expressão de uma emoção possa ser inibida, ou mesmo sua experiência consciente bloqueada, a emoção em si é uma energia impossível de destruir. Ao banir da consciência os sentimentos, nós apenas os trancamos em um subsolo de emoções que continuarão a assombrar muitas vidas.

Eu sei, por experiência própria, que o endurecimento precoce do meu coração à minha própria dor me protegeu não só do luto, mas também da alegria. Redescobrir a alegria, ou, melhor ainda, descobri-la pela primeira vez, continua sendo parte da minha jornada de vida até hoje.

## 4. A experiência do livre brincar para poder amadurecer.

Em vez de uma atividade frívola e infantil que deve ser "superada", a brincadeira é uma exigência para o desenvolvimento saudável de todas as espécies mamíferas. Jaak Panksepp cunhou um nome para o sistema neuronal que governa a recreação genuína, sistema que existe em conjunto com o PÂNICO/LUTO e o CUIDAR. "O sistema do BRINCAR", escreveu ele, "pode ser especialmente importante no desenvolvimento epigenético e no amadurecimento do neocórtex." Uma falta de vínculo seguro na infância e uma falta de brincadeiras nessa primeira fase, declarou ele, podem contribuir para a gênese de distúrbios como o TDAH, bem como da irritabilidade e violência em adultos.[17] O brincar autêntico – sem objetivos, interativo, que mobiliza a alegria e a imaginação e, algo mais raro do que nunca hoje em dia, presencial – não pode ocorrer quando as crianças vivem em condições de estresse ou privação. (E tampouco é compatível com estar distraído e hipnotizado pela tecnologia digital, questão problemática que vamos revisitar no capítulo 13.)

Se o objetivo geral do desenvolvimento é gerar nas crianças uma noção sentida de estar vivo num mundo que cuida dela – "a sensação de ser humano", na maravilhosa expressão de Raffi – nós nos desvirtuamos totalmente. É preciso uma cultura em bom estado de funcionamento, com estruturas societais capazes de se inspirar nos ditames da natureza, para servir de apoio a pais e mães na garantia das necessidades irredutíveis da criança. Como e por que tantas das necessidades de nossas crianças não estão sendo supridas será tema dos próximos capítulos.

# 10
# Problemas no limiar: antes de virmos ao mundo

*As desventuras de meu Tristram começaram nove meses antes de ele sequer vir ao mundo.*

– WALTER SHANDY, *The Life and Opinions of Tristram Shandy, Gentleman* (1759), por Laurence Sterne

Querido filho, querida filha: posso sentir você chutar minha barriga por dentro. Estou me sentindo no momento extremamente triste, desanimada e assustada, mas eu te amo e vou proteger e alimentar você com todo o amor do mundo. Essa adrenalina que você está sentindo não é para você nem por sua causa. Um dia vou te contar sobre a sua gestação, e espero que, se você carregar lembranças ambivalentes ou dolorosas, quando eu lhe disser a verdade possa se curar. Meu filhinho, minha filhinha querida: seu papai também vai te amar quando te conhecer. Ele não consegue sentir você se mexer dentro de mim como eu.

Assim escreveu minha esposa quando estávamos aguardando a chegada de nosso inesperado terceiro filho. Foi um período difícil para nós, e em especial para Rae. Ela estava estressada, infeliz e ansiosa; o que deveria ter sido um período alegre de preparação mútua foi arrastado e solitário. Eu, o papai da história, tinha 40 e poucos anos, e visto de fora era um médico e colunista de sucesso. Mas quem eu era dentro de mim mesmo e das quatro paredes da nossa casa? Um homem deprimido, ansioso e psicologicamente subdesenvolvido, a anos de distância de conhecer suas feridas internas; um homem cuja família suportava o fardo de seus comportamento disfuncionais, erráticos e emocionalmente hostis; um homem cujo vício pelo trabalho assumia em casa a forma de uma ausência física e emocional, ou até mesmo de negligência; um homem viciado no próprio drama interno, que não sabia como ser responsável pelos próprios atos e estados mentais ou por seu impacto na família, muito menos no futuro filho ou filha.

A correspondência em forma de diário de Rae com o bebê crescendo em sua barriga mostrava quanto ela entendia por intuição, bem antes de mim, sobre o desenvolvimento humano e a dinâmica que tão frequentemente distorce seu curso natural em nossa cultura. No capítulo sobre trauma, assinalei que antes de nos tornarmos os criadores de nosso entorno nós somos a sua *criação*. Antes de desenvolvermos a capacidade para participar da construção de nosso universo, o mundo nos molda. Por meio de quê? No início, por meio dos corpos, mentes e circunstâncias de nossos pais, eles próprios moldados pela condição do mundo à sua volta e pelas histórias das gerações que os precederam. Assim, nossos próprios "corpomentes" são desde o início produtos da cultura mais ampla, de uma trajetória de vida que começa na concepção.

Antes de prosseguirmos, um aviso se faz necessário. Muitos leitores vão ficar um pouco alarmados com a expressão "começa na concepção", que foi altamente politizada no debate cultural/religioso atual sobre o direito ao aborto. É fácil ver como um reconhecimento baseado na ciência dos direitos dos não nascidos pode se tornar munição política para uma visão contrária à livre escolha/"pró-vida". Mais motivo ainda para eu ser extremamente claro em relação ao que quero e ao que não quero dizer. Como médico, tenho plena consciência do sofrimento imposto quando o direito de livre escolha da mulher é negado. Não existe neste capítulo, nem em qualquer outra parte deste livro, uma argumentação a favor de negar o direito à autonomia quando se trata de tomar decisões tão importantes na vida de alguém.

Nunca foi mais vital falarmos sobre desenvolvimento humano e sua trajetória desde o útero até o túmulo. Essa é também uma questão altamente delicada. Para começar, encarar qualquer coisa que tenha a ver com maltratar crianças é difícil, e muitas vezes doloroso. Pior ainda: quando esses temas surgem, mães e pais podem ficar com a impressão de estarem sendo julgados, castigados ou atacados, o que constitui um duplo infortúnio: primeiro porque na nossa cultura muitos pais e mães – e falo eu próprio como pai de três filhos – já carregam uma culpa debilitante, e já se sentem na defensiva; segundo porque a culpa não ajuda nem é de modo algum justificável. Estamos todos fazendo o nosso melhor. Meu argumento, e na realidade a premissa de todo este livro, é que o nosso melhor *merece melhorar*, e *pode* melhorar se incorporarmos o conjunto cada vez maior de conhecimentos de que dispomos hoje. Meu objetivo é simplesmente expor uma dinâmica que nossa cultura toda precisa entender. Este capítulo e o próximo começam em nossos primórdios, e acompanham o fracasso de nossa cultura em seguir os modelos de desenvolvimento da gestação e do nascimento conforme estabelecidos pela evolução.

As "lembranças ambivalentes ou dolorosas" da criança que Rae antevia em seu diário de gravidez não são uma invenção poética. As experiências intrauterinas podem não ser acessíveis por meio de lembranças conscientes, mas talvez residam num outro tipo de memória: as impressões emocionais e neurológicas entranhadas nas células e no sistema nervoso do organismo humano. O psiquiatra Thomas Verny chama esse processo de *"memória do corpo amplo"*. Pioneiro em reconhecer a influência de longo prazo do período intrauterino na saúde emocional, Verny publicou, em 1982, o revolucionário *A vida secreta da criança antes de nascer*. Na continuação do livro, ele escreveu: "Antes do acontecimento do parto, antes mesmo de termos experimentado um fragmento de visão ou de audição no útero, nós registramos em nossas células a experiência e a história de nossa vida."[1]

Nas últimas décadas, uma enxurrada de novas informações ressaltou a importância crucial do entorno físico, da saúde e do equilíbrio emocional das mulheres durante a gravidez para o desenvolvimento pleno da criança. Enquanto isso, nossa época trouxe também aumentos expressivos no número de crianças, adolescentes e jovens que enfrentam depressão, ansiedade e outras dificuldades de saúde mental. A genética por si só não consegue nem de longe explicar essas mudanças tão abruptas. Se levamos a sério a reversão de tendências como essas, é fundamental ligarmos os pontos olhando para *o entorno*. "O entorno não começa no parto; o entorno começa assim que se tem um entorno", disse o neurocientista Robert Sapolsky. "Assim que se vira um feto, passa-se a estar sujeito a quaisquer informações que cheguem por meio da circulação sanguínea, dos níveis hormonais e dos nutrientes da mãe."[2]

*Autorretrato na gestação*, Rae Maté, 1988, materiais mistos. Rae pintou esse quadro na primeira metade da gravidez mencionada neste capítulo.

Um fator que intervém logo no início são os estresses aos quais as gestantes estão submetidas, sejam eles emocionais, econômicos, pessoais, profissionais ou sociais. Como assinala a médica e psicanalista Ursula Volz-Boers: "A vida intrauterina não é o paraíso que algumas pessoas tentam nos fazer crer. Nós somos os receptores de toda a felicidade e de todas as aflições e dificuldades de nossos pais."[3] Mas é claro que até mesmo os fatores mais iniciais têm fatores que os antecederam, a saber, as pressões intoleráveis a que a sociedade contemporânea submete o universo da criação dos filhos, a família e as jovens pessoas em desenvolvimento – além, como nos ensina a epigenética, da própria ativação do DNA em si. Precisamos refletir sobre até que ponto a nossa cultura, inclusive a taxa de emprego e os sistemas de tratamento e seguro-saúde, apoia ou prejudica a capacidade das mulheres de considerarem as necessidades de seu bebê ainda por nascer uma prioridade social alta.

A quantas mulheres se pergunta, durante as consultas do pré-natal, sobre seu estado mental e emocional, sobre os estresses que elas podem estar enfrentando seja em casa, seja no trabalho? Quantos futuros médicos e médicas sequer aprendem a fazer essas perguntas? Quantos cônjuges são ajudados a compreender sua responsabilidade em proteger a parceira grávida de estresse e esforço indevido? Quantas empresas tomam providências para aliviar a carga de trabalho de suas funcionárias gestantes? Esta última pergunta tem uma resposta particularmente desoladora: as mulheres com frequência relatam um meio profissional hostil à gestação, em especial nos empregos que não são bem remunerados. Mesmo em locais de trabalho que as apoiam, contudo, elas muitas vezes precisam suportar a pressão que já absorveram e que fazem sobre si mesmas para ter um alto desempenho, progredir na carreira, e até mesmo se destacar numa sociedade obcecada com competência. O trabalho raramente "fica no trabalho".

Como Rae intuiu, o bebê sente diretamente o estresse da mãe. "Ao escutar atentamente movimentos e batimentos cardíacos, os pesquisadores estão descobrindo que fetos de mãe estressadas ou deprimidas reagem de um modo diferente em relação aos de mulheres emocionalmente saudáveis", já relatava o *The New York Times* em 2004. "Após o nascimento, indicam os estudos, esses bebês têm um risco significativamente aumentado de desenvolver problemas de aprendizado e comportamento, e podem eles próprios estar mais vulneráveis à depressão ou à ansiedade conforme crescerem." Neurotransmissores essenciais, como a serotonina e a dopamina, que mais tarde desempenham papéis-chave na regulação do humor, no controle dos impulsos, na atenção, na motivação e na modulação da violência – e que têm participação nas próprias dificuldades de aprendizado, de comportamento e de humor mencionadas no artigo – são afetados pelo estresse pré-natal da mãe. Bebês de mães estressadas durante a gravidez têm níveis mais baixos dessas substâncias no cérebro e níveis mais alto do hormônio do estresse cortisol. De modo nem um pouco surpreendente, o mesmo estudo mostrou que esses recém-nascidos tinham também habilidades de aprendizado menos desenvolvidas, eram menos reativos aos estímulos sociais e tinham uma capacidade menor de se acalmarem quando agitados.[4]

Além dos níveis de substâncias cerebrais, indícios sugerem que os estados mentais da mãe durante a gestação e o pós-parto moldam *a própria estrutura* do cérebro em desenvolvimento da criança. Num estudo, a professora de enfermagem Nicole Letourneau e seus colegas (ela ocupa a cátedra de pesquisa sobre saúde mental mãe-bebê na Universidade de Calgary, no Canadá) descobriram que a massa cinzenta da criança, o córtex cerebral, aparecia mais fina na ressonância magnética de crianças em idade pré-escolar cuja mãe tivesse tido depressão no segundo trimestre da gravidez. Como assinalam os pesquisadores, esses achados em exames de imagem do cérebro podem prenunciar problemas como depressão, ansiedade, controle prejudicado dos impulsos e dificuldade de atenção na criança.[5] A depressão pós-parto tinha efeitos parecidos, indicando haver determinados períodos críticos no desenvolvimento, tanto antes quanto depois do parto, em que o humano jovem está particularmente vulnerável ao entorno. Esses achados estão alinhados com os de diversos outros estudos, que apontam impactos do estresse materno em estruturas cerebrais como a amígdala,[6] responsável por processar o medo e as emoções, e em distúrbios neurológicos como o autismo.[7]

Outros achados sugerem fortemente que muitos problemas de saúde no adulto – desde transtornos de saúde mental até hipertensão, de doenças do coração a diabetes, da função imunológica a inflamação, e de metabolismo da glicose a equilíbrio hormonal – ocorrem com maior probabilidade por causa do estresse intrauterino.[8] Entre os pesquisadores, existe um "consenso universal", para citar um artigo importante, de que o que denominamos origens desenvolvimentais das doenças na idade adulta começa no útero.[9]

Está lembrado dos telômeros, os marcadores de saúde e envelhecimento dos cromossomos? Demonstrou-se que essas estruturas são mais curtas, ou seja, mais prematuramente envelhecidas, em adultos de 25 anos cuja mãe tivesse passado por um estresse importante durante a gestação.[10] Sabemos também, graças à nossa seção sobre epigenética, que altos níveis de estresse na mãe durante a gravidez podem influenciar de forma negativa o funcionamento genético da criança, prejudicando potencialmente suas capacidades de reação ao estresse por toda a vida. Demonstrou-se que esses efeitos perduram até uma fase avançada da meia-idade.[11]

O estresse materno na gestação chegou até a ser correlacionado com uma má constituição da flora microbiana intestinal do bebê – uma mistura menos saudável de bactérias – com base em amostras fecais de recém-nascidos dias ou mesmo meses após o nascimento, com uma incidência maior de problemas intestinais e alergia entre esses bebês.[12] (Uma flora microbiana intestinal deficitária também é constatada depois de muitas cesarianas, quando o bebê não atravessa o canal vaginal materno.)

Embora o estresse emocional da mãe exerça influência direta no desenvolvimento e na futura saúde da criança, ele não é um fator isolado; aqui também, a biologia interpessoal influi. Como no caso meu e de Rae, existe uma inter-relação total entre os estados psicológicos da mulher e os do pai da criança. Um grande estudo sueco mostrou recentemente que a depressão *paterna* no ano que vai da pré-concepção ao final do segundo trimestre aumentava em quase 40% o risco de prematuridade extrema (entre a 22ª e a 31ª semanas de gestação). O efeito na verdade era *maior* do que o da depressão na própria mãe, que só aumentava o risco de um parto prematuro moderado (32ª semana ou mais).[13] "Também se sabe que a depressão paterna afeta a qualidade dos espermatozoides, têm influência epigenética no DNA do bebê e pode também afetar o funcionamento da placenta", ressaltou um dos pesquisadores.

À primeira vista, o fato de a melancolia do pai representar um risco maior do que a da mãe parece uma anomalia. Como sempre, o importante é o contexto. Em nosso mundo, o contexto social da procriação atribui às mulheres papéis insuportavelmente estressantes em todos os aspectos da vida, incluindo os relacionamentos íntimos. Além de serem elas que gestam e parem os filhos, espera-se também que aliviem os estresses psicoemocionais dos homens de sua vida. Ser mãe de uma criança pode ser uma exigência da natureza, mas ser mãe de um homem adulto é ao mesmo tempo antinatural e impossível. Não é de espantar que o estresse do pai seja terceirizado para a mãe, mediante um custo para os filhos e até mesmo para o bebê em gestação.

Existe também um vínculo socioeconômico previsível: num estudo recente da Wayne State University, que examinou um ambiente urbano de baixa renda e de alto estresse nos Estados Unidos, anomalias na conectividade cerebral foram identificadas em ressonâncias magnéticas de crianças ainda em gestação por mães que relatavam altos níveis de depressão, ansiedade, preocupação e estresse nos três últimos meses.[14] Nem é preciso dizer que fatores físicos, como nutrição e qualidade do ar, interagem com o status socioeconômico, predispondo-as a problemas como depressão, ansiedade e TDAH.[15] "Pessoas pobres estão mais expostas a tudo isso, seja um ar de má qualidade ou o estresse psicossocial e outros fatores", assinalou Shanna Swan, endocrinologista reprodutiva e vice-presidente de medicina preventiva no Centro Médico Mount Sinai, de Nova York. "Trata-se de um problema societal, e as mudanças não vão se dar num nível individual. Mas num nível social."[16] Assim, a desigualdade de oportunidades começa no útero até mesmo no sentido biológico mais básico.[17]

Muito antes de dispormos de exames de imagem do cérebro, ultrassons e monitores cardíacos fetais, os povos ancestrais entendiam intuitivamente a santidade do ambiente intrauterino. Certa vez dei uma palestra sobre dependência química para um grupo de Primeiras Nações – termo usado para designar alguns dos povos originários da América do Norte – e citei estudos sobre desenvolvimento pré-natal como os mencionados aqui. Depois da palestra, um rapaz veio falar comigo. "A tradição no nosso clã era que quem estivesse com raiva ou chateado não podia sequer chegar perto de uma mulher grávida, sabia?", disse ele. "Não queríamos que ninguém impusesse seus problemas ao bebê." Em algumas sociedades tribais africanas, os bebês eram saudados com rituais ainda na barriga da mãe, inclusive por músicas que mais tarde os acolheriam no mundo.[18] Imagine ouvir sua própria melodia e letra, já conhecidas, na cerimônia em que você fosse acolhido em sua nova casa, o mundo exterior.

Apesar de essas tradições coletivas terem em sua maioria se perdido com o colonialismo e a atomização da família, ainda podemos aprender com elas e aplicar suas lições.

"Sabemos que a depressão, o estresse e a ansiedade pré-natais podem fazer surgir problemas comportamentais na criança", me disse a professora Letourneau. "Podemos tentar consertar esses comportamentos nas crianças anos depois, ou medicá-las, ou dar lá atrás às mulheres grávidas o apoio que elas necessitam."

Apoio. Se quisermos construir um mundo que proporcione isso, podemos começar perguntando a seus futuros receptores o que o mundo significa para eles. Recentemente perguntei a Rae o que teria servido de apoio para ela na época da sua terceira gravidez; se eu pudesse recomeçar do zero, já teria feito isso há muito tempo. Não tenho como aprimorar a sensibilidade nem a precisão da sua resposta:

> Teria ajudado se eu tivesse tido uma comunidade ao meu redor. Se houvesse na nossa cultura um consenso maior do que é preciso para gestar um bebê. Teria ajudado se eu tivesse tido um médico, assistente social ou parente que pudesse ter me defendido. Se o médico tivesse me perguntado, nem que fosse uma vez só, como eu estava me sentindo emocionalmente... Se alguém tivesse ligado para o meu marido e dito: "Você tem noção de que está machucando seu filho? Sejam quais forem os seus problemas com a sua esposa, seu papel agora é protegê-la e o bebê que ela está gestando." Precisamos nos dar conta de que adentrar uma gestação deveria ser como adentrar um santuário, um lugar e um tempo sagrados: um bebê está sendo construído.
>
> A saúde mental precisa entrar no currículo assim que uma mulher engravida: da mesma forma que existem aulas de parto físico no pré-natal, deveriam existir aulas de parto emocional. O foco da mulher deve ser o bebê, não o marido e nem mesmo o trabalho; o foco do marido, assim como o de todo mundo, deve ser apoiar a mulher. Pais e mães devem saber que seu trabalho é mútuo, que embora quem esteja grávida seja a mulher, o marido também está. A sociedade precisa proteger as gestantes, porque todo mundo está criando essa criança. É preciso um mundo para gerar um filho.

# 11

# Qual é a minha escolha? O parto numa cultura medicalizada

*No início do século XXI, precisamos reumanizar o parto, e compreender que existem limites ao nosso domínio sobre a natureza.*

— MICHEL ODENT[1]

Em minhas décadas como médico de família, já auxiliei quase mil partos. O procedimento padrão era realizar uma episiotomia em todas as mulheres que estivessem parindo, exatamente como eu havia aprendido na faculdade. "Agora está na hora de fazer um cortezinho", anunciava eu quando a cabeça do bebê chegava ao períneo, pronta para sair pelo canal vaginal. Após injetar um anestésico junto à abertura da vagina, eu fazia uma incisão de alguns centímetros, "aparava" o bebê e o passava para a enfermeira. Então começava a fechar a ferida que eu mesmo infligira. Eu não sabia como fazer diferente.

Anos depois, por acaso aprendi com algumas parteiras – que na Idade das Trevas dos anos 1980 ainda trabalhavam ilegalmente aqui na Colúmbia Britânica – que as episiotomias são totalmente desnecessárias na maioria dos trabalhos de parto. Havia um processo orgânico tentando acontecer, me explicaram elas gentilmente, que permitia a uma criança nascer sem que eu precisasse intervir cirurgicamente. É mesmo? Mais surpresas estavam por vir. Na verdade, as mulheres podem parir sem estar com os pés em estribos, e mesmo sem se reclinar numa estreita engenhoca de metal. "Tente fazer cocô deitado com as pernas para cima", sugeriu uma parteira quando questionei sua afirmação. Outra notícia surpreendente era que, exceto nos casos em que houver complicações, o melhor é entregar o bebê para ter contato pele a pele com a mãe, em vez de ser cutucado e examinado sob luzes fortes e ter tubos de sucção enfiados na boca. O cordão umbilical também não precisa ser cortado na hora: pode-se esperar ele parar de pulsar, entregando mais células vermelhas repletas de oxigênio para o bebê.[2] A natureza quase parece saber o que está fazendo.

Essas práticas outrora hereges foram desde então validadas por pesquisas médicas robustas. Os médicos hoje têm enfim – ou, mais exatamente, deveriam ter – permissão para apoiar sem hesitação o que os seres humanos, com ou sem qualquer "profissional" ajudando, vêm fazendo há centenas de milhares de anos. Como descreve a jornalista americana Anne Fadiman em seu esclarecedor trabalho sobre o conflito de culturas médicas que afeta os imigrantes *hmong* nos Estados Unidos, essas mulheres asiáticas resistiram teimosamente a algumas de nossas "melhores práticas" e preferiram seus próprios costumes, entre os quais "ficar de cócoras durante o parto e recusar incisões episiotomiais que alargassem o canal vaginal [...] Muitas *hmong* estavam acostumadas a ser sustentadas por trás pelo marido, que massageava a barriga delas com saliva e zumbiam bem alto pouco antes de o bebê sair".[3] Resumindo: elas tinham do seu lado a tradição, a intuição, uma consciência corporal nata, a natureza, e – decerto sem saber – o que há de mais moderno na ciência.[4] Sem falar nos maridos, que estavam literalmente amparando-as.

O advento da obstetrícia moderna trouxe várias coisas pelas quais devemos ser gratos, poupando muitas mulheres e bebês de sofrimento, doença e morte desnecessários. O problema é que, junto de seus triunfos, e alinhada à abordagem mecanicista da medicina ocidental em geral, a prática obstétrica ignora as necessidades genuínas e naturais das mães e dos bebês; na verdade, ela muitas vezes as atropela. Trazer bebês ao mundo não se resume apenas a fazer força, cortar e aparar. O parto é um limiar importantíssimo no desenvolvimento humano, e o modo como o bebê o atravessa tem consequências que podem perdurar pela vida inteira. Ao patologizar o processo do parto, a prática médica atual contradiz o conhecimento da natureza e do corpo humano. Pior ainda: ela com frequência viola até mesmo os próprios compromissos de se alinhar com a ciência e de, em primeiro lugar, "não fazer mal". Não precisamos abandonar as grandes conquistas do ofício da medicina para honrar o conhecimento tradicional baseado numa experiência ancestral. Podemos abraçar as duas coisas.

Não vou defender nenhum tipo de parto, seja "natural" ou não, tampouco vociferar contra qualquer outro, e muito menos julgar as escolhas individuais de qualquer mulher relacionadas a esse acontecimento de significado gigantesco. Meu interesse, alinhado com o foco geral deste livro, é o contexto cultural em que hoje em dia essas escolhas são feitas, incluindo *por quem* e *de que forma* elas são feitas. Como disse a poeta Adrienne Rich no livro *Of Woman Born* (Nascidos da mulher): "Para que todas as mulheres tenham escolhas de verdade ao longo de todo o processo, precisamos compreender plenamente a potência e a impotência personificadas na maternidade na cultura patriarcal." Reduzir as mulheres a receptoras passivas de tratamento nesse que é talvez o momento mais importante da vida delas é desumanizá-las, e não só no sentido figurado; isso atrapalha os processos fisiológicos, hormonais e psicológicos que evoluíram em nossa espécie ao longo de milhões de anos de modo a garantir o vínculo necessário entre mãe e bebê e o desenvolvimento saudável de nossos filhos.

Alguns anos atrás, conversei com Michel Odent, obstetra mundialmente renomado por sua adoção e defesa de práticas de parto não medicalizadas. "Precisamos desindustrializar o parto, parar de perturbar o primeiro contato entre mãe e bebê", disse ele com um charmoso sotaque francês. "Imagine só", continuou, rindo, "se a mãe gorila desse à luz e você tentasse pegar o bebê dela. Aí você entenderia o que significa o instinto materno protetor e agressivo. Na nossa civilização, suprimimos esse instinto há muito tempo." A supressão de um conhecimento nato é uma das tendências infelizes da medicina.

A intervenção médica, que num sistema saudável só seria utilizada quando necessária para reduzir os riscos, maximizar a saúde e garantir a sobrevivência, se tornou a abordagem padrão. Um exemplo claro é o forte crescimento da taxa de cesarianas, intervenção que, quando necessária, pode salvar vidas e, quando não, tirá-las. Segundo as melhores estimativas, cerca de 10% a 15% dos partos deveriam terminar com cesarianas para garantir desfechos saudáveis. Aqui, na minha província natal da Colúmbia Britânica, essa taxa hoje aproxima-se dos *40%*, como acontece em muitas outras partes do mundo, com alguns países inclusive ultrapassando essa marca; no mundo inteiro, o número desses partos entre 2000 e 2015 dobrou. "Um uso notavelmente alto da cesariana foi observado em partos de baixo risco obstétrico, em especial entre as mulheres com maior instrução, por exemplo, no Brasil e na China", observou uma pesquisa detalhada e quase global feita pela revista *Lancet* em 2018.[5]

Isso seria aceitável se o fato de esses procedimentos serem generalizados tivesse algum "valor agregado" demonstrável, mas não é o caso. "As cesáreas aumentaram ao longo dos últimos 30 anos para além dos 10-15% dos partos considerados ideais, *e sem benefícios significativos, sejam maternos, sejam perinatais*", observou o relatório da *Lancet*.[6] Até mesmo o Colégio Americano de Obstetras e Ginecologistas manifestou, em 2014, "uma preocupação significativa de o parto por cesariana estar sendo usado em excesso".[7]

"Se quisermos encontrar alternativas seguras à obstetrícia, precisamos redescobrir o ofício das parteiras", disse Odent numa conferência sobre parto em 1986, quando os médicos da América do Norte ainda travavam uma batalha de unhas e dentes para impedir as parteiras de desempenharem seu papel tradicional. Em muitas jurisdições essa luta está longe do fim, enquanto em muitos outras reina, no melhor dos casos, uma trégua relutante. "Redescobrir o ofício das parteiras equivale a devolver o parto às mulheres", acrescentou Odent. "Imaginem como seria o futuro se as equipes cirúrgicas estivessem a serviço das parteiras e das mulheres, em vez de controlá-las."[8] De fato, ele estava sugerindo que a medicina fosse uma auxiliar da natureza, não sua governante, uma interpretação radical da expressão em inglês *attending physician*, algo como "médico auxiliar".

Estamos falando aqui de autonomia, uma necessidade humana indispensável. As práticas em torno do nascimento expressam os valores ocultos ou explícitos de uma cultura em termos de quem exerce o poder e de quanto controle genuíno as pessoas podem ter sobre o próprio corpo. Pesquisas atuais constatam que as intervenções no parto podem perturbar os processos hormonais, reduzir seus benefícios e gerar novos desafios.[9] Fiz uma pergunta a Sarah Buckley, médica que atua na Nova Zelândia, militante e autora de um artigo altamente elogiado sobre a fisiologia normal do parto: o que explica a rápida ascensão das taxas de interferência medicalizada? Esperava ouvir uma resposta baseada unicamente em critérios médicos.

Na verdade, a resposta dela foi muito perceptiva quanto ao mecanismo da aculturação em direção ao bem mais abrangente mito do normal.

Os médicos são os agentes das expectativas da sociedade de fazer as mães entenderem, num momento em que elas estão muito expostas e vulneráveis, que a tecnologia é superior ao corpo, e que o corpo das mulheres está intrinsecamente destinado a fracassar. É bem evidente que a cultura deseja impor às mulheres essa visão de seus corpos como inerentemente defeituosos e necessitados de um cuidado tecnológico de alto nível.

E isso irá perdurar, acrescentou ela, "*na forma como ela cria seu filho ou sua filha de modo a se conformar às demandas da cultura*".
Embora o sexismo sistêmico desnivele o debate especificamente contra as mulheres, existe também uma causa mais específica de intervenção médica desnecessária, que faz parte dos fundamentos da visão médica ocidental: uma desconfiança em relação aos processos naturais e um medo do que pode dar, tem chance de dar ou com certeza vai dar errado.[10] Michael Klein, ex-diretor do departamento de medicina de família do Hospital Feminino da Colúmbia Britânica, conduziu extensas pesquisas sobre o parto medicalizado. "Os médicos aprendem num ambiente muito parcial, que considera o parto algo assustador e perigoso", disse ele. O paradigma que domina a formação de medicina "considera o parto nada mais do que um acidente em potencial, uma oportunidade para o seu assoalho pélvico se deformar. As mulheres são bombas prestes a explodir que precisam ser desativadas." Ao longo da minha formação e residência em medicina, me ensinaram a prever os problemas, complicações e riscos do parto. Até aí, tudo bem. O problema é que nada na minha formação me incentivava a *me alinhar com a natureza*. Coube às minhas pacientes e colegas parteiras me ensinar que o parto vai além do procedimento mecânico de extrair um bebê do corpo da mãe, é algo que tem um propósito atávico e advindo da evolução, tanto do ponto de vista fisiológico quanto emocional.

Sherri Dolman, uma conhecida minha que mora na Califórnia, teve que travar um combate intenso e prolongado para ter autonomia em relação a suas gestações. Apesar do final triunfante, o que ela relata é uma história de terror para a medicina. "Passei três anos tentando engravidar daquele bebê", contou ela. "E quando consegui passei a não poder mais tomar decisões nem por minha filha, nem por mim mesma. Não vou conseguir esquecer isso nunca mais." Dolman foi coagida a fazer uma cesárea que não queria e, conforme se provou depois, de que não precisava. "Meu médico não respeitou minhas decisões, e não acho que tenha me respeitado como um ser humano autônomo", disse ela. "Creio que ele achava que sabia mais do que eu. Não consigo pensar num só exemplo de quando dizem para um homem o que ele pode ou não pode fazer com o próprio corpo, mas para as mulheres isso é dito diariamente."

Aos 34 anos, Dolman já tinha um filho de 17, nascido quando ela própria ainda era uma adolescente assustada. Como seu parto tinha se prolongado, provavelmente devido ao estresse, ela havia passado por uma cesariana. Dessa vez fazia questão de ter um parto vaginal. Após três anos de tentativas, ela e o companheiro engravidaram de uma menina. "Desde o primeiro instante jurei que dessa vez não faria cesárea. Iria parir minha filha do jeito que a natureza previra. Iria confiar no meu corpo, e conseguir o apoio de que necessitava para fazer isso." Ela fez seu dever de casa e entrevistou o máximo de médicos que conseguiu. "Todos eles disseram: 'quem já fez cesárea só pode parir por cesárea.' Nem sequer se dispuseram a conversar comigo sobre o assunto. 'Eu aceito a senhora como paciente, mas vamos marcar uma cesárea', diziam."

Medicamente falando, os profissionais que ela consultou estavam totalmente equivocados. Na época em que Sherri engravidou da filha, a segurança do parto vaginal após cesariana (PVAC) estava documentada havia tempos, e demonstrou-se que o suposto risco de ruptura uterina devido à pressão das contrações do trabalho de parto é mínimo, e não representa nenhum impedimento para um parto não medicado. De fato, um especialista em medicina perinatal que avaliou o útero de Dolman com um exame de imagem detalhado afirmou que a chance de isso acontecer não era maior do que se ela nunca tivesse engravidado. Num sinal de quão profundamente arraigado é o doutrinamento, o obstetra continuou relutante quanto à alternativa vaginal. O único médico que finalmente concordou em apoiar a preferência de Dolman por um parto natural desistiu no último instante.

Depois de uma sessão de monitoramento fetal que não mostrou qualquer anormalidade, Dolman foi fisicamente impedida de sair do hospital, ameaçada de prisão e pressionada a aceitar o parto cirúrgico da filha.

Depois dessa experiência traumática, ela passou a sofrer do que chama de "uma versão do TEPT".

> Passei a não conseguir mais funcionar na vida cotidiana. Eu me sentia um fracasso como mãe, incapaz de reconfortar ou de tocar minha filha em seus primeiros instantes de vida. Me sentia desconectada dela. Sentia que não tinha tido participação alguma no fato de ela estar ali. Ela chorava quando precisava de mim, mas eu não me sentia suficiente. Ao longo do primeiro ano de vida dela, fui dormir chorando todas as noites.

Os dois partos subsequentes de Dolman foram sua redenção, a reconquista da capacidade plena de ação.

Sob os cuidados de uma parteira, ela conseguiu ter um parto vaginal bem-sucedido ao final da terceira gestação. Embora o tenha descrito como "muito, muito doloroso", afirma que foi "uma das experiências mais incríveis e emocionantes" que já teve. Como no caso de muitas mulheres, a permissão que Dolman teve de fazer as próprias escolhas foi um elemento-chave para superar o sofrimento. "Por mais dor que sentisse, eu tinha apoio e estava no controle do meu próprio corpo. Isso para mim foi muito empoderador, independentemente do que acontecesse: o mais importante era estar no comando do meu corpo." Dez anos depois, falar sobre isso ainda a deixa com os olhos marejados. "São lágrimas de alegria", me garantiu ela depressa.

> Minha filha vive me pedindo: "Me conta a história de como eu nasci." Acha hilária a parte em que eu estava tendo contato pele a pele com ela e ela fez cocô em mim, e ri toda vez que conto essa história. Só isso já foi uma experiência de vínculo, o simples fato de dividir isso com ela. Faz parte da vida.

Em 2011, Dolman deu à luz mais um bebê, um menino saudável de 4,1 Kg. Foi também um parto vaginal, igualmente conduzido num hospital sob os cuidados de uma parteira, cinco anos depois de ela ter sido severamente advertida por 10 obstetras registrados a não tentar parir assim.

Nem todos os triunfos se parecem, e tampouco deveria ser assim. "Minha experiência médica me ensina que não convém se agarrar demais a nada", disse Danielle, residente em anestesiologia. "Mesmo assim, eu tinha crenças e ideias sobre como via as coisas acontecerem [...] A princípio pretendia ter um parto domiciliar na água, num chalé que tínhamos alugado na floresta." Não foi assim que aconteceu. Após um longo trabalho de parto em casa com pouca evolução, a parteira recomendou a hospitalização e uma anestesia epidural para Danielle poder relaxar um pouco. Ministraram nela o hormônio do parto ocitocina para acelerar a evolução, mas não adiantou. Depois de 36 horas de um intenso trabalho de parto, Danielle aceitou a necessidade de uma cesariana. Até hoje a experiência lhe causa empolgação.

Embora o processo de Danielle tenha sido diferente do de Sherri, ambos os partos têm em comum um aspecto central: a mãe se sentia no comando.

> As pessoas me ouviam. Todo mundo parava para escutar minhas preocupações. Até a cirurgiã-assistente entrou para falar comigo, uma mulher que tem um consultório de medicina de família aqui. Ela foi falar comigo, me olhou nos olhos e estava totalmente presente. Eu me senti segura com todo mundo lá.

Nessas palavras podemos escutar o segundo fator determinante para a qualidade da experiência da mulher: segurança e apoio.

Um sistema de saúde que respeite as forças das mulheres e suas vulnerabilidades é aquele que lhes dá a melhor chance de ter uma experiência de parto que elas possam valorizar. Essa visão perpassa uma pequena joia de preparação para a gravidez, *A Is for Advice* (*The Reassuring Kind*) (C de conselho, do tipo que tranquiliza), escrito pela parteira Ilana Stanger-Ross, nascida no Brooklyn e que exerce seu ofício na Colúmbia Britânica. "As mulheres que relatam as experiências de parto mais positivas são as que sentem ter compreendido todas as decisões tomadas, e que puderam ter voz no processo decisório", observa ela. "Isso vale inclusive para partos complicados em mulheres que torciam para parir 'naturalmente', aqueles que exigem múltiplas intervenções ou que terminam com cirurgias."[11]

Aprender sobre a fisiologia do parto é maravilhar-se com a sabedoria nata da natureza e sua maior conquista evolucionária: o corpo humano. A síntese biológica é a seguinte: o trabalho de parto dos mamíferos é mais do que um processo de expelir o bebê do útero. É uma preparação para a vida. Conforme projetado pela natureza, o trabalho de parto promove a liberação de hormônios como estrogênio, ocitocina e prolactina, que ativam uma série de sistemas neurais que governam as emoções e o comportamento, garantindo o bem-estar do bebê a curto e a longo prazo: calor, carinho, vínculo, proteção e assim por diante. Em outras palavras, o parto prepara o modelo que será seguido pelo relacionamento mãe-bebê, por sua vez o *locus* central da fase inicial de desenvolvimento da criança.[12]

Por ter passado algumas décadas afastado do jogo de aparar bebês, fui pego de surpresa por uma expressão que Stanger-Ross usou quando conversamos: "trauma obstétrico". "Isso virou uma expressão", disse ela. "Infelizmente, muitas mulheres sentem que a sua experiência de parto foi um trauma, o que naturalmente vai ter impactos na relação mãe-bebê. Se o parto foi traumático, como isso se traduz no momento em que você segura o recém-nascido no colo?"

De modo muito oportuno, tive uma imagem alarmante dessa tendência por meio de uma conversa no dia em que concluí este capítulo. Estava em uma videochamada sendo entrevistado por uma jornalista de Nova York sobre a pandemia de covid-19 que na época assolava sua cidade. Em determinado momento, Courtney, como irei chamá-la, me mostrou toda orgulhosa seu filho de 3 meses. Ao saber qual era o tema do meu trabalho, ela despejou a terrível história de sua experiência recente no Centro Médico Mount Sinai, nas mãos de uma das obstetras mais proeminentes e conceituadas de Nova York. Impossível imaginar uma história mais óbvia de trauma obstétrico normalizado.

Aos 37 anos e saudável, Courtney esperava ter um parto sem complicações. Com 30 semanas, sua médica lhe telefonou para anunciar, como por decreto, que devido à idade dela o trabalho de parto seria induzido com 39 semanas. Esse era o "protocolo do consultório" para qualquer mulher acima dos 35 anos. "Ela sabia minha idade desde o início, desde que eu tinha entrado no consultório no maio anterior", disse Courtney. "Fiquei tão chocada que desliguei o telefone; praticamente não falei nada. Tive que tomar meia taça de vinho. Fiquei tão chateada que nem dormi naquela noite." A partir daí, foi tudo ladeira abaixo. Courtney recordou com muita dor

> o súbito desaparecimento de qualquer flexibilidade, e a imposição de ditames tirânicos. Aquele não era o tipo de atendimento que eu esperava. Não estou acostumada a ser pressionada por médicos nem tratada com arrogância. O tom dela se tornou muito tóxico, e ela não parava de

dizer: "Esse bebê é *imeeenso*. Ele vai ser *imeeenso*." Eu disse a ela: "Peraí, que eu saiba os ultrassons são conhecidos por serem ruins na previsão do peso." E ela respondeu: "Não aqui no Sinai. O seu bebê vai pesar no mínimo quatro quilos."

(Peso real do bebê ao nascer: três quilos e meio.)

Courtney cogitou procurar outro médico, mas com a gestação muito adiantada e ainda impressionada com as credenciais de sua médica, acabou ficando.

Com 38 semanas, ela começou a dizer: "Isso não está com uma cara nada boa para um parto vaginal, não mesmo. Eu não sei o que lhe dizer." E eu continuava a insistir: "Eu realmente não quero uma cesárea." E foi essa a nossa dinâmica. Nos últimos dias de gravidez, eu estava num estado mental horrível: chorava a toda hora, quase em colapso nervoso... Na data combinada, fomos para o Sinai, e lá foi uma cena horrível. Passamos três horas numa sala de espera, com um milhão de coisas diferentes acontecendo, e eu não parava de dizer para o meu companheiro: "Que porra estou fazendo aqui? A gente tem todo o direito de voltar para casa e entrar em trabalho de parto naturalmente."

Sentindo-se desempoderada, com sua intuição invalidada naquele momento que era o mais vulnerável de toda a sua vida, intimidada por uma especialista médica altamente gabaritada, e tendo sido criada numa cultura em que a autoridade dos "especialistas" superava a da própria pessoa, Courtney não teve forças para se afirmar. Ela finalmente autorizou a indução, após 15 horas de um trabalho de parto sem evolução.

Fiquei muito fraca. Vomitei. Tudo ali era como o maior pesadelo que eu poderia imaginar. Falei: "Foda-se, vamos fazer a cesárea e pronto. Tipo, que escolha eu tenho a essa altura?" Então nós entramos no centro cirúrgico, eu vomitando na mesa de operação e totalmente descompensada, aos prantos. Morta de medo, me tremendo toda. Eles começam cirurgia; demora uma eternidade. Aí ela me diz: "Ah, eu não tinha me dado conta de que os seus músculos abdominais eram tão fortes." E eram mesmo, porque faço pilates há vinte anos. E eu pensando: "Não se deu conta por quê? Você tem me examinado regularmente há nove meses, e programou essa cirurgia semanas atrás." E na manhã seguinte ela me disse "Vou ligar para o departamento de imagem do hospital e reclamar de quanto seus ultrassons erraram o peso do bebê!". Passei uma semana no hospital sem dormir à noite, aos prantos por ter sido tão violada.

Perguntei a Courtney se ela havia pensado em trabalhar com uma parteira. "Não sou tão radical assim", disse ela. "Mas eu me rendi completamente ao sistema."

Agora considere que essa história revoltante aconteceu num contexto privilegiado, branco e de classe média. Para as mulheres pobres, em especial as não brancas, o tratamento das mães em trabalho de parto pode ser consideravelmente mais brutal, com consequências que podem inclusive ser fatais. Segundo um relatório de 2019 da Organização Mundial da Saúde, "42% das mulheres [numa pesquisa global] disseram ter enfrentado abuso físico ou verbal ou discriminação em centros de saúde durante o parto, algumas delas levando socos, tapas, ouvindo gritos ou comentários zombeteiros, ou sendo imobilizadas à força".[13] E isso tampouco se limita ao Terceiro Mundo. No meu próprio país, um vídeo feito num celular e vazado recentemente mostra a equipe de um estabelecimento de saúde em Quebec provocando e agredindo verbalmente uma mulher indígena em trabalho de parto. Pode-se ouvir "enfermeiras chamando-a de burra e dizendo que ela só presta para transar, e que seria melhor que morresse". Minutos depois, a mulher de fato morreu.[14]

"Para mim, a situação de parto ideal é uma mulher sozinha num quarto silencioso, com a iluminação baixa e uma parteira sentada ao seu lado tricotando", disse-me Michel Odent num comentário sarcástico, porém astuto, sobre o efeito prejudicial para o trabalho de parto de luzes fortes, máquinas barulhentas e profissionais de medicina andando para lá e para cá dando ordens.

Isso nos leva de volta ao debate sobre "expectativa inerente" do capítulo que trata da natureza humana. Como todo organismo, nós entramos em cena já antecipando que a vida irá transcorrer dentro de determinados parâmetros. Por sermos as criaturas adaptáveis que somos, podemos suportar algo que não seja o melhor, mas isso tem um custo. "As experiências do bebê num parto sem trauma precisam ser aquelas, e apenas aquelas, que correspondem às expectativas ancestrais dele e da mãe", escreve Jean Liedloff em seu estudo sobre a sociedade aborígine da floresta. Enquanto outros mamíferos buscam locais escuros, tranquilos e isolados para parir, assinala ela, nós propiciamos o trauma do parto com "o uso de instrumentos de aço, luzes fortes, luvas de borracha, o cheiro de antisséptico e anestésico, vozes falando alto ou máquinas ruidosas".[15]

Mesmo que ninguém mais perceba nada fora do normal, as mães sentem. Ainda me lembro de minha mulher sussurrar para mim durante o parto do nosso primeiro filho, referindo-se à enfermeira que não parava de insistir com ela dizendo "força, moça, força" "por favor, mande aquela mulher calar a boca".[16] Na ausência de segurança e conexão emocional, o corpo da pessoa se tensiona, sobretudo sob o efeito de hormônios sensibilizantes. Alheios à necessidade da mulher de silêncio, segurança e sintonia, os hospitais criam um ciclo que se autoperpetua, instigando muitas das complicações de parto que então precisam intervir para contornar.

Ilana Stanger-Ross resumiu o conhecimento tradicional e a ciência moderna em palavras que, num sistema mais são, nem sequer precisariam ser ditas: "Precisamos tratar uma pessoa em trabalho de parto como alguém pleno, que está vivenciando uma travessia sagrada na vida", disse-me ela. "Essas mulheres não são pacientes doentes. Elas são pessoas em trabalho de parto, *que é um estado muito normal de se estar*."

# 12

# Uma horta na Lua: a criação dos filhos sabotada

*Todos nós perdemos nossos filhos... Olhem só para eles, pelo amor de Deus: violentos nas ruas, letárgicos nos shoppings, hipnotizados em frente à televisão. Durante meu tempo de vida, algo terrível aconteceu que tirou nossas crianças de nós.*

– RUSSELL BANKS, *O doce amanhã*

A sociedade moderna está lotada de especialistas em criação de filhos. Basta passar os olhos por qualquer livraria, e você vai ver prateleiras e mais prateleiras de volumes dedicados a ajudar mães e pais a percorrer esse terreno pedregoso, da concepção até a entrada na faculdade. Existem incontáveis blogs de pais, grupos nas redes sociais e palestras on-line. Uma playlist no site da TED Talks oferece "Histórias direto da linha de frente da criação dos filhos". Apesar de irônica, a linguagem bélica faz sentido para muita gente: a luta para ser um "bom pai" ou uma "boa mãe" pode parecer uma longa batalha contra o tempo, contra nós mesmos e até contra nossos filhos. Já chegamos às prateleiras perdidos e à procura de orientação. Queremos fazer o que é melhor para nossos filhos, só não sabemos *como*. Quem dera tivéssemos uma bússola interna para nos guiar.

A boa notícia é que nós temos: todos nós, pelo fato de sermos humanos, somos dotados de um impulso e de um talento natural para criar filhos.

A má notícia é que as pressuposições que nos orientam e os preconceitos dominantes da sociedade só fazem nos distanciar desse conhecimento nato, tão inerente à nossa espécie que não tem como ser ensinado, apenas ativado ou desativado.

Neste capítulo, vamos nos debruçar sobre duas maneiras como a ideia da cultura ocidental moderna a respeito do que é normal prejudica a criação dos filhos: a erosão de nosso instinto de fazê-lo e a criação de condições de isolamento ou de estresse inimigas da criação de crianças saudáveis. Se é preciso um mundo para criar um filho, é preciso uma cultura tóxica para nos fazer esquecer como fazer isso.

## MANUAL DA SUPRESSÃO DO INSTINTO

Recentemente, um manual de criação de filhos escrito por uma economista sem histórico em psicologia do desenvolvimento, a não ser pelo fato de ser ela própria mãe, tornou-se um sucesso de vendas. Depois de analisar os números, Emily Oster apresenta *Cribsheet: A Data-Driven Guide to Better, More Relaxed Parenting, From Birth to Preschool* (A planilha do berço: um guia baseado em dados para criar os filhos melhor e com mais tranquilidade, do nascimento ao jardim de infância). O livro desvaloriza, entre outras coisas, práticas tão ancestrais quanto a amamentação e dormir na mesma cama com um recém-nascido. Conforme expressado num perfil favorável publicado na revista *The New Yorker*, "Um dos principais lemas [desse] livro é que as preferências de pais e mães têm importância. O que *você* quer?". O elogio é revelador: o princípio dominante é aquilo que o pai ou a mãe *preferem*, não aquilo de que a criança *precisa*. É aí que está o problema: qualquer contexto cultural tende a moldar a preferência de seus membros à sua própria imagem. O que nós adultos "preferimos" em circunstâncias antinaturais pode muito bem estar em conflito com aquilo que a natureza nos faria escolher. Acontece que os pais e mães de hoje em dia escutam as dicas de uma cultura que perdeu o contato *tanto* com as necessidades da criança em desenvolvimento *quanto* com aquilo de que pais e mães precisam para suprir essas necessidades.

As intenções de Oster sem dúvida são boas. Por volta da época do lançamento de seu livro, o site do *The New York Times* publicou um artigo de opinião assinado por ela com o seguinte título: "Os números de que todos os pais e mãe cheios de culpa precisam".[1] Libertar outros pais e mães de sentirem vergonha é um objetivo louvável. No entanto, tirando o fato de até mesmo os números mais cuidadosamente escolhidos serem um antídoto ruim para a culpa, e se a questão fosse mais complexa? E se a angústia que pais e mães sentem refletisse não uma falta de informação ou de números, mas sim uma alienação cultivada há muito tempo e culturalmente induzida por seus próprios instintos mais profundos? De modo bem semelhante aos genes em que estão codificados, os instintos não se afirmam de maneira automática ou autônoma. Eles precisam ser despertados pelo entorno adequado, caso contrário corremos o risco de perder contato com eles. Isso vale tanto para os seres humanos quanto para outros animais forçados a viver em circunstâncias antinaturais. Podemos considerar que a proliferação de "especialistas em criação de filhos" da nossa época seja um sinal dessa desconexão, não uma solução para ela.

A cultura do início do século XXI não é exatamente a única responsável por isso, claro. Da mesma forma que no caso das teorias sobre a natureza humana, as atitudes, abordagens e doutrinas relacionadas à criação dos filhos ao longo da civilização ocidental refletiram, e reforçaram, sua época e local específicos. Trata-se de uma trajetória das mais desoladoras, em que existe infanticídio, terror e abuso, tudo normalizado na respectiva época. Por volta do século XIV, como escreve o psico-historiador Lloyd deMause, "não havia imagem mais popular do que a da moldagem física das crianças, que eram vistas como uma cera, um gesso ou uma argila a ser batida para tomar forma".[2] O intuito era, do nascimento em diante, destruir o espírito independente da criança. Também foi por volta dessa época, assinala ele, que os manuais para criação de filhos começaram a se multiplicar loucamente.

Em meados do século XIX veio o que deMause denomina o *modo de socialização*, cujo objetivo é a promoção de uma personalidade socialmente funcional, que "desempenhe bem junto com outras", ou seja, que se conforme às expectativas da sociedade. Essa abordagem tornou-se "a origem de todos os modelos psicológicos do século XX". Entre eles está aquele popularizado pelo emblemático Benjamin Spock, para muitos o guru da criação dos filhos. Em *Meu filho, meu tesouro*, best-seller que influenciou gerações, o bom doutor propunha uma cura para o que chamava de "resistência crônica ao sono na infância". O modo de garantir que o bebê não "exercesse tal tirania", escrevia ele, era "dizer boa-noite com carinho, mas com firmeza, sair do quarto e não voltar mais". Isso mesmo: a "tirania" de um bebê fisiológica e emocionalmente programado para ansiar pela proximidade física do pai ou da mãe, como fazem todos os filhotes de mamíferos.

Hoje em dia, o modo de socialização segue dominando boa parte dos conselhos que pais e mães continuam recebendo de "especialistas" e pares. Recentemente, Jordan Peterson deu sua contribuição a respeito de como criar "sofisticados habitantes do mundo fora da família". Em seu enorme sucesso de vendas *12 regras para a vida: Um antídoto para o caos*, Peterson alerta os pais:

> Afinal, vocês amam seus filhos. Se os seus atos os tornam desagradáveis para vocês, pensem no efeito que vão ter nas outras pessoas, que gostam muito menos deles do que vocês. Essas outras pessoas vão puni-los [...] Não deixem isso acontecer. Melhor ensinar aos seus monstrinhos o que é desejável e o que não é.[3]

Para alcançar esse objetivo, Peterson recomenda a intimidação gestual e física.

A "socialização" talvez seja uma abordagem mais gentil do que tratar as crianças como uma massa moldável inanimada, mas mesmo assim está centrada em algo distinto das necessidades delas, a saber, as exigências da sociedade, da qual pais e mães agem como bem-intencionados porém involuntários agentes. Para ver que outras coisas poderiam ser possíveis, olhar para culturas mais antigas e mais em contato com a natureza do que a nossa pode ajudar. Essas culturas não precisam de "especialistas em criação dos filhos", pois o conhecimento foi transmitido de geração em geração, quer por meio de instruções ou da simples imitação. Compare o conselho de Spock com aquele que uma idosa da população cri me deu certa vez: "No nosso clã, não se permitia que as crianças sequer tocassem o chão antes de completarem 2 anos. Elas passavam o tempo inteiro no colo." Ou então comparem as dicas de Peterson para lidar com "monstrinhos" com a descrição da antropóloga Ashley Montagu das práticas tradicionais de criação dos filhos entre os inuítes netsilik, nos territórios do Noroeste do Canadá: "Embora viva em condições extremamente difíceis, a mãe netsilik é uma pessoa tranquila, que trata os filhos com afeto e um cuidado amoroso. Ela nunca recrimina seu bebê nem interfere nele de modo algum a não ser para atender às suas necessidades."⁴ De alguma forma, ao que parece, essas crianças conseguiram crescer e se tornar membros produtivos e, sim, parte de suas comunidades, mesmo sem as admoestações severas de Peterson.

Na realidade, nosso instinto parental nato é perfeitamente calibrado para garantir o provimento daquilo que muitos "especialistas" gostariam que ignorássemos: as necessidades de desenvolvimento da criança.

E há uma reviravolta nesse roteiro: não estamos falando *apenas* das necessidades das crianças. Num sentido real, não podemos sequer falar sobre as necessidades do bebê sem levar em conta as da mãe. "Um bebê não existe isoladamente", afirmou certa vez o pediatra britânico D. W. Winnicott, que explicou: "Mostre-me um bebê, e certamente estará me mostrando alguma outra pessoa cuidando desse bebê [...] O que existe é uma 'dupla de cuidados' [...] A unidade não é o indivíduo, mas sim o conjunto indivíduo-entorno."⁵ Ou, nas palavras de Ashley Montagu: "Quando um bebê nasce, nasce junto uma mãe. Há indícios consideráveis de que, nessa hora e por meses depois disso, as necessidades de contato da mãe superam as do bebê."⁶ E isso é bom: se não fossem os incentivos fisiológicos e emocionais intrínsecos nos cuidadores, a parentalidade seria ainda mais árdua do que já é. Menos bebês teriam suas necessidades de sobrevivência atendidas se o provimento dessas necessidades não fosse recompensador para pais e mães. Com nossa maestria habitual, nossa constituição interpessoal-biológica exige que nossas demandas sejam mútuas. (Um dos impactos negativos do modo de agir de nossa cultura é que o estresse tende a minimizar essas recompensas natas, tornando o ato de criar filhos mais frustrante e mais desafiador do que normalmente deveria ser.)

A poeta Adrienne Rich expressou as profundas alegrias desse funcionamento recíproco:

> Lembro das vezes em que, ao amamentar cada um de meus filhos, via os olhos deles se abrirem totalmente e encararem os meus, e me dava conta de que estávamos ambos ligados um ao outro, não só pela boca e pelo peito, mas por nosso olhar mútuo: a profundidade, a calma, a paixão daquele olhar azul-escuro tão maduro e tão firme. Lembro do prazer físico de ter meu seio cheio mamado num momento em que eu não tinha nenhum outro prazer físico no mundo exceto aquele, cheio de culpa, de comer compulsivamente.⁷

De um ponto de vista neurobiológico, Rich acertou em cheio o alvo. Em estudos de imagem, o sorriso de um bebê ativa as mesmas áreas de recompensa no cérebro da mãe que são ativadas pela junk food ou por drogas viciantes, liberando as mesmas substâncias químicas e causando a mesma euforia.[8] A natureza, essa traficante sem escrúpulos.

Assim como todas as estruturas cerebrais complexas, os sistemas de vínculo dos mamíferos, sejam baleias, chimpanzés, ratos ou seres humanos, dependem da experiência para seu desenvolvimento e ativação. Para que os circuitos cerebrais do cuidado possam funcionar, para que possam por assim dizer "ser ligados", o entorno precisa primeiro despertá-los, em seguida mantê-los. Tanto homens quanto mulheres possuem no cérebro circuitos latentes de cuidados com as crianças "à espera do ambiente certo para amplificar seu potencial", nas palavras do neurocientista Jaak Panksepp, o mesmo da nomenclatura PÂNICO/LUTO, BRINCAR e CUIDAR. Panksepp identificou e mapeou os centros, circuitos, conexões e substâncias químicas cerebrais relacionados responsáveis por coreografar o que denominou "o encantador balé de emoções entre a mãe e seu bebê". Entre eles estão mensageiros químicos como a vasopressina, a ocitocina e as endorfinas – opioides naturais do corpo –, todos responsáveis por despertar em pais e mães hábitos de cuidado essenciais para a sobrevivência dos filhotes. Lembre-se: são essas as substâncias que, somadas, formam o "coquetel do amor" liberado pelo trabalho de parto natural. O contato pele a pele e o aleitamento também causam sua liberação na mãe. A fisiologia do bebê e da mãe é, portanto, corregulada por suas interações, e o efeito dessas interações ou sua ausência pode ficar gravado num jovem humano pela vida inteira. Da mesma forma, na falta dessas interações, os instintos de cuidar podem ficar silenciados, com consequências de longo prazo para o relacionamento entre pai/mãe e filhos.[9] Nesse aspecto, bem como de outras maneiras cruciais, nossa cultura se tornou desprovida de contato.

Recordemos que a civilização, da revolução do Neolítico e do advento da agricultura em diante, não passa de um ínfimo fragmento no curso da existência de nossa espécie, não mais de 12 mil anos dos milhões desde que os hominínios passaram a viver na Terra e dos estimados 200 mil desde que a nossa própria espécie entrou em cena. Antes disso e, em muitos lugares, até muito mais recentemente – e até hoje em algumas localidades isoladas – as pessoas viviam em pequenos grupos de caçadores-coletores.

"As primeiras experiências comuns de nossos antepassados (e primos, os caçadores-coletores que viviam em pequenos bandos) proporcionavam uma *coletividade social para o desenvolvimento da natureza humana*, para a essência do que significa ser humano", escreve Darcia Narvaez (os grifos são dela). A pesquisa por ela conduzida identificou sete práticas precoces de criação dos filhos compartilhadas pelos grupos de caçadores-coletores, práticas que constituem aquilo que ela denomina "ninho evoluído". Ao ler a lista, convido o leitor a comparar as experiências nela mencionadas com as do bebê ou da criança medianos de nossa própria época.

Em meio aos estresses gerados por nossa cultura, até mesmo pais e mães instruídos de classe média têm dificuldade para prover essas necessidades, isso quando nem sequer estão conscientes da sua existência:

- Uma experiência perinatal tranquilizadora
- Pronta reação às necessidades do bebê e evitação de perturbações
- Contato intenso e presença física constante, incluindo contato em movimento (carregar e segurar no colo)
- Amamentação frequente iniciada pelo bebê por um período de dois a cinco anos, sendo quatro a idade média do desmame
- Uma comunidade de cuidadores adultos variados, afetuosos e reativos
- Um clima de apoio social positivo (para mãe e bebê)
- Livre brincar criativo na natureza com companheiros de idades variadas[10]

"O ninho", segundo me disse Narvaez,

> compreende a mãe relaxada e não estressada durante a gravidez, processos de parto gentis, experiências perinatais tranquilizadoras, ausência de separação mãe-bebê, ausência de circuncisão no bebê,[11] ausência de procedimentos dolorosos, amamentação e, depois disso, um contato afetuoso constante durante o primeiro ano e, na realidade, durante toda a infância e vida.

Lembre-se de que foi de Narvaez a afirmação sobre os seres humanos serem *atípicos da espécie* que citei no capítulo 8: eles são os únicos seres na face da Terra que rotineiramente frustram as necessidades intrínsecas da própria espécie para um desenvolvimento saudável. "Na nossa cultura", disse ela, "nós em grande parte tiramos nossas crianças do ninho. Falta a nós a maioria dos componentes daquilo que ajuda um bebê a crescer e alcançar seu potencial pleno, e seu sistema a se desenvolver de modo adequado. É isso que significa tirar do ninho."

Entre os povos indígenas que a receberam na selva da América do Sul, Jean Liedloff certa vez observou uma exceção às práticas sociais que provava uma das regras cardeais relacionadas à disciplina das crianças por pais e mães:

> Certa vez vi um pai jovem perder a paciência com o filho de 1 ano. Ele gritou e fez um gesto violento enquanto eu observava; pode ser até que tenha batido na criança. O bebê gritou com um terror ensurdecedor e inconfundível. O pai ficou paralisado com aquele som terrível que havia causado; ficou claro que tinha cometido uma ofensa em relação à natureza. Eu via essa família sempre, pois minha casa era vizinha à dela, mas nunca vi o homem perder outra vez o respeito pela dignidade do filho.[12]

A palavra *dignidade* se destaca: quantos de nós pensam em bebês nesses termos? No entanto, tal omissão talvez só faça sublinhar nossas falhas no que diz respeito às crianças. Pense: mesmo que você nunca tenha chamado um bebê de "digno", certamente já deve ter encontrado alguns bebês *indignados*. E a palavra não está sendo usada no sentido figurado. Até mesmo os bebês, talvez especialmente eles, sabem quando sua integridade física e emocional está sendo ignorada ou violentada. A história de Liedloff se alinha com os achados de Narvaez sobre caçadores-coletores em pequenos grupos, e sobre o que se observou nas culturas originárias: de modo geral, essas culturas não normalizavam o fato de bater nos filhos, e continuam a não fazê-lo. Ao desembarcar no litoral do "Novo Mundo", os cristãos europeus imbuídos, ou assim pensavam, do bondoso espírito de Jesus, ficaram consternados ao ver que os "selvagens" da América do Norte evitavam castigar fisicamente as crianças.[13] A ética puritana, por sua vez, era "lançar mão da vara e das reprimendas", nas palavras de um pastor do século XVII em Massachusetts.[14]

Esse costume pode ter caído em desuso desde então, mas não totalmente. "Defender a teoria de que *não há justificativa para a punição física*", escreve Jordan Peterson (grifo dele), pressupõe que "a palavra *não* possa ser proferida com eficácia para terceiros sem estar acompanhada pela ameaça de punição".[15] Para o professor, "terceiros" nesse caso significa uma criança de 2 anos, a quem em outro trecho ele se refere com a encantadora expressão "o pestinha decidido". Para Peterson, imerso na ideologia behaviorista, disciplinar muitas vezes se resume a intimidar as crianças, algo que conseguimos fazer, escreve ele, pelo fato de sermos "maiores, mais fortes e mais capazes do que ela", e podermos portanto sustentar nossas ameaças. Ele se gaba, orgulhoso: "[Quando] minha filha era pequena, eu era capaz de paralisá-la e imobilizá-la com um olhar de censura." Na Grã-Bretanha, duas manchetes do *The Telegraph*, de 2011 e 2012 respectivamente, ressaltaram que tais atitudes não são nem de longe um caso isolado: "A palmatória passou tempo demais descansando: permitir que os professores empreguem nem que seja a mais leve dose de força física vai melhorar a disciplina" e "Disciplina escolar: poupar a palmatória mimou as crianças – O que pode ser feito para reverter o colapso da disciplina desde a proibição dos castigos físicos?".

De volta ao mundo da ciência, a Academia Americana de Pediatria, após avaliar quase uma centena de estudos, emitiu em 2018 uma declaração alinhada com os conhecimentos ancestrais. O texto pedia o fim das surras e castigos verbais contra crianças e adolescentes. Esses tratamentos, segundo assinalou a organização formada por 67 mil especialistas em pediatria, só fazem aumentar a agressividade a longo prazo, e prejudicam o desenvolvimento do autocontrole e da responsabilidade. Ao elevar os níveis de hormônio do estresse, eles podem causar danos ao desenvolvimento saudável do cérebro e acarretar problemas de saúde mental.[16] Mais recentemente, um estudo de Harvard mostrou que os danos causados no sistema nervoso e na psique da criança que apanha podem ser tão profundos quanto os causados por violências mais graves.[17] A boa notícia é que a maré está virando, e os pais mais jovens são cada vez menos propensos a usar a punição corporal, talvez num bem-vindo exemplo do futuro nos fazendo voltar ao passado.

Num outro exemplo da desconexão moderna em relação ao instinto e ao corpo, temos a amamentação. Segundo extensas pesquisas na América do Norte e em outras partes do mundo, a prática confirma os benefícios tanto para a saúde da criança quanto, a longo prazo, da mãe.[18] Como disse à revista *The New Yorker* Lori Feldman-Winter, presidente da Academia Americana de Pediatria, ao desvalorizar a prática a economista Emily Oster está simplesmente equivocada do ponto de vista da ciência. "É basicamente tão ruim quanto os antivacina", comentou ela.[19]

Noutro trecho, Oster escreve que "a maternidade pode ser solitária e isoladora". Nada mais verdadeiro, mas esses atributos se referem não à maternidade em si, mas à maternidade numa cultura alienante. Plantar uma horta na Lua seria sem dúvida uma empreitada enlouquecedora, mas isso nada nos revela sobre jardinagem, apenas que determinadas condições precisam estar presentes se quisermos ter sucesso. Em determinado momento, Oster recorda a vez em que foi ao casamento do irmão "e tentei amamentar minha filha aos berros em um closet onde fazia 38°C". Difícil pensar numa metáfora mais adequada para as condições anormalmente estressantes que nossa cultura impõe a bebês e mães do que esse closet: levada a sentir vergonha ou afastada e isolada, escondida, claustrofóbica, apertada, suando em bicas. Considerando como a neurobiologia interpessoal funciona, é de espantar que o bebê esteja aos berros? Num ambiente estressado, como muitas vezes constatei no exercício da medicina de família, a amamentação em si pode se tornar uma obrigação onerosa e frustrante, fonte de infelicidade materna e de desconforto para o bebê.

O mesmo vale para determinadas formas de "treinamento de sono". A pressuposição de que os bebês precisam ser treinados para dormir tem por base uma visão cultural segundo a qual a criança deve se adaptar à rotina e aos objetivos de pais e mães, o que para pais e mães que trabalham ou estão estressados e sem apoio pode ser um anseio legítimo, inevitável até. Mas deveríamos deixar bem claro o que está sendo perdido. Como assinala o psicólogo Gordon Neufeld, o contato físico é a única forma que o bebê tem de se conectar com o pai ou a mãe. Sua "resistência" a ser posto para dormir e ver o pai ou a mãe seguir o conselho de Spock de "dar boa-noite com carinho, mas com firmeza, sair do quarto e não voltar mais" é simplesmente uma expressão da sua necessidade essencial. Anular nossa reação ao desconforto de um bebê pode também enfraquecer nossos próprios instintos de criação, com consequências que perduram muito depois da primeira infância da criança.

Em 2006, escrevi um artigo de jornal intitulado "Por que não acredito mais que os bebês devam chorar até dormir", assinalando que deixar bebês sozinhos estressa o cérebro deles, com efeitos potencialmente negativos. Além de machucar o coração da mãe. Citei minha falecida sogra, Monica, que tinha uma lembrança dolorosa de ser uma jovem mãe no fim dos anos 1940 e início dos 1950 e seguir o conselho médico de ignorar o choro de seus bebês. "Para mim era uma tortura fazer isso", contou ela. "Ia contra todas as minhas emoções maternas." Alguns anos depois, o site do jornal republicou o artigo, que foi logo compartilhado mais de 80 mil vezes e gerou várias reações. Uma delas foi ótima:

> Esse artigo não passa de uma baboseira do lóbulo pré-frontal. Não há hipótese de os padrões cerebrais de um bebê serem psicologicamente danificados de modo permanente numa idade tão precoce. Não tem como nosso córtex pré-frontal adotar padrões que vão perdurar até a idade adulta. Não tem como. Se fosse assim, as últimas três gerações a dominarem este mundo (os baby boomers, os pré-baby boomers e a geração X) teriam sido todas emocionalmente instáveis e assoladas por questões psicológicas.

"Bom", pensei comigo mesmo, "não tenho mais nada a dizer."

## POR QUE O ESTRESSE PARENTAL TEM IMPORTÂNCIA

Especialmente no início da vida, mas ao longo de toda a infância, o ser humano jovem usa os sistemas emocionais e nervosos dos adultos cuidadores para regular os próprios estados internos. A matemática interpessoal-biológica é implacável: quanto mais estressado o adulto, mais estressada a criança.

Extensas pesquisas demonstraram que, quando estressados, pais e mães ficam com menos paciência, e castigam mais e são mais duros com os filhos pequenos. O estresse prejudica sua capacidade de ficarem calmos, de reação e sintonia. Como assinalou um artigo recente de pesquisadores renomados: "Em ambientes mais estressantes para pais e mães, as crianças não apenas experimentam menos proteção contra estressores ambientais, como também são mais propensas a ter relacionamentos indutores de estresse com cuidadores."[20] Outro estudo mostrou que, enquanto o estresse elevado induz atitudes mais punitivas nas mães, níveis adequados de apoio as diminuem de modo favorável. A ciência moderna reafirma mais uma vez o conhecimento ancestral.

O estresse parental se expressa também de modos menos explícitos, como por meio da distração e da ausência emocional. Muitos pais e mães, embora amorosos, vivem frequentemente preocupados com questões genuínas que têm a ver com problemas de relacionamento, econômicos ou pessoais, e como consequência simplesmente não se mostram tão atenciosos ou "presentes". Isso afeta o desenvolvimento tanto quanto a raiva ou a frieza parental. "Experimentos com primatas mostram que os bebês podem apresentar reações severas à separação apesar de a mãe estar visualmente, mas não psicologicamente, disponível", relata o pesquisador, psicólogo e teórico de renome Allan Schore.[21] Ele chama esse não contato de "separação próxima": tão perto, e ao mesmo tempo tão longe. Devido aos estresses habitualmente suportados por pais e mães, essa é uma dinâmica vivida por muitas crianças na nossa sociedade. A mensagem que a criança recebe é: "Você não merece a minha atenção. Precisa se esforçar para conquistá-la." Quer recordemos explicitamente ou não essas experiências, as impressões que elas deixam sobrevivem em nosso inconsciente e em nosso sistema nervoso.

A alienação imposta pelas dificuldades financeiras torna as coisas ainda mais estressantes. "O caráter intranquilo da criação de filhos nos tempos modernos tem uma motivação poderosa: a ansiedade econômica", noticiou o *The New York Times* em 2018.

> Pela primeira vez, as crianças dos Estados Unidos têm 50% de chance de serem menos prósperas do que seus genitores. Para pais e mães, dar às crianças o melhor começo na vida passou a significar fazer tudo que pudessem para garantir que seus filhos alcancem uma classe mais alta, ou pelo menos não desçam daquela em que nasceram.[22]

O impacto involuntário de uma criação tão temerosa e tão movida a status é que as necessidades emocionais irredutíveis da criança passam para o segundo plano em relação ao desespero de pais lutando para garantir o sucesso acadêmico e financeiro de seus descendentes. Recentemente, uma pessoa próxima testemunhou uma mãe de classe média gritando com o filho de 5 anos que não queria fazer o dever de casa: "Você não está pensando no seu futuro acadêmico!", esbravejava a pobre mãe com a criança em idade pré-escolar. Quem dera o pequeno pudesse ter retrucado: "Ah, é? E você não está pensando no meu futuro psicoemocional!"

Para algumas famílias de dois genitores de uma determinada classe social, o fato de os dois trabalharem pode ser uma escolha. "Eu amo meus filhos! Eles são incríveis", escreve Oster.

> Mas eu não seria feliz ficando em casa com eles. Não que goste mais do meu trabalho... se eu tivesse de escolher, as crianças ganhariam todas as vezes. Mas o "valor marginal" do tempo que passo com eles se deteriora depressa... A primeira hora com meus filhos é ótima, mas na quarta já estou pronta para passar um tempo com a minha pesquisa. Meu trabalho não tem essa queda livre de valor marginal: os altos não são tão altos, mas a satisfação de hora em hora declina bem mais devagar.[23]

Oster é sábia ao valorizar a qualidade das horas passadas com os filhos em vez da simples quantidade, e ela tem todo o direito de defender a própria escolha, assim como todos nós. A autoexpressão e a validação femininas por meio da realização de um trabalho significativo fora do ambiente doméstico passou tempo demais sendo sufocada e frustrada.

E é claro que nem a oportunidade de retornar a um emprego significativo, nem a pressão para retomar o trabalho, seja qual for o custo para a criação dos filhos, tem uma distribuição igualitária entre as mulheres: como sempre, a classe é uma variável de extrema importância. Muitos pais e mães são forçados a entrar para a força de trabalho por pura necessidade econômica, ou então a retornar ao trabalho demasiado cedo. Como eles podem pensar no futuro dos filhos quando mal conseguem sustentá-los no presente? Esse é o caso especialmente nos Estados Unidos, onde menos de 20% das mães recentes têm acesso à licença-maternidade. O problema é ainda maior para as famílias não brancas, declarou ao *The Guardian* Myra Jones-Taylor, diretora de políticas na ONG de desenvolvimento infantil Zero to Three. "Mães e pais simplesmente não têm condições financeiras de ficar em casa com seus bebês", disse ela.[24] Alguns países aplicam políticas bem mais civilizadas, em especial na Europa Setentrional, onde até o pai pode tirar licença.

Uma em cada quatro mulheres americanas volta ao trabalho em até duas semanas após dar à luz, apenas um terço da licença-maternidade pós-parto recomendada pelo Colégio Americano de Obstetras e Ginecologistas. Até mesmo essa parca recomendação do colégio parece ter por intenção simplesmente permitir ao corpo da mãe se curar e se recuperar do esforço do parto, em especial considerando quantos partos hoje em dia envolvem intervenção cirúrgica. Essa ausência tão breve do trabalho após o parto deixa totalmente de fora as necessidades da criança. Pelas exigências neurobiológicas do bebê, para seu desenvolvimento saudável é necessário um período bem mais longo com a mãe, idealmente um *mínimo* de nove meses até ele alcançar um estado de relativa maturidade biológica. Para o bebê, a perda súbita de contato com a mãe é um choque, como sabemos a partir de estudos com animais, mesmo aqueles cujo período de dependência é bem mais curto que o nosso.[25]

## MÃES E PAIS, ESSES SERES SOLITÁRIOS

O antropólogo britânico Colin Turnbull passou três anos vivendo com os pigmeus no que se conhecia então como Congo Belga, na África Central. Até recentemente, esses povos levavam uma vida que remontava a milhares de anos, provavelmente com poucas alterações. Ele relatou suas observações no clássico *The Forest People* (O povo da floresta). "O bebê naturalmente conhece seus verdadeiros pai e mãe, e tem por eles um afeto especial", escreve o autor, "mas desde a mais tenra idade aprende que é filho de todos, pois todos são filhos da floresta."[26] Na civilização dos caçadores-coletores que viviam em pequenos bandos, a família estendida e o clã formavam uma rede indispensável de apoio afetuoso e prestativo. Longe de ser uma empreitada de duas pessoas (e menos ainda de uma pessoa só), a criação de um filho funcionava no contexto de um amplo círculo de vínculos num clã multigeracional, onde o afeto consistente era exemplificado, incentivado e compartilhado.

O afeto era também *suplementado*, de um modo ao mesmo tempo compassivo e absolutamente natural, por um grupo seleto de outras cuidadoras denominadas por Narvaez *alomães*, do prefixo grego *alo*, que denota "algo diferente do normal". As alomães "pegam o bebê quando a mãe precisa de um descanso [...] Carregam, ninam e brincam com a criança. Realizam as tarefas rotineiras [...] Elas formam um anteparo para a relação mãe-filho e pai-filho." Sabemos, graças a muitos estudos, que quanto mais apoio os pais recebem, mais atenção conseguem dedicar aos filhos. "Essa era a tradição em quase todas as sociedades", escreve Narvaez,

> ter um "período de resguardo" para a mãe e o recém-nascido durante o qual as mulheres da comunidade cuidam da mãe, servindo-lhe chás e alimentos nutritivos que favoreçam o aleitamento e a recuperação. Elas cuidavam de tudo na casa, para a mãe poder ficar na cama e dedicar toda a sua atenção a se vincular ao bebê e amamentá-lo.[27]

De fato, essas culturas tinham uma política socializada de "cuidados com as crianças para todos", o que lhes trazia inúmeros benefícios.

Quando eu estava trabalhando neste capítulo, um ataque terrorista pavoroso a um hospital de Cabul, no Afeganistão, matou 24 pessoas, entre elas algumas lactantes. Num dos vídeos mais comoventes que já vi, mulheres foram até lá acalentar e alimentar os bebês órfãos. "Vim aqui hoje amamentar esses bebês", disse uma jovem das redondezas através da máscara que usava para se proteger da covid-19, "porque eles perderam a mãe nesse atentado sangrento. Tenho um bebê de quatro meses… e vim aqui lhes dar um pouco de amor de mãe por meio do aleitamento."[28] Pode ser que o instinto alomaterno seja tão natural quanto o próprio instinto materno.

Resumindo: nunca foi a intenção da natureza, se é que podemos usar esses termos, que uma jovem mãe abalada e confusa como Emily Oster tivesse que passar por dificuldades isolada dentro de um closet, ou de comprometer os próprios instintos e desejos de se vincular tranquilamente à própria filha. Não faz parte da criação dos filhos impor esses estresses a mães e pais; o problema, por assim dizer, é o local de trabalho sociocultural.

Dizer que nos afastamos de um modelo de criação coletiva seria um eufemismo. A unidade familiar nuclear e isolada de hoje em dia é diametralmente oposta ao nosso "nicho evolucionário evoluído", cujos vestígios ficam mais fracos a cada nova década, a cada novo giro da roda do "progresso" econômico ou tecnológico. Com os precedentes evolucionários estilhaçados, somos forçados a suportar violações em série de nossa herança instintiva.

Pense no que aconteceu com as comunidades de bairro em poucas gerações. Eu e muitos outros da mesma faixa etária ainda nos lembramos de ter crescido em bairros onde quase todo mundo se conhecia, onde as crianças passavam o dia brincando na rua e onde todos os adultos, conhecidos por todo mundo, eram pais e mães postiços, e ficavam de olho em nós ou não hesitavam em nos repreender quando saíamos da linha. As famílias faziam suas compras em lojas de bairro: a mercearia, a padaria, a loja de utilidades do lar e o mecânico de automóveis ofereciam suas mercadorias e serviços a uma distância que se podia percorrer a pé. (Observação pessoal: na minha infância em Budapeste, a calçada em frente ao nosso prédio era quase tão larga quanto um parquinho, e desempenhava esse papel para dezenas de crianças dos apartamentos em volta. Visitei meu antigo bairro numa viagem recente à Hungria, e vi quanto a calçada agora é estreita, imprensada entre uma via expressa de várias pistas e um drive-thru do McDonald's ao lado de um posto de gasolina.)

Que estranhas parecem hoje essas lembranças, quase como se tivessem saído do programa infantil *Vila Sésamo*. As lojinhas de bairro são uma espécie ameaçada. Apesar de ambientes comunitários pujantes em alguns locais, em geral cada vez mais nos locomovemos de carro, muitas vezes sem qualquer outra companhia, para o trabalho ou para fazer compras em algum estabelecimento sem alma e/ou sem janelas muito distante. No lugar de conhecidos, cruzamos com estranhos que nos vendem produtos manufaturados em massa. As interações econômicas antes enriquecidas pelas relações pessoais, fosse no banco, no posto de gasolina ou no caixa de uma loja grande, foram sendo substituídas por transações emocionalmente estéreis e cada vez mais mecanizadas. As calçadas dos bairros, em grande parte vazias, não são mais animadas pelas brincadeiras ruidosas de crianças de idades variadas: em sua maioria, essas crianças frequentam escolas segregadas em grupos de mesma idade. A necessidade de ganhar a vida força muitas pessoas a se mudarem para muito longe de suas famílias estendidas.

A frequentação das igrejas e outros vetores de participação com viés social está em declínio. "No início sem perceber, fomos apartados uns dos outros e de nossas comunidades no último terço do século", escreveu em 2000 o professor de políticas públicas de Harvard Robert D. Putnam.[29]

Criaturas sociais por natureza, nós nos tornamos peixes fora d'água.

As mães, cuja necessidade de conexão é especialmente decisiva, estão entre as mais afetadas por essas mudanças. Adrienne Rich observa que, durante a relativa afluência de meados do século XX,

> a mudança para os subúrbios, primeiro para a casinha, depois para a casona, o isolamento do "lar" em relação aos outros lares [...] As mães da classe trabalhadora em seus novos apartamentos e as esposas acadêmicas com sua recém-adquirida afluência, todas perderam alguma coisa: elas se tornaram num grau mais extremo mulheres mais limitadas ao ambiente doméstico, mulheres isoladas.[30]

Essas tendências estão se firmando internacionalmente e com força cada vez maior sob a influência do capitalismo globalizado.

Embora não haja sentido em ficar ansiando por um passado idealizado, um declínio na coesão e no apoio comunitário é discernível e lamentável. "Em décadas anteriores, os vínculos sociais existiam", relatou numa entrevista James Garbarino, que estudou a vida inteira desenvolvimento infantil e é professor de psicologia humanística na Universidade Loyola.

> Embora o valor do individualismo existisse, as estruturas sociais que mantinham as pessoas unidas eram mais evidentes. Muitas dessas estruturas se atrofiaram, ou as pessoas optaram por abrir mão delas sem se darem conta da importância que elas tinham para o seu bem-estar no passado. As pessoas não sabiam conscientemente quão importantes eram essas estruturas, por isso sentiram que podiam se livrar delas sem custo.

Joni Mitchell tinha razão: nós realmente não sabemos o que temos até não termos mais.

Uma cultura onde a natureza se tornou a exceção é uma cultura em apuros. Para realizar o trabalho que a evolução nos confiou, e para acessar e confiar em nossos instintos naturais previstos para esse trabalho, precisamos uns dos outros e de apoio comunitário e social, exatamente como nossos filhos precisam de nós. Criar os filhos em situação de isolamento é criar os filhos em situação de estresse, assim como tentar acompanhar os últimos conselhos contrainstintivos de "especialistas" do complexo industroparental (com minhas desculpas a Dwight Einsenhower).[31] Uma criação dos filhos atormentada, por sua vez, é um criadouro de mal-estar pessoal e societal.

# 13
# Forçar o cérebro na direção errada: a sabotagem da infância

*Não existe algo mais revelador da alma de uma sociedade do que o modo como ela trata suas crianças.*

— NELSON MANDELA[1]

"O senhor já foi acusado de culpar as mães?", perguntei ao pediatra e pesquisador de Harvard Jack Shonkoff. "Eu me preocupo bastante com isso", respondeu ele. "Se falamos sobre quão influente é o ambiente das relações, podemos acabar descambando num terreno escorregadio, com as pessoas dizendo: 'Pais e mães estão fazendo um trabalho ruim; a culpa é deles.'" Shonkoff, cujo trabalho já lançou luz em grande parte da ciência do desenvolvimento humano inicial, resumiu então o dilema central encarado por alguém que tenta se relacionar de modo honesto com essas questões: "Não se pode dizer que pais e mães são extremamente importantes na vida dos filhos, mas que se houver um problema isso não tem nada a ver com eles. A verdade, no entanto, é que pais e mães não criam os filhos isolados da sociedade."

Uma visão mais ampla requer uma lente mais aberta. Sim, mães e pais são responsáveis por seus filhos; e não, eles não criaram o mundo em que precisam criá-los.

Nossa ecologia cultural não dá apoio a uma criação de filhos sintonizada, presente, atenciosa e conectada. Como vimos, a desestabilização começa com o estresse transmitido aos bebês ainda no útero, com a mecanização do parto, com a atenuação do instinto materno e paterno e com a negação das necessidades de desenvolvimento da criança. Ela prossegue com as pressões econômicas e sociais, cada vez mais intoleráveis, exercidas hoje em dia sobre pais e mães e com a erosão dos vínculos comunitários, e é magnificada pela desinformação que pais e mães recebem a respeito de como educar os filhos. Reforçado por sistemas educacionais que com grande frequência estressam os alunos com pressões para competir, o processo culmina com a exploração de crianças e jovens para a glória do mercado de consumo.

Mães e pais fazem amorosamente o seu melhor; eu pelo menos fiz. Também sei muito bem que o meu "melhor" era limitado pelo que eu ainda não sabia nem sobre mim mesmo, nem sobre criar filhos. Por mais nobres que sejam nossas intenções, nossa capacidade de segui-las é muito influenciada por nossas experiências iniciais e traumas não resolvidos, pelas expectativas sociais que somos encarregados de transmitir a nossos filhos e pelos estresses da vida. Saber disso me liberta do sentimento de culpa, sobretudo quando vejo as marcas que as limitações do meu eu mais jovem deixaram nos meus filhos? Não, não automaticamente. Mas pelo menos tenho consciência de que a culpa e a responsabilização não servem para nada, e além disso não são o mais importante, em especial quando entendemos o contexto. Como ressaltou James Garbarino em 1995: "Precisamos deixar de lado a culpabilização dos pais e dar uma boa olhada no desafio de criar filhos num ambiente socialmente tóxico."[2]

Na época codiretor do Centro de Desenvolvimento da Vida em Família e professor de desenvolvimento humano na Universidade Cornell, Garbarino observou que, dentre as muitas facetas do ambiente socialmente hostil para a criação dos filhos estavam "a violência, a pobreza e outras pressões econômicas sobre pais e mães e seus filhos, a ruptura das relações, a crueldade, o desalento, a depressão, a paranoia, a alienação: todas as coisas que desmoralizam as famílias e comunidades". Ele escreveu também sobre "muitas, muitas outras que são sutis, mas igualmente graves. No topo da lista está *a partida dos adultos da vida das crianças*".[3] Essa ruptura radical das normas evolucionárias passa bastante despercebida. Pior: nós a confundimos com o estado natural das coisas.

Uma consequência automática do enfraquecimento de laços comunitários e familiares é que nossas crianças precisam procurar em outros lugares os vínculos que lhes são necessários. Assim como os filhotes de muitas espécies, as crianças precisam se apegar a *alguém* na vida: sua neurofisiologia assim exige. Na ausência de uma figura confiável à qual se apegar, elas ficam assustadas e desorientadas. A fiação do seu cérebro começa a dar defeito. De fato, circuitos cerebrais essenciais relacionados a capacidades como aprendizado, interação social saudável ou regulação emocional não se desenvolvem adequadamente.

Nada no cérebro de uma criança lhe diz a *quem* ela deveria se apegar. A pressuposição da natureza, se é que podemos usar esse termo, é que pais e mães estarão presentes de forma consistente. As crianças nascem com essa expectativa codificada em seu corpo e seu sistema nervoso. O cérebro imaturo não consegue suportar o que Gordon Neufeld chama de "vácuo do apego": uma situação em que não existe uma figura de apego disponível com a qual se conectar. Inevitavelmente, assim como, na ausência da mãe, um patinho recém-nascido confia e segue a primeira criatura que vê – ganso, esquilo, guarda florestal ou mesmo robô em forma de carro de brinquedo –, o vácuo precisa ser e será preenchido por quem quer que esteja por perto.

Hoje em dia, para nossos filhotes, "quem quer que esteja por perto" a partir da mais tenra idade é na maior parte das vezes o grupo de pares. À deriva devido ao declínio da comunidade multigeracional liderada pelos adultos, crianças e adolescentes precisam buscar aceitação uns nos outros. Do ponto de vista do desenvolvimento, isso é uma missão impossível.

Que fique claro: o desejo, ou mesmo a necessidade, de formar conexões próximas com o grupo de mesma idade é algo natural e saudável. Essas amizades podem estar entre os vínculos mais ricos formados ao longo de uma vida. Da perspectiva do desenvolvimento emocional, porém, a *orientação dos pares* – a substituição dos adultos como fonte e local *primários* de vínculo para a criança em prol de indivíduos de mesma idade – é um desastre.[4] Como diz o ditado, os cegos são mais capazes de guiar outros cegos do que criaturas imaturas de guiar umas às outras até a maturidade psicológica. Aaron, o mais novo de meus dois filhos, hoje com 43 anos, agora pode ver como essa dinâmica o limitou. "Quando eu era adolescente, vivia obcecado com o que meus amigos achavam de mim, quanto gostavam de mim, o que era preciso para eu corresponder às expectativas deles", relembrou ele pouco tempo atrás. "Isso me fez continuar imaturo até a idade adulta." É claro que essa orientação dos pares não tinha a ver com os pares do meu filho em si: ela era um desfecho natural da falta de disponibilidade do pai e da mãe como adultos emocionalmente sintonizados em seus primeiros anos de vida.

Como vimos, a segurança emocional, formada por meio de conexões seguras baseadas num valor incondicional, é um pré-requisito para o amadurecimento. Em geral, uma vez que as crianças são absorvidas pelo mundo dos pares, elas perdem a segurança da conexão primária com os adultos.[5]

Em culturas cujas prioridades estejam na ordem correta, as primeiras amizades florescem num contexto comunitário, supervisionadas por adultos carinhosos. Na nossa sociedade, as interações entre pares não ocorrem no contexto de relacionamentos adultos protetores, mas sim longe deles.

Quando as crianças passam grande parte do seu tempo longe dos adultos cuidadores, o cérebro delas é forçado a escolher entre dois vínculos que competem entre si: o chamado natural da conexão com pai e mãe, ou o canto da sereia do mundo dos pares. Se pais e mães saem perdendo nessa competição, as crianças precisam necessariamente olhar umas para as outras. Ou seja, elas também saem perdendo. Tudo isso é exacerbado pelos atrativos de uma cultura pop que considera celebridades adolescentes imaturas ídolos a serem "seguidos" – termo revelador – nas redes sociais por vários milhões de crianças e adolescentes. Em épocas anteriores, esses jovens teriam considerado mais adequado copiar figuras adultas maduras.

Alguns pais e mães que estejam lendo isso talvez protestem: "Mas os amigos do *meu* filho parecem ótimos, tolerantes e com a mente aberta!" Por mais reais e merecedoras de celebração que essas qualidades sejam, uma criança que busque seu apoio e conforto *primários* no grupo de pares é mais um sinal de "adaptação" do que um motivo de esperança, principalmente em idades mais precoces. Até mesmo para os mais nobres dos pares, é difícil proporcionar o tipo de conexão sólida que a segurança do desenvolvimento demanda. Entre outras falhas, as crianças não podem contar umas com as outras para se manterem internamente consistentes: muitos de nós serão capazes de lembrar um primeiro dia infeliz de aula, em que ficamos chocados ao constatar que nossos antes amigos tinham se metamorfoseado durante as férias de verão em pessoas bem menos amigáveis. As crianças tampouco podem oferecer umas às outras a apreciação positiva incondicional que promove o crescimento sadio, qualidade que até mesmo para adultos bem-intencionados é um desafio proporcionar. Em geral, os pares imaturos são, em sua constituição, incapazes de aceitar uns aos outros "como são"; de abrir espaço para a experiência vulnerável das emoções, quanto mais para sua franca expressão; de aliviar o estado de estresse uns dos outros; ou de celebrar ou mesmo tolerar as diferenças de temperamento. Com sua imaturidade natural, o grupo de pares só pode oferecer uma aceitação altamente condicional, e portanto insegura, que muitas vezes exige autossupressão e conformidade no lugar da verdadeira individualidade.

Em casos mais extremos, a orientação dos pares expõe as crianças à ameaça de rejeição, ostracismo e bullying. Segundo uma matéria de 2001 assinada por Natalie Angier no *The New York Times*:

> O noticiário está repleto de relatos de como o bullying é prevalente. Num dos maiores estudos já conduzidos sobre desenvolvimento infantil, pesquisadores dos Institutos Nacionais de Saúde [dos Estados Unidos] observaram que cerca de 25% de todas as crianças do ensino fundamental avançado eram ou perpetradoras ou vítimas (ou em algum caso ambos) de situações graves e crônicas de bullying, comportamentos que incluem ameaças, ridicularização, xingamentos, socos, tapas, provocações e zombarias.[6]

Padrões semelhantes foram relatados na Europa.[7] Da Espanha à Alemanha, da Inglaterra à República Tcheca, agentes públicos e administradores de escolas tiveram que enfrentar essa questão. A Organização Mundial da Saúde estimou em 2012 que um terço das crianças relatou já ter sofrido bullying por parte de seus pares.[8] Ultimamente, ouvimos um número excessivo de relatos de crianças ou adolescentes que manifestam ou no mínimo fingem indiferença diante do sofrimento real, e chegam até a "curtir" isso. Lemos relatos frequentes de bullying ou agressões sexuais compartilhados nas redes sociais por adolescentes como se fossem historinhas divertidas, muito embora a dor causada também tenha levado a suicídios e automutilações.

Em 2019, a morte por overdose de um adolescente angustiado num subúrbio de Vancouver chocou o mundo. Conforme noticiado pelo *National Post*:

No dia 7 de agosto, Carson Crimeni, um menino de 14 anos descrito na imprensa como solitário e desesperado para se encaixar, consumiu drogas com um grupo de adolescentes mais velhos num parque de skate em Langley, na Colúmbia Britânica. Conforme ele foi ficando cada vez mais desorientado, os mais velhos começaram a filmá-lo. Zombaram e riram dele. Eles publicaram os vídeos na internet e os divulgaram. "Moleque de 12 anos fritado de bala",[9] escreveu um deles na legenda de um vídeo de Carson todo suado. Com seu moletom cinza de capuz e sua calça preta, o menino parece minúsculo no vídeo. "Ele tomou 15 cápsulas", escreveu alguém na legenda de outro vídeo segundo o canal Global News. Nos vídeos mais recentes, os olhos do menino giram e saltam das órbitas. Ele sua tanto que chega a encharcar o moletom. Seu nariz não para de escorrer.

Horas depois, ele foi encontrado quase morto, já num estado comprometido demais para poder ser ressuscitado. Mesmo nesse momento terrível, relatou o canal CBC, "outro adolescente postou na rede social uma foto da ambulância com a legenda: 'O Carson quase morreu kkkk.'"[10] Muito pouco tempo depois, não havia mais "quase".

A tragédia de Carson Crimeni pode ter sido um caso extremo, mas muitas crianças hoje em dia vivem assombradas pela rejeição, pela zombaria ou pelo bullying de seus pares, ou então podem elas próprias se tornar praticantes de bullying. Numa atmosfera assim, a reação de proteção de uma criança é reprimir suas emoções vulneráveis. Essa fuga da vulnerabilidade, quer instigada por situações de estresse em casa ou no contexto de um grupo de pares, inibe o amadurecimento, o surgimento de um eu verdadeiramente independente.

"Há indicadores de que as crianças de hoje estão perdendo sentimentos delicados", afirmou Gordon Neufeld em seu contundente pronunciamento no Parlamento Europeu.[11]

Muitas crianças perderam sua tristeza e sua decepção [...] seus sentimentos de alarme [...] seus sentimentos de vergonha e constrangimento. De modo interessante, as pesquisas revelam que, quando as crianças perdem a capacidade de se sentirem encabuladas, perdem também a empatia. Na verdade, o fato de ligar para os outros também é uma emoção vulnerável, já que ela nos expõe à decepção. Sabemos que a experiência que mais fere é ter de enfrentar a separação [...] Infelizmente, as crianças de hoje em dia estão submetidas a mais separação [de pais e mães] e mais interação com os pares do que nunca.

O resultado, conclui ele, "é uma perda significativa de emoção", conforme o aparato defensivo do jovem cérebro se imobiliza num esforço de "se defender [...] contra uma sensação de vulnerabilidade por demais avassaladora". Mais uma vez, vemos o aparato emocional da criança se enfraquecendo, sua sensação de ser humana empobrecida.

Mas por que nossas crianças deveriam permanecer abertas para a própria vulnerabilidade? Nós devemos *querer* que elas estejam propensas a ser machucadas? Gordon e eu ressaltamos esse tema no livro que escrevemos juntos:

Nossas emoções não são um luxo, mas sim um aspecto essencial de nossa constituição. Nós as temos não apenas pelo prazer de sentir, mas porque elas têm um valor de sobrevivência crucial. Elas nos orientam, interpretam o mundo para nós, nos dão informações vitais sem as quais não podemos vicejar. Elas nos dizem o que é perigoso e o que é inofensivo, o que ameaça nossa existência e o que vai alimentar nosso crescimento. Imagine quão comprometidos estaríamos se não conseguíssemos nem escutar, nem sentir o gosto das coisas, nem frio ou calor ou dor física. Sufocar as emoções é perder uma parte indispensável de nosso aparato sensorial e, para além disso, uma parte indispensável de quem somos. São as emoções que fazem a vida valer a pena, que a fazem ser empolgante e lhe dão significado. Elas conduzem nossas explorações do mundo, motivam nossas descobertas e estimulam nosso crescimento. Até num nível celular, os seres humanos estão ou no modo de defesa ou no de crescimento, mas não podem estar nos dois ao mesmo tempo. Quando as crianças deixam de ser vulneráveis, elas param de se relacionar com a vida como uma infinita possibilidade, com elas mesmas como dotadas de um potencial sem limites, e com o mundo como uma arena acolhedora e afetuosa para a expressão de si mesmas. A invulnerabilidade imposta pela orientação dos pares aprisiona as crianças em suas limitações e medos. Não é de espantar que tantas delas ultimamente estejam sendo tratadas por causa de depressão, ansiedade e outros transtornos.

O amor, a atenção e a segurança que só os adultos são capazes de oferecer liberam as crianças da necessidade de se tornar invulneráveis, e lhes restitui o potencial de vida e aventura que as atividades de risco, os esportes radicais ou as drogas jamais serão capazes de proporcionar. Sem essa segurança, nossas crianças são forçadas a sacrificar sua capacidade de crescer e amadurecer psicologicamente, de criar relacionamentos significativos e de concretizar seus anseios mais profundos e mais potentes de autoexpressão. Em última análise, a fuga da vulnerabilidade é uma fuga de si. Se não mantivermos nossas crianças perto de nós, o custo final é a perda da capacidade delas de se agarrar ao seu eu mais genuíno.

Por que a fuga da vulnerabilidade inibe o amadurecimento? Nada na natureza "se torna ele(a) mesmo(a)" sem estar vulnerável: o crescimento até da mais imponente árvore exige brotos macios e tenros, assim como o crustáceo de carapaça mais dura precisa primeiro trocar de casca e amolecer. O mesmo vale para nós: sem vulnerabilidade emocional não há sofrimento. Até mesmo nossas características mais "duras", como a resiliência, a determinação, a autoconfiança e a coragem, se forem autênticas e não simples bravatas, precisam desse estado mais macio como um precursor necessário.

Além de impedir amadurecimento, a supressão dos sentimentos vulneráveis reforça a sensação de vazio. Ela promove o tédio, prejudica a verdadeira intimidade, solapa a curiosidade e o aprendizado, alimenta a demanda por distração do momento presente e conduz a uma compulsão pelo estímulo excessivo por meio de jogos competitivos, ruído de fundo incessante, situações e comportamentos sociais de risco, consumismo e a busca de uma válvula de escape por meio de substâncias químicas.

O imperativo do lucro que dá vida à sociedade materialista é extremamente competente em explorar essas pseudonecessidades culturalmente criadas das crianças e jovens. "Deveríamos estar profundamente preocupados com a alma da nossa sociedade", escreve o professor de direito da Universidade da Colúmbia Britânica Joel Bakan em *Childhood Under Siege* (Infância em estado de sítio).[12] Meticulosamente documentado e chocante, o livro de Bakan mostra as diversas formas como as empresas lançam mão de uma compreensão sofisticada e sinistra das necessidades emocionais infantis para gerar lucro. Nesse caso, a manipulação tem sido e continua a ser muito consciente. Em 1983, as grandes empresas gastaram 100 milhões de dólares em publicidade direcionada a crianças. Menos de três décadas mais tarde, o número tinha saltado para 15 bilhões.[13]

Ao mesmo tempo que o estresse parental e a orientação dos pares enfraquecem as conexões das crianças com adultos afetuosos, o cerco corporativo a suas mentes imaturas explorou e exacerbou o vazio gerado pela perda de conexão. Eles agem simbioticamente para remover da infância a riqueza emocional que alimenta nosso desenvolvimento. Uma década atrás, Bakan alertou:

> A criança americana média assiste a 30 mil anúncios de TV por ano, a maioria dos quais lhe oferece diretamente produtos [...] e todos transmitem uma série de mensagens sutis e corrosivas: de que elas vão encontrar felicidade por meio de sua relação com produtos e coisas, não com pessoas; de que, para serem descoladas e aceitas pelos pares, elas precisam comprar determinados produtos; de que as empresas de alimentos ultraprocessados e os fabricantes de brinquedos, não os pais e os professores, são quem sabe o que é melhor para elas; de que as marcas corporativas são as verdadeiras bases do seu valor e da sua identidade social.[14]

Essas tendências só fizeram se acelerar desde então, com a expansão ainda maior das redes sociais e da publicidade digital.

Bakan entrevistou alguns dos principais marqueteiros infantis do mundo. Um deles, o dinamarquês Martin Lindstrom, manifestou sérias dúvidas quanto aos resultados do seu trabalho. Segundo Lindstrom, escreve Bakan, "a exposição constante e cada vez mais profunda das crianças ao marketing está levando a um 'desastre em matéria de crianças e de seu futuro [...] muito pouco saudável, e o que estamos vendo agora é só o começo'". Lindstrom previu que sua indústria continuaria a erodir a imaginação e a capacidade criativa das crianças. Apesar disso, ele continuou no emprego. "Esses marqueteiros são inteligentes, perceptivos e um tanto maus", explicou Bakan, "porque entendem o que estão fazendo. Quando você fala com ele, que também é pai, [Lindstrom] se mostra bastante crítico em relação ao assunto, e acha que está tudo indo numa direção horrível."

A compreensão da mente infantil por Lindstrom, conforme resumida por Bakan, é alarmante de tão certeira:

As emoções são o motor de tudo para as crianças [...] e os marqueteiros, para terem sucesso, precisam mobilizar as emoções mais fundamentais no nível mais profundo. O *amor*, que conota cuidado, afeto e romance, é uma dessas emoções fundamentais [...] O *medo* é outro, como na violência, no terror, no horror, na crueldade e na guerra. Há também o *domínio*, a aspiração das crianças a ganhar independência dos adultos. (Grifos do original.)

Essa hábil análise não se destina a ajudar a mente da criança a se desenvolver em direção à saúde, à dignidade, ao domínio genuíno e à independência autêntica, mas sim ao total oposto: ela se destina a transformar essa mente, de forma deliberada, numa presa e numa prisioneira pela vida afora das forças movidas a lucro do mercado. Seu objetivo é sabotar diretamente a infância, período de crescimento em que o jovem humano é projetado pela natureza para progredir em direção às suas plenas capacidades, amadurecer emocionalmente, aprofundar-se em empatia e autoconhecimento, aprender a se conectar com os outros de formas mutuamente benéficas, começar a concretizar seus potenciais criativos e assimilar o modelo para cuidar da geração seguinte.

Tudo que o colosso corporativo empurra para as crianças – alternativas de brincadeira pré-fabricadas, video games, brinquedos produzidos em massa, eletrônicos, plataformas centradas nos pares na internet e programas de televisão idiotizantes e superficiais destinados a crianças muito pequenas e em idade pré-escolar, além da divulgação maciça de imagens reluzentes, sem alma e com viés pornográfico da sexualidade para consumo de adolescentes e, cada vez mais, até de crianças mais novas, tudo isso tem efeitos deletérios. "Estamos forçando o cérebro na direção contrária", confessou Lindstrom a Bakan. Do ponto de vista psicológico e neurobiológico, o mago do marketing estava cem por cento certo. O fato de o Facebook (recentemente rebatizado de Meta), por meio da sua marca Instagram, ter notoriamente veiculado programas que prejudicam a saúde mental de meninas adolescentes é só a última revelação do ataque corporativo à mente das crianças.[15]

Embora a ameaça representada para os cérebros e mentes infantis pelo mundo onipresente, compulsivo e comercializado dos aparelhos e redes digitais tenha desde o início provocado uma profunda preocupação entre aqueles que observavam seus impactos, ela segue se expandindo descontroladamente. Refiro-me aqui *tanto* ao uso de aparelhos digitais por crianças pequenas quanto ao uso compulsivo desses mesmos aparelhos pelos adultos na frente delas.

Conversei com Shimi Kang, psiquiatra formada por Harvard, especialista em dependência em adolescentes, e mais recentemente autora de *Tecnologia na infância: Criando hábitos saudáveis para crianças em um mundo digital*. "Atualmente temos mães que amamentam olhando o celular, ou que deixam o bebê segurá-lo enquanto estão trocando sua fralda", disse ela.

> A troca de fraldas antes era toda uma experiência dinâmica entre o cuidador ou a cuidadora e o bebê. Era preciso dar um jeito de fazer a criança parar quieta, e agora basta lhe dar um telefone e ela fica deitada quietinha. Pode-se ir a qualquer restaurante e ver muitas, muitas, muitas crianças sendo alimentadas diante de um iPad ou de um computador. Vê-se isso por toda parte. O celular é superatraente para esse cérebro jovem.

O que se deixa de lado é a neurobiologia do apego, a liberação de substâncias químicas cerebrais relacionadas ao vínculo e reguladoras de humor como a ocitocina, a serotonina e as endorfinas, presentes nos circuitos cerebrais tanto da mãe e do pai quanto do bebê quando seus olhares se cruzam numa conexão sintonizada e atenta, substâncias que se sabe, como assinala Kang, são "a chave para a felicidade e o sucesso a longo prazo". A mensagem involuntária, porém dolorosa para a criança, mais uma vez, é: "Você não tem importância."

Embora não seja preciso ser um estudioso do cérebro para ver o que torna esses aparelhos "superatraentes para o cérebro jovem", a ciência cerebral com certeza tem uma participação na sua concepção. "Os video games, as redes sociais, os eletrônicos e os aplicativos são projetados para manter os cérebros jovens grudados na tela procurando formas de recompensá-los com doses de dopamina", escreve Kang.[16] Como veremos, a dopamina é a substância química essencial no processo da dependência, seja em relação a substâncias químicas ou a comportamentos. É uma das substâncias químicas de "prazer" do corpo, e induz um estado de euforia, motivação, energia e gratificação. Quando Kang afirma que os aplicativos e aparelhos digitais são "projetados" para injetar doses de dopamina no cérebro das crianças, ela está sendo muito precisa. "O celular", disse ela, "foi projetado pelos maiores neurocientistas e psicólogos do mundo, que pegaram todas as nossas mais sofisticadas pesquisas sobre o cérebro e toda a nossa compreensão da motivação humana e dos ciclos de recompensa e os embutiram nesses dispositivos." Ela citou como exemplo uma empresa com um nome e uma missão tão descarados que daria para pensar que tivesse saído de um filme ou de um livro satírico: Dopamine Labs. "Ela foi fundada por um neurocientista e desenvolvedor de software", explicou ela, "cuja plataforma de trabalho inteira consiste em consultar outras empresas para ajudá-lo a atrair as pessoas e liberar dopamina… Isso se chama *design persuasivo*." A questão toda, naturalmente, é o vício. Do ponto de vista estritamente prático de uma corporação, seria impossível imaginar um perfil de consumidor mais desejável do que alguém que não consegue se fartar daquilo de que não precisa, mas de que sente precisar.

Um estudo de 2019, publicado no prestigioso periódico *JAMA Pediatrics*, foi um dos primeiros a investigar os efeitos neurobiológicos nas crianças do hábito de assistir a telas. "Numa única geração", escreveram os autores,

> por meio do que se descreveu como um imenso "experimento sem controle", a paisagem da infância foi digitalizada, afetando o modo como elas brincam, aprendem e constroem relações [...] O uso começa na infância e aumenta com a idade, e foi estimado recentemente em mais de duas horas diárias em crianças abaixo dos 9 anos, além do uso na creche e na escola [... Os] riscos incluem atraso na linguagem, sono ruim, prejuízo às funções executivas e à cognição de modo geral e menor contato entre pais e filhos, inclusive menos leitura juntos.

O estudo, conduzido com crianças em idade pré-escolar por meio de exames de imagem avançados do cérebro, constatou que o aumento do tempo de tela estava vinculado a um menor funcionamento da matéria branca do cérebro "em importantes feixes de fibras que sustentam competências de linguagem centrais e competências literárias emergentes".[17]

Mari Swingle atende muitos jovens com problemas de comportamento, déficit de atenção e padrões de dependência. Neuropsicóloga, é autora daquele que se pode considerar o livro mais completo sobre o cérebro e a cultura digital, *i-Minds: How and Why Constant Connectivity Is Rewiring Our Brains and What to Do About It* (iMentes: como e por que a conectividade constante está reprogramando nosso cérebro e o que fazer a respeito). "Estamos vendo características autistas em crianças sem autismo", disse ela.

Falta de reação de sorriso, atraso nas competências verbais, aquilo que eu antigamente costumava chamar pelo afetuoso apelido de "crianças ocupadas": hoje são apenas crianças que vivem meio que correndo para lá e para cá sem objetivo ou transformadas em zumbis quando estão fora das telas... Crianças, e agora adultos, aliás, acostumadas a estar nas telas por períodos prolongados. Uma caminhada não chega aos pés, fazer canoagem não chega aos pés, nem mesmo a prática de skate em alta velocidade ou de esqui... muitas coisas... até mesmo essas coisas agora estão sob pressão.

Swingle também está muito preocupada com os impactos da exposição constante às telas no desenvolvimento do cérebro:

Menos capacidade para se concentrar nas coisas normais, básicas, inclusive os estados de observação, contemplação e transição em que as ideias surgem, e que muitos abaixo dos 20 anos hoje consideram um vazio, dizendo estarem entediados... Num nível biológico, além de cultural, essas mudanças no estado cerebral afetam o aprendizado, a socialização, a recreação, a construção de relacionamentos amorosos, a parentalidade e a criatividade: em suma, todos os fatores que constituem uma sociedade e uma cultura. Os processos neurofisiológicos que regulam o humor e o comportamento estão ficando desregulados.[18]

Ela entende o apelo das mídias digitais para pais e mães bem-intencionados, a saber sua função como "mediador do estresse e do cansaço". Relacionar-se com elas exige pouco ou nenhum planejamento: elas estão "disponíveis instantaneamente, e proporcionam a pais e mães, cuidadores e até mesmo educadores momentos muito necessários de trégua e alívio".

Temos aqui um caso da solução de um dilema alimentando outro. Essas formas de alívio, por mais compreensíveis que sejam em nossa época extremamente estressada, têm um custo, e quem paga a maior parte dele são nossas crianças.

Como no caso do marketing, as pessoas que inventam e propagam essas tecnologias têm consciência da natureza problemática de seus produtos, e inclusive se importam com isso… pelo menos no que diz respeito aos próprios filhos. Em uma matéria publicada em 2019, a *Business Insider* mostra em detalhes como importantes executivos do Vale do Silício, entre eles fundadores e CEOs da Apple, Google ou mesmo Snapchat, aplicativo explicitamente destinado às crianças (!), se esforçam extensivamente para limitar o tempo de tela dos filhos em casa.[19, 20] Numa atitude reveladora, o CEO da Apple Steve Jobs proibiu os filhos pequenos de brincarem com o então recém-lançado iPad.

As notícias são todas ruins? É claro que não; nada é assim tão simples. Ellen Friedrichs, educadora de saúde baseada no Brooklyn que trabalha com os mais diversos tipos de jovens, observa que, para alguns de seus alunos,

> a internet tem sido uma boia salva-vidas. Para a criança queer que mora numa cidade pequena, ou faz parte de uma comunidade religiosa em que todos os domingos precisa se sentar e escutar um sermão homofóbico… é possível entrar na internet e encontrar "a sua galera" de um jeito que nunca antes foi possível.

A "boia salva-vidas" tampouco é exclusiva aos jovens marginalizados. No exato instante em que escrevo estas palavras, meu principal contato no último ano e meio com parentes, amigos e alunos do mundo inteiro tem sido por meio da tela de um computador. A maioria de nós, que atravessamos a crise de covid-19, hoje dá outro valor para o modo como a tecnologia pode favorecer a comunidade e, para muita gente, mitigar um isolamento que de outra forma seria insuportável. Apesar disso, não deveríamos deixar que essas vantagens nos levem a um falso otimismo ou à complacência. Os prazeres e tesouros da conectividade digital não são capazes nem de acompanhar as crises nascentes de desconexão, nem de tranquilizar preocupações com o que o mundo digital está codificando no sistema operacional cognitivo e emocional de nossas crianças.

Quando as escolas da província canadense de Quebec reabriram, depois do lockdown provocado pela covid-19 em maio de 2020, matérias supostamente não essenciais como música, teatro, artes e educação física tinham sido retiradas do currículo. Pressupunha-se que as matérias acadêmicas fossem mais importantes, o que suscita a pergunta: mais importantes para quê? Priorizar a "prontidão para a empregabilidade" está muito distante de pavimentar um desenvolvimento saudável, algo que deveria ser o objetivo principal do sistema educativo, bem como da criação dos filhos de modo geral. Mesmo nos estreitos quesitos de "construção de competências", nossas ideologias educacionais dominantes estão equivocadas, uma vez que as habilidades cognitivas na verdade dependem de uma arquitetura emocional sólida, na qual o brincar é um elemento de construção indispensável.

"Costumávamos pensar que a escola formava cérebros", disse Gordon Neufeld em Bruxelas. "Hoje sabemos que é a brincadeira que forma os cérebros que a escola pode então usar... É no brincar que o crescimento mais acontece."

Essas matérias consideradas supérfluas pelas autoridades escolares de Quebec acessam circuitos cerebrais essenciais. Todos os jovens mamíferos brincam, e isso por motivos cruciais. Como o neurocientista Jaak Panksepp identificou, temos em nosso cérebro um sistema específico do "BRINCAR", que é comum a outros mamíferos. A brincadeira é um dos principais motores do desenvolvimento cerebral, além de essencial para o processo de amadurecimento emocional. "Como espécie, nós evoluímos culturalmente em grande medida por causa da nossa tendência a brincar e do que ela gera em matéria de inteligência e produtividade", escreve James Garbarino.[21] E a verdadeira brincadeira, insiste Gordon Neufeld, não está baseada em desfechos: a diversão é a atividade em si, não o resultado final. O livre brincar é uma das "necessidades intrínsecas" da infância, e está sendo sacrificado tanto em prol do consumismo quanto da cultura digital. "A cultura não está respeitando tarefas normais do desenvolvimento", afirmou o neurocientista Stephen Porges.

Tarefas normais de desenvolvimento são brincar com outra pessoa, não com um Xbox. Não falar ao celular ou por mensagem de texto, mas interagir cara a cara. Todas essas coisas são exercícios neurais que geram resiliência, criando no indivíduo uma capacidade de regular os próprios estados emocionais internos.

Vou ser bem claro: na minha opinião, a influência do problema digital/das telas é tão pernicioso que é quase impossível quantificá-lo. Em 2016, observou-se que as crianças britânicas entre os 5 e os 15 anos passaram três horas por dia na internet, e mais de duas assistindo à televisão. Por sua vez, o tempo gasto lendo livros por lazer caiu de uma hora por dia (ainda tão recentemente quanto em 2012) a pouco mais de meia hora quatro anos depois.[22] A grande maioria dos "jogos" de hoje em dia acontece sozinho(a) em frente a uma tela, com avatares pixelados e vozes incorpóreas substituindo os companheiros de jogo de verdade. Exatamente quanto tempo tudo isso deixa para o brincar livre, criativo, emergente, interativo, individual ou coletivo? Que tipo de cérebros estamos criando?

A mesma pergunta pode ser feita em relação ao sistema educativo. Em 2016, um professor universitário e bolsista do programa Fulbright chamado William Doyle, recém-chegado de um semestre na Universidade da Finlândia Oriental, escreveu no *The Los Angeles Times* que, durante aqueles cinco meses, sua família "teve a experiência de um sistema escolar espantosamente livre de estresse, e espantosamente bom". Seu filho de 7 anos foi posto numa turma mais jovem, não por causa de um atraso no desenvolvimento, mas porque crianças menores de 7 anos "não recebem nenhum treinamento acadêmico formal [...] Muitas frequentam creches e aprendem por meio de brincadeiras, canções, jogos e conversas". Uma vez na escola, as crianças têm obrigatoriamente um intervalo de 15 minutos ao ar livre para cada 45 minutos de ensino em sala de aula. Os mantras educativos que Doyle recorda mais ter escutado eram: "Deixem as crianças serem crianças", "O trabalho da criança é brincar" e "Crianças aprendem melhor brincando". E com relação aos resultados? A Finlândia obtém consistentemente os primeiros ou quase primeiros lugares nos testes educativos do mundo ocidental, e foi considerada o país mais alfabetizado do mundo.[23]

"A mensagem de que competir é adequado, desejável, exigido ou mesmo inevitável nos é inculcada desde a creche até a pós-graduação; ela é o subtexto de toda aula", escreve o consultor em educação Alfie Kohn em seu excelente livro *No Contest: The Case Against Competition – Why We Lose in Our Race to Win* (Sem comparação: uma crítica à competitividade – Por que acabamos perdendo em nossa corrida para vencer), que documenta o impacto negativo da competitividade para o aprendizado genuíno, e como competição, elogios, notas, recompensas e sanções impostas a crianças recalcitrantes destroem a motivação intrínseca e minam a segurança emocional.[24] "Elogios motivam as crianças? Certamente sim", observa Kohn com sarcasmo. "Eles motivam as crianças a conquistar elogios."

"E daí?", você poderá perguntar. "Qual é o problema de um parabéns merecido?" Na verdade, existem elogios e elogios. Os psicólogos do desenvolvimento concordam que elogiar a *tentativa* de uma criança é útil e ajuda na autoestima, enquanto valorizar a *conquista* só faz programá-la para ficar sempre buscando aprovação externa, não para quem é, mas para o que faz, para o que os outros exigem dela. Isso é mais uma barreira para o surgimento de um eu saudável.

A despeito de todo o nosso amor e dedicação como pais, mães e educadores, o mundo em que temos de criar filhos hoje em dia mina nossos maiores esforços de inúmeras formas, todas disfarçadas de "é assim mesmo e pronto". Não há nada de anódino nessa afirmação: as consequências são descomunais. O presente, tal como ele é hoje, empobrece o futuro.

# 14
# Um template para a angústia: como a cultura forma nosso caráter

> *"E é aí"*, declarou o Diretor, num tom sentencioso, *"é aí que está o segredo da felicidade e da virtude: gostar do que você tem que fazer. Todo condicionamento tem por objetivo fazer as pessoas gostarem de seus destinos sociais inexoráveis."*
>
> – ALDOUS HUXLEY, *Admirável mundo novo*

Lembra do comentário seco de Bessel van der Kolk de que "nossa cultura nos ensina a focar em nossa singularidade pessoal, mas num nível mais profundo nós mal existimos como organismos individuais"? Não sei se a comparação vai trazer frustração ou reconforto (talvez ambos?), mas nós humanos, com nossa falta de um eu autodeterminado e independente, não somos tão diferentes assim de nossa criatura sociável irmã, a formiga.

Num formigueiro, todas as larvas nascem com praticamente o mesmo conjunto de genes: rainha, operárias e guerreiras nascem todas iguais. Qual criatura vai se tornar o quê, inclusive que traços biológicos vai manifestar, depende inteiramente das necessidades do clã. O oncologista e escritor Siddhartha Mukherjee descreveu esse fenômeno num texto fascinante publicado na revista *The New Yorker*. "As formigas têm um sistema de castas poderoso. Uma colônia típica contém formigas que desempenham papéis radicalmente distintos, e apresentam estruturas físicas e comportamentos marcadamente distintos." Irmãos geneticamente idênticos vão se diferenciar e se tornar adultos biologicamente diferentes com base apenas nos sinais do entorno físico e social. Quando uma rainha é retirada de uma colônia de formigas da espécie *Myrmecia pilosula*, por exemplo, as operárias "iniciam uma campanha cruel de combate mortal umas contra as outras, picando, mordendo, lutando, arrancando patas e cabeças", até algumas vencerem e se tornarem... bem, se tornarem rainhas. Sem qualquer alteração na estrutura do DNA, a fisiologia de uma nova rainha se modifica: "ela" então se torna fértil e dominante, e vive mais do que teria vivido em sua encarnação anterior de operária.[1] O psiquiatra Michael Kerr, antes da Universidade de Georgetown, observou a mesma dinâmica em seu livro sobre os sistemas familiares humanos. "Aquilo em que cada larva vai se transformar é determinado por um processo no nível da colônia. Nesse sentido, uma jovem larva nasce numa posição funcional dentro da colônia, e seu desenvolvimento é determinado por essa posição."[2]

Apesar de todo o nosso apego ao nosso conceito individual de nós mesmos, somos nesse quesito bem semelhantes às formigas. "Há muito menos autonomia para um ser humano do que gostaríamos de pensar", disse-me Kerr numa entrevista. "Nosso funcionamento como indivíduos não pode ser entendido separadamente da nossa relação com o grupo maior." Em outras palavras, nosso temperamento e nossa personalidade refletem as necessidades do meio em que nos desenvolvemos. Os papéis que nos vemos atribuídos ou negados, como nos encaixamos na sociedade ou somos dela excluídos, e aquilo em que a cultura nos induz a acreditar em relação a nós mesmos determina grande parte da saúde de que gozamos ou das doenças que nos afligem. Assim, como de muitas outras maneiras, a doença e a saúde são manifestações do macrocosmo social.

Se a família nuclear moderna é o principal receptáculo para o desenvolvimento infantil, esse receptáculo está por sua vez contido num contexto maior, formado por entidades como a comunidade, o bairro, a cidade, a economia, o país e assim por diante. Na nossa época, o maior de todos os contextos é o capitalismo de consumo hipermaterialista e sua expressão globalizada. Suas pressuposições fundamentais – e na realidade bastante distorcidas – a respeito de quem e do que somos aparecem no corpo e na mente daqueles que as vivenciam. Considerando os inúmeros vínculos entre biografia e biologia, as normas culturais também podem transparecer na nossa fisiologia.

Podemos ver nisso, ampliado por uma lente de aumento, o cabo de guerra entre apego e autenticidade. Da mesma forma que somos condicionados a nos encaixar na família, mesmo que isso signifique nos afastar de nosso verdadeiro eu, somos também condicionados – poder-se-ia dizer preparados – a preencher os papéis sociais que esperam de nós e assumir as características necessárias para fazê-lo, seja qual for o custo cumulativo disso para o nosso bem-estar.

Conheci Ulf Caap uns 14 anos atrás. Então vice-presidente de recursos humanos na IKEA América do Norte, Ulf parecia ter tudo a seu favor. No entanto, esse líder corporativo mundialmente respeitado tinha me procurado como parte de uma jornada pessoal advinda de uma profunda insatisfação existencial. Ele havia se dado conta de algo muito desconfortável: sua vida – um sucesso retumbante pelos parâmetros "normais" da nossa sociedade – e a rotina que esta lhe exigia acabavam sendo, nas suas palavras, "uma farsa, uma ilusão, uma fraude… Praticamente não existia nada de *mim* ali". Outra pessoa muito bem-sucedida segundo os padrões sociais, a escritora e atriz Lena Dunham, famosa pelo seriado *Girls*,[3] disse algo parecido na entrevista que fiz com ela. Num programa de recuperação para a dependência química, lhe propuseram o exercício de listar os próprios valores. "Eu percebi", disse ela, "que era incapaz de pensar num valor sequer que não pertencesse a outra pessoa."

Ulf desde então se tornou um amigo e colaborador ocasional; juntos, criamos e conduzimos workshops para altos executivos que compartilham essa mesma sensação de que o eu autêntico deles e sua persona profissional são diametralmente opostos. Não digo apenas que eles deixam na porta do escritório seus verdadeiros pensamentos, sentimentos, desejos e necessidades, para no final do expediente recuperá-los como se recupera um carro estacionado. Para que a "farsa" se sustente, essas partes autênticas do eu precisam ser guardadas em algum lugar de longo prazo, e a chave jogada fora. "Eu negava meus valores pessoais para ter sucesso", reconheceu Ulf. Hoje septuagenário e um retrato da saúde, está convencido de que essa supressão de si e essa desconexão estavam sugando sua energia vital: "Reconheci que meus passos no caminho até o trabalho não eram mais tão leves quanto antes. Eu estava sendo atraído para a doença."

Ulf teve o bom-senso – e o privilégio, como ele iria concordar – de explorar e transcender a própria alienação. "Passei 40 anos levando uma vida insana", disse ele, em retrospecto. "Meu foco era 99% aquilo que a sociedade e a corporação para que eu trabalhava consideravam sucesso. Não tinha foco nenhum naquilo de que precisava. Se eu fizesse o que a corporação exigia, seria bem-sucedido." Ele não poderia ter desenhado uma imagem mais precisa dessa percepção do que a que o jovem monge trapista Thomas Merton, escritor católico americano mais influente do século XX, articulou em sua autobiografia, *A montanha dos sete patamares*:

> A lógica do sucesso material repousa sobre uma falácia: o estranho erro de que nossa perfeição depende dos pensamentos, opiniões e aplausos dos outros! Essa é mesmo uma vida estranha, passada sempre na imaginação alheia, como se esse fosse o único lugar em que a pessoa pudesse finalmente se tornar real![4]

Crises de identidade como a de Ulf não são geradas de forma consciente: elas são o desfecho de como nos desenvolvemos em nossos respectivos contextos, da família para fora. "O sucesso que tive foi cem por cento externo", me disse Ulf. "Inteiramente externo, e baseado num construto mental que fabriquei aos 5 e aos 15 anos daquilo que é necessário para ser aceito." Nesse sentido, como assinalou o psicólogo social Erich Fromm, a família funciona involuntariamente como "agente psíquico" para a sociedade formar o que ele chamou de *personalidade social*.

A personalidade social, nas palavras de Fromm, é "a personalidade central comum à maioria dos integrantes de uma cultura". Ela é distinta da personalidade *individual* que cada um de nós tem e exibe para o mundo. A personalidade social, por nos definir e nos governar, garante que preenchamos o molde "normal" em nossa respectiva cultura. O conceito de Fromm me parece uma potente representação de como funcionamos em sociedade: igual às formigas.

Eu me refiro aqui não só a "nós" num sentido individual. O "nós" coletivo é muito mais cego e perigoso. Por exemplo, nenhum de nós gosta de ver gente dormindo na rua, mas como sociedade toleramos níveis crescentes de pessoas desabrigadas. Ninguém quer a vida sobre a Terra ameaçada, mas apesar disso a marcha da mudança climática parece irrefreável. Alguma coisa em nós normaliza essas calamidades, independentemente de o resultado ser que na verdade facilitamos, negamos ou simplesmente encaramos essas coisas com uma resignação passiva. Sem dúvida movido pelos horrores que moldaram minha infância, passei a vida inteira me perguntando como tantas pessoas boas podem ser hipnotizadas a ponto de se aliarem ao indefensável. Deve haver algum mecanismo capaz de nos aculturar a ponto de nos fazer aceitar como normal aquilo que é nosso inimigo e inimigo do mundo que habitamos; certamente não se trata de uma inclinação nata. De alguma forma, os valores e expectativas do sistema acabam se entranhando em nós, a tal ponto que passamos a confundi-los com nós mesmos.

Como disse Fromm, muitas vezes o comportamento das pessoas não é uma questão de decisão consciente de seguir o padrão social, mas sim de "querer agir como precisam agir".[5] Assim, uma cultura cria integrantes que irão servir aos seus propósitos. Justapor realidade e ficção pode nos ajudar. Em *Admirável mundo novo*, de Aldous Huxley, os indivíduos estão "tão condicionados que praticamente não conseguem evitar se comportar como devem".[6]

Assim, aquilo que se considera normal e natural se estabelece não segundo aquilo que é *bom* para as pessoas, mas sim segundo aquilo que se espera delas, que traços e atitudes favorecem a manutenção da cultura. Estes são então consagrados como "a natureza humana", enquanto os desvios em relação a eles são vistos como anormais. Em sua maioria, caso não haja um despertar do impulso de autenticidade – muitas vezes do tipo rude –, as pessoas irão se desenvolver e se comportar de modos que parecem confirmar as ideias dominantes.

Quais são alguns dos traços da personalidade social imbuída em nossa cultura?

## O PRIMEIRO "TRAÇO" DE PERSONALIDADE: SEPARAÇÃO DE SI

Já afirmei que traços de personalidade adquiridos, como uma identificação excessiva com algum dever, papel ou responsabilidade socialmente impostos em detrimento das necessidades de uma pessoa, pode pôr em risco a saúde. Essa e outras características condicionadas advêm da negação das necessidades de desenvolvimento da criança, da deformação da natureza. A cultura as cimenta por meio do reforço e da recompensa, incentivando as pessoas a desempenharem tarefas mesmo sob estresse crônico, ou em circunstâncias que elas talvez quisessem naturalmente evitar. Meu próprio vício em trabalho como médico me valeu grande respeito, gratidão, remuneração e status no mundo inteiro, mas ao mesmo tempo minou minha saúde mental e o equilíbrio emocional da minha família. E por que eu era viciado em trabalho? Porque, devido às minhas primeiras experiências, precisava ser necessário, querido e admirado, o que substituía o amor. Nunca tomei a decisão consciente de perseguir esse propósito, mas mesmo assim ele "funcionou" muito bem para mim nos âmbitos social e profissional.

Mecanismos para distanciar a pessoa de si estão por toda parte. Eles começam a agir em nós desde nossos primeiros instantes de existência, com ênfase no ambiente em que a parentalidade se dá e nas práticas socialmente corroboradas de criação dos filhos que negam as necessidades da criança. É claro que o distanciamento de si é amplificado de forma potente pelos traumas explícitos. No entanto, mesmo na ausência de feridas pessoais, ele pode ser causado por um sistema educativo conformista e centrado na competitividade, por expectativas sociais de "encaixe", pela tentativa de obter a aprovação dos pares e por uma ansiedade socialmente induzida e generalizada em relação ao próprio status.

Numa cultura louca por imagem, que se sustenta em grande parte fazendo as pessoas se sentirem inadequadas em relação a si mesmas – ou, de modo mais insidioso ainda, capitalizando (o jogo de palavras não é acidental) esses sentimentos preexistentes –, a mídia apresenta ideais de perfeição física com os quais jovens e velhos se comparam, e que levam as pessoas a sentirem vergonha do próprio corpo. Meu amigo Peter Levine escreveu há alguns anos um artigo sobre o procedimento cosmético de injetar toxina botulínica nas pessoas; a substância relaxa temporariamente os músculos, apagando assim as rugas naturais decorrentes do envelhecimento. Mas ela também diminui as reações do rosto, tornando-o pouco natural. "Há mães que fazem botox enquanto estão amamentando", me disse Peter. "Elas não conseguem comunicar suas emoções a seu bebê, tampouco captar as emoções dele. Elas perdem esse tipo de contato." Em muitas outras esferas, entre elas as redes sociais, também apresentamos com frequência uma versão artificial, "botocada" de nós mesmos: uma imagem não de quem somos, mas de como gostaríamos que os outros nos vissem. "O que temos com a internet é uma espécie de botox das massas", disse Peter. "Simplesmente perdemos a capacidade de ser reais, que é fundamentalmente o que nos torna humanos e faz com que nos sintamos conectados uns com os outros."

## O SEGUNDO TRAÇO DE "PERSONALIDADE": FOME DE CONSUMO

Uma das grandes conquistas da cultura do consumo de massa foi nos convencer de que aquilo que fomos condicionados a desejar com fervor é também aquilo de que necessitamos. Nas palavras da psicanalista franco-búlgara Julia Kristeva: "Os desejos são fabricados exatamente da mesma forma que as mercadorias destinadas a satisfazê-los. Nós consumimos nossos desejos, sem saber que aquilo que consideramos 'desejo' foi artificialmente produzido."[7] Isso me lembra uma resposta dada pelo jovem Bob Dylan, durante uma turnê pela Inglaterra em 1965, a dois fãs desesperados por um autógrafo. "A gente precisa do seu autógrafo", suplicou um deles pela janela traseira da limusine do cantor e compositor. Dylan relutou. "*Precisam* nada", disse ele, seco. "Se precisassem eu daria." E é exatamente essa a questão: a personalidade social gerada por nossa sociedade de consumo confunde desejo com necessidade, a ponto de o sistema nervoso se irritar quando os objetos que desejamos nos são negados. Oferta, permita-me lhe apresentar a demanda.

Como observou pesarosamente Thomas Merton em 1948:

> Vivemos numa sociedade cuja política inteira é excitar cada nervo do corpo humano e mantê-lo no mais alto grau de tensão artificial, tensionar cada desejo humano até o limite e criar o máximo possível de novos desejos e paixões sintéticas de modo a supri-los com os produtos de nossas fábricas, gráficas, estúdios de cinema e todo o resto.[8]

Viver constantemente nesse "mais alto grau de tensão artificial" deixa muitas pessoas insatisfeitas, nervosas, ansiosas: totalmente imersas num processo viciante que as aliena das necessidades reais, das emoções reais, das preocupações reais, da vida real.

Se não conseguimos alcançar aquilo que desejamos, vivenciamos isso como um fracasso pessoal, mesmo as condições sociais estando mobilizadas contra nós para tornar esse desejo inalcançável. "Lembro que, quando criança, eu adorava assistir aos comerciais do sabão em pó Tide", me contou o ator, diretor de cinema e ativista político americano Danny Glover.

> Quando penso nisso agora, vejo que não é por eu ter tido qualquer afinidade com alguma coisa relacionada ao Tide. Eu via os comerciais do ponto de vista que me fazia desejar que minha cozinha fosse daquele jeito, que minha máquina de lavar tivesse aquele aspecto, eu desejava aquilo tudo... Somos postos numa situação em que estamos cercados por uma porção de coisas que 99% do tempo não vamos ter, e isso cria uma sensação de desvalorização, porque você não consegue ter essas coisas.

As palavras de Glover se encaixam com perfeição na observação do crítico social Neil Postman, já em 1985, em sua emblemática crítica cultural *Amusing Ourselves to Death* (Mortos de diversão). Comerciais cheios de pessoas com ar feliz "não dizem nada sobre os produtos que estão sendo vendidos. Mas dizem tudo sobre os medos, caprichos e sonhos das pessoas que talvez os comprem. *O que o anunciante precisa saber não é aquilo que o produto tem de certo, mas o que há de errado com o comprador*".[9]

Movido por uma convicção de insuficiência culturalmente abastecida, nós nos tornamos viciados em consumo. "Consumir é um jeito de silenciar a dor", me disse Glover.

> Conheço gente com recursos de sobra para desviar a dor comprando coisas desnecessárias... A estrutura do capitalismo cria uma situação em que o valor da pessoa se resume a sua capacidade de consumir. Não me importa se ela está consumindo no Walmart ou em lojas de departamentos de luxo. Quando falamos em vício, seja em drogas ou outras formas de comportamento, todos eles simbolizam a sensação de ser desvalorizado como ser humano dentro de um sistema. É basicamente isto: sentir-se alienado dentro do sistema.

### O TERCEIRO TRAÇO DE "PERSONALIDADE": PASSIVIDADE HIPNÓTICA

Ao contrário dos habitantes da distopia de Huxley, nós não somos autômatos criados em tubos de ensaio para serem de determinado jeito e programados para desempenhar somente determinadas funções preordenadas. Como cidadãos de países ostensivamente democráticos, temos livre-arbítrio até certo ponto, só que na prática essa liberdade raramente cruza a fronteira daquilo que é socialmente aceitável. Sem nos atrever a balançar o barco, afundamos junto com ele.

O abandono de si programado na personalidade social nos torna passivos mesmo diante de ameaças à nossa existência como espécie. Pessoas saudáveis conectadas às suas emoções reais e necessidades autênticas não estariam suscetíveis a induções que incentivam necessidades artificiais e a compra de produtos para satisfazê-las, não importa quão inteligentemente embalados. Tampouco aceitariam o inaceitável, a não ser talvez mediante ameaça de força, e mesmo nesse caso não estariam inclinadas a internalizar isso como o modo normal de as coisas serem.

"As crianças", observou o grande e renomado intelectual Noam Chomsky, "vivem perguntando *por quê*: elas querem explicações, querem entender as coisas." Mas em pouco tempo, segundo ele, "você entra na escola e é arregimentado. Ensinam-lhe que é assim que você tem que se comportar, não de outras formas. As instituições da sociedade são construídas de forma a reduzir, modificar, limitar os esforços e o controle sobre o próprio destino".[10]

A origem do problema está em como as crianças são criadas dentro da família moderna, ela mesma uma representação microcósmica da cultura. "A família", assinalou Erich Fromm, "tem a função de transmitir as exigências da sociedade para a criança em fase de crescimento." Ela faz isso de todas as maneiras que examinamos nos capítulos sobre desenvolvimento infantil. As sementes da personalidade social são plantadas quando as crianças são privadas do aleitamento materno; quando a expectativa, imbuída pela natureza, de serem seguradas no colo são frustradas; quando são deixadas sozinhas para "chorar até cansar"; quando são incentivadas a reprimir os próprios sentimentos; quando são programadas para corresponder às expectativas dos outros; quando lhes é negado o livre brincar espontâneo; quando são "disciplinadas" por medidas punitivas como as técnicas de "castigo" que as ameaçam com a perda daquilo por que mais anseiam, a saber uma aceitação positiva incondicional; quando lhes é negada uma conexão com a natureza. Tudo isso contribui para o vazio interior, para o vácuo que os vícios e compulsões consumistas mais tarde tentarão preencher, ao mesmo tempo que nosso espírito independente é subjugado pelas demandas de uma cultura desequilibrada e materialista.

Que lindo seria se fosse verdade o ideal democrático de que "nós, o povo" somos quem criamos a sociedade em que desejamos viver. Com certeza esse é um sonho que vale a pena tentar realizar. Mas só acreditar nele não basta. Ele não vai e não tem como virar realidade até encararmos o modo como as coisas são hoje: somos *nós* quem somos criados à imagem de nosso mundo distorcido, desordenado e desnaturado, de modo a mantê-lo funcionando da melhor forma possível ao mesmo tempo que somos esmagados por ele.

# PARTE TRÊS

# REPENSAR O ANORMAL: AS DOENÇAS COMO ADAPTAÇÕES

*Muita Loucura é a mais divina Sensatez*
*Para um Olho atento*
*Muita Sensatez a maior das Loucuras*
*É a maioria*
*Que nisso vence, como em tudo,*
*Se você concorda, é são*
*Se discorda, é um perigo absoluto*
*E posto numa Corrente*

— EMILY DICKINSON

# 15
# Não sendo você: a desmistificação da dependência

*Não derivo absolutamente prazer algum dos estimulantes aos quais às vezes me entrego tão loucamente. Não foi tentando alcançar o prazer que arrisquei a vida, a reputação e a razão. Foi na desesperada tentativa de escapar de lembranças torturantes.*

– EDGAR ALLAN POE

Bruce, cirurgião vascular do Oregon, estava usando seu avental cirúrgico quando a polícia adentrou a sala. "Saí do hospital algemado", recorda ele daquele dia ensolarado sete anos antes. "Foi mais do que humilhante. Eu trabalhava numa cidade pequena, então todo mundo ficou sabendo. Saiu na primeira página do jornal local várias vezes. Eu caí em desgraça, pura e simplesmente." Aquela figura em quem tantos confiavam na cidade vinha passando receitas em nome dos pacientes apenas para buscar ele próprio os remédios e alimentar seu vício. "Eu estava passando receitas suficientes para que a primeira desconfiança da polícia fosse de que estava operando alguma espécie de cartel de drogas", relatou ele. Em poucos meses, o esquema foi desvendado.

O que poderia levar um médico com a formação e a competência de Bruce, casado e pai de adolescentes, a tamanho precipício de autoengodo, desonestidade e práticas profissionais antiéticas? Ele com certeza devia entender que estava pondo em risco a própria saúde, a família e o ganha-pão. Por que, aliás, qualquer pessoa se entregaria – se for essa a palavra certa – a comportamentos tão autodestrutivos?

Essa é uma pergunta com a qual me deparei quase diariamente ao longo da minha carreira, mas de modo mais insistente nos 12 anos em que trabalhei no Downtown Eastside de Vancouver, bairro conhecido por ser a área de uso de drogas mais concentrada de toda a América do Norte. Em seus poucos quarteirões quadrados, milhares de pessoas vivem no desespero da dependência química de todo tipo, cheirando, ingerindo, fumando ou injetando álcool, opioides, nicotina, maconha, cocaína, metanfetamina, cola, álcool 70. Até mesmo visitantes vindos de Nova York, Detroit ou Bristol ficam rotineiramente chocados com o que veem ali.

"Se o sucesso de um médico se mede pelo tempo de vida de seus pacientes, eu sou um fracasso, porque muitos de meus pacientes morrem jovens", dizia eu com frequência. Eles morriam em decorrência de complicações do HIV, ou então de hepatite C ou de infecções nas válvulas do coração, no cérebro, na coluna vertebral, na corrente sanguínea. Sucumbiam ao suicídio, a overdoses ou à violência, ou então morriam ao serem atingidos por algum veículo ao cambalearem chapados para o meio de ruas movimentadas. Ao contrário de viciados "alto nível" como Bruce, hoje limpo e novamente na ativa, meus pacientes tinham perdido tudo: a saúde, a aparência, os dentes; família, trabalho, lar. Alguns tinham jogado fora uma vida confortável de classe média, e uns poucos tinham surpreendentemente passado do luxo ao lixo. Ao longo de todo o caminho, eles sabiam muito bem que estavam apostando o derradeiro trunfo: a própria vida. Mesmo assim, tendo chegado a fundos de poço mais abissais do que a maioria de nós poderia sequer imaginar, eles insistiam no vício, como descrevi em meu livro de 2009 sobre dependência química, *In the Realm of Hungry Ghosts* (No reino dos fantasmas famintos).

As opiniões prevalentes sobre dependência evoluíram um pouco na última década em direção a uma maior compaixão, mais ciência e mais bom senso. Apesar disso, mitos equivocados e perigosos sobre a origem da dependência e sua própria natureza ainda dominam muitos círculos, dos tratamentos médicos ao direito penal e às políticas públicas. Mesmo o bem-intencionado mundo da reabilitação e recuperação tem seus pontos cegos. Considerando as falhas óbvias ou mesmo os estragos devastadores causados por nossas abordagens padrão, muitas vozes estão enfim defendendo um outro ponto de vista.

Como prelúdio para refletir a respeito, vamos abordar diretamente as duas principais concepções equivocadas: de que a dependência é produto ou de "escolhas erradas", ou então de uma "doença". Nem uma nem outra conseguem explicar essa praga social impossível de eliminar, além disso ambas prejudicam nossos esforços no sentido de remediá-la.

Considerando os avanços de compreensão da medicina, a visão das *escolhas erradas* a essa altura mal deveria merecer menção, mas ainda tem grande influência na mentalidade de muita gente, e serve de base para o ataque do sistema judiciário aos usuários de drogas. De tão errada, ela chega a ser risível, e de fato seria se suas consequências não fossem tão trágicas. Ela foi expressada de forma sucinta em 2017 pelo então procurador-geral dos Estados Unidos, general Jeff Sessions, remetendo aos tempos ruins da guerra às drogas dos anos 1980: "Como disse Nancy Reagan, precisamos dizer 'não e pronto'", disse ele a uma plateia na Virgínia. "Educar as pessoas e lhes contar a terrível verdade sobre as drogas e o vício resultará em mais pessoas fazendo escolhas melhores."

O sucesso exato de todas as campanhas de guerra às drogas, que tiveram meio século para realizar os objetivos que propuseram, pode ser visto num único e sórdido fato: no exato instante em que Sessions discursava, seu país perdia em três semanas para a overdose o mesmo número de vidas que fora perdido no Onze de Setembro. Naquele ano, mais de 70 mil americanos morreriam de overdose de alguma droga.[1] Quatro anos depois, em 2021, esse número ultrapassava 100 mil.[2] No mesmo ano, minha província natal de Colúmbia Britânica teve mais de 1.700 dessas mortes, quase o dobro de pessoas mortas por covid-19 na província na data em que escrevo.

A visão da dependência como "escolhas erradas" – que, sejamos honestos, é praticamente a mesma coisa que dizer "a culpa é toda sua" – não é só desastrosamente ineficaz: ela é absolutamente cega. Nunca conheci ninguém que, em qualquer sentido significativo da palavra, jamais tenha "escolhido" se viciar, muito menos meus pacientes de Downtown Eastside, cuja vida se esvaía aos poucos ou era rapidamente interrompida nas ruas, quartos de hotel e ruelas do gueto de drogas de Vancouver.

Se um dissidente socialmente conservador viesse protestar dizendo: "Mas eles não escolheram *continuar* viciados?", eu lhe responderia com a seguinte frase de Nora Volkow, diretora do Instituto Nacional de Abuso de Drogas dos Estados Unidos: "Estudos [recentes] mostraram que o uso recorrente de drogas conduz a mudanças duradouras no cérebro que *minam o controle voluntário*."[3] Traduzindo: em se tratando de vício, "livre-arbítrio" é sob muitos aspectos um *non sequitur* neurobiológico.

Na verdade, eu iria bem mais longe: a maioria das pessoas viciadas tinham pouca escolha *antes mesmo* de se tornarem viciadas. Seu cérebro *já chegou* prejudicado pela experiência de vida, especialmente suscetível aos efeitos de sua droga "predileta" (outra expressão duvidosa). Na verdade isso vale quer o alvo seja uma substância química ou um comportamento. Resumindo: o modelo da escolha ignora a questão do que levaria uma pessoa a se viciar para começo de conversa.

Embora o paradigma da *doença*, ainda defendido por muitos especialistas em dependência química e programas de tratamento, seja mais compassivo, ele também deixa de fora o elemento humano. Ele separa a mente do corpo, ou nesse caso o cérebro da mente, e vê o cérebro de um ponto de vista exclusivamente bioquímico. A verdade é que os acontecimentos pessoais e sociais do dia a dia, filtrados pela mente, vão moldando o cérebro ao longo da vida. Não se pode cientificamente separar biologia e biografia, sobretudo em se tratando de um processo com tantas camadas psicológicas quanto o vício.

Não que não haja valor no fato de considerar o aspecto neuroquímico da dependência. O brilhante trabalho de Volkow e outros demonstrou que, com o tempo, as substâncias que causam dependência modificam o cérebro, fazendo com que funções essenciais como a regulação dos impulsos – que ajudaria a pessoa a resistir ao apelo do vício – fiquem significativamente comprometidas, ao mesmo tempo que circuitos de recompensa e motivação passam a depender das drogas desejadas. Nesse sentido, o cérebro se torna *de fato* um órgão comprometido, com menos capacidade de fazer escolhas racionais, em vez disso obsessivamente decidido a satisfazer os impulsos do vício.

Entretanto, nosso erro está em focar apenas nas drogas: *não é preciso um vício em substâncias químicas para causar mudanças na química do cérebro*. Exames de imagem revelaram mudanças igualmente prejudiciais também no cérebro de viciados em outras coisas que não substâncias químicas, como por exemplo os *gamers* inveterados.[4] O consumo compulsivo de alimentos que ativem o aparato de recompensa do cérebro também pode produzir esses efeitos.⁵

Não obstante tudo isso, a equiparação do vício com uma doença em grande parte geneticamente programada e passível de tratamento,⁶,⁷ conforme já foi dito, representa do ponto de vista científico e humano um passo à frente em relação ao modelo acusatório das "escolhas erradas". Da mesma forma que não nos ocorreria culpar o dono de um rim doente, não faz sentido repreender alguém por ter um cérebro "doente", principalmente se essa "doença" tiver sido herdada.⁸ O problema é que, como é tão típico da medicina, o paradigma da doença transforma um processo em patologia. Repare também que "tratável" é bem diferente de "curável", o que diz menos a respeito da natureza da dependência do que da incapacidade do sistema médico de compreendê-la.

A palavra *doença* também surge com frequência no mundo da recuperação em 12 passos. Participantes de programas como Alcoólicos Anônimos falam em "minha doença", e podem dizer "a minha doença quer me matar" ou "a minha doença me fez magoar quem eu amo". Esses programas sem dúvida alguma já ajudaram milhões de pessoas, e a linguagem usada é uma parte grande do esforço de ajudá-las a pensar e a agir de outras maneiras. Vou apenas sugerir que "doença" é mais útil de um ponto de vista terapêutico como metáfora do que como um fato. Como no caso da maioria dos distúrbios crônicos, ver a dependência química como um processo dinâmico a ser enfrentado, e não como uma força demoníaca a ser temida ou combatida, pode em última instância expandir as possibilidades de cura.

> Para uma abordagem mais robusta da dependência, precisamos levar em conta não apenas os genes ou circuitos cerebrais das pessoas, mas também seus verdadeiros encontros com o mundo. Precisamos examinar de perto as experiências de vida das pessoas.⁹ Vícios de qualquer tipo não são males anormais, doenças voluntariamente autoinfligidas, transtornos cerebrais ou falhas genéticas. Quando adequadamente entendidos, eles nem sequer são tão intrigantes assim. Como no caso de outras doenças aparentemente misteriosas mencionadas neste livro, sua origem está nos mecanismos de adaptação. Eles certamente assumem alguns dos *traços* de uma doença: um órgão disfuncional, danos a tecidos (em especial no uso prolongado de drogas), sintomas físicos,

prejuízo de determinados circuitos cerebrais, ciclos de remissão e recaída, e até a morte. Mas chamá-los de "doenças" é passar ao largo tanto da sua natureza quanto da oportunidade de lidar com eles de modo inteligente. Os vícios, no seu começo, representam as defesas de um organismo contra um sofrimento que ele não sabe como suportar. Em outras palavras, trata-se de uma reação natural a circunstâncias antinaturais, de uma tentativa de aliviar a dor de feridas sofridas na infância e de estresses suportados na idade adulta.

## DUAS PERGUNTAS ESSENCIAIS

Ao longo de minhas décadas de prática da medicina e de milhares de conversas, aprendi que a primeira pergunta a ser feita não é o que há de errado numa dependência, mas sim o que ela tem de "certo". Que benefício a pessoa está obtendo desse hábito? O que esse hábito lhe traz? O que ela está obtendo que de outra forma não consegue obter? Essas perguntas são cruciais para se entender qualquer dependência, seja em substâncias como álcool, opioides, cocaína, metanfetamina, cola de sapateiro ou junk food, ou em comportamentos como jogo, promiscuidade sexual compulsiva, pornografia ou bulimia. Ou ainda, aliás, poder e lucro – nesse caso começamos naturalmente a tender na direção de vícios que ultrapassam em muito os hábitos individuais e adentram o reino das fixações coletivas.

Assim como nunca conheci ninguém que tenha escolhido se tornar viciado, tampouco jamais conheci qualquer um cujos vícios, pelo menos no início, não suprissem alguma necessidade humana fundamental. Repetidas vezes, por exemplo, já ouvi dizer que os vícios das pessoas lubrificam as engrenagens da conexão social. O escritor, professor universitário e ex-presidiário canadense métis[10] Jesse Thistle, autor do livro de memórias *From the Ashes* (Das cinzas), me contou que "usar substâncias me dava acesso a amigos. E me dava poder, autoconfiança. E por um tempo funcionou; deve ter funcionado nos primeiros três anos. Fiquei praticamente blindado". A multitalentosa artista televisiva Lena Dunham, por sua vez, recordou: "Aquilo me tornava mais sociável. Mais relaxada, facilitava minha comunicação." No seu caso, "aquilo" era uma dependência química, entre outras coisas, de tranquilizantes: remédios altamente viciantes receitados de modo excessivamente liberal pelos médicos. A euforia invadia também sua expressão criativa: segundo ela me disse, a droga "me fazia escrever feito uma louca porque eu perdia totalmente a inibição".

"Quentura" é uma palavra usada com frequência para designar a sensação de estar drogado: ela representa uma sensação que os viciados conhecem bem. A atriz e autora de livros infantis Jamie Lee Curtis me falou sobre um "banho morno":

> a sensação que se tem quando você está com frio e entra numa banheira não quente, mas morninha, um banho cálido em que a sensação de tranquilidade vai subindo conforme você afunda no calor. Essa era uma sensação que eu conhecia bem e adorava. Passei dez anos perseguindo essa sensação, saindo e tornando a entrar em esquemas os mais variados, de roubar opioides a manipular médicos para consegui-los.

As palavras de Curtis me fizeram pensar no que eu ouvia com frequência de meus hipermarginalizados pacientes de Downtown Eastside. "O que a heroína lhe traz?", perguntei certa vez a um paciente recém-chegado ao Onsite, centro de desintoxicação no segundo andar do Insite, na época o único centro de consumo assistido da América do Norte, onde eu trabalhava como médico. Com quase 40 anos, braços de halterofilista, cabeça raspada e uma imensa argola de latão no lóbulo direito, aquele homem de aspecto feroz me encarou bem nos olhos e disse:

> Doutor, eu não sei como dizer isso exatamente para o senhor. É como quando você tem 3 anos e está doente, se tremendo todo de febre, e sua mãe pega você no colo, enrola você num cobertor quentinho e faz você tomar uma canja de galinha morna: é essa a sensação que a heroína traz.

Seu colega morador de Downtown Eastside, o poeta Bud Osborn, também mencionou o calor tranquilizador que a heroína lhe permitia experimentar. "Eu sentia uma quentura no fundo das entranhas, que sempre tinham sido muito frias."

O guitarrista de rock[11] e astro de reality show Dave Navarro me disse que encontrava nos seus vícios "uma espécie de amor e aceitação", outro tema recorrente entre os usuários. Seu colega de podcast e escritor, o ator britânico

Russell Brand, também falou de amor. "A primeira vez que usei heroína, foi uma sensação muito sagrada, muito espiritual, muito cálida e maternal", disse ele. "Tive a sensação de ser pego no colo... de que nada tinha importância, e me senti seguro." Seu uso da palavra *maternal* é mais do que metafórico: ele remete diretamente à neurobiologia do vício em opioides.

Outros encontram em seus hábitos compulsivos uma experiência que as pessoas passam anos tentando ter em cavernas, mosteiros e retiros caros. "O álcool lhe dá três ou quatro horas de paz", disse o ator e ex-apresentador do *Saturday Night Live* Darrell Hammond quando conversamos. "Apenas paz. As conversas na cabeça, os pensamentos negativos cessam. Isso é precioso." Paz e tranquilidade não são características que a maioria de nós associa à vida de alguém com uma dependência, mas esses estados "preciosos" muitas vezes são aquilo que se busca – e que, por um momento, se encontra.

O vício em tranquilizantes de Lena Dunham lhe proporcionou uma ilusão temporária de normalidade, ilusão essa reforçada pelo fato de que, na nossa sociedade, suas drogas prediletas são muitas vezes adquiridas por meios "legítimos", ou seja, por receita médica. "Remédios trazem a promessa mágica de fazer a pessoa ter um funcionamento normal, ou melhor do que o normal", diz ela. "Dá para sentir o cheiro quando uma pessoa bebeu; no caso do crack, a pessoa acaba debaixo de um viaduto. Já quem toma Rivotril[12] pode passar um longo tempo pensando: 'Nossa, encontrei a solução para conseguir funcionar no mundo.'"

Vale a pena perguntar: quem nunca ouviu falar numa "doença" que faz a pessoa "se sentir normal"? Ou quando foi a última vez que adoecer fez você "funcionar melhor do que o normal"?

À luz desses depoimentos, a insistência de Jeff Sessions em "escolhas melhores" soa ainda mais absurda. Será que devemos instalar na beira das estradas e nos refeitórios escolares outdoors mais verídicos, que digam: "Diga não aos analgésicos"? Ou "Diga não a uma sensação cálida e reconfortante"? Diga não para a paz interior; para a calma, o empoderamento, uma sensação de valor pessoal; para a comunidade e a amizade; para uma expressão pessoal sem entraves; para uma fugidia sensação de normalidade e conforto; para o amor? "Eu de fato reparei", me disse Navarro, "que sempre que recomeçava a usar alguma substância eu conseguia me sentir *da forma que um ser humano normal supostamente deve se sentir*". Experimente dizer não para isso.

Em última instância, todos os incentivos ao vício podem ser resumidos como uma fuga dos limites do eu, ou seja, da experiência concreta e vivida de sentir desconforto e isolamento dentro do próprio corpo. Por baixo das superfícies de funcionamento "normal", sejam elas quantas forem, esse alienante desconforto pode ser perturbador a ponto de se tornar um tormento: uma sensação persistente de ser anormal, não merecedor e deficiente. Keith Richards, do Rolling Stones – talvez o ex-viciado em heroína mais conhecido do mundo –, resume essa estratégia de fuga em sua autobiografia, *Vida*: "Eu acho que era uma busca pelo esquecimento [...] os contorcionismos que se faz simplesmente para não ser você mesmo por algumas horas."[13]

Por que seria preciso escapar de si? Ansiamos por escapar quando estamos aprisionados, quando estamos sofrendo. A dependência nos chama quando a vida consciente se resume a estar preso num tormento interior, em dúvidas, perda de significado, isolamento, desvalorização; se resume a sentir frio na barriga e desesperança; a não ter fé na possibilidade de liberação, nem ninguém que nos acuda; a ser incapaz de suportar os desafios externos ou o caos ou vazio interiores; a ser incapaz de regular os próprios estados mentais desagradáveis, achar as próprias emoções insuportáveis; e acima de tudo se resume ao desespero para aliviar a dor que esses estados infligem. A dor, portanto, é o tema central. Não é de espantar que as pessoas se refiram com frequência ao efeito anestesiante benéfico de suas dependências: só alguém que está com dor anseia por anestesia.

Como tentativa de escapar de si, a lógica interna da dependência é inexorável. *O que eu sou é intolerável. Me tirem daqui.*

E nesse ponto chegamos à segunda pergunta fundamental relacionada à dependência, pergunta que no meu caso se tornou uma espécie de mantra: *não pergunte o porquê do vício, pergunte o porquê da dor*. É essa a pergunta à qual nem o paradigma médico dominante baseado na doença, nem o preconceito popular têm a menor possibilidade de responder, ou sequer cogitariam fazer. Sem ela, contudo, não conseguimos ter a menor pista de por que esse transtorno da mente, do corpo e do espírito está crescendo tanto.

Para mapear o terreno difícil e inóspito em que a dependência nasce, vale a pena perguntar às pessoas que a atravessaram. Escutar suas experiências de vida deixa bem claro o que precisa ser tranquilizado, e por quê. Falta-nos espaço para narrar todas as trágicas histórias de origem dos muitos indivíduos que entrevistei para este livro, dos famosos aos anônimos. Segue uma breve e representativa amostra.

- Quando a lenda do hóquei canadense Theoren Fleury tinha 14 anos, seu técnico começou a abusar sexualmente dele. "Ele passou a ter uma rotina toda vez que eu aparecia: primeiro se masturbava nos meus pés, depois me chupava, então me deixava dormir." E, segundo ele me contou, as coisas nem de longe paravam por aí. Ele tinha um pai alcoólatra e ninguém a quem recorrer na sua caótica família de origem. Pelo contrário: estava louco para fazer felizes aqueles pais economicamente depauperados e emocionalmente disfuncionais. Anos depois, já uma estrela, quando ganhava milhões de dólares por ano como obstinado atacante do New York Rangers, ele era totalmente viciado em álcool e cocaína.
- Bruce, especialista em cirurgia dependente de opioides, também teve uma infância desprovida de cuidado. "Meu pai era ausente", contou. "Não tive um pai na minha vida quando era criança. Ele foi embora quando eu era bem pequeno, uns 4 anos. E minha mãe era jovem demais para assumir as tarefas que eu precisava que ela assumisse. Ela me teve aos 16 anos, ela própria basicamente uma criança. Cresci sem ter qualquer apoio. Minha vida teve muita dor."
- A mundialmente conhecida fotógrafa Nan Golding, que diz ter usado drogas durante "a maior parte da vida", tinha 11 anos quando a irmã mais velha se suicidou aos 18. "Foi um trauma imenso e definidor para mim", disse Golding. Definidor, mas não primário. "Fui criada numa família muito neurótica", recorda ela, recorrendo a um certo grau de eufemismo. "A agitação por causa da minha irmã mais velha era constante… Algumas de minhas primeiras lembranças são dela atirando coisas em todo mundo, menos em mim. Eles a internaram em hospitais psiquiátricos e chegaram a mandá-la para um orfanato. Havia muita violência, muito caos, muita gritaria."
- Quando o falecido poeta de rua de Downtown Eastside Bud Osborn tinha 3 anos, seu pai se enforcou na cadeia, para onde a polícia de Toledo o levara depois de ele tentar se jogar da janela. "Quando criança, Osborn tinha uma pessoa que considerava um refúgio: a avó", escreve o jornalista de Vancouver Travis Lupick

em *Fighting for Space* (Lutando por espaço), seu livro sobre o movimento a favor da reforma da política de drogas de que Osborn se tornou um líder importante. "Essa avó foi morta a tiros pela tia dele, que em seguida se matou." Aos 5 anos, Bud viu a mãe ser espancada e estuprada. Um ano mais tarde, ele se atirou da varanda na tentativa de tirar a própria vida.

- O ex-astro do *Saturday Night Live* Darrell Hammond era física e emocionalmente agredido pela mãe, como sabe qualquer um que tenha assistido ao doloroso e revelador documentário autobiográfico *Cracked Up* (cujo título, um jogo de palavras, poderia ser traduzido livremente como *Rindo de quê?*).
- Lena Dunham sofreu abuso sexual muito jovem, além de outro fator que é uma garantia dos efeitos traumáticos duradouros desse tipo de experiência: o isolamento emocional. Numa sessão de terapia recente, sob os efeitos do medicamento quetamina, ela teve a experiência de "testemunhar essa tristeza avassaladora devida ao fato de estar sozinha quando criança".

Embora cada história de vida tenha suas especificidades, e o trauma, muitas faces, alguma generalização é tanto possível quanto necessária, em especial quando o abuso e a negligência encontram as camadas mais baixas do status racial e social. Durante meus 12 anos no Downtown Eastside de Vancouver, aprendi que todas as minhas pacientes mulheres – muitas delas indígenas, e muitas envolvidas na indústria do sexo – tinham sofrido abuso sexual na infância ou na adolescência, um dos marcadores do legado multigeracional que o passado colonial brutal do Canadá deixou. Vários estudos em grande escala confirmam a dinâmica do trauma de infância, que inclui abuso sexual, na potencialização de uma dependência subsequente. Segundo um estudo com mais de 100 mil estudantes publicado em 1997, adolescentes que tenham sofrido maus-tratos ou abuso sexual tinham uma probabilidade duas a quatro vezes maior de estarem usando drogas do que aquelas que não mencionavam terem sido molestadas dessa forma.[14] Aquelas que sofriam abuso tanto físico quanto sexual tinham pelo menos o dobro de probabilidade de usar drogas do que outras que tivessem sofrido um dos dois tipos de abuso. O consumo de álcool revelou um padrão semelhante: numa amostragem nacional de 10 mil adolescentes, as que tinham histórico de abuso sexual tinham uma probabilidade três vezes maior de começar a beber na adolescência.[15]

Agora que desbastamos o emaranhado de crenças equivocadas sobre a dependência, compreendemos um pouco o que ela faz pelas pessoas sob seu domínio, e começamos a pensar que tipos de experiências de vida poderiam tornar essas "vantagens" tão palpáveis e atraentes, proponho abrir ainda mais a cortina no próximo capítulo. Outro mito, ao mesmo tempo convincente e altamente nocivo, é de que existe uma categoria que podemos rotular de "viciados", referente a determinado grupo identificável de pobres almas infelizes, e outro, perfeitamente segregado "dessa gente", formado pelo restante de nós, as pessoas "normais".

Para modificar um pouco uma frase do grande humorista George Carlin, esse clube é bem grande... e somos todos sócios.

# 16
# Quem se identificar levante a mão: uma nova visão da dependência

*Há tempos já deveria ter surgido uma nova abordagem – tanto porque nosso entendimento sobre a neurociência por trás da dependência mudou quanto porque muitos dos tratamentos existentes simplesmente não funcionam.*

– MAIA SZALAVITZ[1]

Uma vez traçado o contorno do que a dependência é e do que não é, e reconhecidas sua força e sua função na vida das pessoas, eu gostaria de propor uma nova definição de trabalho, na minha opinião mais verdadeira e mais potente do que as anteriores. Ao deixar de lado o determinismo genético, ela abre uma possibilidade para a cura. Mas preciso fazer um alerta. Apesar de mais precisa e mais esperançosa, minha definição é também mais ecumênica: ela torna ainda maior a "grande tenda" da dependência. É possível que você acabe constatando que também está nela.

A dependência é um processo psicológico, emocional, fisiológico, neurobiológico, social e espiritual complexo. Ela se manifesta por meio de qualquer comportamento em que uma pessoa encontra alívio ou prazer temporários, e portanto pelo qual anseia, mas que a longo prazo tem consequências negativas para a própria pessoa ou para os outros, e mesmo assim ela se recusa ou não consegue abrir mão dele. Sendo assim, as três principais características da dependência são:

- alívio ou prazer de curto prazo, e portanto fissura;
- sofrimento de longo prazo para si ou para os outros;
- incapacidade de parar.

Duas coisas a observar logo de cara: em primeiro lugar, minha definição não menciona doença, mas isso não quer dizer que precise excluir essa visão. Conforme expus no capítulo 6, a maioria das doenças é mais bem compreendida como processos complexos que se manifestam na vida inteira da pessoa, não como "coisas" pontuais. No fim das contas, como no caso de muitos transtornos, chamar a dependência de doença pode realçar aspectos relevantes sem chegar perto de explicar o fenômeno, quanto mais de indicar um caminho para curá-lo em sua origem.

Em segundo lugar, essa definição não se limita às drogas. O mesmo impulso que muitas vezes se aplica a substâncias químicas pode ativar diversos tipos de comportamento, de promiscuidade sexual compulsiva a pornografia, de vício em compras a vício na internet (ambos hábitos que conheço bem), de *gaming* a jogos de azar, de qualquer tipo de compulsão por comida ou bebida a vômitos autoprovocados, de trabalho a esportes radicais, da obsessão por malhar à busca compulsiva por relacionamentos, do uso de substâncias psicodélicas à meditação. A questão não é algum alvo externo, mas sim a relação interna que a pessoa tem com isso. Você sente fissura e usa ou pratica algo que lhe traz alívio ou prazer temporários e que favorece ou acarreta consequências negativas, mas não consegue parar? Seja bem-vindo à nossa reunião. Tem café de cortesia ali nos fundos da sala.

Se você já me ouviu falar sobre esse tema, seja pessoalmente ou no YouTube, provavelmente sabe o que vou perguntar agora. Em geral, nesse ponto eu faço uma pausa e peço às pessoas que levantem a mão se a resposta for afirmativa para a seguinte pergunta: "Segundo a definição que acabei de dar, quem aqui é ou algum dia já foi dependente?" Seja qual for o tamanho da plateia, praticamente ninguém deixa de levantar a mão, a não ser, como gosto de brincar, alguém que provavelmente esteja mentindo. Eis quão absolutamente normais são as dependências hoje na nossa cultura. Convido você, destemido leitor, a submeter-se ao mesmo teste, levantando ou não a mão.

É claro que nem todas as dependências são iguais, exceto em linhas muito gerais. Meus pacientes com HIV e hepatite C de Downtown Eastside certamente se distinguem da maioria de nós quanto ao grau de sofrimento que os fez mergulhar no vício, em quanto a dependência domina a vida deles e também nas consequências duríssimas que seus vícios lhes trazem. Isso sem falar na carência de recursos internos ou externos, muitas vezes por motivos socioeconômicos e raciais que não foram criados por eles. Esses pacientes se distinguem também pelo grau de ostracismo e punição que a sociedade lhes infligiu e segue lhes infligindo.

Essas diferenças gritantes de grau têm importância, e não devemos nem equalizá-las nem apagá-las. Mas elas não mudam o fato de que o processo de dependência tem determinados traços intrínsecos conhecidos por todos que o vivenciam. Ele não poupa ninguém, nem mesmo os que estão no topo da pirâmide. Isso inclui aqueles cujos hábitos destrutivos, segundo o torto sistema de valores da nossa cultura, são considerados "bem-sucedidos". Essas diferenças tampouco eliminam o fato de a maioria de nós, cidadãos "normais", termos muito mais semelhanças do que tenderíamos a admitir com aqueles que desprezamos ou de quem sentimos pena devido às suas dependências mais graves ou mais óbvias. A linha que separa "nós", os certinhos, "deles", os excluídos, não é sequer tênue: ela é imaginária.

Nesse ponto, é útil recordar o espectro de gravidade no que diz respeito ao trauma. Todo tipo de sofrimento, desde as feridas de desenvolvimento menos óbvias a que nos referimos com T minúsculo aos mais explícitos traumas com T maiúsculo, podem demandar o alívio da dor na forma de uma dependência. Repetindo: o trauma/a ferida tem a ver com o que acontece *dentro* de nós e como esses efeitos perduram, não com o que nos *acontece*. Uma investigação sobre "o porquê da dor" precisa deixar espaço para o tipo de ferida emocional que pode se esquivar de uma lembrança consciente ou que, com muito mais frequência, parece insignificante para quem está se lembrando.

Não é incomum as pessoas pensarem que tiveram uma "infância feliz". Contanto que a vida esteja correndo razoavelmente bem, falta-nos motivos para questionar essa visão. Quando a dependência se faz presente na própria pessoa ou em alguém que ela ama, certamente alguma investigação é necessária.[2] Ao olhar com compaixão para dentro de si mesmas, a maioria das pessoas conseguirá se situar em algum ponto do espectro de trauma/ferida psicológica. Lembranças felizes genuínas não descartam o sofrimento emocional, mas o mais habitual é recordar as primeiras e suprimir a consciência do último. Na minha experiência, até as pessoas com as narrativas mais insistentes de "infância feliz", se lhes forem feitas as perguntas certas, muito rapidamente se dão conta de que a sua história está repleta de pontos cegos.

Em 2015, a escritora e artista do teatro Stephanie Wittels Wachs perdeu o irmão mais novo, Harris, por overdose. Ela própria é uma viciada em trabalho confessa, o que prejudica sua vida familiar. Até o dia em que me convidou para seu podcast *Last Day*, ela estava convencida, na verdade irredutivelmente convicta, de que ela e Harris tinham sido criados num lar normal e feliz. Entre as provas dessa normalidade e dessa felicidade por ela lembradas estavam a participação da mãe em muitas das atividades escolares – acompanhante de passeios, presidente da associação de pais e mestres, e assim por diante – e uma vida doméstica em que os papéis dos pais eram estáveis no sentido tradicional: pai que trabalhava fora, mãe dona de casa. A sensação de segurança inspirada por todos esses elementos pode muito bem ter sido verdadeira; Wittels Wachs certamente parece ter sido criada por uma mãe e um pai que amavam os filhos da melhor forma que conseguiam, e proviam as suas necessidades físicas e sociais. No entanto, embutidas nessa "normalidade" havia experiências de profunda dor emocional que ela descartara por completo até serem resgatadas das profundezas pelas minhas perguntas. "Essa conversa toda me pegou desprevenida", confessou ela depois aos seus ouvintes. "Ele tem absoluta razão. Meu discurso sobre minha infância feliz está incompleto."

David Sheff foi igualmente "pego desprevenido" por uma conscientização semelhante. Seu livro *Querido menino*, que narra o vício quase fatal de seu filho Nick em estimulantes, foi um sucesso de vendas, e mais recentemente serviu de tema a um filme comovente estrelado por Steve Carrell e Timothée Chalamet. Não tinha havido nenhum trauma com T maiúsculo na sua família, nenhum abuso ou adversidade grave. Perplexo, Sheff foi obrigado a fazer a si mesmo algumas perguntas desconfortáveis para entender o que levou seu primogênito cheio de vida, talentoso e muito sensível a uma dependência que quase lhe custou a vida. Em retrospecto, Sheff viu que a dor de Nick devia ter surgido bem no início, na esteira de um relacionamento disfuncional entre os pais. "Nós não deveríamos ter estado juntos", contou ele. "Tínhamos problemas terríveis no nosso casamento, terríveis." O autoengodo desempenhava um papel importantíssimo: ao mesmo tempo que tinha um caso extraconjugal com uma amiga da família, Sheff alimentava

> na minha mente a fantasia de que, se eu fosse feliz e ela também, as crianças ficariam juntas, sabe, e nós teríamos uma família feliz e estaríamos meio que libertando as crianças daquelas duas famílias traumáticas... Eu realmente acreditava estar fazendo aquilo em certa medida por causa do Nick. Eu estava justificando meus atos, tentando fazer com que ficasse tudo bem.

É um grande mérito de Sheff ter se disposto a olhar para trás com os olhos abertos e ver como as coisas de fato eram. Não conheço os detalhes, mas, segundo Sheff, ele e o filho hoje têm conversas honestas sobre o passado e cheias de compaixão mútua, além da compreensão compartilhada de que a dor da infância de Nick foi um dos principais motivadores das dificuldades que teve depois.

Assim como eu, Dan Sumrok já encontrou ocasionalmente algum cético do trauma. Dono de uma longa barba grisalha que desce até o meio do peito e de um estilo de oratória arrebatado, esse meu amigo e colega na medicina da dependência parece a encarnação de um profeta bíblico. Se Dan prega algum evangelho, porém, é o da sanidade. Ao longo da sua carreira de médico de família, primeiro na escola de medicina da Universidade do Tennessee em Memphis, depois em Nashville, e mais recentemente numa região rural, ele já tratou quase 25 mil pessoas com dependência em opioides. Ele também vê além da perspectiva médica da dependência como doença, seja genética ou não; também na sua experiência, o trauma é o fator originário. "Comecei a escrever sobre esse tema em 1980, quando tinha acabado de concluir o serviço militar. Era calouro na faculdade de medicina, e minha vida estava se desmilinguindo. Eu diria que meus melhores amigos eram George, Jack e Jim: os irmãos uísque."[3] "Algumas pessoas", afirma Dan,

> os verdadeiros militantes dos Doze Passos, me dizem, assim como alguns dos programas de tratamento já disseram: "Nem tudo tem a ver com trauma, sabe, Sumrok." Como quero muito tranquilizá-los, eu digo:

"Prometo que estou mantendo a mente aberta. Estou esperando para ver a primeira pessoa para quem tudo não tenha a ver com trauma."

Seria preciso esperar muito tempo.

Seja qual for o grau da ferida, toda dependência é uma espécie de história de refugiados: pessoas que fugiram de sentimentos intoleráveis e nunca processados causados pela adversidade, e se refugiaram num estado de liberdade temporária, ainda que ilusória. Mais uma vez, tente dizer não para isso.

Talvez seja uma surpresa para muita gente saber que nenhuma droga em si é viciante, nem mesmo as mais notórias drogas "de alto risco", como o crack ou a metanfetamina. A maioria das pessoas que experimentam drogas, qualquer droga, mesmo repetidas vezes, nunca se torna dependente. Os motivos disso lançam um pouco mais de luz sobre a natureza da dependência.

Muitas vezes pergunto às pessoas na plateia: "O álcool gera dependência, sim ou não? A comida gera dependência, sim ou não? E o trabalho, sim ou não? E o sexo, sim ou não? E a pornografia ou as compras, sim ou não?" A resposta correta, contida na própria pergunta, é "sim ou não", a depender do grau em que esteja a dor que precisa ser aliviada.

O especialista em medicina interna de San Diego Vincent Felitti foi um dos principais pesquisadores do hoje célebre (embora não o suficiente) Estudo sobre Experiências Adversas na Infância (EAI). Esse estudo surgiu depois que Felitti decidiu escutar as histórias de vida de pacientes numa clínica para obesidade, todos os quais relataram traumas de infância. Realizada na década de 1990 na rede de atendimento de saúde californiana Kaiser Permanente, a pesquisa mostrou que, num grupo de 1.700 pessoas em sua maioria brancas e de classe média, quanto maior a adversidade à qual uma criança tivesse sido exposta, maior era o risco de ela desenvolver dependências, questões de saúde mental e outros problemas médicos na idade adulta.[4] A adversidade era classificada em três rubricas gerais: abuso (psicológico, físico, sexual); negligência (física, emocional); disfunção doméstica (alcoolismo ou uso de drogas em casa, divórcio ou perda de genitor ou genitora biológico(a), depressão ou doença mental em casa, mãe tratada com violência, membro da família na prisão). Os impactos dessas experiências não apenas se somavam: eles multiplicavam um ao outro. Um adulto que relatasse uma pontuação EAI de 6 tinha um risco de usar drogas por via intravenosa 46 vezes maior do que uma criança sem nenhuma das adversidades citadas.

"Acredita-se com frequência", disse Felitti ao discutir sua pesquisa,

> que o uso repetido de muitas drogas ilícitas em si vai gerar a dependência. Nossos achados contestam essa visão [...] A dependência tem relativamente pouco a ver com as supostas propriedades viciantes de determinadas substâncias, com exceção do fato de todas elas proporcionarem um desejado alívio psicoativo [...] Em outras palavras, trata-se de uma tentativa compreensível de autotratamento com algo que *quase* funciona, criando assim um impulso de consumir mais doses.[5]

Os achados de Felitti sobre adversidade na infância fazem cair ainda mais por terra o mito de determinismo genético que comecei a desmontar no capítulo sobre epigenética. Nenhum gene isolado da dependência nunca foi encontrado, e tampouco vai ser. Talvez exista algum conjunto de genes que predisponha as pessoas a uma suscetibilidade à dependência, mas predisposição e predeterminação não são a mesma coisa. O que vale para uma doença física vale também para a dependência: os genes são ligados e desligados pelo entorno, e hoje sabemos que a adversidade precoce afeta a atividade genética de maneiras que criam um molde para uma futura disfunção. Estudos tanto em humanos quanto em animais confirmaram que qualquer risco genético de abuso de substâncias pode ser neutralizado com uma criação num ambiente de cuidado.[6]

Um dos e-mails de agradecimento mais felizes que já recebi foi da mãe de um menino de 4 anos. O marido, ex-alcoólatra, se recusava a ter filhos, tamanho o medo que sentia de transmitir para seus descendentes o "gene do alcoolismo". Depois de ler meu livro sobre dependência, ele reconheceu as origens traumáticas do seu vício e abandonou o medo desse gene não existente. E foi bem a tempo: sua mulher já tinha quase passado da idade de ter filhos. Mal pude reprimir uma risadinha de satisfação. Eu já fora agradecido por "salvar" a vida de pessoas que nunca tinha visto, mas nunca por ter sido o causador de uma vida a distância.

O modo como a adversidade na infância gera a neurobiologia da dependência tem a ver com a ciência interpessoal-biológica que já examinamos.

Experiências de estresse intrauterino podem predispor à dependência, por exemplo, ao alterar a capacidade cerebral de reagir ao estresse de maneira funcional. Elas também podem ter influência de longo prazo nas partes do cérebro que modulam o sistema de incentivo-motivação que é prejudicado em todas as dependências, sejam elas de drogas ou de comportamentos.[7] Como me disse Bruce Perry, psiquiatra, neurocientista, autor e destacado pesquisador do trauma: "O trabalho que fizemos, e o trabalho que muita gente também fez, demonstrou que fundamentalmente a quantidade e densidade dos receptores de dopamina nessas áreas [do cérebro] é determinada no útero."[8]

Quem quer que tenha cunhado a gíria em inglês *dope* para designar as drogas entendeu alguma coisa, porque todas as dependências, seja de drogas ou comportamentos, têm a ver com *dopamina*. A dopamina é o neurotransmissor fundamental do sistema da motivação, sem o qual todos os mamíferos ficariam inertes, inativos e totalmente desmotivados. Um rato de laboratório faminto cujo cérebro for artificialmente privado de seu aparato de dopamina irá morrer de fome parado em frente a um prato de comida. Na verdade, todo dependente é um viciado em dopamina que terceiriza a caça à substância química natural que torna o presente empolgante e vibrante. Em praticamente toda sensação ou qualidade "positiva" que as pessoas obtêm de suas substâncias ou comportamentos prediletos há a participação de alguma substância química cerebral endógena, ou seja, que é produzida naturalmente. A dependência começa como uma tentativa de induzir sensações que fomos biologicamente programados para gerar, e que geraríamos internamente, caso circunstâncias pouco saudáveis não tivessem nos atrapalhado.

O vício em sexo, por exemplo, não tem nada a ver com uma "libido exacerbada" e tudo a ver com dopamina. Zachary Alti, assistente social e ex-professor adjunto das universidades Fordham e Rutgers de Nova York, é especialista em terapia sexual e vícios comportamentais, em especial o vício em pornografia. "Estudos estão sugerindo", disse-me ele,

> que ao vermos uma imagem pornográfica temos um pico de dopamina no cérebro. Quando vemos várias imagens seguidas, temos um pico atrás do outro. Enquanto nas dependências que envolvem substâncias o mais comum é ter um ou alguns picos de dopamina pouco antes do uso, no caso das dependências comportamentais a substância, o componente

primário, é a própria dopamina. Sobretudo no caso do vício em pornografia, esses picos de dopamina acontecem várias vezes seguidas.

Como no caso de empresas de smartphones e aplicativos, quem produz pornografia sabe muito bem que seu lucro depende do sequestro do cérebro dos consumidores. A socióloga Gail Dines, autora do chocante livro *Pornland: How Porn Has Hijacked Our Sexuality* (Pornolândia: como a pornografia sequestrou nossa sexualidade), de 2010, menciona um artigo no periódico especializado *Adult Video News* em que um integrante da indústria alardeia um estudo da Universidade Stanford sobre vício em sexo virtual que mostra que 20% dos usuários de pornografia são viciados. "Numa abordagem genuinamente capitalista", observa ela, o artigo tem o título alto-astral de "Exploiting the Data", ou "Explorando os dados".[9]

Mas e as sensações de amor que as pessoas obtêm de seus vícios, em especial dos opioides, a quentura mencionada por Jamie Lee Curtis e outros? Essa é, em grande parte, uma função do aparato interno de opioides do cérebro, em que os neurotransmissores são as endorfinas, nosso próprio opioide natural e endógeno. Vinte anos atrás, Jaak Panksepp sugeriu que o vício em opioides estava enraizado nos mecanismos evolucionários cerebrais que promovem os vínculos sociais: o cuidado, a proximidade emocional e os elos sociais. "Seria de esperar", escreveu dele,

> que indivíduos que vivenciam dificuldades e inseguranças sociais severas estivessem especialmente vulneráveis ao abuso de opioides, e essa previsão se confirmou em alguns estudos clínicos. Com efeito, a mesma dinâmica pode ajudar a explicar por que o vício em opioides é particularmente disseminado entre pessoas socialmente desfavorecidas.[10]

A atual crise de overdoses por opioides nos Estados Unidos, e em menor grau no Canadá e no Reino Unido, trouxe tragicamente para a realidade a agudeza dessa observação.

O sistema de endorfinas, para se desenvolver, também depende de relacionamentos de apoio e sintonia no início da vida. "Interações cara a cara ativam o sistema nervoso simpático da criança", escreve Louis Cozolino, psicólogo, neurocientista e professor de psicologia na Universidade Pepperdine. "Esse níveis mais altos de ativação estão relacionados a uma produção maior de oxitocina, prolactina, endorfinas e dopamina, alguns dos mesmos sistemas bioquímicos envolvidos na dependência."[11] A familiaridade de uma criança com um(a) genitor(a) atento(a) e emocionalmente disponível favorece o desenvolvimento ideal dos sistemas cerebrais; a falta dessa proximidade inibe o desenvolvimento saudável.

O trabalho tem sido o principal, mas não o único, vício da cantora e compositora Alanis Morrissette. Usando termos que remetem à endorfina, ela hoje se refere a esse fato como uma compensação. "Existe um anseio por intimidade na fama", observou ela quando conversamos. "Pensando bem, você é alvo de todos os olhares. Todo mundo é hiper-reativo. Todo mundo presta atenção em você… Você fica correndo atrás dessa sensação de ser amada, adorada, olhada." Morrissette estava tentando obter por meio da fama o estado de êxtase da primeira infância que tantos nunca vivenciam, ou vivenciam de modo demasiado breve.

Quando Robert Palmer cantou sobre ser viciado em amor, ele poderia estar falando com todos nós que levantamos a mão: todos os dependentes de drogas, de trabalho, jogadores, compradores e comedores compulsivos, todos os que vivem correndo incessantemente atrás da nova injeção de ânimo ou de tranquilidade. Só que na verdade não é o amor que vicia, e sim nossas tentativas desesperadas de lidar com a falta dele usando qualquer meio necessário.

A realidade é dura, eu sei. Mas é melhor nós a encararmos.

# 17

# Um mapa impreciso da nossa dor: onde erramos em relação à doença mental

*Nós não entendemos nenhum grande transtorno mental do ponto de vista biológico.*

— ANNE HARRINGTON[1]

Aos 19 anos, calouro de jornalismo na Universidade da Flórida, Darrell Hammond mergulhou em sua primeira experiência de intensa perturbação mental. "Senti um terror impossível de expressar", relembrou o comediante. "Nem sei como sobrevivi a tanto medo. Os médicos estavam me tratando para depressão e paranoia, e também para psicose, porque eu disse a eles ter visto alguém falando, e as palavras não saíam ao mesmo tempo que a boca dele se movia." Receitaram-lhe o antidepressivo amitriptilina, além do antipsicótico tioridazina. Ao longo das décadas seguintes, Hammond calculou ter sido avaliado por até 40 psiquiatras e recebido vários diagnósticos, entre eles depressão, transtorno bipolar e TEPT complexo, e outros dos quais nem sequer se lembrava. A pressuposição que conduzia seu tratamento era a mesma que domina boa parte do pensamento médico: que esses tormentos são causados por uma doença biológica do cérebro. Assim, ele foi tratado com um coquetel de medicações que vivia mudando. Ao longo de anos de sucesso profissional, incluindo uma carreira inédita de 14 anos no *Saturday Night Live* – onde sua versatilidade foi expressada em papéis que iam de Bill Clinton até um vulgar e divertido Sean Connery, talvez seu personagem mais amado –, ele continuou se sentindo perdido, irritadiço, isolado e desanimado. Os únicos recursos que conseguia encontrar para pôr fim a essa infelicidade eram a automedicação com bebidas alcoólicas e a automutilação explícita: seu corpo ainda carrega as cicatrizes de mais de 50 cortes autoinfligidos.

Trinta e cinco anos depois do começo de sua odisseia psiquiátrica, Hammond conheceu um médico do Weill Cornell Medical College de Nova York, Nabil Kotbi, que mudou sua vida com duas frases curtas: "Não quero que você chame o que tem de doença mental. Você foi ferido." A compreensão de que seus sintomas não eram manifestações de um transtorno misterioso, me disse Hammond, "foi como um coro de 'Aleluia'... O que [Kotbi] parecia estar me dizendo era que a doença mental vem de um lugar muito específico. Ela tem uma história, e nessa história a única pessoa que não tem poder nenhum é você". Nas décadas que separaram seu primeiro contato com o sistema de saúde mental e seu encontro com esse psiquiatra específico, ninguém tinha perguntado a Hammond sobre experiências traumáticas na infância.

> Não consigo descrever o que foi entrar num consultório sentindo muita dor, e o médico olhar para mim e dizer: "Você não deveria estar se sentindo assim." Na época ninguém dizia: "Ei, você deve ter sido vítima de abuso infantil." Na época, se você se sentisse mal sem motivo aparente, diziam que você era bipolar. Era a única coisa que eles sabiam. "Ele tem altos e baixos inexplicáveis", sabe como é? Eles me deram [o estabilizador de humor] lítio e depois Depakote. Nenhum dos dois funcionou. Na verdade *nada* funcionou antes de a verdade sobre a minha vida ser reconhecida.

A verdade sobre a vida de Hammond incluía uma série de abusos sofridos por sua mãe.[2]

Embora os distúrbios mentais certamente apresentem alguns aspectos de uma doença – já que o cérebro parece funcionar como um órgão doente –, a psiquiatria convencional põe ênfase demais na biologia, reduzindo tudo em grande parte a um desequilíbrio de substâncias químicas cerebrais ditadas pelo DNA. A psiquiatra Kay Redfield Jamison, hoje uma das autoras mais eloquentes em relação ao clássico transtorno maníaco-depressivo, atualmente conhecido como transtorno bipolar, escreveu o livro de memórias *Uma mente inquieta*. Trata-se de uma leitura fundamental para qualquer um que queira entender a experiência de uma consciência exacerbada que alterna episódios de hiperanimação e de um desespero paralisante. No entanto, entremeadas às lembranças lindamente narradas de Jamison estão pressuposições equivocadas que são um exemplo da narrativa genética simplista à qual a psiquiatria ainda se agarra. Aqui, ela recorda um episódio de mania: "Minha mente nesse dia estava a mil, *graças à seja qual for a poção de neurotransmissores que Deus tinha programado nos meus genes*." Na verdade, nem os genes nem Deus têm grande coisa a ver com a história.

Em *Touched With Fire* (Tocada pelo fogo), livro igualmente comovente, Jamison explicita mais ainda a questão, afirmando que "a base genética do transtorno maníaco-depressivo é especialmente convincente, na verdade quase incontroversa".[3] Vinte e cinco anos mais tarde, sabemos que as provas sólidas e científicas não apenas não são convincentes como são quase inexistentes. As provas "quase incontroversas" em que Jamison se apoiou são as publicações sobre história familiar, adoção e estudos com gêmeos, todas repletas de falsas pressuposições.[4] As provas das causas genéticas às quais ela alude só são "convincentes" para quem já compactua da mesma opinião; no que diz respeito às provas em si, elas não passam de ficção científica.[5] Além disso, elas são também deselegantes: em meus trabalhos sobre transtornos mentais e dependência, inclusive os meus próprios, sempre encontrei material mais do que suficiente nas histórias pessoais dos indivíduos para explicar seu sofrimento psíquico sem ter que lhes sobrepor uma narrativa dominada pelo predeterminismo genético.

A expressão "doença mental", ao mesmo tempo que descreve um fenômeno real, concentra nossa atenção sobretudo na fisiologia do cérebro, de modo análogo ao que, digamos, uma angina denota uma restrição no fornecimento de oxigênio ao músculo cardíaco devido ao estreitamento das artérias cardíacas. Ela também sugere que o problema recai necessariamente no âmbito da medicina. Apesar de quaisquer verdades parciais que possam conter, essas pressuposições são altamente questionáveis e limitam nossa compreensão. Pior: elas causam danos, tanto no sentido de submeterem muita gente a tratamentos inadequados quanto de substituir pontos de vista que poderiam ser bem mais completos, humanos e úteis. O determinismo biológico que guiou os médicos de Darrell Hammond também colocou seu transtorno além do alcance da sua própria ação para se curar, reforçando assim o fato por ele mencionado de "você ser o único a não ter nenhum poder". Esse ponto de vista ameaça manter quem sofre, em grande parte, no papel de receptor(a) passivo(a) do tratamento, cujos sintomas são aliviados por remédios que em muitos casos devem ser tomados até o fim da vida.

Com sua abordagem predominantemente biológica, a psiquiatria comete o mesmo erro de outras especialidades médicas: pega processos complexos intrinsecamente relacionados à experiência de vida e ao desenvolvimento emocional, cola neles a etiqueta "doença" e encerra o assunto.

Pouca coisa na formação dos médicos os prepara para se perguntar sobre a experiência de seus pacientes, muito menos para buscarem ali as origens dos seus mal-estares. É fácil recorrer a explicações simples, que exijam pouco tempo ou energia emocional. Muitos médicos se sentem bem pouco à vontade para encarar as próprias tristezas e feridas ocultas – o que Carl Jung chamou de nosso lado da sombra. E não só os médicos; como me disse um conhecido colega: "Os pacientes também têm influência nisso. Eles tampouco querem examinar a própria vida. Isso demandaria entrar num processo de recuperação, mudar alguma coisa. Recuperar-se da própria infância é um trabalho imenso. Vale a pena, mas exige muito esforço." O evangelho da causação genética nos protege de ter que confrontar nossas mágoas, deixando-nos mais ainda à mercê delas.

Pode-se dizer que essa limitação é especialmente calamitosa na área do sofrimento mental, e ainda menos justificada. Afinal, ao contrário do câncer ou da artrite reumatoide, nenhum achado físico, exame de sangue, biópsia, radiografia ou exame de imagem é capaz de corroborar ou descartar diagnósticos psiquiátricos. Como esta afirmação talvez surpreenda muitos leitores, vale a pena repeti-la. Não existe *nenhum marcador físico mensurável* de doença mental a não ser os subjetivos (a descrição que a própria pessoa faz de como está se sentindo, digamos) e os comportamentais (padrões de sono, apetite, etc.).

Assim como qualquer conceito, a doença mental é *um construto*: um arcabouço específico que nós desenvolvemos para compreender um fenômeno e explicar aquilo que observamos. Ele pode ser válido sob alguns aspectos e equivocado em outros; com certeza não é objetivo. Se não for contido, ele se torna uma lente generalizada através da qual percebemos e interpretamos as coisas. Esse modo de ver pode dizer tanto sobre os vieses e valores da cultura que o origina quanto sobre o fenômeno que está sendo visto, seja um conceito religioso como "pecado" ou um biomédico como "doente mental".[6] Em determinadas culturas, por exemplo, pessoas que têm visões podem se tornar profetas ou xamãs. Na nossa, o mais provável é serem consideradas loucas. É de perguntar como Joana d'Arc ou a santa e compositora de música sacra medieval Hildegard de Bingen se sairiam nas mãos do sistema de saúde mental contemporâneo. Certa vez especulei em voz alta, diante de uma plateia de centenas de pessoas, o que aconteceria se eu chegasse para o primeiro-ministro do Canadá e proclamasse, *à la* Joana d'Arc, ter visto um futuro no qual ele lidera o combate global à mudança climática, começando por abrir mão do financiamento de campanha advindo da indústria dos combustíveis fósseis.

Além da tendência materialista típica do lado esquerdo do cérebro na cultura moderna, como chegamos a essa visão da doença mental como um fenômeno essencialmente biológico? Isso parece ser em parte resquício de uma outrora sedutora aspiração da ciência médica, uma missão não cumprida. "A psiquiatria hoje está no limiar de se tornar uma ciência exata, tão precisa e quantificável quanto a genética molecular", escreveu o jornalista Jon Franklin numa série de reportagens vencedora do prêmio Pulitzer em 1984.[7] Como no caso da promessa em última instância não cumprida da revolução genômica de explicar a saúde e a doença, o entusiasmo inicial pela perspectiva de uma psiquiatria baseada na ciência foi virtualmente sem freios. Quase 40 anos depois, não estamos mais perto de cruzar esse limiar imaginário; na verdade, estamos mais distantes. Quando a quinta edição do DSM (Manual Diagnóstico e Estatístico de Transtornos Mentais) foi lançada pela Associação Americana de Psiquiatria, em 2013, David Kupfer, chefe da força-tarefa responsável pela publicação, reconheceu esse fato. "No futuro", afirmou ele no release para a imprensa,

> esperamos ser capazes de identificar transtornos usando marcadores biológicos e genéticos que forneçam diagnósticos precisos, passíveis de serem feitos de modo inteiramente confiável e válido. Para nossa decepção, porém, essa promessa que aguardamos desde os anos 1970

permanece distante. Há várias décadas dizemos aos pacientes que estamos esperando os biomarcadores. Continuamos esperando até hoje.[8]

O jornalista e escritor Robert Whitaker, ex-diretor de publicações da Escola de Medicina de Harvard, acreditava piamente na teoria do desequilíbrio químico em relação à doença mental... até deixar de acreditar. "Assim que comecei a escrever sobre psiquiatria, eu achava que isso fosse verdade", contou ele. "Afinal, por que não acharia?" Sua desilusão veio de pesquisas que ele descobriu ao trabalhar como repórter para o *The Boston Globe*.

> Eu perguntava às pessoas: "Me digam só uma coisa: onde foi que vocês encontraram que a depressão se deve à serotonina, ou onde de fato encontraram que a esquizofrenia se deve a um excesso de dopamina?" Pedi para ler as fontes e, juro por Deus, a resposta foi: "Bom, nós na verdade não encontramos isso. É uma metáfora." O mais incrível é que, quando você examina a questão na própria pesquisa, constata que eles não encontraram mesmo! A divergência entre o que estão dizendo e o que está nas suas próprias publicações científicas, é essa a chave... Isso me deixou estupefato.

Esses não achados evidentes estão documentados no livro de Whitaker, *Anatomy of an Epidemic* (Anatomia de uma epidemia), e foram corroborados em outros escritos.[9]

Ao contrário do que eu também costumava acreditar, um diagnóstico como TDAH, depressão ou transtorno bipolar não explica nada. *Nenhum diagnóstico nunca explica nada.* Diagnósticos são abstrações, ou então resumos: às vezes úteis, mas sempre incompletos. São condensações profissionais para descrever constelações de sintomas que uma pessoa pode relatar, ou observações de terceiros sobre os padrões de comportamento, pensamentos e emoções de alguém. Para o indivíduo em questão, um diagnóstico pode parecer explicar e validar uma vida inteira de experiências antes difusas ou nebulosas demais para serem identificadas. Isso pode ser um primeiro e positivo passo rumo à cura. Falo por experiência própria.

O beco sem saída surge quando pressupomos ou acreditamos que o diagnóstico equivale a uma explicação, visão especialmente ineficaz em se tratando de doenças de algo tão inerentemente abstrato quanto a mente. Como me disse a psicóloga britânica Lucy Johnstone:

> Na doença física, tem-se em princípio uma forma de verificação. Pode-se dizer: "Vamos analisar o exame de sangue ou os níveis de enzimas." E na maioria dos casos pode-se confirmar ou descartar a doença. Mas em psiquiatria a argumentação é simplesmente circular, não? Por que essa pessoa tem oscilações de humor? Porque ela tem transtorno bipolar. Como se sabe que ela tem transtorno bipolar? Porque ela apresenta oscilações de humor.

Penso no Ursinho Pooh e no Leitão de A. A. Milne, caminhando pela neve num círculo involuntário e estremecendo ao se depararem a cada curva com mais pegadas de "Efalante".

Uma objeção ouvida com frequência em relação aos diagnósticos de saúde mental, particularmente em relação às crianças, é que eles "patologizam" ou "estigmatizam" sentimentos ou comportamentos normais e saudáveis. Não é natural crianças se sentirem entediadas, irritadiças, zangadas ou tristes? Minha resposta seria sim... mas não é tão simples assim. Embora o excesso de diagnóstico seja certamente um risco, não acho que o pico de casos de, digamos, TDAH nas últimas décadas se deva exclusivamente a pais e mães influenciáveis, professores e professoras incapazes, psicólogos escolares zelosos demais e empresas farmacêuticas inescrupulosas. Como discuti em capítulos anteriores, o mundo em que as crianças nascem hoje poderia muito bem ter sido projetado para promover perturbações na função cognitiva e na autorregulação emocional. Tudo que vi me diz que estamos *sim* testemunhando uma transformação completa no bem-estar mental das crianças.

Então por que insisto em criticar o modelo de diagnóstico? Porque diagnósticos nada revelam sobre *os acontecimentos e as dinâmicas subjacentes que ocasionam as percepções e experiências consideradas*. Eles mantêm nosso olhar fixo nos efeitos, não em suas múltiplas causas. Pode haver vários motivos pelos quais uma criança tenha dificuldade para prestar atenção ou se mostre irrequieta, desinteressada e agitada: ansiedade, estresses em casa, tédio em relação ao material que ela considera desinteressante, resistência às restrições de precisar ficar sentada em sala de aula, medo de sofrer bullying, um professor ou uma professora autoritária, trauma, ou até mesmo, acredite, o mês de aniversário. Um estudo da Universidade da Colúmbia Britânica examinou o histórico de receitas médicas de quase 1 milhão de crianças em idade escolar do estado ao longo de 11 anos, e constatou que crianças nascidas em dezembro tinham uma probabilidade 39% maior de serem diagnosticadas com TDAH do que colegas nascidos em janeiro do ano anterior. O motivo? Crianças nascidas em dezembro entravam no mesmo ano quase um ano mais novas do que seus colegas de janeiro, portanto estavam 11 meses atrasadas no desenvolvimento cerebral. Essas crianças estavam sendo medicadas não para um "transtorno cerebral genético", mas para a maturação naturalmente mais tardia dos circuitos cerebrais de atenção e autorregulação.[10]

Ou então considere o diagnóstico, segundo o *DSM-5*, de transtorno desafiador de oposição (TDO), muitas vezes associado ao TDAH e outras "doenças". "Se a sua criança ou adolescente tem um padrão frequente e persistente de raiva, irritabilidade, confronto ou comportamento vingativo com você ou outras figuras de autoridade, ela pode ter transtorno desafiador de oposição", aconselha a Clínica Mayo.[11] A pista reside na palavra *com*: a oposição, por definição, só pode surgir no contexto de uma relação. Eu posso padecer isoladamente dos sintomas de um resfriado, ou quebrar o tornozelo sozinho. Mas não posso me opor a ninguém ou ficar zangado ou irritado com alguém a menos que essa pessoa tenha algum tipo de *relação* comigo. "Se não acreditam no que estou dizendo", digo eu às vezes para plateias formadas por terapeutas, pais e mães, professores e professoras ou profissionais da área médica, "tranquem-se no quarto hoje à noite, certifiquem-se de estar totalmente sozinhos e tentem se opor a alguém. Se conseguirem, postem no YouTube: vai viralizar num segundo".

Como uma criança se desenvolve no contexto dos relacionamentos, seu comportamento só será inteligível para nós se examinarmos o ambiente relacional. Vistas assim, essas crianças que supostamente sofrem de TDO são aquelas a quem falta uma conexão suficiente com adultos cuidadores, e que têm uma resistência natural a serem controladas por pessoas em quem não confiam inteiramente ou de quem não se sentem próximas o bastante. Essa aversão, além do mais, só faz aumentar diante de qualquer tentativa de criticá-la ou convencê-la a mudar. Qualificar isso de "transtorno" não diz nada sobre a experiência interna da criança, e reflete apenas o ponto de vista de quem considera essa recalcitrância um estorvo. Fazer isso também não leva em conta por completo como a dinâmica de poder emocional funciona: não existe transtorno algum em resistir a figuras de autoridade nas quais, seja por que motivo for, não confiamos e com as quais não nos sentimos seguros.

Se hoje estamos vendo mais jovens num modo de resistência automático, a pergunta à qual devemos voltar é: como nossa cultura perturba os relacionamentos saudáveis entre adultos e crianças? Por que estamos diagnosticando crianças com um transtorno, em vez de "diagnosticar" – e tratar – sua família, comunidade, escola e sociedade?

O psiquiatra, escritor e destacado pesquisador do trauma Bruce Perry[12] passou a desdenhar quase por completo os diagnósticos. Não se trata de um preconceito automático: sua visão negativa das normas e práticas da sua área se manifestam depois de décadas avaliando dezenas de milhares de crianças em dificuldade, e extensas contribuições à vasta literatura sobre adversidade e aquilo que definimos como "transtornos". "Quando comecei na psiquiatria", contou Perry,

> bem depressa ficou claro que os diagnósticos não tinham relação com a fisiologia, que eram apenas descritivos, e que havia centenas de caminhos fisiológicos para uma pessoa ter um problema de atenção, por exemplo. Só que os profissionais agiam como se esses rótulos descritivos fossem *de fato alguma coisa*... Eu sabia que, se estivéssemos fazendo "pesquisa", se estivéssemos usando essas descrições vazias que denominamos "diagnósticos" e depois estudando intervenções e desfechos, tudo que iríamos conseguir era lixo. E foi isso que fizemos.

Hoje em dia, Perry é enfático ao declarar que "até jogar o jogo do *DSM* está totalmente errado". Quando convidado a contribuir numa das edições do manual, ele disse não. "Falei: 'Escutem, daqui a 25 anos nós vamos olhar para trás e não vamos acreditar que pensávamos nas pessoas assim.' Esse não é um jeito válido de pensar sobre as complexidades do ser humano." Na clínica que ajuda a administrar, ele pratica o que prega. "Nós não fazemos diagnósticos há uns 15, 20 anos", disse ele, "e isso realmente não interferiu na nossa capacidade de fazer um bom trabalho clínico. Na verdade conseguimos fazer um trabalho clínico melhor sem usar esses rótulos."

Com base nas minhas observações como médico de família e na minha compreensão do desenvolvimento humano, eu segui a mesma linha. Quando trabalho com qualquer distúrbio de saúde mental, como depressão, ansiedade, TDAH ou dependência, não me interessa tanto o diagnóstico formal em si. Meu foco para o "diagnóstico" são as dificuldades específicas que a pessoa está enfrentando na vida e os traumas que movem essas dificuldades. Quanto às "receitas", meu principal interesse é no que vai promover a cura das feridas psíquicas que os padrões traumáticos atuais representam.

Assim, farei uma afirmação que talvez surpreenda: não tenho nada contra a farmacologia. Ninguém que tenha sentido ou testemunhado os efeitos benéficos de remédios psiquiátricos pode negar que a neurobiologia deve, de fato, ter um papel na dinâmica e na potencial diminuição do mal-estar mental, assim como tem em todas as nossas experiências. Às vezes, a cura a que acabo de me referir pode ser auxiliada – certamente não garantida, mas assistida – pelo uso inteligente desses remédios. Essa não é apenas minha opinião profissional, mas também minha experiência pessoal.

Quando eu tinha 40 e poucos anos, decidi começar a tomar Prozac, remédio que aumenta a serotonina. (Um dos principais neurotransmissores ou mensageiros químicos do cérebro, considera-se que a serotonina influencia funções como a regulação do humor e a diminuição da agressividade.) Meu ceticismo em relação à tendência crescente de medicar milhões de pessoas foi eclipsado pela minha ânsia por um alívio da gravidade diária do meu estado mental, conforme resumi com desânimo num registro de diário da época: "*Estou sem energia para viver. Passei todos os fins de semana dos dois últimos meses – todos os meus fins de semana livres – irritado, passivo, desmotivado, deprimido e deprimente como companhia.*"

Logo me tornei outra pessoa. Em poucos dias, minha mulher observou aliviada que meus traços faciais relaxaram. Eu então acordava de manhã com energia em vez de amargura, parei de me irritar tanto com meus familiares, sorria e gargalhava bem mais, e era capaz de sentir e expressar ternura quando antes só conseguia ser frio e cortante. Era como se alguém tivesse posto um curativo no meu coração machucado, fazendo-o parar de doer ou de se ferir a cada mínimo toque. Eu me peguei dizendo maravilhado à minha cunhada: "Quer dizer que as pessoas podem se sentir assim normalmente? Eu não fazia ideia!" Tive uma experiência semelhante à que, alguns anos depois, em 1994, a escritora Elizabeth Wurtzel descreveria em seu relato pessoal intitulado *Nação Prozac*. "Um dia de manhã, acordei realmente querendo viver", escreveu ela. "Era como se a névoa da depressão tivesse se dissipado de cima de mim, do mesmo jeito que o *fog* de São Francisco vai subindo conforme o dia avança. Seria o Prozac? Sem dúvida."

Como acontece com muitos novos convertidos, minha reticência inicial logo deu lugar a um período de entusiasmo exagerado. No consultório, me tornei uma espécie de promotor do Prozac, sucumbindo ao erro de procurar patologias onde havia apenas infelicidade cotidiana. "Você tem um desequilíbrio químico no cérebro: está com falta de serotonina", explicava animadamente para pacientes em quem detectasse sintomas de depressão, já com o receituário a postos. Mal sabia eu que estava afirmando fatos não científicos. Sim, o remédio estava me ajudando, pelo menos a curto prazo. E sim, já vi outros casos em que os remédios psiquiátricos fizeram melhorar, ou até mesmo salvaram vidas. Mas precisamos evitar a falácia de deduzir dos benefícios (em alguns casos) observáveis das medicações o fato de a *origem* demonstrada da doença mental estar na bioquímica do cérebro, muito menos de esses desequilíbrios fisiológicos terem causa genética.

O fato de um remédio ter determinados efeitos positivos nada revela sobre a gênese de um sintoma. Se uma aspirina alivia a dor de cabeça, a dor de cabeça pode ser explicada por uma deficiência herdada de ácido acetilsalicílico no cérebro, o ingrediente ativo da aspirina? Se uma dose de bourbon faz você relaxar, o seu sistema nervoso tenso está sofrendo de uma carência de uísque determinada pelo DNA? Existem 50 ou mais neurotransmissores cerebrais cujas interações complexas nós só agora estamos começando a explorar, sem falar nas quase infinitas possibilidades inerentes à interseção da experiência com a biologia do corpo e do cérebro ao longo de toda a vida. Mais uma vez, a fisiologia do cérebro é uma manifestação e produto da vida, com seu movimento e seu contexto.

Além disso, como escreve Bruce Perry: "O cérebro é um órgão histórico. Ele armazena nossa narrativa pessoal." Como ele faz isso na forma de elementos químicos e redes neurais, não é de espantar que experiências difíceis possam resultar numa neurobiologia perturbada. Mesmo quando exames de imagem do cérebro mostram determinadas anomalias – como acontece no caso de muitas pessoas traumatizadas –, essas anomalias não provam que o "transtorno" tenha uma *origem* neuroquímica. Um recém-publicado estudo de três décadas acompanhou pessoas do início da vida até os 29 anos. A má qualidade do cuidado na infância estava associada, 30 anos depois, a um volume maior da estrutura cerebral fundamental para as emoções, o hipocampo, bem como a um risco elevado de traços de "personalidade borderline" e de suicídio. Em outras palavras, a genética cerebral não "causava" nem a "doença" nem as diferenças neurofisiológicas: elas eram todas resultado da experiência de vida.[13]

O autor britânico Johann Hari explorou os vícios e a depressão tanto do ponto de vista pessoal quanto jornalístico. Em sua obra de sucesso, *Lost Connections* (Conexões perdidas), ele narra a própria experiência de desânimo devastador, seguida pela exultação com o diagnóstico de depressão que finalmente "explicava" seus perturbadores estados mentais. "Isso vai soar esquisito", escreve ele, "mas o que senti nessa hora foi um choque de felicidade, como quem encontra inesperadamente um monte de dinheiro enfiado no encosto do sofá. Existe um termo para descrever o que estou sentindo! É um distúrbio médico, como diabetes ou síndrome do cólon irritável."

Como no meu caso, a primeira experiência de Hari com medicamentos foi positiva. "Foi só anos mais tarde", relata ele em *Lost Connections*, "que alguém me assinalou todas as perguntas que o médico não me fez naquele dia. Tipo: existe algum motivo que pode estar fazendo você se sentir mal? O que tem acontecido na sua vida? Algo o está machucando que talvez você queira mudar?" As respostas teriam sido todas sim: Hari estava carregando tanto traumas do passado quanto estresses do presente que ele considerava fazerem parte do seu "normal". Com o tempo, começou a ver que o modelo médico estreito que o ajudara a manejar seus sintomas também o estava deixando muito distante da cura. Ele não desacredita inteiramente a abordagem biológica, segundo me contou, mas também observou com tristeza que "ela acabou abafando as percepções muito mais sensatas que as pessoas têm a respeito de por que ficam mal e como solucionar seu mal-estar. Na verdade, como dizer... ela nos proporcionou um mapa impreciso da nossa dor".

Não há qualquer controvérsia em relação ao fato de que quanto maior o grau de adversidade na infância, maior o risco de perturbações mentais, inclusive psicose. Um estudo constatou que pessoas que haviam passado por cinco tipos de maus-tratos na infância eram muito mais propensas a receberem um diagnóstico de psicose do que as que não tivessem vivenciado esses acontecimentos traumáticos.[14] Um artigo importante de 2018 publicado no *Schizophrenia Bulletin* concluiu que a gravidade dos traumas de infância estava correlacionada à intensidade das ilusões e alucinações.[15] Richard Bentall, psicólogo, acadêmico e membro da Academia Britânica, resumiu esse fato científico alguns anos atrás: "As evidências de uma relação entre o infortúnio na infância e um futuro transtorno psiquiátrico são aproximadamente tão fortes do ponto de vista estatístico quanto a relação entre tabagismo e câncer de pulmão", escreveu ele. "Hoje existem também fortes indícios de que esse tipo de experiência afeta a estrutura cerebral, o que explica muitos dos achados anormais em exames de imagem neurológicos relatados no caso de pacientes psiquiátricos."[16] Isso ia no mesmo sentido de um estudo de Harvard, cuja conclusão era: "Essas mudanças no cérebro podem ser mais bem compreendidas como *reações adaptativas destinadas a facilitar a sobrevivência e a reprodução diante da adversidade*. Sua relação com a psicopatologia é complexa."[17]

Existe uma coisa que os cientistas que avaliam trabalhos de pesquisa não dizem, embora seja óbvio e cristalino para muitos clínicos que trabalham com o sofrimento mental: não são necessários maus-tratos explícitos para exercer impactos negativos na neurobiologia do cérebro ou no funcionamento da mente. A neurobiologia é um contínuo, assim como a "doença mental" e a saúde. Feridas emocionais durante o desenvolvimento podem ter consequências fisiológicas mesmo *sem* abuso ou negligência. Como explica Bruce Perry, experiências adversas na infância – do tipo grave, que merece a designação oficial de EAI – têm consequência, mas "não são tão determinantes quanto nosso histórico de relacionamentos... O mais forte fator para prever como você funciona no presente é a sua conectividade relacional atual, e o segundo componente mais forte na nossa visão é o seu histórico de conectividade".

"Deixe de ser tão sensível", é algo que as pessoas ouvem com frequência. Em outras palavras, "deixe de ser tão você". As vulnerabilidades genéticas não determinam doenças, mas podem gerar uma sensibilidade que torna a pessoa mais vulnerável às vicissitudes da vida do que outra com uma predisposição mais robusta, efeito que está longe de ser trivial. Pessoas sensíveis sentem mais e são mais facilmente subjugadas pelo estresse, não apenas de um ponto de vista subjetivo, mas também fisiológico. Tanto macacos quanto seres humanos, por exemplo, podem herdar genes que influenciam a produção de determinadas substâncias químicas cerebrais como a serotonina, capazes de torná-los mais suscetíveis a experiências negativas; ou então, por outro lado, mais suscetíveis ao efeito das positivas. (E, naturalmente, essa sensibilidade também é um contínuo.)

"Os genes afetam quão sensível se é em relação ao entorno, e o entorno afeta quão relevantes podem ser as diferenças genéticas de cada um", afirmou o renomado geneticista R. C. Lewontin. "Quando um ambiente muda, tudo pode acontecer."[18] Algumas pessoas sentirão mais dor, e portanto terão mais necessidade de fugir em direção às adaptações representadas pelas doenças mentais ou pela dependência. Elas terão mais necessidade de se desconectar, de se dissociar, de se dividir em partes, de criar fantasias para explicar realidades que não conseguem suportar. Mas isso é bem diferente de dizer que elas têm uma doença neurobiológica hereditária. Essas são as crianças que Tom Boyce, professor de pediatria e psiquiatria na Universidade da Califórnia em São Francisco, descreve como *crianças orquídeas*, "ultrassensíveis ao ambiente em que se encontram, o que as torna especialmente vulneráveis em condições de adversidade, mas com uma vitalidade, uma criatividade e um sucesso fora do normal em ambientes onde existe apoio e cuidado".[19] Os mesmos genes da "sensibilidade" que num ambiente de estresse podem ajudar a potencializar o sofrimento mental podem, em circunstâncias positivas, ajudar a promover mais resiliência mental, e portanto mais felicidade.[20] Pessoas sensíveis têm potencial para serem mais atentas, perceptivas, inventivas, artísticas e empáticas, contanto que sua sensibilidade não seja esmagada por maus-tratos ou desprezo. Os mais sensíveis dentre nós foram os que deram as contribuições culturais mais duradouras; muitos também suportaram as dores mais intensas ao longo da vida. A sensibilidade pode ser o típico combo: dádiva e maldição, dois em um.

Muitas das pessoas com doenças mentais que conheci apresentam essa qualidade, às vezes em graus espantosos. Nunca esquecerei uma conversa que tive ainda na faculdade de medicina com um rapaz psicótico mais ou menos da mesma idade que eu. Alto e desalinhado, ele ficou me encarando com um olhar penetrante enquanto eu lhe lançava algumas perguntas relacionadas a um projeto de pesquisa insignificante pelo qual estava sendo pago. Fiquei assombrado com suas sacadas sobre a vida, a sociedade, os segredos da existência e os seres humanos. Enquanto escutava, desejei ter acesso a tamanha consciência. "Não é verdade o que você está pensando", interrompeu ele. "Não é verdade que sou mais inteligente do que você."

Apesar da sensação causada pela genética na mídia e de todas as regiamente financiadas pesquisas de sequenciamento de DNA no mundo científico, ninguém jamais identificou qualquer gene que cause uma doença mental, nem qualquer grupo de genes que codifique distúrbios de saúde mental específicos ou cuja presença indique um transtorno mental. A professora Jehannine Austin, acadêmica e pesquisadora, dirige uma clínica de aconselhamento de saúde mental em Vancouver.[21] "Todo mundo tem alguns genes que predispõem à doença mental", me disse ela, mas eles estão "muito, muito longe de causar alguma coisa... Literalmente, o que separa aqueles de nós que sofrem dessas doenças dos que não sofrem é *o que nos acontece durante a vida*".

Creio que a questão do apetite persistente por causas genéticas seja mais complexa. Existem os fatores que já abordamos: por um lado a reticência a encarar o trauma, e por outro a negligência em relação à ciência do desenvolvimento. Há também a preferência padrão por uma explicação simples e de rápida compreensão, além da nossa tendência a procurar causalidades de um para um para quase tudo. A vida, em sua maravilhosa complexidade, não se presta a reduções assim tão fáceis.

Outras dinâmicas psicológicas e sociológicas aumentam o atrativo das teorias genéticas. O primeiro não deveria ser nenhuma novidade: todos odiamos nos sentir culpados. Seja por nossos próprios atos como indivíduos, pelas mágoas que causamos aos nossos filhos como pais, ou por nossas muitas falhas como sociedade, nós nos esquivamos toda vez que o ajuste de contas vem bater à nossa porta. A genética, essa neutra e impessoal subordinada da natureza, parece nos absolver da responsabilidade e de sua ameaçadora sombra, a culpa. Se os genes de fato governam nosso destino como deuses caprichosos e microscópicos, então não precisamos assumir nada.

O argumento da genética é usado para justificar desigualdades e injustiças sociais de outra forma difíceis de defender. De modo muito semelhante às falsas ciências do passado – frenologia, eugenia e outras –, ela cumpre uma função profundamente conservadora: se fenômenos como a dependência ou o desequilíbrio mental são determinados em sua maior parte pela hereditariedade biológica, isso nos poupa de olhar para como nosso ambiente social apoia ou não os pais de crianças pequenas, e como atitudes, preconceitos e políticas sociais sobrecarregam, estressam e excluem determinados segmentos da população, aumentando assim sua propensão ao sofrimento. O escritor Louis Menand disse isso bem num artigo da *The New Yorker*: "'Tudo está nos genes': uma explicação para como as coisas são *que não ameaça como as coisas são*. Por que alguém que vive na nação mais livre e mais próspera da Terra deveria se sentir infeliz ou ter um comportamento antissocial? Não pode ser o sistema! Deve ser uma falha interna de algum tipo."[22]

Existe nisso tudo um paradoxo cruel. Como nos agarramos ao fundamentalismo genético para evitar os desconfortos da responsabilidade pessoal ou do ajuste de contas social, nós nos desempoderamos de modo radical – e desnecessário – para lidar de forma ativa ou proativa com sofrimentos de todo tipo. É totalmente possível abraçar a responsabilidade sem carregar a bagagem inútil da culpa ou da responsabilização. De modo ainda mais deplorável, passamos ao largo da excelente notícia de que, se nossa saúde mental não é ditada por nossos genes, então não somos suas vítimas. Pelo contrário: há muito que todos e cada um de nós podemos fazer.

## 18

# A mente é capaz de coisas incríveis: da loucura ao significado

*Talvez a linha entre sanidade e loucura deva ser traçada em relação à nossa localização. Talvez seja possível ser ao mesmo tempo louco quando visto de uma perspectiva e são quando visto de outra.*

– RICHARD BENTALL, *Madness Explained: Psychosis and Human Nature*

Se não devemos ver as dificuldades mentais apenas como doenças, o que elas são então? O ponto de vista que passei a priorizar caminha de mãos dadas com meu jeito de abordar muitos outros distúrbios que estão debaixo do guarda-chuva "doença": em vez de ver essas dificuldades como intrusas externas, considere o que elas podem estar expressando sobre a vida em que surgem. Essa estrutura, na realidade, é ainda mais intuitiva em se tratando de mazelas que, contra nossa vontade, fixam residência na mente, no mundo emocional, na personalidade da pessoa.

Comecemos com algo um tanto simples, hoje em ascensão: a depressão, estado que conheço intimamente. O significado literal da palavra é bem revelador. *Deprimir* algo significa empurrá-lo para baixo, como uma bola de borracha numa piscina. Gosto especialmente dessa analogia porque é possível sentir quanta força é preciso aplicar para manter a bola submersa, e o modo como ela "quer" encontrar um caminho de volta à superfície. Mantê-la submersa tem um custo.

O que é empurrado para baixo quando alguém está deprimido pode ser facilmente identificado pela ausência: a emoção, o fluxo contínuo de sentimentos que nos lembram que estamos vivos. Ao contrário de quem segura a bola de borracha, uma pessoa deprimida não escolhe essa submersão da energia vital: ela se impõe, transformando uma paisagem emocional antes vibrante num árido deserto. O único "sentimento" que permanece, em geral, é mais sensação do que emoção: um latejar, uma dor indistinta que ameaça consumir tudo e às vezes o faz. Se catalogarmos essa depressão de sentimentos como uma doença, corremos o risco de não reconhecer sua função adaptativa original: distanciar a pessoa de emoções insuportáveis numa época da vida em que vivenciá-las significa se expor a uma calamidade ainda maior. Lembre-se do que chamei de trágica tensão entre autenticidade e apego. Quando vivenciar e expressar o que sentimos ameaça nossos relacionamentos mais próximos, nós suprimimos esses sentimentos. Para ser mais exato, *nós* não: é nossa mente que faz isso por nós, de modo automático e inconsciente.

A história de origem da minha depressão é fácil de identificar. Ela está documentada nas inúmeras fotos de família, da primeira infância em diante, em que quase nunca há sequer um esboço de sorriso no meu rosto. Quem aparece nessas fotos é um menino, no melhor dos casos, sério demais para a idade, quando não taciturno. Sob as condições da guerra e do genocídio, absorvi os sentimentos da minha sofrida e aterrorizada mãe; nas minhas primeiras fotos me vejo quase espelhando esses sofrimentos. "A criança consegue […] sentir a tensão, a rigidez e a dor no corpo da mãe ou de qualquer outra pessoa com quem esteja", escreve o pensador de psicologia e guia espiritual A. H. Almaas. "Se a mãe está sofrendo, o bebê também está. A dor nunca é descarregada."[1] Eu não teria conseguido suportar tamanho tormento emocional se o tivesse sentido integralmente; nenhum bebê teria. Tampouco houve espaço para minha própria tristeza e raiva ao ser separado da minha mãe com menos de 1 ano.

Como já observei, circunstâncias extremas como as que vivenciei na infância não levam necessariamente a uma clivagem em relação ao próprio eu. As emoções mais perigosas, e portanto as mais frequentemente exiladas, são o luto agudo e a raiva saudável, dois sentimentos com frequência rotulados de "negativos".[2] É claro que uma criança também pode ter motivos para banir sua alegria, seu entusiasmo ou seu orgulho se esses sentimentos causarem reprovação, inveja ou simplesmente uma total incompreensão por parte do pai e da mãe demasiado estressados, distraídos ou deprimidos. Seja como for, reprimir a emoção rejeitada é a melhor forma de evitar níveis avassaladores de vulnerabilidade, de escapar de um abismo doloroso demais entre si e o mundo ao redor. Mas existe um porém: não temos como escolher as emoções que serão forçadas para baixo da consciência, tampouco temos como reverter voluntariamente o mecanismo mesmo depois de a sua utilidade já ter se esgotado. "Todo mundo sabe que a supressão não é nem um pouco sutil e nem um pouco exata", escreveu o romancista americano Saul Bellow em *As aventuras de Augie March*; "se você retém algo, retém também o que está em volta." Assim, a repressão das emoções, embora possa ser adaptativa em uma circunstância, pode se transformar num estado de desconexão crônica, num afastamento da vida. Ela passa a ficar programada no cérebro, entranhada na personalidade.

O neurocientista Jaak Panksepp, que estudou a fundo como poucos a biologia dos sistemas emocionais do cérebro, referia-se com desdém ao modelo de doença fisiológica. "As descrições populares da depressão como 'desequilíbrio químico' são banais [... Todos] os problemas da vida, inclusive a morte, são acompanhados por 'desequilíbrios químicos'", assinalou ele. Panksepp também via a depressão como uma adaptação da mente à perda de conexão, como um "mecanismo de fechamento" fisiológico para pôr fim a um sofrimento "que, se sustentado, seria perigoso para um bebê mamífero".[3] Em outras palavras, longe de expressar uma patologia hereditária, a depressão surge como um mecanismo de adaptação para aliviar a dor e a raiva e inibir comportamentos que possam representar perigo. Não que os neurotransmissores não estejam envolvidos na depressão, é só que as suas anomalias *refletem* experiências, em vez de serem sua *causa* principal. Perturbações no cérebro manifestam os estresses da existência durante períodos de formação e, uma vez estabelecidas, tornam-se motivo de mais estresse. Daí, concluiu Panksepp, "os diversos sintomas e variantes da doença depressiva".

Para mim, foi transformador entender que meus próprios problemas de saúde mental carregam significados genuínos oriundos da minha vida na minha família de origem num contexto histórico específico. Constatei que o mesmo se aplica universalmente, para onde quer que eu olhe, sejam quais forem as "doenças" mentais consideradas, ou até mesmo quão extrema a situação pareça ser. Na verdade, os casos mais flagrantes são os mais fáceis de decodificar. Quando examinadas, as manifestações de todos os diversos diagnósticos de doença mental têm um significado, da depressão até o que se denomina esquizofrenia e o transtorno do déficit de atenção com hiperatividade, de padrões alimentares problemáticos a lesões autoprovocadas.

"Antes de eu passar a atender como psicóloga, havia quem me considerasse uma doente mental grave", recorda a terapeuta nova-iorquina Noël Hunter em seu livro *Trauma and Madness in Mental Health Services* (Trauma e loucura nos serviços de saúde mental). Antes de buscar ajuda no início da idade adulta, ela vivia um sofrimento intenso e tinha uma sensação de "estar sendo controlada". "Eu estava simplesmente fora de controle", me disse ela, "e tinha muito medo de ser internada. Nessa época consultei uns seis ou sete psicólogos, assistentes sociais e psiquiatras, e recebi cerca de oito diagnósticos diferentes ao longo de todo o processo." Foram-lhe receitadas cinco medicações, das quais lhe garantiram que ela iria depender pelo resto da vida. "Eu tinha medo de um dia ter filhos, porque poderia lhes transmitir meus defeitos genéticos", escreve ela. "O fato de existirem abusos incomensuráveis na minha família inteira, de a frieza e a cobiça superarem o cuidado e o amor, e de a negligência emocional só se equiparar a uma falta de limites intrusiva, tudo isso parecia irrelevante."[4] O significado, uma vez buscado, foi cristalino e nada tinha de louco: a "paranoia" de Hunter era uma marca emocional exata e fidedigna da infância. Sem entrar em detalhes, houve um tempo em sua vida em que, jovem e impotente, ela *de fato* tinha sido controlada por figuras poderosas e hostis de maneiras que a feriam e assustavam, maneiras que violaram suas expectativas neurais e distorceram sua noção da realidade.

A mente é uma máquina de fabricar significado. A partir de emoções que, num momento de vulnerabilidade, ela foi e talvez ainda seja incapaz de conter, ela irá gerar histórias que "façam sentido". Só que na história não contada do indivíduo as emoções eram reais, e portanto continuam a ser. Elas podem voltar à tona de diversas formas, como a crença de Hunter em estar sendo "controlada" quando jovem. Para outras mentes, essas narrativas parecem a própria loucura. "Como a coisa parece um pouco fantástica, nós dizemos: 'Isso não faz o menor sentido'", observou Hunter. Na minha experiência, a história por trás de rótulos de diagnóstico como os dela é sempre perfeitamente coerente caso se busque a verdade na textura emocional e no registro biográfico, em vez de no *conteúdo* em si da fantasia paranoica. Passar a ver essa coerência e integrá-la na sua noção de si permitiu a Hunter compreender-se e regular-se de outra forma. Ela há muito tempo não toma mais os agentes farmacológicos "que teria de tomar para o resto da vida". Já testemunhei vários exemplos assim, e conheço muitos outros.

Leslie, 40 anos, terapeuta recém-formada e hoje mestranda em psicologia, tentou se matar ou fez gestos suicidas sérios mais de uma dúzia de vezes dos 17 aos 30 e poucos anos. Leslie tinha insônia crônica, chorava descontroladamente e não conseguia manter relacionamentos. Seu prontuário médico era um pot-pourri de nomenclaturas tiradas do *DSM*: depressão crônica, transtorno da personalidade borderline, distimia, transtorno do pânico, TDAH e, por um curto tempo, transtorno bipolar. Ela também fora diagnosticada com cistite crônica e fibromialgia. Em determinado momento, tomava cinco remédios psiquiátricos diferentes, entre os quais dois antidepressivos, um antipsicótico e um tranquilizante à base de benzodiazepina, e fora-lhe receitado um terceiro antidepressivo destinado a aliviar as dores físicas, além de um anti-inflamatório.

A jornada de cura de Leslie – ela hoje também não toma mais remédios – teve como foco encontrar o significado de seus multifacetados sofrimentos. Sua crença incapacitante na própria falta de valor acabou se revelando uma estratégia de autoproteção que saiu pela culatra. Por estranho que isso possa soar, essa foi a melhor das piores alternativas. Uma criança em sofrimento como Leslie foi – aqui também, os detalhes importam menos do que as linhas gerais – tem duas alternativas para processar a própria experiência. Ela pode concluir que as pessoas nas quais confia para amá-la são incompetentes, maldosas ou de outra forma incapacitadas para a tarefa, e que ela está sozinha neste mundo assustador; ou então pode concluir que ela própria é a culpada por... bem, tudo. Por mais dolorosa que seja essa segunda alternativa, ela é altamente preferível à outra, que supõe um risco à própria vida de uma jovem criatura dotada de zero poder e recursos. A primeira opção não é nem de longe uma opção. É melhor acreditar que "a culpa é minha; eu sou má", pois isso permite acreditar que existe uma chance de "se eu me esforçar e for boazinha, serei digna de amor". Assim, mesmo a crença debilitante na própria falta de valor, quase universal entre pessoas com algum diagnóstico de saúde mental e dependência, começa como um mecanismo de adaptação, tópico que revisitaremos no capítulo 30.

E o estado de pânico crônico de Leslie? Seu suposto "transtorno cerebral" era na verdade a expressão de uma mente alarmada por uma ferida precoce. Para o cérebro de uma criança na situação dela, viver num estado de medo e alerta exacerbados, mesmo na ausência de qualquer perigo imediato, é um estado adaptativo. Uma vez que se tornam habituais, essas adaptações à adversidade não conseguem discernir entre ameaças grandes e pequenas... ou ameaça nenhuma. A capacidade de distinguir entre segurança e ameaça evolui de modo saudável em condições de segurança, mas é comprometida em caso de insegurança inicial prolongada. Desfechos possíveis incluem sentir-se cercado quando não há ameaça ou, pelo contrário, manter-se alheio ao perigo quando ele está presente.[5]

Leslie aprendeu até a ter compaixão pelas próprias compulsões autodestrutivas. "Elas na verdade estavam tentando me proteger da dor profunda que eu estava sentindo ou tentando não sentir", disse ela. Entre essas compulsões estava o costume de se flagelar com um cinto de couro, como sua mãe fazia quando ela era criança. Quando lhe perguntei que efeito isso tinha, ela respondeu: "Eu meio que me acalmava um pouco. Ficava *menos desregulada.*" Era surpreendente, mas verdadeiro: os próprios padrões e comportamentos mentais que parecem causar tamanho caos em nossa vida se originam como tentativa, uma tentativa temporária e parcialmente eficaz, de *regular* nosso sistema nervoso, de equilibrar nosso corpo e nossa mente.

A incidência de lesões autoinfligidas está em alta, em especial entre os jovens. Se resistirmos a recorrer ao padrão de "doença mental" como explicação para esse comportamento, podemos perguntar em vez disso: por que as pessoas se ferem? Como no caso de Leslie, por paradoxal que pareça, esses comportamentos desempenham o papel de tranquilizar a pessoa. Eles trazem um alívio de curto prazo. O fato de cada vez mais pessoas estarem recorrendo aos ferimentos autoprovocados é um sinal da prevalência crescente do estresse e do trauma. O comediante Darrell Hammond me disse que cortar-se lhe causava

> uma crise mais administrável do que o terror dentro de você, aquele que está acontecendo no seu cérebro... É só olhar para os braços de alguém que se corta: não são cortes de suicídio. Não são cortes de morte. Ou são

cortes de "quero que alguém saiba que estou sofrendo", ou de "quando eu começar a cuidar deste braço, correr para achar um bandeide e me limpar, estarei tendo uma crise, mas uma crise administrável, enquanto a que está acontecendo dentro da minha cabeça não é".

A escritora indígena canadense Helen Knott descreve o mesmo processo com uma eloquência devastadora:

Aqueles breves instantes em que a lâmina afiada deslizava pela minha pele me traziam um alívio do ódio que eu sentia por mim mesma. Era como se, no instante em que a pele se abria, o corte se tornasse uma brecha por onde todas as minhas emoções fodidas e bagunçadas podiam se derramar... Eu não queria morrer nessa época; não era por isso que me cortava. Eu estava fazendo aquilo para poder suportar viver.[6]

Assim, muitos atos e crenças que de uma determinada perspectiva parecem pura insanidade, de outra fazem sentido, e *sempre fazem sentido inicialmente*. Nossa tarefa, se o objetivo for a cura, é lhes atribuir um sentido novo, no aqui e agora, com o benefício do discernimento e da compaixão de um adulto.

Podemos tirar essa mesma lição da vida trágica do grande ator cômico Robin Williams. Em 10 de agosto de 2014, na véspera de se matar, Williams foi a uma festa no bairro chique em que morava na Bay Area de São Francisco. As outras pessoas da festa devem ter visto a persona efervescente e sociável pela qual ele era tão conhecido. Mas por baixo daquela máscara ele estava desesperado.

Williams estava acometido pela demência por corpos de Lewy, transtorno cerebral neurodegenerativo caracterizado por sintomas semelhantes aos do Parkinson e por uma demência crescente. Ao contrário da depressão ou da ansiedade, essa doença tem marcadores fisiológicos específicos, mesmo que eles só possam ser identificados na autópsia. "Robin estava ficando louco e sabia disso", revelou sua esposa depois da morte dele. "Vivia dizendo: 'Eu só quero reprogramar meu cérebro.'" Mas a ideia de tirar a própria vida não era novidade para ele: numa entrevista de 2010, ele se recriminou por "não ter tido peito para ir até o fim".

Além da irreverência e sagacidade evidentes em seu trabalho de comediante, ele tinha uma doçura e uma vulnerabilidade que tocou muitos corações, um amor que se derramava para o mundo, mas que nunca conseguia estender a si mesmo.

A origem da angústia do ator pode ser remontada à sua infância. A escritora Anne Lamott foi criada perto de Williams em Illinois. Numa muito compartilhada postagem de Facebook, ela escreveu que, quando criança, "éramos dois no mesmo barco: assustados, tímidos, com uma autoestima péssima e uma grandiosidade horrível". O dilema do ator ao longo de toda a vida, disse ela, sempre seria "como se manter a um passo do abismo".

Na mesma postagem, Lamott aludia à hereditariedade como causa provável dos sofrimentos do amigo. No entanto, posso escutar nas palavras do próprio Williams informação mais do que suficiente para explicar suas dificuldades mentais sem recorrer a superstições genéticas. "Meus únicos companheiros, meus únicos amigos quando criança eram minha imaginação", disse ele certa vez, em uma admissão de profunda solidão.[7] No início, ele cultivou essa extraordinária capacidade de criar personagens imaginários estranhos e hilariantes como uma forma de romper seu isolamento numa família com uma mãe emocionalmente distante e um pai, como recordava ele, "assustador". Como muitas crianças sensíveis na cultura dos pares, ele sofreu bullying na escola. Encontrou alguma liberdade na fantasia, uma vez que seus personagens "podiam dizer e fazer coisas que eu próprio tinha medo de fazer". Seu talento cômico teve a função original de lhe valer alguma proximidade com a mãe. "Você fica com um desejo esquisito de se conectar com ela por meio da comédia e do entretenimento", disse ele ao apresentador de podcast Marc Maron em 2010. Os termos escolhidos não foram gentis com ele mesmo: não há nada de esquisito no fato de uma criança buscar apego em relação ao pai ou à mãe. O anormal, isso sim, é uma criança ter que fazer isso. Os mesmos mecanismos de adaptação que potencializaram seus maiores dons acabaram portanto se tornando as grades da sua prisão: mais uma vez, a dupla sina da criança sensível demais. Por baixo da sua persona de comediante brilhante e turbulenta, ele aprendeu a suprimir seus verdadeiros sentimentos. Até o dia da sua morte, foi um mestre nessa arte.

A cocaína, como deu a entender certa vez, lhe proporcionava uma trégua da própria energia exacerbada, da mesma forma que damos Ritalina a uma criança hiperativa para acalmá-la. Ele tinha uma vida inteira de desconforto com ele mesmo, típica do dependente químico, a necessidade de fugir da consciência de si mesmo: "sonambulismo em atividade", era como chamava isso. Num episódio da série televisiva de sucesso dos anos 1970 *Mork & Mindy*, ele fazia tanto o alienígena recém-chegado Mork quanto seu verdadeiro eu. "Se você aprendesse a dizer não, provavelmente teria muito mais tempo livre", diz Mindy ao ator. "Talvez essa seja a última coisa que eu quero", responde Robin com uma expressão indescritivelmente triste no rosto.

Não foi por falta de autoconsciência que o abismo no fim acabou levando a melhor sobre Williams. Muito antes de desenvolver um transtorno degenerativo, ele sofria do que denominava "síndrome do me ame por favor", autodiagnóstico bem mais preciso do que qualquer coisa que algum psiquiatra adepto do *DSM* pudesse inventar. Eu me pego desejando que alguém o tivesse guiado para ligar os pontos, para ver essa "síndrome" como o endosqueleto emocional de suas oscilações maníaco-depressivas, dependências e tendências suicidas, e muito provavelmente também do seu transtorno cerebral terminal.[8, 9] A partir daí, ele poderia ter remontado ainda mais os elos até o menino assustado e isolado que um dia fora. E encontrado o significado que poderia tê-lo salvado.

Mas o que dizer sobre distúrbios em grande parte considerados doenças cerebrais, de origem majoritariamente genética, como o variado grupo de padrões de comportamento e pensamento denominado esquizofrenia, frequentemente caracterizado por psicoses, ilusões e alucinações? A ciência é clara, e mais uma vez desmente o preconceito popular. Nenhum "gene da esquizofrenia" nunca foi encontrado ou, para ser mais exato, alegações quanto à sua descoberta tiveram que ser seriamente retratadas. Amplos estudos constataram que no máximo apenas 4% do risco pode ser atribuído a uma ampla variedade de genes – nenhum deles específico ao distúrbio, uma vez que são vistos também em casos de TDAH ou autismo.[10] Nesse caso também, o que está sendo transmitido, se é que alguma coisa está sendo transmitida, é uma sensibilidade, não uma doença. Até mesmo a nomenclatura deveria nos fazer parar e pensar: a origem grega de "esquizofrenia" significa "mente cindida". Segue-se naturalmente a pergunta: por que uma mente precisaria se cindir?

A autofragmentação é uma das defesas evocadas quando a experiência de como as coisas são não pode ser suportada. Apenas aqueles para quem a vida real é uma provação insuportável são impelidos a fugir dela. Não se trata aqui de nenhum destino genético fixo, mas sim de uma necessidade de sobrevivência composta por vulnerabilidade constitucional e uma experiência de vida avassaladora. Uma das formas de um organismo escapar desse sofrimento, seja qual for sua origem, é se desconectar sempre que emoções perturbadoras são provocadas. Diante do trauma, a cisão em relação ao presente é uma forma de autodefesa instantânea.[11] Vista sob essa ótica ela é uma dinâmica milagrosa, que permite a criaturas vulneráveis sobreviverem ao intolerável.

Nas psicoses ocorre um aspecto fundamental das doenças mentais graves: a desintegração. Nesses estados extremos, em que processos mentais normalmente inter-relacionados se separam por completo, a pessoa pode ficar totalmente desconectada do aqui e agora. É o caso da esquizofrenia, mas esse ausentar-se da realidade pode assumir toda uma gama de formas, de brandas a severas, a depender do grau de sofrimento e da sensibilidade genética do indivíduo.

Uma fuga mais branda da realidade é a dissociação. Helen Knott, submetida a exploração sexual quando muito jovem, descreve bem isso:

> Meus sentimentos saíam do meu corpo. Meu espírito ia se sentar fora de mim como se fosse uma aparição não reconhecida. Eu não sabia a vida de quem estava vivendo, que corpo habitava. Aquela não era minha história, minha vida, minha realidade... Se tentasse entrar no que estava sentindo, eu tinha medo de despencar pela borda das emoções, e não sabia o que faria comigo mesma.[12]

O que chamamos de transtorno se revela na verdade uma forma engenhosa de uma psique agredida se ausentar do sofrimento.

É também o que recorda o ex-astro da Liga Nacional de Hóquei do Canadá Theoren Fleury, sexualmente molestado pelo próprio técnico quando adolescente, e que ao crescer se tornou um defensor das vítimas de abuso sexual na infância.

> As primeiras poucas vezes em que ele me pegou não foram tão ruins porque eu não estava presente. Quando abria os olhos ele estava ali, em

pé na minha frente se limpando. Eu sabia que alguma coisa tinha acontecido, mas não tinha certeza do quê. A mente é capaz de algumas coisas incríveis. Mesmo anos depois, na terapia, quando eu falava sobre isso com a terapeuta, eu saía... deixava meu corpo. Ela precisava literalmente me sacudir para me trazer de volta.[13]

Por mais horrendas que tenham sido as circunstâncias causadoras, posso ouvir no uso da palavra *incríveis* uma valorização das partes de si que na época se mobilizaram para protegê-lo da dor, atitude que recomendo vivamente a qualquer um que fizer descobertas parecidas.

Um distanciamento crônico e reflexivo é uma das marcas do transtorno de déficit de atenção com hiperatividade (TDAH),[14] hoje diagnosticado no mundo inteiro com frequência crescente e alarmante. Nesse caso não se trata de um "sair do corpo" de grau dissociativo, mas a pessoa se desconecta de si mesma, do que está fazendo e dos outros de maneiras que perturbam o funcionamento e que muitas vezes são altamente frustrantes, como posso afirmar por experiência própria. Os traços do TDAH incluem falta de atenção, distração e baixa tolerância ao tédio, mau controle dos impulsos e (principalmente em pessoas do sexo masculino) dificuldade de ficar parado. Em consequência, milhões de crianças estão recebendo estimulantes, e centenas de milhares sendo até tratadas com medicações antipsicóticas não por terem psicose, mas simplesmente para serem acalmadas, para se tornarem mais dóceis. Isso representa um experimento social imenso e descontrolado de controle químico do comportamento infantil, já que não conhecemos os efeitos a longo prazo desses remédios no cérebro em desenvolvimento. O que sabemos graças aos estudos com adultos deveria nos fazer pensar um pouco. Já se sabe, desde 2010 pelo menos, que o uso prolongado de antipsicóticos está associado à diminuição do volume cerebral em pacientes adultos.[15] Em criança, já estamos vendo algum dano sistêmico de curto prazo. Aqui em Vancouver, o Hospital Infantil da Colúmbia Britânica precisou criar uma clínica especial só para lidar com as consequências metabólicas desses remédios, entre elas obesidade, diabetes e riscos para a saúde cardiovascular.

O TDAH é às vezes considerado a doença mental "mais hereditária", o que na minha opinião equivale um pouco a dizer que o quartzo é o cristal mais mastigável. Alguns especialistas estimam – equivocadamente, devo dizer – a hereditariedade dos traços de TDAH numa faixa de 30% a 50%.[16] Para mim a tese genética nunca fez sentido, muito embora eu e dois de meus filhos tenhamos sido diagnosticados com essa "doença cerebral". A distração é a prima menos radical da dissociação, e faz parte da mesma família de adaptações escapistas. O organismo recorre a ela em circunstâncias de estresse em que não há outro recurso para o alívio, em que não se pode nem mudar a situação nem fugir dela. Foi esse o imperativo na minha própria infância, e também a situação de meus três filhos sensíveis – traço esse que eles podem ter herdado, conforme discutido no capítulo anterior – num lar emocionalmente caótico caracterizado, em meio a muito amor, por ansiedade, depressão e conflito parental. Essa adaptação então se inscreve no cérebro, sem que este seja em si a fonte original do problema.

É verdade que estamos vendo mais crianças perturbadas hoje em dia, mas pôr a culpa do comportamento da criança no cérebro dela não faz sentido, assim como não faz sentido culpar os pais. Como vimos no caso de outros distúrbios, quando a frequência de uma síndrome aumenta muito num curto período não é possível que a causa seja genética. Jaak Panksepp sugeriu que o TDAH não é uma doença cerebral, mas sim um problema advindo em parte de um desenvolvimento prejudicado, nas condições sociais modernas, do que ele denominou sistema nato do BRINCAR. A solução por ele proposta: mais oportunidades de brincadeira para as crianças, de modo a encorajar a "construção do cérebro social".[17]

Da mesma forma que a depressão é "explicada" pelos partidários da biologia como o resultado de uma carência do neurotransmissor serotonina, o TDAH é atribuído a uma insuficiência de dopamina, a molécula do cérebro ligada ao incentivo-motivação. Assim, receitamos estimulantes que aumentam a dopamina, como Ritalina ou Adderall. Embora a dopamina com certeza pareça estar implicada nesse caso, também a prática médica ignora a interação entre fisiologia e entorno. Hoje em dia, várias pesquisas já vincularam os sintomas de TDAH a traumas ou estresse precoce, e demonstraram que ambos podem ter impacto nos circuitos da dopamina no cérebro, e que essa adversidade pode interferir na subsequente capacidade da criança de se concentrar e organizar tarefas.[18, 19] Esses traumas ou estresses precoces podem incluir a depressão materna ou perturbações mais explícitas do meio familiar. Um dos estudos examinou dados de 65 mil crianças de 6 a 17 anos. Os pais daquelas diagnosticadas com TDAH relataram uma prevalência bem maior de eventos adversos.[20]

Chegou a hora de encarar os ambientes em constante mutação e cada vez mais estressantes em que nossas crianças estão crescendo, antes de interferirmos quimicamente na sua fisiologia cerebral. Quando eu atendia crianças que se encaixavam nos critérios desse distúrbio, minha abordagem era observar o ambiente familiar e ajudar pais e mães a compreenderem os estresses que estavam sem querer transmitindo para os filhos. Em todos os casos, sem exceção, essas crianças eram, como diz a expressão popular, bois de piranha. Sensíveis no enésimo grau, seus "sintomas" expressavam as dificuldades não resolvidas de todo o sistema familiar, ele próprio sobrecarregado pelas pressões exercidas por uma cultura cada vez mais hostil ao desenvolvimento. Se víssemos o distúrbio e os traços a ele associados como manifestações de uma falta de desenvolvimento biopsicossocial, e não sintomas de uma doença, nós nos perguntaríamos como proporcionar as condições certas para uma plasticidade cerebral e um crescimento psicológico saudáveis. E todos nós – médicos, mães, pais, educadores – respeitaríamos em primeiro lugar a neurobiologia do relacionamento.[21]

Seria bom aprendermos com nossos amigos cães. Uma publicação de veterinária relatou em 2017 que alguns "cães problemáticos" – mais agitados, mais vulneráveis à distração e menos obedientes do que outros – podem ser tratados com medicações estimulantes para aliviar os "sintomas", tornando-os assim mais fáceis de treinar. "Mais interessante é o fato de determinadas condições ambientais e sociais afetarem o surgimento de sintomas de TDAH", relatou o *Psychology Today*.

> Cães que têm muitos contatos sociais com outros cães e muitas interações com humanos parecem apresentar menos sintomas [típicos] de TDAH. Quanto mais você se conectar fisicamente e brincar com o cão, menos problemas haverá. Cães deixados sozinhos por períodos prolongados também têm mais propensão a apresentar sintomas hiperativos quando você volta. Outra associação interessante que os pesquisadores descobriram é que cães que dormem sozinhos (isolados do dono ou de outros cães) têm mais problemas.[22]

Se psicólogos, médicos e educadores tivessem tanta percepção, empatia e imaginação quanto esses veterinários, talvez menos crianças fossem medicadas.

Quando buscado, o significado aparece prontamente no transtorno bipolar, também conhecido como maníaco-depressivo. "Adoeci pela primeira vez aos 21 anos", recorda Caterina. "A coisa acabou virando um verdadeiro surto psicótico. Eu me considerava a essência do mal. Sentia que era uma pessoa horrível que não merecia existir. Entrava em estados de catatonia e ouvia vozes, todas me dizendo quanto eu era sem valor, quanto era má."

Essa entrevista foi única pelo fato de ter ocorrido na presença dos pais de Caterina, em vez de individualmente como de costume. Os dois tinham intuído que os problemas da filha vinham de algo além da química cerebral dela, e queriam a minha opinião.

O surto maníaco de Caterina ocorreu depois de uma discussão hostil com a mãe. "Fiquei magoada e com raiva de alguma coisa que ela disse", relatou Caterina.

> Achei que tivesse estragado minha família, e que fôssemos todos desmoronar. No começo foi assustador... mas depois começou a me dar uma sensação muito boa, e isso foi progredindo, progredindo, até eu passar a me sentir muito poderosa: eu era capaz de salvar o mundo. Não era mais uma força destruidora; podia pôr toda a arte de volta no mundo.

(Hoje com 26 anos, ela estuda artes plásticas em Toronto.) Num quadro típico de mania, Caterina se sentiu hiperenergizada e passou uma semana sem dormir, até ser internada. Os remédios que lhe foram receitados aliviaram seus sintomas, mas ela não foi guiada a refletir sobre a origem de suas ilusões de poder malévolo ou de bondade maravilhosa. "O senhor acha que isso é algo que devemos investigar?", perguntou-me ela. "Meus psiquiatras acham que as ilusões são só uma espécie de febre." Respondi fazendo outra pergunta. "E se as suas ilusões forem de uma precisão perfeita? Não precisão no sentido concreto, mas em relação à sua realidade emocional?" Assinalei que ambas as fantasias – "eu tinha destruído minha família" e "eu poderia salvar o mundo" – tinham algo em comum.

Caterina logo captou a semelhança. "Nas duas eu tenho uma sensação de controle! Sou muito poderosa."

A origem dessa sensação de poder avassaladora logo começou a surgir. "Meus pais passaram por uma fase muito difícil quando eu tinha 11 anos", recordou Caterina. "À noite eles tinham brigas horríveis... ficavam gritando um com o outro. Meu pai chorava comigo... *o que era compreensível*, porque ele estava passando por muita coisa e nós dois éramos muito chegados." Essa "proximidade", na verdade uma falta de limites nada saudável que os psicólogos denominam "fusão", havia perdurado durante os anos de formação de Caterina. Por mais prejudicial que fosse essa dinâmica, Caterina achava que proteger os pais era o seu dever moral: ela via sua incapacidade de manter a família unida como um símbolo de vergonha, uma prova da sua falta de valor. Absorver as tristezas de um pai ou de uma mãe não é uma responsabilidade que a natureza atribuiu a uma criança. "A inversão de papéis entre criança ou adolescente e pai ou mãe, a não ser que seja muito temporária, é quase sempre não só sinal de patologia no pai ou na mãe, mas *uma causa de patologia na criança*", escreveu o psiquiatra britânico John Bowlby,[23] grande pioneiro das pesquisas sobre apego e desenvolvimento da personalidade.

A fase psicótica de Caterina pode ser vista como uma espécie de assombração interior, em que todas as intensas emoções que ela teve que reprimir quando criança para poder desempenhar seu papel "compreensível" ressurgiram para tomar de assalto sua mente adulta. Seus pais, eles próprios traumatizados em suas famílias de origem e por tragédias políticas em seus países natais, eram incapazes de lidar com as próprias emoções, que dirá com as da jovem filha. Em última instância, suas autoacusações de extrema maldade e ilusões de potência quase divina eram dois polos de um "poder" com que ela nunca deveria ter sido sobrecarregada.

Um estudo de 2013 examinou quase 6 mil pessoas diagnosticadas com bipolaridade na França e na Noruega. "Nossos resultados demonstram associações consistentes entre traumas de infância e características clínicas mais severas no transtorno bipolar", relataram os pesquisadores. "Além disso, eles mostram a importância de incluir o abuso emocional, além do mais frequentemente investigado abuso sexual, na abordagem das características clínicas do transtorno bipolar."[24] Notemos, mais uma vez, que as formas mais sutis de ferida emocional como as que Caterina suportou quando criança, embora mais difíceis de estudar, não são menos prejudiciais para uma jovem sensível.

"O senhor acha então que as pessoas deveriam focar no conteúdo emocional das ilusões e tentar entendê-las?", perguntou Caterina quando estávamos encerrando a entrevista. "Acha que essa é uma forma de curá-las, em vez de medicá-las?" "Não é necessariamente uma questão de *em vez de*", sugeri. "Se você não estivesse tomando remédios, não seria capaz de ter essa conversa. Meu problema com a abordagem habitual não é o fato de os médicos receitarem remédios; só que com demasiada frequência isso é a única coisa que eles fazem."

Aconselhei a família a seguir fazendo terapia para destrinchar seus traumas individuais e seu enredamento mútuo.

Uma extensa literatura científica hoje também associa os relacionamentos perturbados com a comida a traumas e estresse familiar precoce. Lembre que o Estudo sobre Experiências Adversas na Infância (EAI) começou depois que o pesquisador-chefe, Vincent Felitti, passou a prestar atenção nas histórias de vida dos pacientes na clínica de obesidade que dirige. "Nós conseguíamos ajudá-los a emagrecer", esclareceu Felitti, "mas não a manter o peso. Eu ficava me perguntando por quê, até finalmente entender o recado: 'Você não entendeu?', disseram eles. 'Nós estamos nos empanturrando com a nossa própria dor.'"

Como no caso de outras pessoas com problemas de saúde mental "genéticos", coisa que a anorexia muitas vezes é considerada, as histórias pessoais de indivíduos sempre revelam algum significado. Uma colega médica que sofria de anorexia na adolescência, por exemplo, se autodescreve como perfeccionista, traço com o qual ninguém nasce. O perfeccionismo surge como uma adaptação para se encaixar num entorno onde a pessoa percebe não ser bem-vinda sendo somente quem é, com todas as suas "imperfeições".

De modo bem semelhante ao que ocorre nos vícios ou comportamentos de lesões autoinfligidas, ou então em distúrbios como o transtorno obsessivo-compulsivo, nos padrões de alimentação perturbada sempre existe uma "recompensa". Aos 17 anos, Andrea, hoje com 27, se tornou "para lá de supermeticulosa" em relação ao que comia.

> Eu cozinhava para os outros e nunca comia nada. Mas tudo que comia era sempre pesado e medido. Na faculdade, lembro de comer no café da manhã iogurte grego com granola ou muesli, e de medir absolutamente tudo em copos medidores. Tudo era anotado numa planilha para eu saber o que estava comendo. Era uma forma de controle absoluta.

Com 1,70 metro de altura, Andrea emagreceu até pesar 48 quilos. Passou sete anos sem menstruar.

Esse impulso desesperado de ter pelo menos algum controle sobre o próprio corpo em situações de crise é quase universal nas pessoas com anorexia ou bulimia que entrevistei. A psicóloga Julie T. Anné, especializada no tratamento de transtornos alimentares, vai direto ao ponto: segundo ela, há "três faltas" típicas em suas clientes – falta de controle, falta de identidade e falta de valor próprio –, aliadas a uma necessidade de anestesiar a dor. "Num mundo relacional... a psique humana inventa uma forma brilhante de sobreviver emocionalmente", explicou ela. "Na nossa cultura isso se torna a busca da perfeição no que diz respeito ao corpo e ao eu. Também conhecida como anorexia." Apesar disso, é extremamente raro para esses indivíduos profundamente feridos, assim como para os portadores de todos os fardos mental-emocionais com quem tivemos contato, ouvir as perguntas-chave: *De onde isso veio? Que problema verdadeiro isso está tentando resolver?*

Um dos papéis mais amados de Robin Williams, e que lhe valeu um Oscar, foi em *Gênio indomável*, em que ele interpreta um bondoso psicólogo encarregado de ajudar um zelador de Boston que agrediu um policial. Interpretado por Matt Damon, esse talentoso rapaz – que se revela um diamante bruto intelectual – enterrou sua vulnerabilidade sob uma camada ossificada de raiva e confronto. A cena mais emblemática do filme mostra Williams encarando Damon bem de perto e repetindo uma afirmação simples, mas potente: "Não é culpa sua", até o rapaz por fim desabar e abraçá-lo, aos prantos. Essa mensagem, "não é culpa sua", transmite não só uma compaixão irrestrita, algo por que o personagem de Damon ansiava internamente, mas também sabedoria. Desde os problemas de comportamento até as doenças mentais declaradas, a culpa não é de *ninguém*, tampouco, como vimos, do cérebro ou dos genes da própria pessoa. Essas coisas são expressões de feridas não intencionais, *e têm significado.*

O significado vai além da vida individual da pessoa, sua família de origem, sua infância. Se quisermos tratar os inúmeros distúrbios aos quais este livro até agora dedicou sua atenção, precisamos examinar a história mais ampla através de uma lente maior. Se eu pudesse destilar minha mensagem e imortalizá-la num lindo momento cinematográfico, faria Robin Williams encarar todos nós bem nos olhos – inclusive eu mesmo – e dizer, num tom convicto: "Não é culpa sua... *e não é nada pessoal.*" Isso tem a ver com nosso mundo em sofrimento; é a manifestação das ilusões e mitos de uma cultura alienada da nossa essência.

Examinemos agora esse contexto mais amplo.

# PARTE QUATRO

# AS TOXICIDADES DA NOSSA CULTURA

*Tornar uma ferida visível e pública costuma ser o primeiro passo para curá-la, e a mudança política muitas vezes se segue à cultural à medida que o que antes era tolerado passa a ser visto como intolerável, ou o que antes não merecia atenção se torna óbvio.*

– REBECCA SOLNIT, *In the Dark*

# 19
# Da sociedade para a célula: incerteza, conflito e perda de controle

> *A história do mundo é a história de 10 mil anos de uma guerra de cérebros entre ricos e pobres... Os pobres vencem algumas batalhas... mas é claro que há 10 mil anos os ricos vêm ganhando a guerra.*
>
> – ARAVIND ADIGA, *O tigre branco*

Sabemos que o estresse crônico, venha de onde vier, põe o sistema nervoso em alerta, distorce o aparato hormonal, prejudica a imunidade, favorece a inflamação e mina o bem-estar físico e mental. Vejo isso todos os dias, e concordo com János Selye, pai das pesquisas sobre estresse, que "sem hesitação" afirmou que "para o ser humano os fatores de estresse mais importantes são emocionais".[1] Neste estágio de nossa exploração do trauma, da doença e da cura, eu acrescentaria apenas que os principais fatores determinantes do estresse emocional humano se estendem do pessoal para o cultural. Somos na realidade seres biopsico*ssociais*.

Relembrando o que já vimos sobre o estresse: em primeiro lugar, sua fisiologia e suas consequências incluem a ativação aguda ou crônica, a potencial superativação, e até mesmo a exaustão do eixo hipotálamo-pituitária-adrenal (HPA) que conecta os centros emocionais do nosso cérebro e todo o aparato fisiológico do corpo.[2] Além disso, há o que Bruce McEwen chamou de "carga alostática": o desgaste ocasionado no corpo por precisar manter o equilíbrio interno diante de circunstâncias instáveis e desafiadoras, entre as quais se destaca o trauma. Nessa cultura, muitas pessoas estão fadadas a suportar fortes cargas alostáticas, prejudicando sua saúde mental e física, conforme demonstrado – se é que mais provas se fazem necessárias – por um estudo recente de Yale que revela o impacto cumulativo do estresse no envelhecimento biológico acelerado. "Nossa sociedade está vivenciando mais estresse do que nunca, o que conduz a desfechos negativos tanto psiquiátricos quanto físicos", observaram os pesquisadores.[3]

É claro que não existem "oportunidades iguais" em relação ao estresse, da mesma forma que elas não existem na vida econômica. A estrutura de uma sociedade baseada em poder e riqueza, com disparidades estruturais de raça e gênero, deixa algumas pessoas com uma carga fisiológica bem maior do que outras. É verdade que, numa cultura que incita indivíduos e grupos a competirem selvagemente entre si, os gatilhos psicológicos para o estresse não poupam nenhuma categoria social, mas mesmo assim seus efeitos têm uma distribuição desigual. E embora os estresses *pessoais* causados pela desconexão de si e pela perda de autenticidade possam cruzar fronteiras de classe, a pressão alostática imposta por desequilíbrios de poder tem um peso maior nos politicamente desempoderados e economicamente desfavorecidos.

Quais são, na nossa sociedade, os gatilhos emocionais mais disseminados do estresse? Minha observação de mim mesmo e dos outros me levou a concordar inteiramente com a conclusão de um artigo sobre a literatura relacionada ao estresse, a saber que "fatores psicológicos como *incerteza, conflito, falta de controle e falta de informação* são considerados os estímulos mais estressantes e ativam intensamente o eixo HPA".[4] Uma sociedade que favorece essas condições, como o capitalismo inevitavelmente faz, é um gerador superpotente de fatores de estresse que afetam a saúde humana.

O capitalismo é "bem mais do que uma simples doutrina econômica", observa Yuval Noah Harari em seu influente sucesso de vendas *Sapiens*.

> Ele hoje engloba toda uma ética: um conjunto de ensinamentos sobre como as pessoas deveriam se comportar, educar seus filhos, e até mesmo pensar. Seu princípio mais importante é que o crescimento econômico é o deus supremo, ou pelo menos um substituto para o deus supremo,

porque a justiça, a liberdade e até a felicidade, tudo isso depende do crescimento econômico.[5]

A influência do capitalismo é hoje tão profunda e abrangente que seus valores, pressupostos e expectativas influenciam de forma poderosa não só a cultura, a política e o direito, mas também subsistemas como o ensino superior, o sistema escolar, a ciência, o noticiário, o esporte, a medicina, a criação dos filhos e o entretenimento popular. A hegemonia da cultura materialista é hoje total, e seu descontentamento, universal. Neste capítulo e nos seguintes, vamos explorar como isso afeta nossa saúde.

Na faculdade de medicina, fui ensinado a pensar na vida e na saúde em termos puramente individualistas. O fato de ser tão difícil *não* vermos as coisas assim é por si só um aspecto característico da visão de mundo "normal" gerada pelo capitalismo.

Nisso, como em tantas outras coisas, o sistema médico espelha e reforça a ética dominante. Numa cultura atomizada e materialista, as pessoas são induzidas a levar tudo para o lado pessoal, a ver as próprias dificuldades mentais e físicas como infortúnios ou mesmo fracassos que pertencem somente a elas. Veja por exemplo o retrato pintado pelo ex-primeiro-ministro britânico Tony Blair, até hoje um requisitado e bem-remunerado palestrante defensor da ética dessocializante, ou seja, de remover o "social" da nossa sociedade. Muitos problemas de saúde, disse ele,

> não são, estritamente falando, de modo algum problemas de saúde pública. Eles estão ligados ao estilo de vida: obesidade, tabagismo, consumo excessivo de álcool, diabetes, doenças sexualmente transmissíveis... Nada disso é epidêmico no sentido epidemiológico; essas coisas são resultado de milhões de *decisões individuais*, em milhões de instantes.[6]

Esse ponto de vista demonstra certo descaso pelos muitos estudos vinculando esses "milhões de decisões" ao trauma e ao estresse, incluindo os estresses impostos pelo baixo status socioeconômico ou ocupacional e pela pobreza, uma ferida aberta na sociedade britânica desde o desmantelamento do "Estado de bem-estar social" e das instituições comunitárias, acompanhado pela perda de poder dos sindicatos de trabalhadores. Apesar dos consideráveis indícios, o fato de por baixo dessas "decisões individuais" haver um meio social forjado pelo capitalismo avançado não parece ter ocorrido ao sr. Blair. Isso não é nenhuma surpresa: a recusa em reconhecer as condições econômicas e políticas gerais como relevantes para a saúde e a felicidade individuais é um traço central da ideologia materialista. As chaves do reino jamais seriam confiadas a ninguém inclinado a ligar esses pontos.

A cultura influencia nosso bem-estar por meio de todo tipo de circuito biopsicossocial, entre eles as causas epigenéticas; as inflamações induzidas por estresse; o dano aos telômeros e o envelhecimento precoce; como e do que nos alimentamos; as toxinas que ingerimos ou inalamos. Ela exerce sua influência por meio de muitos outros mecanismos que agem de fora para dentro: por efeitos transmitidos de pais para filhos; de uma pessoa para outra; de condições sociais, políticas e econômicas para corpos individuais – "da sociedade para a célula", nas palavras do cientista molecular e pesquisador Michael Kobor. Contrariando a visão de Blair, ela também influencia e limita poderosamente quase todas as "decisões individuais" que a maioria de nós toma em relação ao próprio bem-estar.

Todos os fatores de estresse representam a ausência ou a ameaça de perda de algo que um organismo percebe como necessário para a sobrevivência. A perda iminente de uma fonte de alimento, por exemplo, é um fator de estresse importante para qualquer criatura. O mesmo vale, na nossa espécie, para a ausência ou a ameaça da perda do amor, ou de um trabalho, ou de dignidade, ou de autoestima, ou de significado.

Em 2020, poucas semanas antes de o novo coronavírus se espalhar como uma metástase e devastar a economia mundial, ninguém menos do que Kristalina Georgieva – diretora do Fundo Monetário Internacional, comitê executivo de planejamento do capital internacional – já alertava para o fato de que a economia mundial corria o risco de voltar às terríveis condições da Grande Depressão devido às desigualdades e à instabilidade do setor financeiro. "Se eu tivesse que identificar um tema para este início de década", disse ela, "seria o aumento da incerteza."[7] A maioria da população do meu próprio país, por exemplo, não precisava dessa alarmante previsão para saber que as coisas não estavam indo bem. Apenas um mês antes de a diretora do FMI fazer sua previsão, quase 90% dos canadenses expressavam preocupação com o fato de o preço dos alimentos estar subindo mais depressa do que a renda deles. Cerca de um em cada oito lares canadenses tinha vivenciado insegurança alimentar no ano anterior.[8] Na minha província natal da Colúmbia Britânica, 52% das mulheres relatavam em 2017 um "estresse emocional extremo" relacionado à sua situação financeira.[9] São tendências internacionais, que vêm aumentando há décadas.

O aumento dos distúrbios de saúde mental e física crônicos em muitos países nas últimas décadas, da depressão ao diabetes, não pode ser uma coincidência. "O neoliberalismo[10] tornou o mundo do trabalho muito menos seguro, e consequentemente mais estressante e mais prejudicial para a saúde", escrevem dois acadêmicos britânicos, "resultando numa infinidade de doenças crônicas, entre elas dores musculosqueletais e doenças cardiovasculares."[11] Não acho que isso seja surpreendente; basta ver como vivemos num sistema que não para de fomentar o estresse da incerteza de massa. A globalização, com suas políticas desastrosas impostas aos chamados países em desenvolvimento por organismos como o Fundo Monetário Internacional e o Banco Mundial – por exemplo, o corte de programas sociais, a eliminação dos direitos do trabalhador e os incentivos à privatização – também permearam as nações industrializadas. Foi o que o filósofo político John Ralston Saul chamou de "teoria econômica da crucifixão: é preciso ser morto econômica e socialmente para poder renascer limpo e saudável".[12]

Os impactos de nosso sistema econômico na saúde não são nem difíceis de entender nem difíceis de rastrear. Um estudo de 2013 comparando as condições de saúde e de estresse de jovens suecos às de jovens gregos durante a catástrofe financeira que então submergia a Grécia constatou que os universitários de Atenas estavam em clara desvantagem. Eles relatavam níveis superiores de estresse, tinham "menos esperança no futuro", e apresentavam sintomas "significativamente mais generalizados de depressão e ansiedade", bem como, um mau sinal, níveis *mais baixos* de cortisol.[13] Esse último dado é um marcador do estresse prolongado: um sinal de que o mecanismo saudável e protetor de reação ao estresse das pessoas estava entrando em colapso. Ele com frequência prevê futuras doenças.[14] "Pode-se suspeitar que a crise social da Grécia esteja começando a ter efeitos biológicos nos residentes do país", alertou o estudo. De modo semelhante, no Canadá, constatou-se que quando as mulheres são submetidas à pressão econômica os níveis de hormônio do estresse em seus filhos aumentam significativamente antes dos 6 anos, elevando o risco de desenvolverem doenças.[15]

Muitas pessoas vivem à mercê de forças que de modo algum são capazes de influenciar, quanto mais de controlar. Como ninguém sabe quando virá a próxima recessão cíclica, ou quando mais um meganegócio vai sofrer um enxugamento de pessoal, uma fusão ou uma relocalização geográfica, o ganha-pão das pessoas fica ameaçado quase sem aviso prévio. Mesmo antes dos estragos econômicos da covid-19, tínhamos quase nos acostumado com notícias de que mais uma empresa estava mandando embora massas de trabalhadores. "Crise do varejo se aprofunda com demissão de 3.150 funcionários em uma semana", era uma manchete do *The Guardian* em janeiro de 2020, poucas semanas antes de a pandemia se instalar na Inglaterra; poucos meses antes, o *The New York Times* havia publicado uma matéria sobre a insegurança crescente das famílias nos Estados Unidos:

Os custos de moradia, saúde e educação estão abocanhando uma fatia cada vez maior do orçamento familiar, e aumentou mais depressa do que a renda. As famílias de classe média hoje trabalham mais horas, lidam com novos tipos de estresse e correm mais riscos financeiros do que na geração anterior.[16]

Como comentou recentemente num artigo para a *Rolling Stone* amplamente compartilhado o célebre antropólogo, pesquisador e escritor Wade Davis: "Embora vivam num país que se congratula por ser o mais rico da história, a maioria dos americanos vive na corda bamba, sem nenhuma rede de segurança para protegê-los contra uma queda."[17] Não se poderia imaginar um plano melhor para a sobrecarga alostática.

Embora o país capitalista mais avançado do mundo apresente a mais selvagem ética individualista, deixando a maior parte da sua população atolada em insegurança, não estamos falando de uma tendência exclusiva dos Estados Unidos. A influência econômica e cultural desse país no resto do mundo é tão brutal que, como argumentou Morris Berman: "Se o século XX foi o 'século americano', o século XXI vai ser o 'século americanizado.'"[18] A Organização de Cooperação e Desenvolvimento Econômico relatou que as pressões sobre a classe média mundo afora aumentaram desde os anos 1980.[19] Assim, justamente no terreno em que o capitalismo pode se gabar de seus maiores sucessos – o progresso econômico – encontramos um sem-número de pessoas numa situação crônica de incerteza e perda de controle, sujeitas a medos geradores de estresse que se traduzem em perturbações do aparato hormonal, do sistema imunológico e do organismo como um todo.

Não é de espantar, portanto, que a insegurança relacionada ao trabalho ou à perda dele possa causar doenças. Estudos nos Estados Unidos mostraram que o risco de derrame e infarto em pessoas com idade entre 51 e 61 anos mais do que dobra após um período de desemprego prolongado.[20] Os resultados se mantêm mesmo depois de levados em conta o aumento esperado de comportamentos relacionados ao estresse como tabagismo, consumo de bebida alcoólica e de comida. Na verdade, demonstrou-se que a perda de emprego repetida aumentava o risco de infarto tanto quanto o cigarro, a bebida e a pressão alta.[21] Até mesmo o *medo* de perder o emprego é um indicador tão forte de como será a saúde de uma pessoa mais velha quanto a perda do trabalho em si. Nos 15 anos entre o final dos anos 1970 e meados dos 1990, a proporção de funcionários americanos de grandes empresas que se diziam "frequentemente com medo de serem mandados embora" quase dobrou, de 24% para 46%.[22] Empregos com pressão temporal, ritmo acelerado e alta carga de trabalho, aliados a um controle menor sobre esses fatores, também estão associados a um aumento do estresse e à falta de saúde.[23]

Um dos marcadores típicos do estresse é a inflamação. Já encontrei vínculos entre as duas coisas em muitos dos pacientes sob meus cuidados. A inflamação está presente numa extensa gama de patologias, de distúrbios autoimunes a doenças vasculares do coração e do cérebro, do câncer à depressão. Uma de minhas entrevistas mais reveladoras feitas para este livro foi com o cientista Steven Cole. "Um tema que ressurge de modo recorrente", disse ele

> é o aumento da atividade genética inflamatória em pessoas que enfrentam uma sensação de ameaça ou insegurança por mais do que um curto período. Podemos detectar essa mesma atividade em camundongos e macacos. Até mesmo nos peixes se pode ver que quanto maior o estresse, a ameaça ou a incerteza aos quais se está exposto, mais o corpo aciona seu programa defensivo, que envolve mais inflamação.

Enquanto a maioria das pessoas vivencia a perda de controle e uma diminuição da segurança, outras gozam de um excesso dessas coisas. Para esse estrato da sociedade, nem mesmo o conflito é uma fonte tão grande assim de estresse: em qualquer disputa, quanto maior o poder, menor a ameaça. Antigamente, apenas pessoas acusadas de tendências marxistas falavam em "luta de classes". Nos anos mais recentes, contudo, a realidade do domínio da elite e a erosão das classes média e baixa se fez sentir independentemente da ideologia. Ninguém menos do que o multibilionário e magnata dos investimentos Warren Buffett previu o que vai acontecer. "Existe, sim, uma luta de classes", disse ele ao *The New York Times* em 2006, "mas quem está travando essa luta é a minha classe, a classe dos ricos, e nós estamos ganhando."[24] O magnata dos sorvetes Ben Cohen, um homem rico dotado de consciência social, foi ainda mais franco ao declarar em 2020 ao mesmo jornal: "O que temos nos Estados Unidos é uma democracia que existe para o bem das corporações. Isso é um desastre. Nós olhamos para ela, nós a vivemos e ela segue piorando."[25] No nosso mundo globalizado, o jeito americano de fazer as coisas serve de modelo para muitos países.

Até mesmo economistas ganhadores do Nobel como Joseph E. Stiglitz se juntaram ao coro. Stiglitz é um especialista a quem não faltam credenciais: além de contemplado com o Nobel, foi economista-chefe do Banco Mundial e presidente do Conselho de Consultores de Economia do presidente Bill Clinton. Nesse cargo, costumava formular muitas das políticas cujos efeitos hoje passou a condenar. Atualmente professor da Universidade Colúmbia, ele documentou e denunciou os impactos sociais, políticos e de saúde da crescente desigualdade no mundo globalizado dominado pela elite. Stiglitz lamenta o que chama de mudança "da coesão social para a guerra de classes".

"O sistema político parece estar fracassando tanto quanto o sistema econômico", escreve ele em *The Price of Inequality* (O preço da desigualdade), lançado em 2012. Aos olhos de muitos, prossegue ele, "o capitalismo não está conseguindo entregar o que foi prometido, mas está entregando o que não prometeu: desigualdade, poluição, desemprego e, *o mais importante de tudo*, a degradação dos valores, a ponto de tudo ser aceitável e ninguém poder ser responsabilizado".[26] (Grifo do original.)

É aqui que a análise de Stiglitz e de outros críticos tardios do capitalismo revela seus limites. E se, eu poderia lhes perguntar, o sistema não estivesse de modo algum fracassando, mas funcionando maravilhosamente bem? Supor que os danos demonstrados representam um "fracasso" é ignorar que para algumas pessoas – que por acaso são também a classe que ganha a maior parte da riqueza e que exerce o maior poder – o sistema está funcionando de fato muito bem. O banco suíço UBS revelou em outubro de 2020 que, durante a turbulência no mercado provocada pela covid-19, a fatia de bilionários internacionais havia aumentado suas fortunas para mais de 10 trilhões de dólares entre abril e julho daquele ano. O então indivíduo mais rico do mundo, o fundador da Amazon, Jeff Bezos, havia aumentado sua fortuna em mais de 74 bilhões de dólares; o dono da Tesla, Elon Musk, em mais de 103 bilhões.[27] "Os 20 maiores bilionários do Canadá ficaram coletivamente 37 bilhões de dólares mais ricos", noticiou o *The Toronto Star*.

> Isso no meio de uma crise econômica que deixou milhões de canadenses desempregados ou trabalhando em expediente reduzido e lutando para pagar as contas, e nosso governo pedindo dinheiro emprestado para bancar auxílio financeiro a pessoas e empresas de modo a evitar dificuldades ainda maiores.[28]

A ideia de que o capitalismo *deveria* proporcionar igualdade e oportunidade para todos precisa ser aceita na confiança, já que a história e a realidade material não dão nenhuma mostra disso.

No reino da tomada de decisões política, um estudo americano muito divulgado mostrou que a opinião das pessoas normais não faz diferença alguma para as políticas públicas: é a falta de controle em escala maciça.[29] "Quando uma maioria de cidadãos discorda das elites financeiras ou de interesses organizados, ela em geral perde", concluíram os autores, acrescentando que "mesmo quando grandes maiorias apoiam uma mudança de política, elas em geral não conseguem".[30]

"Por que os ricos têm tanto poder?", indaga uma matéria do *The New York Times* assinada pelo colega de Stiglitz laureado com o Nobel de Economia Paul Krugman, outro antigo defensor, desde então arrependido, do ímpeto globalizante que alimentou o domínio dos governos e da população por corporações multinacionais. Ele responde à própria pergunta: "[Porque] os Estados Unidos são menos uma democracia e mais uma oligarquia."[31] Desse ponto de vista, encontro poucos motivos para pôr em xeque a astuta afirmação do defensor dos consumidores e ativista social Ralph Nader de que os dois principais partidos políticos dos Estados Unidos são, na prática, "um partido corporativo ostentando duas cabeças com maquiagens distintas". Também em muitos outros países, por trás da fachada democrática, o verdadeiro poder é exercido por alguns poucos endinheirados.

Onde isso deixa o restante de nós? Ao ser empossado como reitor da Universidade de Glasgow em 1972, o enérgico líder trabalhista escocês Jimmy Reid fez um discurso que o *The New York Times* chamou de "o maior desde o Pronunciamento de Gettysburg do presidente Lincoln".[32] Reid pode não ter estudado psicologia ou neurobiologia do estresse, mas entendia tudo sobre incerteza, perda de controle e conflito na vida das pessoas que representava. "Alienação é a palavra exata e corretamente empregada para descrever o principal problema social hoje na Grã-Bretanha", declarou ele.

> As pessoas se sentem alienadas pela sociedade... Deixem-me logo de cara definir o que quero dizer com alienação: ela é o grito de homens e mulheres que se sentem vítimas de forças econômicas cegas fora do seu controle. É a frustração das pessoas comuns excluídas dos processos decisórios. A sensação de desespero e falta de esperança que invade aqueles que sentem, e com razão, não ter influência alguma no processo de moldar ou determinar o próprio destino.[33]

Lembre-se: o discurso de Reid foi feito ao final de uma breve era de programas sociais relativamente esclarecidos no pós-guerra, uma época em que o sistema que ele criticava estava exibindo sua face mais benevolente. O que ele poderia dizer hoje?

## 20

# O espírito humano roubado: a desconexão e seus descontentes

> *Enquanto pessoas podem ser individualmente deslocadas por fatalidades em qualquer sociedade, somente uma sociedade de livre mercado produz um deslocamento em massa como parte do seu funcionamento normal, mesmo em períodos de prosperidade.*
>
> – BRUCE ALEXANDER, *The Globalization of Addiction*

Como palestrante sobre os temas do estresse e do trauma, ouço com frequência a pergunta: que lições podemos tirar da pandemia de covid-19? A principal delas, com certeza, é o caráter indispensável da conexão, qualidade que o materialismo globalizado foi retirando cada vez mais da cultura moderna, bem antes de o isolamento imposto pelo vírus nos fazer lembrar de quanto a vida fica espiritualmente mais pobre sem ela. Os impactos na saúde são incomensuráveis.

Hoje, é obrigatório para observadores de todos os matizes políticos e linhas filosóficas lamentar a gritante e crescente ausência de sentimento social. "Esse sentimento básico de ser humano, de pertencer a um projeto coletivo com um destino compartilhado, é exatamente o que falta hoje em dia", escreveu recentemente no *The New York Times* o muitas vezes perspicaz colunista conservador David Brooks.[1] E essa falta, poderíamos dizer, é proposital: qualidades como amor, confiança, cuidado, consciência social e engajamento são baixas inevitáveis – "custos embutidos", na gíria capitalista – de uma cultura que valoriza a aquisição acima de tudo.

Uma sociedade que não valoriza a comunidade, nossa necessidade de pertencimento, de cuidar uns dos outros e de sentir a energia do cuidado fluir na nossa direção, é uma sociedade que virou as costas para a essência do que significa ser humano. A consequência inevitável é a patologia. Isso não é uma afirmação moral, mas uma avaliação objetiva. "Quando as pessoas começam a perder uma sensação de significado e se desconectam, é daí que vem a doença, é aí que acontece o colapso da nossa saúde – mental, física, social", disse o psiquiatra e neurocientista Bruce Perry. Se fosse encontrado um gene ou um vírus que causasse no bem-estar da população os mesmos impactos que a desconexão, as notícias a respeito dele seriam bradadas em manchetes de primeira página. Como ela penetra tantos níveis e é tão invasiva, nós quase não prestamos atenção; é a água em que nadamos. Estamos imersos no mito normalizado de que cada um de nós é apenas um indivíduo tentando alcançar objetivos particulares. Quanto mais nos definirmos assim, mais nos distanciaremos de aspectos vitais de quem somos e daquilo que necessitamos para sermos saudáveis.

Entre os psicólogos existe um amplo consenso sobre quais são nossas necessidades básicas, algumas das quais já exploramos. Elas foram listadas de maneiras diversas como:

- *pertencimento*, *inter-relação* ou *conexão*;
- *autonomia*: sensação de controle da própria vida;
- *domínio* ou *competência*;
- *autoestima genuína*, não dependente de conquistas, obtenção, aquisição ou valorização por terceiros;
- *autoconfiança*: sensação de possuir os recursos pessoais e sociais necessários para se sustentar ao longo da vida;
- *propósito*, *significado*, *transcendência*: saber-se parte de algo maior do que preocupações isoladas e egocêntricas, seja esse algo explicitamente espiritual ou simplesmente universal/humanista, ou então, levando em conta nossa origem evolucionária, a natureza. "A afirmação de que a vida física e mental do homem e a natureza são interdependentes significa apenas dizer que a natureza é interdependente

de si mesma, pois o homem faz parte da natureza." Assim escreveu Karl Marx aos 26 anos em 1844.[2]

Nada disso lhe ensina nada que você já não saiba ou intua. Pode examinar sua própria experiência: o que acontece quando cada uma das necessidades mencionadas é suprida? O que acontece na sua mente e no seu corpo quando elas faltam, são negadas ou removidas?

Bruce Alexander é autor do essencial *The Globalization of Addiction: A Study in Poverty of the Spirit* (A globalização da dependência: um estudo sobre a pobreza do espírito) e professor emérito de psicologia na Universidade Simon Fraser. Nós dois trabalhamos com a ostracizada comunidade de usuários de drogas do Downtown Eastside de Vancouver no início dos anos 2000. Ouvindo Bruce falar, tal escolha de trajetória de carreira teria deixado perplexo o eu mais jovem dele, fascinado como era pela ideologia do egoísmo materialista. "Na minha opinião da época", disse ele,

> não importava se umas poucas pessoas morressem ao nosso redor; nós, os fortes, conseguiríamos ter êxito por nós mesmos e por todo mundo. Eu hoje me converti. Essas ideias são incrivelmente tóxicas. Elas simplesmente não permitem às pessoas serem pessoas.

Assim como mencionei a autenticidade e o apego como duas necessidades básicas, Bruce também identificou a "necessidade vital das pessoas de pertencimento social, junto com as igualmente vitais necessidades de autonomia individual e realização pessoal", e chama o casamento das duas de *integração psicossocial*.[3] Bruce e eu concordamos que uma cultura sã teria na integração psicossocial tanto um objetivo quanto uma norma. A autenticidade e o apego deixariam de estar em conflito; não haveria nenhuma tensão fundamental entre pertencer e ser você mesmo.

O *deslocamento*, na formulação de Bruce, descreve uma perda de conexão consigo mesmo, com os outros e com uma noção de significado e propósito, todas as quais constam na lista de necessidades essenciais citadas. Para não haver risco de a palavra *deslocamento* evocar algo como "estar perdido", ele logo sugere uma metáfora clara. "Pense num ombro deslocado", falou, "um ombro desarticulado, fora do lugar. O braço não foi cortado, mas está ali pendurado, sem funcionar mais. Inútil. É essa a experiência que as pessoas deslocadas têm de si. É uma dor insuportável." Mais do que uma experiência individual, a mesma dor intensa muitas vezes ocorre no nível social quando grandes grupos de pessoas se veem privados de autonomia, inter-relação, autoconfiança e significado. É o *deslocamento social*, que juntamente com o trauma pessoal é uma poderosa fonte de disfunção mental, desespero, dependências e doenças físicas.[4] Anormal do ponto de vista das necessidades humanas, esse deslocamento é hoje um aspecto intrínseco da "normalidade" da nossa cultura. Exemplos extremos incluem o deslocamento físico e psíquico forçado das populações indígenas americanas pelo colonialismo, e mais recentemente o esvaziamento econômico induzido pela globalização de regiões inteiras dos Estados Unidos, do Cinturão da Ferrugem às cidades mineradoras dos Apalaches, que resultaram num aumento expressivo de mortes por suicídio e overdose na classe trabalhadora. Essas mortes foram qualificadas de "mortes por desespero" pelos economistas da Universidade Princeton Anne Case e Angus Deaton, seu marido vencedor do Nobel.[5]

Ainda que surja de formas diferentes em diferentes camadas sociais, o deslocamento não poupa nenhuma classe de pessoas. O privilégio societal pode proteger alguns de nós de sermos externamente destruídos pelos ventos da tormenta do deslocamento, mas não consegue nos poupar dos impactos internos de ter negadas nossas necessidades de interconexão, propósito e autoestima genuína. Nem conquistas, nem atributos, nem avaliações externas de nosso valor têm qualquer possibilidade de compensar essa falta.

Lembre que o líder trabalhista escocês Jimmy Reid definia "alienação" como o afastamento das pessoas de uma sociedade que as impede de moldar ou determinar o próprio destino. A palavra tem outros significados também, entre os quais o afastamento da nossa essência, de nós mesmos e dos outros. Já no século XIX, Karl Marx reconheceu todos eles e acrescentou mais um: a desconexão de nosso trabalho enquanto atividade significativa sobre a qual temos influência e controle. Nisso Marx foi visionário. O trabalho perpassa várias das necessidades básicas anteriormente listadas, entre elas competência, domínio e noção de propósito. Segundo um relatório de 2013 do Instituto Gallup, só 30% das pessoas empregadas nos Estados Unidos se sentem comprometidas com o próprio trabalho; em 142 países, a proporção de pessoas empregadas que se sente comprometida com o trabalho é de somente 13%. "Para a maioria de nós", escreveram dois importantes consultores de economia no *The New York Times*, "o trabalho é uma experiência exaustiva e desanimadora, e sob alguns aspectos evidentes isso está piorando".[6]

A alienação é inevitável quando nossa noção interna de valor passa a depender do status, e está sujeita a padrões impostos pelo meio externo de sucesso e aquisições competitivos, bem como de uma aceitação – eu deveria dizer "aceitabilidade" – altamente condicional por parte de terceiros. Com a erosão da classe média nas últimas décadas, pessoas que se avaliavam em termos de sucesso material sofreram o que percebem como uma desvalorização. Para angústia e raiva profunda de muita gente, a promessa do sonho de ascender à classe média em grande medida desapareceu. Mas mesmo aqueles empoleirados no topo da pirâmide econômica podem vivenciar uma desvalorização de si, pelo simples motivo de que os valores materialistas vão na contramão da necessidade de significado, de um propósito outro que não empreendimentos em benefício próprio.

Não há qualquer juízo moral aqui. Objetivamente, a concentração em desejos individuais evanescentes em detrimento das necessidades comunitárias resulta numa diminuição da conexão com nosso eu mais profundo, ou seja, com as partes de nós que geram e sustentam o verdadeiro bem-estar. Sejam quais forem os "ganhos" que nossa personalidade consiga angariar, seja qual for a sensação momentânea de segurança que obtenhamos por meio de nossas diversas identidades, por mais que envernizemos nossa imagem ou autoimagem com ganhos materiais, tudo isso são substitutos frágeis para as recompensas (e desafios) de se estar desperto para a própria humanidade. Um investidor que diariamente lidava com milhões de dólares disse ao jornalista vencedor do Pulitzer Charles Duhigg: "Minha sensação é de estar jogando a vida fora. Quando eu morrer, por acaso alguém vai ligar se eu ganhei um ponto percentual a mais na revenda? Meu trabalho parece totalmente sem significado." Essa perda de significado, segundo Duhigg, afeta "até mesmo profissionais que têm habitualmente uma boa autoimagem, como os de medicina e direito". Por que isso?, perguntou-se o autor. A resposta:

Horários opressivos, politicagem interna, competição exacerbada causada pela globalização, uma cultura do "sempre disponível" gerada pela internet... mas também algo que esses profissionais têm dificuldade para identificar, um sentimento subjacente de que seu trabalho não vale o esforço hercúleo que eles estão lhe dedicando.[7]

Na verdade se trata de simples economia: um aumento artificial (do conceito de si, da identidade, da ambição material) leva fatalmente a uma baixa ou mesmo a um crash quando a bolha inevitavelmente estoura.

Assim como nossas outras necessidades, o significado é uma expectativa inerente. Sua negação tem consequências graves. Longe de ser uma necessidade puramente psicológica, nossos hormônios e nosso sistema nervoso detectam sua presença ou sua ausência. Como constatou um estudo médico de 2020, "a presença e a busca de significado na vida são importantes para a saúde e o bem-estar".[8] Dito de forma simples, quanto mais significativa você considerar sua vida, provavelmente melhores serão seus indicadores de saúde mental e física. É um sinal dos tempos em si o fato de nem sequer precisarmos de estudos assim para confirmar o que nossa experiência de vida ensina. Quando você se sente mais feliz, mais realizado, mais visceralmente à vontade: quando estende a mão para ajudar os outros e se conectar com eles, ou quando está concentrado em realçar a importância do seu pequeno e autocentrado eu? Todos sabemos a resposta, mas apesar disso o que sabemos nem sempre sai ganhando.

As corporações são engenhosas em explorar as necessidades das pessoas sem de fato supri-las. Em seu livro *Sem logo*, Naomi Klein expôs de forma vívida como as grandes empresas começaram nos anos 1980 a mirar o desejo natural das pessoas de pertencer a algo maior do que elas mesmas. Empresas de marcas conhecidas como Nike, Lululemon e The Body Shop comercializam muito mais do que produtos: elas vendem significado, identificação e um sentimento quase religioso de pertencimento por meio da associação às suas marcas. "Isso pressupõe uma espécie de vazio e de anseio nas pessoas", sugeri ao entrevistar a prolífica escritora e ativista. "Exato", respondeu Klein. "Elas aproveitam um anseio e uma necessidade de pertencimento, e fazem isso explorando a percepção de que simplesmente vender tênis de corrida não basta. Nós humanos queremos fazer parte de um projeto transcendente."

Diga o que for sobre a ética corporativa, social ou ecológica de empresas como Ford e General Motors, os empregos sindicalizados que elas proporcionaram de fato garantiram a muitas gerações de famílias um trabalho remunerado, e para muita gente até significativo. A rápida desindustrialização da classe trabalhadora na América do Norte levou à perda não só da segurança em relação à renda, mas também de significado, exacerbando a epidemia de deslocamento. A proliferação de empregos no setor de serviços e de "bicos" em armazéns da Amazon não substituiu a sensação de pertencimento que esses empregos corporativos promoviam em muitas comunidades. O efeito devastador dessas tendências na noção de propósito e conexão das pessoas foi mostrado com brutal honestidade duas décadas atrás na série da HBO *The Wire* pelo personagem do estivador Frank Sobotka, que lamentou tristemente com seu amigo lobista: "Sabe qual é o problema, Bruce? A gente antes *fazia* as paradas aqui neste país, *construía* as paradas. Agora tudo que a gente faz é enfiar a mão no bolso do cara ao lado."

Não é só nossa sanidade individual e social que depende de conexão: nossa saúde física também. Como somos criaturas biopsicossociais, a epidemia crescente de solidão na cultura ocidental é muito mais do que um fenômeno somente psicológico: é uma crise de saúde pública.

Um renomado estudioso da solidão, o falecido neurocientista John Cacioppo, e sua colega e esposa Stephanie Cacioppo publicaram em 2018, um mês antes de ele morrer, uma carta na *The Lancet*. "Imaginem", escreveram eles,

> um distúrbio que torne a pessoa irritadiça, deprimida e autocentrada, e que esteja associado a um aumento de 26% no risco de morte prematura. Imaginem também que nos países industrializados cerca de um terço da população seja afetado por esse distúrbio, com uma em cada 12 pessoas gravemente afetada, e que essas porcentagens estejam subindo. Renda, educação, sexo e etnia não são fatores de proteção, e o distúrbio é contagioso. Seus efeitos não são atribuíveis a qualquer peculiaridade de caráter de algum subconjunto de indivíduos, *mas resultam do fato de o distúrbio afetar pessoas normais.* Esse distúrbio existe: a solidão.[9]

Hoje sabemos, sem sombra de dúvida, que a solidão crônica está associada a um risco elevado de doença e morte prematura. Demonstrou-se que ela aumenta a mortalidade por câncer e outras doenças, e seus danos foram comparados aos de fumar 15 cigarros por dia. Segundo pesquisas apresentadas na convenção anual da Associação Americana de Psicologia em 2015, a epidemia de solidão é um risco de saúde pública no mínimo tão grande quanto as taxas crescentes de obesidade.[10] A solidão, me disse o pesquisador Steven Cole, pode comprometer o funcionamento genético. E não é de espantar: até nos papagaios o isolamento compromete o reparo do DNA, encurtando os telômeros que protegem os cromossomos.[11] O isolamento social inibe o sistema imunológico, favorece a inflamação, mobiliza o aparato do estresse e aumenta o risco de morte por doença cardíaca e AVC.[12] Eu me refiro aqui ao isolamento social anterior à covid-19, mas a pandemia exacerbou intensamente o problema, a um custo alto para o bem-estar de muita gente.

O aumento da solidão como risco de saúde caminha de mãos dadas com a consolidação de valores e práticas que ultrapassam qualquer conceito de "escolhas individuais". Essa dinâmica inclui o corte de programas sociais, menos espaços "coletivos" disponíveis como bibliotecas públicas, cortes em serviços destinados a pessoas em situação de vulnerabilidade e idosos, estresse, pobreza e o inexorável monopólio da vida econômica que destrói as comunidades locais. Para ilustrar, examinemos uma situação conhecida: o Walmart ou outra megaloja decide abrir uma filial numa determinada localidade. Os incorporadores ficam felizes, os políticos recebem bem os novos investimentos e os consumidores ficam satisfeitos com a grande variedade de mercadorias a preços mais em conta. Mas quais são os impactos sociais? Os pequenos comércios, de propriedade dos moradores ou por eles administrados, não conseguem competir com o gigante do marketing e precisam fechar as portas. Pessoas ficam desempregadas, ou precisam arrumar outros empregos com um salário menor. As conhecidas lojas de ferragens, farmácias, açougues, padarias e outros comércios desaparecem dos bairros. As pessoas não vão mais a pé até a lojinha da esquina, onde interagem umas com as outras e com os comerciantes locais, mas dirigem, cada uma isolada no próprio carro, até um armazém sem janelas e esteticamente árido, a quilômetros de onde moram. Elas inclusive talvez nem saiam de casa: por que se dar ao trabalho quando se pode comprar pela internet?

Não é de espantar que pesquisas internacionais mostrem um aumento da solidão. A porcentagem de americanos que se dizem solitários dobrou de 20% para 40% desde os anos 1980, noticiou o *The New York Times* em 2016.[13, 14] Alarmada com as consequências nefastas para a saúde, a Grã-Bretanha achou necessário criar um Ministério da Solidão.

Ao descrever as origens sistêmicas da solidão, o ministro da Saúde dos Estados Unidos, Vivek Murthy, escreveu:

> Nosso mundo do século XXI exige focarmos em atividades que parecem estar constantemente competindo por nosso tempo, atenção, energia e comprometimento. Muitas dessas atividades são competições em si. Competimos por empregos e status. Competimos por posses, dinheiro, reputações. Tentamos pagar as contas e melhorar de vida. Enquanto isso, os relacionamentos que valorizamos muitas vezes acabam negligenciados.[15]

É fácil deixar passar que aquilo que Murthy denomina "nosso mundo do século XXI" não é nenhuma entidade abstrata, mas a manifestação concreta de um sistema econômico específico, de uma visão de mundo distinta e de um modo de viver.

Mesmo assim, é possível nossa cultura de consumo cumprir suas promessas, ou ser capaz disso? Será que essas promessas, se cumpridas, levariam a uma vida mais satisfatória?

Quando fiz essa pergunta ao renomado psicólogo Tim Kasser, professor emérito de psicologia no Knox College, sua resposta foi inequívoca: "As pesquisas mostram de modo consistente", disse ele,

> que quanto mais as pessoas valorizam aspirações materialistas como objetivos, menor sua felicidade e satisfação com a vida, e menos numerosas as emoções agradáveis que elas vivenciam no dia a dia. Depressão, ansiedade e abuso de substâncias também tendem a ser mais elevados em pessoas que valorizam objetivos incentivados pela sociedade de consumo.

Ele aponta quatro princípios centrais do que denomina CCA (capitalismo corporativo americano): "gera e incentiva um conjunto de valores baseados no *interesse próprio*, um forte desejo de *sucesso financeiro*, altos níveis de *consumo* e estilos interpessoais baseados na *competição*".[16]

Existe um efeito gangorra, constatou Tim, entre as preocupações materialistas, por um lado, e valores pró-sociais como empatia, generosidade e cooperação, por outro: quanto mais os primeiros são altos, mais baixos ficam os segundos. Por exemplo, quando as pessoas se preocupam fortemente com dinheiro, imagem e status, elas têm uma probabilidade menor de praticar atividades ecologicamente benéficas e experimentam mais vazio e mais insegurança. Têm também relacionamentos interpessoais de pior qualidade. Por sua vez, quanto mais inseguras as pessoas se sentem, mais elas focam em coisas materiais. Como o materialismo promete satisfação, mas em vez disso produz uma insatisfação vazia, ele gera mais fissura. Essa espiral generalizada e que se autoperpetua é um dos mecanismos por meio dos quais a sociedade de consumo se protege explorando as inseguranças que ela mesma gera.

A desconexão, sob todas as suas formas – *alienação, solidão, falta de significado* e *deslocamento* –, está se tornando o produto mais abundante da nossa cultura. Assim enfraquecidos por tamanha desnutrição da mente, do corpo e da alma, não é de espantar que estejamos mais dependentes de substâncias, cronicamente doentes e mentalmente desordenados do que nunca.

## 21
# Eles não estão nem aí se você morrer: a sociopatia como estratégia

*Nem todos os psicopatas estão na prisão. Alguns estão na sala do conselho.*

– R. D. HARE[1]

Rob Lustig afirma que os endocrinologistas são os mais infelizes dos médicos, os mais propensos a sofrer burnout. Ele deve saber do que está falando, já que é essa a sua especialidade. Endocrinologistas são especialistas em doenças metabólicas, as que afetam as glândulas produtoras de hormônios como suprarrenais, tireoide, pituitária e pâncreas. Perguntei-lhe por que o desânimo é um risco profissional tão grande para ele e seus colegas. "Cada vez mais nós cuidamos de pessoas que não melhoram", respondeu Lustig. "É como tentar esvaziar um bote inundado com uma colher enquanto a água entra por um rombo imenso no fundo." Ele fica mais entristecido ainda com isso já que a sua subespecialidade é trabalhar com crianças, entre as quais as taxas de obesidade, diabetes e condições correlatas vêm aumentando nas últimas décadas. Uma quantidade cada vez maior de crianças está apresentando marcadores de doenças cardiovasculares antes encontradas apenas em adultos.[2]

A água que não para de inundar o bote, segundo Lustig, vem de uma cultura em que grandes corporações, sem a regulamentação dos governos, decidiram de modo deliberado e com grande engenhosidade eleger como alvo os circuitos cerebrais de prazer e recompensa para gerar compulsões viciantes. "É por isso que eles contratam neurocientistas e usam aparelhos de ressonância magnética funcional", disse ele. A neurociência, cujo objetivo inicial era desvendar os mistérios da consciência e do cérebro, se tornou mais uma escrava da motivação maior: o lucro. Na verdade, e não estou inventando, existe uma área chamada *neuromarketing*. "Seu objetivo é comercializar a felicidade num frasco", acrescentou Lustig. Ou num hambúrguer, num smartphone novo ou num de seus muitos aplicativos. Em suma, essas corporações estão agindo como inescrupulosos traficantes no mercado a céu aberto e perfeitamente legal da dependência em massa.

O que o sistema vende como felicidade na verdade é prazer, uma distinção filosófica e econômica que faz toda a diferença entre lucro e prejuízo. O prazer, assinalou Rob Lustig, é: "Que gostoso isso. Quero mais." Felicidade, por sua vez, é: "Que gostoso isso. Estou satisfeito. Me sinto completo." Isso se encaixa perfeitamente no meu entendimento das dependências e da química cerebral. Embora tenham algumas semelhanças, prazer e felicidade consomem combustíveis neuroquímicos distintos: o prazer usa a dopamina e os opioides, ambos os quais operam em descargas rápidas de curto prazo, ao passo que a felicidade está baseada no aparato mais constante e de liberação mais lenta da serotonina. É muito difícil se tornar dependente de substâncias ou comportamentos serotoninérgicos. *Todas* as dependências, porém, recrutam os sistemas cerebrais da dopamina (incentivo/motivação) e/ou dos opioides (prazer/recompensa). Na ausência de felicidade, o prazer, em especial quando buscado na forma da gratificação instantânea, pode ser viciante, e portanto lucrativo. A felicidade não vende produtos exceto quando evanescente, e nesse caso não se trata de felicidade, apenas do tipo falso de "felicidade" ao qual faz referência o mago publicitário Don Draper em *Mad Men*[3] ao refletir: "O que é felicidade? É o instante antes de você precisar de mais felicidade." A verdadeira felicidade, por não ser uma commodity, não perde a validade.

O neuromarketing é uma invasão estratégica da consciência humana, conscientemente direcionada à hiperativação e constante agitação das funções dopamina-endorfina do cérebro. Essa empreitada foi copiosamente catalogada, por exemplo, no trabalho de jornalismo investigativo de Michael Moss sobre a indústria alimentícia escrito em 2013, *Sal, açúcar, gordura: Como a indústria alimentícia nos fisgou*, um dos livros mais lidos no ano de sua publicação. Ele também documentou uma conspiração corporativa deliberada para fazer as pessoas se viciarem em junk food, sem ligar a mínima para as consequências na saúde das pessoas. Trabalhos meticulosos, aliando a competência de cientistas e ases da publicidade, foram conduzidos para descobrir o "ponto ideal", a mistura perfeita de açúcar, sal e gordura[4] que mais excitaria os centros de prazer do cérebro. Essa invasão ou hackeamento da mente – para usar uma expressão atual – com o intuito de induzir uma dependência em massa mina diretamente o livre-arbítrio, e digo isso de um ponto de vista neuroquímico. O poder do córtex pré-frontal de resistir à fissura fica programado para diminuir, e a capacidade dos circuitos emocionais inferiores de subverter o pensamento racional se exacerba. Esse é um exemplo lamentável de como a prevalência do materialismo do livre empreendedorismo sequestrou a ciência da neurofisiologia para desregular o cérebro, da mesma forma que "desregula" os mercados financeiros.

Chamar essas atividades de "conspiração" não é nenhuma hipérbole, ainda que a palavra tenha perdido parte do significado por excesso de uso, em especial depois do Onze de Setembro e da pandemia de covid-19. No entanto, mesmo que teorias da conspiração sem sentido se instalem com demasiada facilidade entre os crédulos e raivosos, o medo subjacente de ser manipulado é totalmente sensato. A história dos delitos corporativos, que incluem ataques diretos à saúde, é um compêndio de bem documentados esquemas para enganar o público em troca de lucro. Todos eles secretos, até o momento em que não são mais. Longe de serem aberrações, esses esquemas são todos rigorosamente fiéis à lógica aquisitiva do sistema. Engodos prejudiciais à vida porém lucrativos foram repetidamente denunciados em praticamente todas as indústrias e nas mais prestigiosas empresas, de farmacêuticas à extração de matérias-primas, da aviação civil à fabricação de automóveis e produção de alimentos. Não precisamos insistir excessivamente nesse ponto, a não ser para relembrar que os cabeças dessas indústrias são pessoas poderosas e "respeitáveis", filantropas até, em cuja mentalidade a negação de valores em prol da sociedade se tornou aceitável, mais virtude do que pecado, e de uma forma ou de outra compulsória.

Não me espanta mais que, mesmo quando reveladas, essas manipulações não gerem qualquer consequência de longo prazo num público por demais dessensibilizado para protestar, ou por demais resignado para imaginar alternativas dotadas de significado. Ataques públicos maciços à saúde e à ética humanas foram, na falta de expressão melhor, totalmente normalizados. "As maiores conspirações são abertas e notórias", disse o delator Edward Snowden ao ator e apresentador de podcast britânico Russell Brand em 2021.

> Elas não são teorias, mas sim práticas: práticas expressadas por meio da lei, de políticas e sistemas de governo, da tecnologia, do sistema financeiro... Nós ficamos insensíveis a elas. Isso nos torna incapazes de relacionar *a banalidade dos métodos da sua conspiração à ganância de suas ambições*.[5]

Isso é realismo da conspiração, não teoria da conspiração. O fato de essa farsa generalizada nas mais altas esferas da sociedade ser ignorada, ou no melhor dos casos tolerada por grande parte da população, é uma prova da eficiência do controle da elite e da passividade da personalidade social inculcada por nossa cultura.[6]

Rob Lustig chama os Estados Unidos de "capital mundial da droga", e não está se referindo à cocaína, heroína ou metanfetamina, nem mesmo a opioides largamente comercializados como o OxyContin. Ele está se referindo ao açúcar, substância declarada em 2013 pelo principal representante da saúde pública dos Países Baixos "viciante, e a droga mais perigosa de todos os tempos". "Viciante" não é um exagero. Um estudo da Escola de Medicina de Harvard revelou que pessoas que ingerem alimentos com alto índice glicêmico – o que significa, na prática, alimentos ultraprocessados que elevam rapidamente os níveis de açúcar no sangue – ficam com fome mais depressa. Em exames de ressonância magnética funcional, elas têm ativadas as mesmas regiões do cérebro estimuladas por drogas como cocaína ou heroína.[7] Sem nunca perder uma chance de lucro, empresas multinacionais promovem um marketing vigoroso de alimentos ricos em açúcar para as crianças, e se aproveitam de pessoas que, devido ao trauma, à miséria e à opressão extremos, estão particularmente vulneráveis a substâncias viciantes. Entre elas estão as pessoas pretas nos Estados Unidos e os moradores de comunidades no Brasil. Em muitos países "em desenvolvimento" – expressão que consegue ser ao mesmo tempo condescendente e eufemística

– exércitos de mulheres empobrecidas são recrutados para ir de porta em porta vender alimentos ultraprocessados para cidadãos já subnutridos.

Os custos em matéria de saúde e longevidade são muito maiores até do que as piores projeções para a pandemia de covid-19. Um relatório publicado na *The Lancet* constatou que, em 2017, 11 milhões de mortes no mundo inteiro podiam ser atribuídas a dietas carentes em legumes e verduras, sementes e castanhas, mas ricas em sal, gordura e açúcar.[8] Segundo outro estudo apresentado à Associação Americana do Coração, refrigerantes sozinhos podem ser responsáveis por até 180 mil mortes mundo afora.[9] Já houve quem chamasse isso de coca-colonização.

Em consequência da "corporativização" da agricultura, resultado do Tratado de Livre-Comércio da América do Norte (NAFTA, na sigla em inglês), o México hoje compete com os Estados Unidos pela liderança mundial em obesidade e doenças correlatas. "Segundo um estudo da OCDE, cerca de 73% da população mexicana está acima do peso, comparados a um quinto da população em 1996", noticiou a BBC em agosto de 2020.[10] "A obesidade infantil triplicou em uma década, e cerca de um terço dos adolescentes também [estão acima do peso]", segundo a CBS News. "De acordo com especialistas, quatro em cada cinco dessas crianças gordas permanecerá assim por toda a vida."[11] Mais de 400 mil casos de diabetes são diagnosticados anualmente no México, e a quantidade de pessoas que morrem supera os mortos nas terríveis guerras do narcotráfico no país.[12]

O Canadá está chegando lá depressa, e Austrália, Nova Zelândia e Ásia também estão no páreo. Na China, a taxa de obesidade em adultos dobrou nas duas décadas entre 1991 e 2011, de 20,5% para 42,3%. Lá também, a Coca-Cola influenciou as políticas de governo para aumentar seus lucros.[13]

O primeiro-ministro britânico Boris Johnson, antes conhecido pelo físico avantajado, tornou-se um defensor do emagrecimento depois de se encontrar de perto com o novo coronavírus, que o deixou na UTI por alguns dias em 2020. "Eu em geral não acredito em políticas que funcionem como babás ou queiram mandar nas pessoas", disse o primeiro-ministro após se recuperar. "Mas a realidade é que a obesidade é um dos reais fatores de comorbidade. Perder peso, para ser bem sincero, é uma das formas de reduzir os riscos no caso de você contrair covid." Ele instituiu políticas governamentais incentivando hábitos alimentares mais saudáveis e regulamentando a publicidade e a venda de ultraprocessados. Corretíssimo, poder-se-ia dizer. Só que, se tivesse optado por respeitar a ciência, Johnson poderia ter listado a pobreza e o fato de ser preto, asiático ou pertencente a alguma outra minoria étnica como riscos importantes para a comorbidade e a morte em decorrência da covid-19. Poderia ter reconhecido também a obesidade em si como uma doença gerada pela sociedade, e em dramática ascensão desde o advento de políticas de austeridade e laissez-faire que o seu partido vem defendendo há cerca de meio século. Quase dois terços dos adultos do seu país são obesos ou estão acima do peso, bem como um terço das crianças de 6 anos. Segundo o Serviço Nacional de Saúde (NHS, na sigla em inglês), no ano estatístico de 2018-2019 houve 876 mil internações na Grã-Bretanha em que a obesidade foi um fator, um aumento de quase 25% em relação aos 12 meses anteriores.[14]

Nem toda falta de saúde relacionada à alimentação ou ao tabagismo pode ser atribuída diretamente ao "hackeamento" comercializado da mente do público, assim como a epidemia de drogas com receita médica não se deve exclusivamente à manipulação corporativa. É mais verdadeiro afirmar que a manipulação é possibilitada justamente pelos estresses, desconexões e deslocamentos da vida impostos pelo capitalismo globalizado. Ted Schrecker e Clare Bambra – professores respectivamente de políticas públicas de saúde e geografia da saúde pública na Universidade de Durham – estudaram os impactos na saúde das tendências econômicas recentes. "Os países que atualmente são mais neoliberais e tiveram os maiores aumentos em políticas neoliberais entre 1980 e 2008 […] têm correspondentemente as taxas mais altas de obesidade e sobrepeso", observam eles. "Isso mostra que o timing e a expansão internacional da epidemia de obesidade espelham a ascensão e a difusão do neoliberalismo."[15] É essa a questão que Boris Johnson não quis enfrentar em sua campanha de promoção do emagrecimento.

A epidemia mundial de obesidade é um dos marcadores da epidemia internacional de estresse discutida nos capítulos anteriores, e dos desafios de estilo de vida a ela relacionados endêmicos à nossa época: falta de tempo, falta de exercício, insegurança crescente, falta de conexão familiar, perda de comunidade e erosão do tecido social. São muitos os aspectos da vida que levam as pessoas a terem dietas pouco saudáveis e adotarem hábitos prejudiciais, sendo os principais culpados a dor emocional, o estresse e o deslocamento social. Além disso, como vimos, o consumo compulsivo de comida – como todas as dependências – é em si uma resposta ao estresse e uma forma de aliviar os impactos do trauma. "A questão não é o que você está comendo", disse com inteligência alguém, "mas o que está comendo você." O estresse leva as pessoas a "escolher" alimentos pouco saudáveis e a ganhar peso nos lugares errados, favorecendo as doenças. Isso também deprime os circuitos de serotonina/contentamento, transferindo o funcionamento cerebral para os mecanismos de prazer de curto prazo abastecidos pela dopamina.

A elite corporativa, auxiliada por seus ultra bem-remunerados adeptos nas áreas da ciência e da psicologia, sabe muito bem como lucrar com o estresse gerado pelo sistema que lhe dá poder. Caso contrário, não estaria fazendo o seu trabalho.

As *big food* (ou seja, as grandes corporações de alimentos ultraprocessados) não são nenhuma exceção em se tratando de enganar o público. A indústria farmacêutica "manipulou sistematicamente o país inteiro por 25 anos", escreveu Nicholas Kristof em 2017 no *The New York Times*,

> e seus executivos são responsáveis por muitas das 64 mil mortes de americanos devido às drogas no ano passado, muito mais do que o número de americanos mortos nas guerras do Vietnã e do Iraque somadas. A crise dos opioides ocorreu porque pessoas gananciosas – traficantes de drogas latino-americanos e executivos de farmacêuticas americanos – perderam sua humanidade ao verem os lucros espantosos que poderiam ser obtidos.

E qual foi a resposta do governo? Nas palavras de Kristof: "Nossa política era: 'Se você viciar 15 pessoas em opioides, você é um canalha que merece apodrecer no inferno; se viciar 150 mil, você é um gênio do marketing que merece um bônus colossal.'"[16] Já ficou amplamente estabelecido que a *big pharma*, da qual fazem parte empresas como a Purdue, controlada pela família Sackler, promove opioides como o OxyContin junto aos médicos como analgésicos relativamente seguros. Ela fez isso sabendo perfeitamente do potencial viciante dos remédios. Ao longo dos anos, centenas de milhares de pessoas morreram.

Enquanto isso, os Sackler vestiram o manto de virtuosos benfeitores públicos, tornando-se um fenômeno estabelecido no mundo da filantropia de alto coturno. A família que tanto lucra com as drogas emprestou sua generosidade – e seu sobrenome lindamente gravado – a hospitais, faculdades de medicina e museus mundo afora, da América do Norte à Europa e Israel.

A afirmação de Kristof sobre consequências diferenciais estava próxima demais da minha própria experiência. Se algum de meus pacientes no Downtown Eastside fosse pego vendendo menos de 100 gramas de cocaína – como muitos faziam, tamanho era o desespero deles para bancar o vício arbitrariamente tornado ilegal –, ele seria preso. Enquanto isso, na mesma semana em que escrevo isto, anunciou-se um acordo judicial que enfureceu muita gente: ao custo de meros 4,5 bilhões em multas, a família Sackler pôde manter sua fortuna sem ter que encarar nenhum indiciamento criminal. Livres como passarinhos, ou abutres talvez, com bilhões de dólares no bico.[17]

Sejamos honestos: as empresas de remédios estavam apenas seguindo o exemplo da indústria do tabaco, que durante décadas e com igual descaso pela vida humana negou e ativamente ocultou os riscos de saúde dos seus produtos, e continua a resistir a esforços de regulamentação.[18] O cigarro mata cerca de 45 mil canadenses a cada ano, 10 vezes mais do que o número que morre por overdose de opioides, sem contar as centenas de milhares que têm doenças e debilidades relacionadas ao tabagismo. O número de mortes anuais devido ao tabaco no mundo inteiro ultrapassa os 7 milhões.[19] Para cada pessoa que morre, 30 convivem com doenças crônicas.

Como os exímios traficantes de drogas que são, as empresas de cigarro não deixam escapar nenhum ponto de vista, e miram nos mais vulneráveis. "Durante décadas, cigarros mentolados foram promovidos agressivamente para pessoas pretas nos EUA", noticiou o *The New York Times*. "Segundo a FDA [Food and Drug Administration, órgão regulador de alimentos nos Estados Unidos, similar à Anvisa no Brasil], cerca de 85% dos fumantes pretos preferem marcas mentoladas, como Newport ou Kool. Pesquisas mostram que cigarros mentolados são mais viciantes e mais difíceis de abandonar do que produtos de tabaco simples."[20] (Enquanto este livro estava sendo escrito, o governo Biden acenou com planos de proibir a venda de cigarros mentolados.) Hoje restritos, embora longe de impedidos, de anunciar seus produtos nos países mais ricos, os mercadores multinacionais de tabaco, álcool, refrigerantes e comida ultraprocessada passaram a focar no chamado mundo em desenvolvimento, onde as regras são mais frouxas e os governos ainda mais flexíveis. Milhões vão adoecer, milhões vão morrer; vão não: já estão morrendo.

Que tipo de pessoa causaria conscientemente a doença e a morte de milhões de outras? O professor de direito Joel Balkan,[21] cujo livro *A corporação: A busca patológica por lucro e poder* serviu de base para o premiado documentário de mesmo título, se propôs avaliar empresas à luz das medidas de saúde mental padrão que aplicaríamos às pessoas. Uma avaliação inteiramente justa, visto que a lei dos Estados Unidos equipara empresas a "pessoas" desde o fim do século XIX. "Vistas dessa perspectiva", ponderou ele, "muitas corporações se encaixam no critério de 'psicopatas' e agem sem consciência: sem ligar para como suas ações afetam os outros, sem qualquer vontade de respeitar as normas sociais ou legais e sem sentir culpa nem remorso." O caso é claro: do ponto de vista da saúde mental, o que mais dizer sobre "pessoas" que não se responsabilizam, gozam de poder ilimitado e estão bastante dispostas a ocultar verdades, divulgar mentiras e espalhar doença e morte?

Se alguém precisar de uma segunda opinião, o psicanalista nova-iorquino Steven Reisner tem uma na ponta da língua.[22] "O narcisismo e a sociopatia descrevem os Estados Unidos corporativos", disse ele. "Mas é um equívoco pensar que nos Estados Unidos da América do século XXI narcisismo e sociopatia sejam doenças. Nos Estados Unidos de hoje, narcisismo e sociopatia são *estratégias*. E estratégias muito bem-sucedidas, em especial nos negócios, na política e no entretenimento." Chame de mito da anormalidade a ideia de que esses traços antissociais de alguma forma são contrários à natureza humana; mas é mais verdadeiro dizer que eles são a norma.

Por que essas estratégias deveriam ser usadas? O santo patrono da ideologia do livre-mercado sem rédeas e ganhador do Nobel Milton Friedman não media palavras em relação ao tema, tampouco defendia qualquer freio de mão ético. "Bem, em primeiro lugar", comentou ele certa vez numa entrevista,

> existe alguma sociedade que o senhor conheça que não funcione na base da ganância? Acha que a Rússia não funciona na base da ganância? Acha que a China não funciona na base da ganância? [...] O mundo funciona com indivíduos tentando cada um defender os próprios interesses distintos.[23]

Friedman também afirmou como sendo uma regra rígida o fato de "os negócios terem uma única responsabilidade social: usar seus recursos e desenvolver atividades no sentido de aumentar seus lucros".[24] Repare no uso da expressão "responsabilidade social": Friedman acreditava piamente que um capitalismo corporativo com interesses autocentrados e minimamente regulamentado era *o melhor para todo mundo*. Quem disse isso não foi um vilão de cinema consciente da própria perfídia enquanto enrolava o bigode com os dedos, fadado a responder por seus atos até o final do filme, mas um teórico cuja eminência nos círculos político-econômicos normais até hoje diz muito sobre o tipo de sociedade que somos.

Bakan me disse que no começo imaginava as corporações como formas de vida pouco saudáveis que afetavam "uma sociedade democrática e basicamente sadia". Ele não pensa mais assim. "A patologia entrou em metástase: o patógeno infectou o hospedeiro", disse ele.

A humanidade não tem diante de si desafio mais grave e com maiores consequências do que a crise climática que, enquanto escrevo estas palavras, devasta muitas áreas do mundo e ameaça a vida no planeta. Na minha opinião, nenhuma questão ilustra de modo mais vívido o comportamento sociopata daqueles que ocupam as esferas corporativas e governamentais, que foram repetidamente avisados com antecedência, mas durante décadas minimizaram ou negaram a ameaça em prol de lucro ou poder.

Foi em 1800 que o grande naturalista e geógrafo alemão Alexander von Humboldt soou o primeiro alarme relacionado ao impacto da atividade humana no clima, após ver os danos ambientais causados pelas fazendas coloniais na Venezuela. Ele profetizou que nossa interferência na ecologia poderia ter "impactos imprevisíveis nas futuras gerações".[25] Mais de dois séculos depois, mais de 1.100 cientistas renomados de 153 países consideraram necessário fazer um alerta urgente. "Declaramos de modo claro e inequívoco que o planeta Terra está enfrentando uma emergência climática", escreveram eles. "Para garantir um futuro sustentável, precisamos mudar nosso modo de viver. [Isso] acarreta transformações significativas nos modos como a sociedade global funciona e interage com os ecossistemas naturais."[26] Quatro décadas antes, teve lugar em Genebra a primeira conferência internacional do clima, sendo em grande parte ignorada.

Desde então, alarmes foram soados repetidas vezes por cientistas, ativistas e profissionais de saúde mundo afora. Em 1992, muito antes de a defensora do clima Greta Thunberg chamar às falas os políticos do mundo devido ao fracasso deles em proteger o clima – na verdade antes mesmo de Thunberg nascer –, a ativista canadense Severn Cullis-Suzuki, então com 12 anos, discursou diante dos líderes reunidos na primeira conferência da ONU sobre o clima realizada no Rio de Janeiro. "Venho aqui hoje sem nenhuma agenda oculta", disse ela. "Perder meu futuro não é como perder uma eleição, ou então alguns pontos no mercado de ações. Estou aqui para falar por todas as futuras gerações." Sabemos o que foi feito, ou mais precisamente o que *não* foi feito, diante de uma catástrofe iminente que agora já afeta pessoas no mundo inteiro, e que ameaça a própria base da nossa existência.

"A saúde está inextricavelmente ligada à mudança climática", alertou o *The Journal of the American Medical Association* já em 2014. Os impactos disso na saúde são bem documentados. Quatro anos mais tarde, a *The Lancet* publicou: "A vulnerabilidade ao calor extremo vem subindo constantemente desde 1990 em todas as regiões, com 157 milhões de pessoas a mais expostas a eventos de calor extremo em 2017 em comparação com 2000."[27] Mais recentemente ainda, no que o *The Wall Street Journal* denominou "uma súplica sem precedentes", editores de 200 periódicos de saúde internacionais, entre eles *The Lancet, The British Medical Journal* e *The New England Journal of Medicine*, chamaram o fracasso dos líderes políticos no enfrentamento à crise climática de "a maior ameaça à saúde pública global".[28] Os danos da mudança climática incluem males físicos agudos e crônicos como doenças cardiovasculares e susceptibilidade a infecções, além de problemas de saúde mental. Pessoas em especial situação de risco são as que sofrem de doenças cardíacas ou renais, diabetes e problemas respiratórios. Nem preciso mencionar a insegurança alimentar e a falta de acesso à água, fatores importantes de estresse que já afetam milhões.

Na raiz do cínico e ativo descaso pela saúde de nossa Terra está a sociopatologia de suas entidades mais poderosas, cujo tráfico planetário de venenos retira qualquer metáfora da expressão "cultura tóxica".

As petrolíferas injetaram bilhões de dólares para impedir a ação dos governos. Bancaram *think tanks* e pagaram cientistas aposentados e organizações comunitárias fajutas para lançar dúvidas e desdém sobre a ciência climática. Patrocinaram políticos, em especial no Congresso dos Estados Unidos, para bloquear tentativas internacionais de reduzir as emissões de gases de efeito estufa. Investiram pesado no *greenwashing* da sua imagem pública.

Assim noticiou o *The Guardian* em 2019, cenário também amplamente noticiado pelo *The New York Times* e muitos outros veículos. E tampouco estamos falando apenas no passado: em 2020, as 100, ou mais, maiores empresas americanas canalizaram grande parte de suas doações de campanha para políticos com histórico de retardar as leis relacionadas ao clima. Sem dúvida essa generosidade se deveu muito à certeza de que esses mesmos políticos também apoiariam avidamente os interesses das grandes corporações. Afinal, em comparação com o lucro financeiro, o clima não passa de um trocado.

De uma perspectiva médica, o comentário de Joel Bakan sobre a metástase da patologia não poderia ser mais adequado. Se uma célula do corpo começa a se multiplicar à custa do organismo como um todo, destruindo tecidos próximos e se espalhando para outros órgãos, privando o hospedeiro de energia, desativando suas defesas e eventualmente ameaçando sua própria vida, chamamos esse crescimento irrefreado de câncer. A mesma transformação anormal e maligna está hoje acometendo nosso mundo, governado por um sistema que parece programado para ir contra a vida. O anormal se tornou a norma; o antinatural se transformou no inexorável.

Na lógica do lucro a religião é a ganância, e a saúde não passa de dano colateral. "Não é que eles queiram que você morra", comentou o endocrinologista Rob Lustig num tom falsamente destinado a me reconfortar. "Eles só querem o seu dinheiro. Simplesmente não estão nem aí se você morrer por isso."

# 22

# A noção de si sob ataque: como raça e classe se entranham na pele

*Quando papai disse que a gente era indígena, meu irmão levantou a mão e, chorando, perguntou a ele: "Mas a gente ainda é parte humano, né?"*

– HELEN KNOTT, *In My Own Mocassins*

Quando eu era criança na Hungria do pós-guerra, depois do genocídio que havia tirado a vida da maioria de meus parentes distantes e da minha comunidade, eu era frequentemente ofendido por causa da minha identidade étnica. Nunca me esquecerei de como um amigo certa vez saiu em minha defesa: "Deixem ele em paz", ralhou ele com quem estava me oprimindo. "Ele não tem culpa de ser judeu." Carreguei por muito tempo a vergonha corrosiva desse "erro" do qual não tinha culpa, pois tinha absorvido a visão que os outros tinham sobre mim.

Apesar dessa experiência direta de ser apontado cedo na vida como "outro", meu status desde a adolescência de integrante de uma cultura dominante – um homem de meia-idade com aparência de branco na América do Norte – também influenciou minha forma de ver o mundo. Ainda tenho tendência a não ver de cara o que pessoas de outras origens carregam, que provações elas precisam enfrentar. É fácil demais para os privilegiados entre nós imaginar que andamos pelas mesmas ruas do restante das pessoas.

Embora uma imagem de satélite da Terra possa sugerir que sim, não é desse jeito que as coisas funcionam no nível do chão. Pessoas indígenas no Canadá ou pessoas pretas nos Estados Unidos pisam o mesmo chão de seus conterrâneos brancos, encaram os mesmos obstáculos no dia a dia e lutam contra as mesmas adversidades? Certamente não.

Logo no começo de sua autobiografia publicada postumamente, o revolucionário líder negro Malcolm X relembra quanto se sentiu rebaixado ao tentar se reinventar segundo os padrões de uma sociedade que rejeitava quem ele era. Quando jovem, ele alisava o cabelo, chegando a queimar o couro cabeludo para eliminar o crespo natural dos fios. "Esse foi meu primeiro passo realmente grande rumo à autodegradação", escreve ele. "Literalmente queimar minha pele para deixar meu cabelo parecido com o de um branco."[1] Muitos anos mais tarde, já líder da Nação do Islã, Malcolm desafiou uma plateia a confrontar o ódio que sentia de si mesma. "Quem lhes ensinou a odiar a textura dos seus cabelos?", perguntou ele. "Quem lhes ensinou a odiar a tal ponto a cor da sua pele que vocês a clareiam para ficarem iguais aos brancos? Quem lhes ensinou a odiar o formato do seu nariz e da sua boca? Quem lhes ensinou a odiar a si mesmos do alto da cabeça até as solas dos pés?" Fiz uma expressão de reconhecimento ao ler essas palavras, pois eu também sempre sentira uma consciência excessiva da minha aparência "étnica" facilmente identificável no Leste Europeu.

As perguntas fulminantes de Malcolm vão muito além do autoconceito mental ou emocional. A autorrejeição tem dimensões fisiológicas poderosas, relacionadas a todos os aspectos do bem-estar. Desde a mais tenra idade, ela representa um dos estragos mais agudos e mais íntimos do racismo.

O médico canadense Clyde Hertzman[2] criou o conceito de "embutimento biológico", com o qual queria dizer exatamente o que temos examinado de inúmeras formas neste livro: que nosso entorno e nossas experiências sociais, nas palavras dele, "entranham-se na pele cedo na vida", moldando nossa biologia e nosso desenvolvimento. Hertzman quis dizer "entranhar" no sentido literal, referindo-se ao que os acontecimentos da vida fazem com a pele, com o sistema nervoso e com as vísceras. Por exemplo, não é uma fatalidade genética o fato de, no Canadá, pessoas indígenas terem mais doenças ou morrerem antes das outras. O racismo e a pobreza se entranham na pele de muitas formas.

Este capítulo é um breve exame, sob o viés do trauma, de um tema gigantesco: como dois dos principais fatores sociais determinantes para a saúde – raça e status econômico – se tornam biologicamente embutidos. No capítulo a seguir abordarei um terceiro, o gênero. No entanto, embora os esteja tratando separadamente aqui, seria uma falácia pensar nessas três categorias como entidades independentes. Para muitos indivíduos, as três se entrecruzam de maneiras que tornam quase impossível destrinchar o que depende de quê – daí a expressão "intersecional". É difícil separar, por exemplo, os impactos na saúde por ser mulher num sistema patriarcal e ao mesmo tempo uma pessoa não branca num ambiente racializado, ou por ser pobre numa cultura que venera a riqueza, ou por viver como pessoa LGBT numa sociedade em que a LGBTfobia ainda é endêmica.

Valerie (Vimalasara) Mason-John, palestrante de origem afro-britânica e canadense, que dá aulas e mindfulness e já escreveu diversos livros, conta que vivenciou intimamente a interseção de todas essas quatro variáveis.[3] Todas contribuíram para seu mergulho na bulimia e na dependência química, a começar pelo tormento racial vivenciado durante sua primeira infância na Grã-Bretanha, no orfanato Barnardo, de Barkingside, Essex. "Diariamente, tinha um menino que chegava para mim e dizia: 'E aí, crioulagem? Vai pra casa comer canjica e vê se acorda branca.' Era sem fim", contou Vimalasara. "As pessoas viviam me dizendo que minhas mãos eram iguais às de um macaco. Aos 4 anos eu já estava tentando descolorir a pele." Hoje vivendo no Canadá, afirmou:

> É impossível isolar minha sexualidade do meu gênero e/ou da minha raça: todos esses fatores podem entrar em jogo quando alguém se relaciona comigo. A interseção desses fatores determinantes impactou minha vida inteira. Não dá para saber qual das minhas identidades vai ser oprimida quando saio de casa de manhã. Às vezes são todas, às vezes só uma, mas a identidade que continuamente vira uma ameaça para os outros é a minha pele preta.

Como afirma secamente o escritor afro-americano Ta-Nehisi Coates: "A raça é filha do racismo, não sua mãe." Em outras palavras, o próprio conceito de raça surge da imaginação distorcida do racista. Embora os impactos do racismo sejam reais, em termos fisiológicos ou genéticos a raça não existe. Diferenças superficiais na cor da pele, na morfologia do corpo ou nos traços do rosto não criam "raças". Historicamente, a ideia de raça nasceu do impulso capitalista europeu de enriquecer subjugando, escravizando e, se necessário, destruindo povos indígenas de outros continentes, da África à Austrália e América do Norte. De fato, a palavra *raça* não existia de nenhuma forma significativa até ser criada no fim do século XVIII. Psicologicamente, no nível individual, o "outro" que o racismo acarreta é um antídoto para a insegurança: se eu não me sinto bem em relação a mim mesmo, pelo menos posso me sentir superior a *alguém* e obter uma sensação de poder e status me dizendo privilegiado em relação a essa pessoa. "O antissemita", escreveu o filósofo francês Jean-Paul Sartre,

> é um homem que tem medo. Não do judeu, claro, mas de si mesmo e da própria consciência, da própria liberdade, dos próprios instintos, das próprias responsabilidades, da própria solidão, da mudança, da sociedade e do mundo… A existência do judeu apenas permite ao antissemita sufocar as próprias angústias.[4]

O impacto pernicioso do racismo advém da sua própria natureza, que é ver e tratar o outro, em última instância igualzinho a você, segundo sua fantasia egocêntrica, ressentida e deturpada de quem ele é. O brilhante escritor James Baldwin certa vez afirmou: "O que os brancos precisam fazer é tentar encontrar dentro do próprio coração por que foi preciso inventar um crioulo para começo de conversa. Se foram vocês, as pessoas brancas, que o inventaram, então precisam descobrir por quê."

Ao recordar a vergonha que sentia quando criança por ser judeu, me identifico plenamente com a poderosa formulação do psicólogo afro-americano Kenneth Hardy:[5] a "noção de si agredida". Nesse estado, diz Hardy, "a alma do ser se torna eternamente ferida […] É quando a definição de si é feita por terceiros. Quando minha noção de quem sou é definida pelo que eu não sou, não pelo que sou." E ele acrescenta: "Quem eu sou, portanto, se transforma numa reação a como sou definido; quem eu sou é sempre uma reação a outra coisa."[6]

A escritora Helen Knott, que tem origens *dane-zaa*, *heniyaw* e europeia, conhece bem essa experiência da noção de si agredida pelo fato de ser indígena no Canadá moderno. "Eu me tornei 'outra' na minha aula de estudos sociais do oitavo ano", escreve ela. "A excluída. A índia selvagem. A índia selvagem e cruel."[7] A mácula e a tensão de ser definida por preconceitos externos não podia deixar de penetrar sua noção central de quem era.

Knott e eu nos falamos por Zoom numa manhã de inverno em 2019, pouco depois de eu ler seu poético livro de memórias sobre trauma, dependência e redenção, *In My Own Moccasins* (algo como "Na minha própria pele índia"). "Ser definida como outra me foi socialmente inculcado", disse ela.

> Isso estava presente na minha família e em como os integrantes dela interagiam com o mundo exterior. Minha mãe vivia dizendo: "Você não é morena o bastante, nem branca o bastante." Aonde quer que você vá, tem sempre consciência da sua alteridade num recinto. Você pode estar sentada em algum lugar e calculando: "Será que este é um espaço seguro para eu ter a conversa que quero ter? Será que estou me tornando menos visível ou mais?" É um cálculo quase inconsciente de segurança, quase o tempo inteiro.

Knott vinha refletindo sobre como as mulheres em sua vida carregavam as marcas do racismo na própria postura, "e até mesmo no modo como seus corpos se transformam em espaços públicos [dominados por brancos]", diz ela. E me deu um exemplo vívido:

> Quando minha avó entra numa mercearia, até onde minha memória alcança, de repente... seus ombros se encolhem, o rosto se vira para o chão. Ela não faz contato visual com ninguém; apenas avança com o passo arrastado. Isso acontece em qualquer tipo de espaço público de maior porte. Sua postura inteira muda. Tirando isso, ela tem sido a nossa matriarca, aquela que *ocupa* o espaço. É ela quem conta as histórias, chama as pessoas e lhes diz para fazerem isso ou aquilo. Agora que está mais velha, com 79, nos últimos anos isso mudou um pouco. Ela tomou um pouco mais de liberdade porque pensa: "Não ligo mais para isso."

Quando perguntado por que "vive falando o tempo todo sobre raça", Hardy dá uma resposta ao mesmo tempo correta do ponto de vista médico e muito sincera: "Se eu não falar, surgem uma porção de coisas fisiológicas dentro de mim." A supressão emocional e seus danos biológicos são de fato uma das muitas feridas infligidas pelo racismo. No capítulo 3, mencionamos que o racismo encurta vidas. Um estudo que examinou os telômeros protetores de cromossomos de homens afro-americanos constatou que experiências explícitas de racismo *e* a noção de si agredida, inclusive pela internalização do viés racial, "atuam juntas para acelerar o envelhecimento biológico".[8]

O preconceito socialmente arraigado, seja em sua forma sutil ou explícita, cobra da saúde um preço enorme e até muito recentemente em grande parte silenciado. Esse silêncio, não na ciência ou nos dados, mas no discurso público, foi enfim quebrado após o assassinato de George Floyd em maio de 2020 e a chegada do novo coronavírus. O primeiro, que veio se somar a uma incontável sequência de mortes parecidas de pessoas negras, fez milhões de pessoas no mundo inteiro verem as injustiças raciais venenosas entranhadas nas sociedades ocidentais, mais flagrantemente nos Estados Unidos; o segundo fato demonstrou claramente que a brutalidade policial é apenas um dos vetores de um racismo letal. Americanos latinos e pretos tiveram três vezes mais probabilidade de contrair covid-19 e duas vezes mais probabilidade de morrer da doença. Na Grã-Bretanha, as comunidades não brancas também foram desproporcionalmente afetadas devido a péssimas condições de moradia, desvantagens econômicas e problemas de saúde preexistentes enraizados na discriminação e na desigualdade.

Por trás dos estudos e estatísticas desanimadores está a vida atormentada de seres humanos reais, retratada com amarga eloquência por muitos grandes autores. Nenhum artigo de pesquisa, por exemplo, teria a menor chance de transmitir com mais força a estressante experiência do confinamento, da privação, do medo e da indignação reprimida do que as palavras de Ta-Nehisi Coates ao relembrar a própria juventude no centro pobre de Baltimore: "Nós não podíamos sair. O chão que pisávamos estava cheio de armadilhas. O ar que respirávamos era tóxico. A água prejudicava nosso crescimento. Nós não podíamos sair... Não ser violento o suficiente podia me custar meu corpo. Nós não podíamos sair."[9]

"Nos Estados Unidos, destruir o corpo preto é uma tradição... *uma herança*", afirma Coates. Embora essa destruição tenha ficado mais explícita nos linchamentos perpetrados por turbas de outros tempos e na violência oficialmente sancionada que perdura até hoje, ela causa efeitos mais insidiosos e ainda mais generalizados por meio da impressão direta do racismo no corpo. De forma importante, esses efeitos aparecem na fisiologia das pessoas como se estivessem ali desde o começo. "Doenças cardíacas, diabetes, obesidade, depressão, abuso de substâncias, taxa de aproveitamento escolar, mortalidade prematura, incapacidade ao se aposentar, envelhecimento acelerado e perda de memória, tudo isso tem determinantes sociais no início da vida", assinalou Clyde Hertzman.[10] De modo nada surpreendente, as pessoas pretas nos Estados Unidos têm mais diabetes, obesidade e hipertensão, além de complicações que podem ser fatais, como o AVC, para os quais seu risco é dobrado. Por exemplo, um afro-americano de 45 anos morador do Sudeste dos Estados Unidos tem a mesma propensão ao AVC de um homem branco de 55 anos da mesma região e de um homem branco de 65 anos que mora do Meio-Oeste. Ao examinar a literatura, achei muito espantoso as diferenças raciais nas taxas de pressão arterial já serem mensuráveis em crianças e adolescentes.[11] Por quê? "Hiper" significa "demasiado", "tensão" significa "tensão", e a discriminação racial induz tensão. Por motivos semelhantes, crianças americanas pretas têm seis vezes mais probabilidade de morrer de asma do que crianças não pretas.[12]

Isso tudo está alinhado com o que vimos ao longo deste livro. Para crianças pequenas, estar subordinadas em seu meio social – seja na família ou em sala de aula – conduz a respostas cardiovasculares, do sistema nervoso e hormonais, exacerbadas ao estresse e a riscos mais altos de problemas médicos crônicos. Isso permanece verdadeiro também para os adultos. A supressão da autenticidade individual bagunça a biologia e gera doenças; um caos ainda maior irá acontecer em corpos pertencentes a grupos cuja autossupressão foi sistematicamente imposta, muitas vezes com grande violência.

James Baldwin certa vez afirmou que "ser preto e relativamente consciente neste país é sentir raiva quase o tempo inteiro". Baldwin disse essas palavras em 1961. Décadas de direitos civis e um presidente preto depois, elas ainda soam verdadeiras. Baldwin também compreendia que a raiva por si só, mesmo que justificada, não podia ser o fim da história. Logo na frase seguinte, ele chamou de "o primeiro problema" "como controlar essa raiva para que ela não destrua você".[13] Estou convencido de que uma raiva assim, e ainda por cima sua supressão obrigatória numa sociedade que teme e pune a raiva preta, contribui para o risco aumentado que os homens afro-americanos enfrentam de morrer de câncer de próstata e as mulheres afro-americanas de sucumbir ao câncer de mama.

Independentemente da genética, as diferenças raciais desafiam as categorias econômicas: por exemplo, o mencionado risco de câncer de mama para mulheres pretas perpassa as fronteiras de classe. Próximo ao momento do parto, mães pretas morrem três ou quatro vezes mais que mães brancas não hispânicas. E seus bebês têm pelo menos duas vezes mais chances de morrerem do que bebês brancos, outra tendência que se mantém em todos os níveis educacionais e status socioeconômicos. "Em termos simples", alertou um artigo recente na revista da Escola de Saúde Pública T. H. Chan, de Harvard, "para as mulheres pretas mais do que para as brancas, *dar à luz pode equivaler a uma sentença de morte*".[14] E como não se espantar com o achado de que ter um médico não preto dobra o risco de um bebê preto morrer, sua "penalidade", por assim dizer, pelo crime de ter nascido preto.[15] Para bebês brancos, a raça do profissional de saúde não faz diferença. Em suma, é "o racismo, não a raça em si, que ameaça a vida de mulheres e bebês afro-americanos", concluiu um exame recente de vários estudos.[16]

Já vimos como os fatores de estresse emocionais, entre os quais o racismo ocupa a linha de frente, "se entranham na pele": acionamento de genes que favoreçam a inflamação, envelhecimento precoce de cromossomos e células, danos a tecidos, aumento da glicose no sangue, estreitamento de vias aéreas. Mesmo *sem* desvantagem econômica, os estresses do preconceito racial se acumulam ao longo do tempo, intoxicando o corpo e minando sua capacidade de se manter. Essa carga alostática, o desgaste, simplesmente se torna excessiva. Quando os chamados biomarcadores – como pressão arterial, hormônios do estresse, indicadores de taxa de glicose no sangue, proteínas inflamatórias e lipídios – foram aferidos, eles eram significativamente mais altos em pretos do que em brancos, com as mulheres pretas apresentando taxas consistentemente mais altas do que os homens pretos. Em ambas as raças, pessoas pobres tiveram taxas mais altas do que seus pares economicamente mais favorecidos, mas pretos *não pobres* tinham maior probabilidade de apresentar taxas altas do que brancos *pobres*. As diferenças eram especialmente pronunciadas em mulheres pretas não pobres, se comparadas a mulheres brancas não pobres, ilustrando uma vez mais a interseção de raça e gênero como determinantes da saúde numa sociedade racialmente estratificada.[17]

"Quando se tem o racismo como mecanismo, tem-se um trauma geracional", afirmou a psicoterapeuta Eboni Webb, do Tennessee. Sua voz mansa durante nossa chamada de Zoom não conseguiu disfarçar a dura realidade de sua história familiar. "Todas as mulheres da minha família têm a pele muito clara", disse Webb.

Mas os brancos não entraram na nossa história por nossa vontade, e sim à força. As mulheres da minha família foram brutalizadas através das gerações. Essa agressão em si é um trauma, mas a maneira como tivemos que construir uma armadura para nós mesmas também é um trauma. Lembro dos meus pais me dizendo que, se alguma coisa acontecesse na escola, era para eu chorar em casa. Nada de chorar lá. É claro que as emoções são traumatizantes: o que acontece com um povo que não pode mostrar a gama completa das próprias emoções? Para pessoas não brancas que estão criando filhos, não é só "o racismo existe", mas "o racismo pode ser uma ameaça à vida". Nossa experiência de infância é aprender a viver usando nossas defesas de sobrevivência, e isso simplesmente não mudou. Nós não temos o luxo de criar nossos filhos de nenhuma maneira ideal.

Viver usando as próprias defesas de sobrevivência é uma fórmula que define a ativação do aparato de estresse do corpo ao longo da vida inteira, com inúmeras consequências.

Em 1957, minha família e eu fomos recebidos de braços abertos pelo Canadá, com outros quase 38 mil conterrâneos húngaros refugiados de uma ditadura stalinista brutal. Eu tinha 13 anos. O país parecia de fato verdadeiro, forte e livre, como diz a letra do hino nacional canadense. O que eu não sabia, e ninguém estava dizendo, era que nesse mesmo ano, enquanto nos adaptávamos às vantagens da vida na Colúmbia Britânica, uma menina de 4 anos das Primeiras Nações chamada Carlene teve um alfinete espetado na língua em seu primeiro dia de aula numa escola pública administrada pela igreja, não muito longe de onde eu morava. Seu crime tinha sido falar seu idioma de origem em sala de aula. Essa menininha passou uma hora sem recolher a língua para dentro da boca por medo de cortar os lábios. Pouco depois começaram anos de abuso sexual. Aos 9 anos Carlene já era alcoólatra, e mais tarde se tornou dependente de opioides para aliviar a dor. Nós nos conhecemos numa cerimônia de cura não faz muito tempo, e foi então que ela me contou sua história, soluçando e tremendo de emoção. Achei que já tivesse escutado tudo. Mas não. Hoje avó e sóbria há muitos anos, ela sofre ao ver os netos vítimas da dependência. Para ela, nosso hino nacional era uma farsa cruel: "o verdadeiro Norte forte e livre" não existia. E não existe até hoje.

Sendo assim, no Canadá, onde menosprezar os Estados Unidos é quase um esporte nacional, não temos motivo algum para nos sentir superiores. O preconceito da polícia, que inclui uma violência brutal, atinge notoriamente os povos originários e as pessoas não brancas. Quase 30% da população carcerária neste país é formada por pessoas indígenas, que não representam mais de 5% da população total.[18]

Mais ou menos a mesma porcentagem de meus clientes empobrecidos e dependentes no Downtown Eastside de Vancouver eram de origem indígena, herdeiros de um tóxico legado colonial de extermínio e expulsão: a destruição genocida da existência comunitária; muitas décadas de transferência involuntária de crianças indígenas para colégios internos do governo, rígidos e cristãos, onde os idiomas e as culturas originárias eram proibidos sob pena de castigo e onde reinava uma cultura de abuso sexual e físico estarrecedora e estrutural; o período conhecido como "Sixties Scoop",[19] quando o sistema de proteção à infância (!) do Canadá raptou milhares de crianças das Primeiras Nações de seus lares e as pôs em famílias não indígenas; situações de vida atrozes nas reservas; um trauma multigeracional que perdura até hoje; e a invasão e poluição recorrentes das terras indígenas para projetos econômicos que beneficiam corporações distantes. Em 2021, o mundo se horrorizou com a descoberta de milhares de pequenas ossadas nos antigos terrenos de colégios internos espalhados pelo Canadá. Sabe-se que muitos outros milhares de pessoas desapareceram e ainda não tiveram seus restos mortais encontrados, e suas mortes, profundamente gravadas e pranteadas na consciência de suas famílias e comunidades, só recentemente tiveram um reconhecimento formal por parte das instituições governamentais e eclesiásticas responsáveis. Quase 2 mil túmulos sem identificação tinham sido encontrados até o final de 2021. Ainda há outros 5 a 10 mil aguardando descoberta.

As condições de saúde e de vida em nossas populações de Primeiras Nações são um escândalo, equiparadas apenas ao fracasso crônico dos governos, em todas as instâncias, de remediar as circunstâncias sociais, econômicas e culturais que as produzem. A expectativa de vida dos povos originários é 15 anos menor do que a dos outros canadenses, a mortalidade infantil de duas a três vezes mais alta, e o diabetes tipo 2 quatro vezes mais prevalente, e isso numa população que pouco mais de um século atrás desconhecia o diabetes.[20] O alto nível de açúcar no sangue é o de menos: o diabetes é uma das principais causas de cegueira, falência cardíaca e renal e amputações de membros. Os povos das Primeiras Nações do Canadá estão desenvolvendo essas doenças na casa dos 40 anos, enquanto em outros setores da população elas ocorrem principalmente depois dos 70. As taxas não param de subir. "Em 2005", constatou um estudo,

> quase 50% das mulheres das Primeiras Nações e mais de 40% dos homens das Primeiras Nações com 60 anos ou mais tinham diabetes, comparados a menos de 25% dos homens não Primeiras Nações e menos de 20% das mulheres não Primeiras Nações de 80 ou mais [...] Os adultos das Primeiras Nações estão apresentando uma epidemia de diabetes que afeta desproporcionalmente as mulheres em idade produtiva.[21]

Segundo um artigo de 1994, as taxas de suicídio entre jovens em algumas comunidades indígenas do Canadá – Primeiras Nações, inuítes, métis – eram mais altas do que as de qualquer outro grupo culturalmente identificado do mundo.[22] E segue sendo assim.

Esther Tailfeathers é uma médica indígena na reserva de Blood Tribe, em Alberta, comunidade que já teve mais do que o seu quinhão de dependências químicas severas. Ela me convidou duas vezes para ir até lá e apoiar seus programas contra a dependência, uma delas após um período de três meses em que a comunidade de 7.500 pessoas tinha perdido 20 para a overdose.[23] Perguntei a Tailfeathers como tinha sido para ela, hoje uma bem-sucedida profissional, crescer como indígena no Canadá. "Às vezes um horror", ela respondeu.

> Nós fomos uma das primeiras famílias originárias a se mudarem para a cidade de Cardston e alugar uma casa. Como não havia ônibus escolar, eu tinha que percorrer um longo trajeto a pé até a escola, do outro lado da cidade. No primeiro ano, lembro de ser seguida por um grupo de

crianças o caminho inteiro até em casa. O líder desse grupo catou uma pedra grande e jogou em mim, e depois disso todas as outras crianças começaram a jogar pedras também. Essa foi minha primeira lição de bullying e de ódio.

Não foi a última. "Quando eu tinha uns 19 anos, tivemos imensos protestos por reivindicação de terras. Fui espancada pela RCMP[24] e posta na cadeia."

"O mais triste", acrescentou ela, "era que seria de pensar que as coisas tivessem melhorado, porque sabemos o que aconteceu, a começar pelos colégios internos e tudo que veio depois. Mas não acho que tenha melhorado. Piorou, na verdade."

Em 1848, um médico berlinense de 27 anos, Rudolf Virchow, foi despachado para a Alta Silésia a fim de investigar um surto mortal de tifo, infecção bacteriana que então grassava nessa região empobrecida e em grande maioria de língua polonesa da Alemanha. Junto com suas recomendações para conter a epidemia, Virchow causou indignação ao exigir reformas sociais, políticas e econômicas. Entre elas a introdução do polonês como língua oficial, separação entre Igreja e Estado, criação de organizações comunitárias, ensino livre para os dois sexos e acima de tudo "*democracia livre e ilimitada*".

Hoje venerado como pai da patologia moderna, Virchow desprezava qualquer separação entre saúde, condições sociais e cultura. "A medicina nos conduziu imperceptivelmente ao campo social, e nos pôs na posição de confrontar diretamente os grandes problemas da nossa época", escreveu ele. Quando argumentaram que o seu conselho tinha mais a ver com política do que com medicina, Virchow deu a seguinte resposta, que nunca envelheceu: "A medicina é uma ciência social, e a política nada mais é do que medicina em grande escala."

Apesar de todo o renome de Virchow, quase dois séculos mais tarde muitos médicos e cientistas ainda lutam no mundo todo contra a indiferença política, profissional e social para aplicar as lições mais gerais que ele tirou de suas investigações. Ao iniciar suas pesquisas sobre o impacto da estratificação social na saúde, seu contemporâneo, o epidemiologista

Sir Michael Marmot,[25] descobriu que "a desigualdade e a saúde estavam completamente fora da agenda, com exceção de alguns desbravadores que escreviam sobre os males do capitalismo".[26] Seus achados ao longo das décadas, publicados em diversos artigos e livros, vêm demonstrando em bases sólidas os vínculos entre disparidades sociais e saúde.

Não há por que repetir em detalhes o que diz a ciência. Tanto a desigualdade quanto a pobreza agitam a mistura hoje conhecida de função genética alterada, inflamação, envelhecimento cromossômico e celular, desgaste fisiológico, perturbações hormonais, efeitos cardiovasculares e debilidade imunológica, todos os quais se combinam para causar doenças, deficiências e morte. Biologicamente implantados *in utero*, na infância e durante a adolescência, todos esses fatores são exacerbados ainda mais pela presença de adversidades ou ameaças em qualquer estágio da vida. Os níveis de hormônio do estresse, por exemplo, são muito mais altos em crianças de classes mais baixas, o que representa um risco biológico para futuras doenças de muitos tipos.[27]

Embora nós, canadenses, gostemos de nos orgulhar de nosso sistema público de saúde – e com razão, especialmente se espiarmos por cima do Paralelo 49 e considerarmos a barafunda em nosso vizinho mais ao sul, onde reina a lei do mais forte – pesquisas mostram que, no máximo, apenas por volta de 25% da saúde da população pode ser atribuída ao sistema de saúde. Metade é determinada pelos ambientes sociais e econômicos.[28]

A meu ver, existem vários motivos para se pensar que até mesmo esses 50% estejam gravemente subestimados. "Me diga o seu CEP", afirmou um palestrante numa conferência sobre saúde em Chicago, em 2014, "e eu lhe direi quanto tempo você vai viver." A diferença de expectativa de vida entre os bairros mais pobres de Chicago e os mais abastados é próxima de 30 anos.[29] "É basicamente a diferença entre o Iraque e o Canadá num raio de poucos quilômetros", comentou um médico amigo meu. Os canadenses com tendência à superioridade patriótica talvez queiram analisar um estudo semelhante feito em nosso país em 2006. Na cidade de Saskatoon, as pessoas em bairros mais pobres tinham uma probabilidade duas vezes e meia maior de morrer no intervalo de um ano. A taxa de mortalidade infantil no centro da cidade era o triplo da observada nas regiões mais ricas.[30]

Em 1974, a antropóloga Ashley Montagu, já citada neste livro, cunhou a expressão "sequelas cerebrais sociogênicas". Tecnologias desde então disponíveis confirmam que ambientes estressados, entre os quais aqueles onde há penúria, interferem no desenvolvimento cerebral. Mais recentemente, um cientista chamou a pobreza de "neurotoxina". Exames de imagem do cérebro de crianças e jovens de comunidades desfavorecidas revelaram uma redução da superfície do córtex cerebral, bem como hipocampos e amígdalas reduzidos – regiões subcorticais que participam da formação da memória e do processamento das emoções.[31] Já se observou que o sistema de serotonina do cérebro em adolescentes é prejudicado pelos estresses da pobreza, o que aumenta o risco de turbulência emocional.[32]

O médico de Toronto Gary Bloch, que atende uma população empobrecida da zona central da cidade, vem encabeçando uma campanha dentro e fora da comunidade médica para aumentar a conscientização de como desigualdades de renda, raça e gênero se entrecruzam para promover doenças. Ele quer que os médicos reconheçam a pobreza como um fator de risco para a saúde, da mesma forma que fariam com a hipertensão, o tabagismo ou a má alimentação. É claro que na prática essas três coisas tendem a caminhar juntas. Amigo da nossa família há anos, Gary, um homem afável de 47 anos, de sorriso franco e atitude decidida, prescreve suplementos alimentares e encaminha pacientes para assistentes financeiros que possam ajudá-los com problemas relacionados a auxílios e impostos, qualquer coisa que possa contribuir para aliviar a pobreza deles. Ele compartilhou comigo uma história reveladora que ouviu de um assistente social.

> Um médico diz: "Tome este antibiótico três vezes ao dia... de estômago cheio", e eu sempre gargalho histericamente, e as mulheres pobres e trabalhadoras que conheço também riem porque sabem que "Tá, três refeições ao dia, que papo é esse? De estômago *cheio*?" Outro me contou: "Tive um paciente idoso que precisava tomar remédio para diabetes e morava num abrigo de Toronto para pessoas em situação de rua... Por causa da idade, ele tinha a mobilidade reduzida, e não tomava nenhum dos remédios para diabetes porque o efeito colateral da medicação era diarreia, e ele morava num abrigo com 60 homens mais jovens e dois banheiros... Não tinha chance nenhuma de chegar ao banheiro se precisasse ir depressa, então não tomava os comprimidos.

"A peça faltante da qual venho tratando é o vínculo entre saber como as questões sociais afetam a saúde das pessoas e o que fazer em relação a isso", disse Gary; uma tarefa digna de Sísifo na atual conjuntura social. "O trauma social é algo com que eu lido o tempo inteiro", disse ele.

> Sinceramente, não consigo me lembrar de terem ensinado isso quando eu estava na faculdade. O conjunto de conhecimento tradicional, a cultura médica, ainda não incorporou as intervenções nas questões sociais como uma parte central da medicina. O trauma social é um monstro imenso para se encarar, e quase posso sentir de forma tangível quanto essa entidade é forte e quanto ela é real. É um desafio tentar enfrentá-la.

Se os profissionais de saúde levassem a sério as informações relacionadas aos determinantes sociais, sugere em tom de galhofa o especialista canadense em saúde Dennis Raphael, eles poderiam parar de emitir avisos do tipo "Pare de fumar" e recomendar, em vez disso, "Não seja pobre", e outros conselhos correlatos: "Não viva em moradias úmidas de baixa qualidade"; "Não exerça um trabalho manual estressante e mal remunerado"; "Não more perto de uma via expressa movimentada ou de uma fábrica poluente"; "Tenha a possibilidade de tirar férias no exterior e tomar sol".[33] Em outras palavras, imigre para um universo paralelo mais gentil, mais são e mais igualitário.

O monstro da desigualdade tem muitos tentáculos com os quais faz a vida se esvair da existência das pessoas. Para começar, a impressão biológica da desigualdade não afeta apenas os muito pobres. Em sociedades dominadas por princípios materialistas, a posição relativa de uma pessoa na pirâmide social influencia a saúde em todas as camadas. O vínculo da posição social com a saúde é conhecido como *gradiente social*, escala que atravessa todos os segmentos da sociedade. É fácil ver por quê. O status social dá às pessoas graus maiores ou menores de controle, cuja ausência já sabemos ser um gatilho para o estresse fisiológico e a doença. Isso ficou demonstrado nos famosos estudos de Michael Marmot em Whitehall, que constataram que a posição das pessoas no serviço público britânico se correlacionava com seus riscos de receberem diagnósticos de doenças cardíacas, câncer e saúde mental.[34] Quanto mais baixa a posição nessa escala, mais altos os riscos, independentemente de fatores comportamentais como tabagismo e pressão arterial. E isso num grupo de pessoas com relativa segurança econômica e empregos de classe média! "É mais fácil esvaziar prédios contaminados do que modificar estruturas sociais", comentou outro cronista importante da desigualdade, o epidemiologista britânico Richard Wilkinson. "Poderíamos especular sobre qual seria a diferença na resposta se a inclinação do gradiente social de morte e doença fosse contrária, e as pessoas de status mais alto se saíssem pior."[35]

Por fim, numa cultura baseada em valores de competição e materialismo, somos confrontados não apenas com condições materiais concretas, por mais pertinentes que sejam, mas também com o modo como as pessoas são induzidas a *verem* a si mesmas. Quando as pessoas se julgam ou são julgadas pelos outros segundo seu sucesso financeiro, estar situado mais abaixo na pirâmide – ainda que numa posição relativamente estável – é por si só uma fonte de estresse que prejudica o bem-estar. Na frase provocadora do neurocientista Robert Sapolsky: "A saúde é particularmente corroída pelo fato de esfregarem o tempo todo no seu nariz aquilo que você não tem."[36]

Racismo, pobreza, desigualdade: na nossa sociedade, esfregam o tempo todo na cara das pessoas aquilo que elas não têm, e o que o sistema lhes lembra todos os dias que elas não merecem.

# 23
# Os amortecedores da sociedade: por que as mulheres sofrem mais

> *Muitas das minhas pacientes não fazem ideia de como expressar sua raiva de forma saudável. Essa raiva acumulada contribui para deixá-las deprimidas e, creio eu, também para outros sintomas médicos.*
>
> – JULIE HOLLAND, *Mulheres em ebulição*

Este capítulo tem por objetivo desvendar um aparente mistério da medicina: por que as mulheres sofrem de males físicos crônicos com muito mais frequência do que os homens, e por que têm uma probabilidade muito maior de serem diagnosticadas com distúrbios de saúde mental. Digo "aparente" porque, com tudo que se sabe sobre a unidade "corpomente" e nossa natureza biopsicossocial, as respostas estão bem na nossa cara. O fato de não as reconhecermos tem tudo a ver com não prestarmos atenção no jeito "normal" de as coisas funcionarem numa cultura patriarcal que, apesar de séculos de resistência e progresso femininos, é tão frequentemente dominada por preocupações masculinas subliminares quanto por dinâmicas explícitas de poder.

Quando digo que "nós" não reconhecemos essas coisas, me refiro não só à minha profissão como médico e à sociedade como um todo, mas também ao meu próprio pertencimento à classe sexual dominante e ao condicionamento que tal pertencimento inculcou em mim. A verdade é que no discurso eu jogo muito melhor o jogo da igualdade de gênero do que na realidade. Sempre foi e continua sendo preciso uma mulher muito forte e decidida, minha esposa Rae, para viver me alertando, com frequência bem maior do que deveria, para os aspectos do nosso relacionamento pessoal ligados a esse tema. Sinto que Rae e eu não somos nem de longe os únicos a materializarem o modo como as transações inconscientes entre homens e mulheres se dão diariamente em nossa cultura, em detrimento de ambos os sexos, mas em especial mediante um custo para o bem-estar físico e emocional das mulheres.

O abismo de gênero na saúde é real, ainda que insuficientemente levado em conta. As mulheres estão mais sujeitas a sofrer de doenças crônicas mesmo muito antes da velhice, e convivem com a má saúde e com deficiências por mais anos. "As mulheres sofrem mais", escreveu recentemente um renomado médico americano, assinalando que elas têm um risco bem maior de apresentarem dor crônica, enxaqueca, fibromialgia, síndrome do cólon irritável e distúrbios autoimunes como artrite reumatoide.[1] Conforme observado no capítulo 4, a artrite reumatoide atinge mulheres com frequência três vezes maior do que homens, o lúpus afeta as mulheres nove vezes mais, e a proporção mulheres-homens na esclerose múltipla vem aumentando há anos. As mulheres também têm uma incidência maior de tumores malignos não ligados ao tabagismo. Mesmo em se tratando de câncer de pulmão, uma fumante tem duas vezes mais chance de desenvolver a doença.[2] As mulheres também apresentam o dobro de incidência de ansiedade, depressão e TEPT se comparadas aos homens.[3] "Estamos criando um normal que não é nem um pouco normal", disse a psiquiatra e escritora Julie Holland quando a entrevistei.

> Neste exato momento, talvez uma em cada quatro americanas ou mais está tomando algum medicamento psiquiátrico, mas se incluirmos coisas como remédios para dormir ou ansiolíticos a taxa é mais alta ainda. Em qualquer reunião de funcionários ou de pais e professores que se faça, mais ou menos um quarto das pessoas presentes, talvez até mais, toma todos os dias medicamentos para moderar seus sentimentos ou comportamentos.

A demência relacionada ao mal de Alzheimer também parece afetar as mulheres de forma desproporcional, assim como as pessoas pretas nos EUA.[4]

Esse último fato por si só já deveria nos dar motivo para refletir, uma vez que contém uma pista importante sobre as origens desses distúrbios. Afinal de contas, este livro vem analisando os impactos fisiológicos das necessidades de desenvolvimento não atendidas, do estresse e do trauma. Um tema recorrente, além de qualquer dúvida científica, tem sido que essas perturbações emocionais frequentemente servem de gatilho para inflamações e outros tipos de dano fisiológico e mental. Podemos nos perguntar que fardos e estresses as mulheres de todas as cores e classes poderiam ter em comum com pessoas pretas como grupo? Para mim, a resposta é clara: ambos os grupos são alvos preferenciais numa cultura que não respeita, mas menospreza, distorce ou até impele as pessoas a suprimirem quem são. Se essa avaliação for precisa, seria de esperar que, da mesma forma que essas pressões se entrecruzam e se acumulam, a incidência de doenças também fosse aumentar. E aumenta mesmo, imensamente.[5]

No capítulo anterior, examinamos como o racismo e a desigualdade são embutidos biologicamente, e as disparidades de saúde que decorrem desse fato. Aqui, damos o passo lógico de observar os estresses de ser mulher numa sociedade patriarcal. Esses estresses também se entranham na pele, bagunçando todos os sistemas do corpo, inclusive o imunológico.

Uma irrequieta bombeira de 38 anos da pequena cidade de Manitoba, que aqui chamarei de Liz, me contou sobre seu calvário pessoal quando nos conhecemos num congresso de saúde em Toronto. Na época, ela estava afastada do trabalho havia quase um ano por causa da doença de Crohn, o mesmo distúrbio intestinal autoimune de Glenda, do capítulo 2, cujos sintomas incluem cansaço, sangue nas fezes e cólicas. Quando esse transtorno se resolveu, ela passou a manifestar sintomas de estresse pós-traumático: medo debilitante, fantasias medonhas, insônia. "Tinha tremores todos os dias", contou ela.

> Sentia pânico de coisas das quais não tinha motivo para sentir medo. Desenvolvi uma desconfiança de mim mesma, e passei a não saber como iria reagir em várias situações. Chorava com muita facilidade, por motivos que não conseguia explicar... quando estava em público, ou então no meio de alguma atividade. Tinha pensamentos suicidas. E bebia muito para dar conta desses sintomas; passei a beber todos os dias.

A essa altura, já não será surpresa nenhuma para o leitor saber que a história de Liz contém um trauma de infância. Ela fora abusada sexualmente aos 7 anos, abuso que perdurou pelo resto da infância e da adolescência. Sabemos que o trauma sexual é um fator de risco para toda sorte de distúrbios da mente e do corpo, e que as meninas têm uma probabilidade maior do que os meninos de serem submetidas a esse tipo de abuso. Não é mais segredo que, bem depois da infância, as mulheres da nossa cultura enfrentam uma ameaça constante de assédio sexual, tanto no âmbito privado quanto no profissional. Embora o movimento #MeToo tenha lançado uma necessária luz sobre esse flagelo, há muito tempo tem sido assim. Quando minha mulher tinha 16 anos e trabalhava numa sorveteria, ouviu o patrão, com idade suficiente para ser seu avô, comentar com uma risadinha com o filho enquanto os dois passavam atrás dela: "Essa daí eu pegaria fácil." "Fiquei chocada e enjoada, achei aquilo muito esquisito", recorda ela. "Nunca tinha ouvido esse verbo ser usado assim, mas aquilo me soou nojento. Era uma objetificação total. Naturalmente, eu não disse nada." Ou antinaturalmente, no caso – de toda forma essa experiência é tão frequente para mulheres e meninas a ponto de ser inteiramente "normal". E é assim no mundo inteiro.[6]

Estamos ouvindo cada vez mais sobre os riscos que as mulheres enfrentam em profissões tradicionalmente masculinas, como as forças de segurança pública ou de combate aos incêndios. Além do risco de trauma secundário que todos os socorristas são obrigados a enfrentar, um clima de masculinidade tóxica no trabalho também cobrou seu preço de Liz, ajudando a provocar a inflamação intestinal e os distúrbios mentais que a acometeram. Caso ela demonstrasse qualquer vulnerabilidade, ou se deixasse afetar pelas tragédias que com frequência testemunhava, era tratada com sarcasmo e desprezo. "Era um lugar bem machista", lembrou ela.

> Se você tiver alguma questão, você é um problema. Em especial se for mulher e falar sobre isso, você é considerada "mole". Eles tentam prejudicar você fisicamente, sabotar você de alguma forma. Ficavam jogando absorventes internos na minha cama. Nem sei por que eles faziam isso. Era um símbolo bem forte de feminilidade.

Esse tipo de bullying também afeta o corpo e o espírito. Num estudo sobre mulheres bombeiras feito em 2017, assédio e ameaças no trabalho foram relacionados a ideação suicida e sintomas psiquiátricos mais severos,[7] achados que se estendem também a outras profissões menos dominadas por homens. Além da saúde mental, a saúde física também sofre.[8]

Uma reação saudável à agressão por parte de qualquer criatura senciente é a raiva, função do sistema evolucionário cerebral que serve para proteger nossos limites, sejam eles físicos ou emocionais.[9] O comentário da minha amiga Julie Holland na epígrafe deste capítulo, sobre a raiva das mulheres ser reprimida em detrimento da sua saúde, vai invariavelmente no mesmo sentido do que pude observar de pessoas com depressão, doenças autoimunes e câncer. A abdicação arraigada do "não" natural e espontâneo na nossa cultura não se restringe às mulheres, mas com certeza lhes é imposta de maneira mais ampla e com mais força. A dinâmica vai ainda mais fundo do que o simples fato de conter deliberadamente a raiva. Como já distingui anteriormente, a repressão (por oposição à supressão) ocorre sem consciência explícita, e os sentimentos saudáveis são banidos para baixo do nível da consciência: para longe da nossa mente, onde não sejam vistos. "A afabilidade não deixa espaço para nada que não seja agradável", escreve Holland. "Quando nem sequer sabemos por que estamos com raiva, não podemos conversar com a pessoa responsável nem lidar seja lá como for com o problema. Nós choramos; nós comemos; nós nos acalmamos de mil maneiras diferentes."[10]

Mecanismos de autossupressão criados na primeira infância são reforçados por um condicionamento social persistente e gênero-dependente. Muitas mulheres acabam se *autossilenciando*, o que é definido como "a tendência a silenciar pensamentos e sentimentos de modo a manter relacionamentos seguros, em especial os relacionamentos íntimos". Essa negação crônica da própria experiência autêntica pode ser fatal. Num estudo que acompanhou quase 2 mil mulheres ao longo de uma década, as que "relataram que em conflitos com os cônjuges em geral ou sempre guardavam seus sentimentos para si tinham mais de quatro vezes mais risco de morrer durante o acompanhamento em comparação às mulheres que sempre falavam o que estavam sentindo".[11] O que acontece em casa também acontece no trabalho. Outro estudo demonstrou que, para mulheres com chefes que não as apoiavam, a repressão da raiva – uma adaptação natural a um entorno em que se expressar seria se arriscar a perder o emprego – aumentava o risco de doenças cardíacas.[12]

Recorde a seguinte lista de traços de abnegação que predispõem a doenças, mencionada nos capítulos 5 e 7: um agir compulsivo e autossacrificante em prol de terceiros, a supressão da raiva e uma preocupação excessiva com aceitação social. Esses traços de personalidade, encontrados em toda a gama de distúrbios autoimunes, são justamente aqueles inculcados nas mulheres por uma cultura patriarcal. "Eu estava me negando como pessoa, negando meus próprios desejos, minhas vontades", disse a socorrista Liz. "Não estava prestando atenção no que eu necessitava. Todo mundo era mais importante. Meu trabalho era mais importante do que qualquer preocupação que eu tivesse. Eu não estava me escutando em relação a nenhum assunto."[13]

Esse "não se escutar" de modo a priorizar as necessidades alheias é uma origem importante dos papéis prejudiciais à saúde que as mulheres assumem. Ele é uma das formas ignoradas pelos médicos, mas perniciosas, como o "normal" da nossa sociedade impõe um custo grande à saúde das mulheres. Mais sobre isso adiante.

A sexualização das mulheres é outra fonte de má saúde. Ser valorizada conforme o uso que outra pessoa pode fazer de você é uma agressão para o eu. Meninas e mulheres têm uma probabilidade muito maior de serem submetidas a isso, ou mesmo de se verem convencidas de que existe empoderamento nessa sexualização. A célebre cantora e compositora canadense Alanis Morrissette me falou sobre a "embriaguez de poder" que recorda ter sentido quando a atenção masculina que recebeu como jovem estrela do pop e celebridade televisiva começou a assumir um viés carnal. Por um lado, recorda ela:

> Meu intelecto ou o fato de eu ser uma pessoa eram diminuídos para onde quer que eu olhasse, ou mesmo totalmente eliminados. Ao mesmo tempo, de uma hora para outra, eu tinha um poder que podia exercer em termos de ser objetificada ou sexualizada. Sob certos aspectos era sedutor me sentir empoderada assim, ser considerada atraente ou mesmo literalmente estuprada em condição de vulnerável.[14] Havia um elemento naquilo que me dava uma sensação de poder. Era uma espécie de ponto de vista jovem do tipo: "Ah, vou pegar o poder onde conseguir encontrar."

Veja bem, a época à qual Morrissette está se referindo veio décadas antes do surgimento de plataformas como o OnlyFans, onde jovens mulheres fornecem "conteúdo" explícito de todo tipo para assinantes (em sua imensa maioria homens). Uma matéria do The New York Times – no caderno de Economia, ainda por cima – disse tudo: "Desempregada, vendendo nudes na internet, e nem assim consegue pagar as contas."[15]

Os jovens estão cada vez mais obtendo sua primeira rodada de educação sexual da pornografia na internet, hoje em dia muito facilmente acessível. Não é de imagens eróticas vitorianas que estamos falando, nem da coleção de revistas de mulher pelada do seu padrasto. Segundo a socióloga e autora de Pornland (Pornolândia) Gail Dines, o tipo de pornografia mais popular (leia-se: mais rentável) da internet hoje é conhecido na indústria como "gonzo", gênero caracterizado por "sexo hardcore, fisicamente punitivo, em que mulheres são humilhadas e degradadas".[16] Essas imagens sexuais fisicamente violentas e emocionalmente hostis estão sendo acessadas por crianças cada vez mais novas: a maioria das fontes situa a idade média da primeira exposição a esse conteúdo por volta dos 11 anos.

As meninas precisam lidar com uma fusão tóxica de sexualidade e subserviência. Dines observa que as revistas voltadas para mulheres e adolescentes do sexo feminino estão publicando cada vez mais conteúdo voltado para ajudar as mulheres a tirar o máximo proveito da mudança cultural diversificando seus talentos para agradar outra pessoa, em geral do sexo masculino. Meninas são incentivadas a exercer sua sexualidade não como uma forma natural ou emergente de autoexpressão, mas como uma forma de atrair e manter um parceiro, ou uma forma de "se empoderar" dentro de uma estrutura de poder opressiva. Quando a normalização do sexo abusivo converge com a busca por atenção das redes sociais, os resultados podem ser medonhos: no verão de 2020, veio à tona um "desafio do TikTok" que viralizou em que adolescentes mostravam "vídeos pós-sexo dos hematomas e cortes em seus membros numa tentativa de imitar o recente filme da Netflix que mistura rapto e pornografia, *365 dias*".[17] Enquanto isso, a pornografia ensina muitos meninos a associarem prazer e dominação, e a suprimirem qualquer sentimento de ternura. A supressão das emoções vulneráveis, claro, é uma das manifestações do trauma masculino, e conduz inexoravelmente a uma diminuição da compaixão por outras pessoas, especialmente quando essas pessoas têm algo que queremos, como em todos os casos de *estupro* ou agressão sexual não consentida.

Os fardos que as mulheres precisam suportar em culturas patriarcais, e as formas como eles frustram e limitam as perspectivas de autorrealização autêntica feminina, já foram reconhecidos há muito tempo... pelas mulheres. Em 1792, aos 33 anos, Mary Wollstonecraft publicou seu espantosamente radical *Reivindicação dos direitos da mulher*, em que observava que as mulheres *"são obrigadas a assumir um temperamento artificial antes de as suas faculdades terem adquirido qualquer força"*.[18] Duzentos anos depois, a indomável pensadora feminista radical Andrea Dworkin captou as dimensões viscerais da vida num corpo feminino sob o patriarcado: "Essa perda de si é uma realidade física, não apenas um vampirismo psíquico, e como realidade física ela é arrepiante e extrema, *uma erosão literal da integridade do corpo e de sua capacidade de funcionar e de sobreviver.*"[19] Não tenho certeza se Dworkin conhecia os dados científicos que corroboravam sua afirmação, mas seu uso da palavra *literal* estava certíssimo.

Tamanha perda de si, para usar a expressão de Dworkin, torna-se o destino das mulheres em grande parte porque, além do seu papel de ter que suprir as necessidades econômicas e físicas da família, elas são as cuidadoras emocionais escolhidas, e pagam caro por isso. Na realidade, na nossa cultura a tarefa de cuidar recai na maioria das vezes sobre as mulheres. A expressão contemporânea *trabalho emocional* transmite bem a natureza profissional desse papel estressante e externamente imposto. Talvez mais até do que o trabalho doméstico e o parto, é esse o "trabalho da mulher" e ele nunca termina.

As mulheres muitas vezes funcionam como a cola emocional – o tecido conectivo, por assim dizer – que mantém unidas famílias nucleares e distantes e comunidades. Não é nenhuma coincidência elas sofrerem bem mais do que os homens com doenças do tecido conectivo *real*, entre elas lúpus, artrite reumatoide, esclerodermia, fibromialgia e seus vários parentes e variantes. Esses distúrbios, portanto, assim como a maioria das doenças crônicas, refletem dinâmicas sociais na linha das que estamos investigando, não apenas uma fisiologia individual que saiu dos trilhos.

Não é nenhum segredo que o estresse de cuidar de alguém enfraquece o sistema imunológico. Cuidadores de pacientes com Alzheimer, por exemplo, cuja imensa maioria é mulher, têm uma função imunológica significativamente diminuída e uma cicatrização pior, sofrem com mais doenças respiratórias e apresentam taxas muito mais elevadas de depressão do que pares equivalentes não cuidadoras.[20] A imunidade não é a única função prejudicada pelo estresse de cuidar. Constatou-se que mães que cuidam de crianças emocionalmente comprometidas têm indicadores anormais de cortisol, um funcionamento metabólico pior quando medido por exames de sangue e uma distribuição de gordura corporal menos saudável.[21] Conforme mencionado no capítulo 4, elas também têm os telômeros mais curtos, o que indica um envelhecimento precoce.

A expectativa de apagamento de si de cuidar e ao mesmo tempo ignorar as próprias emoções e necessidades só foi reforçada pela pandemia de covid-19. "As mães são os amortecedores da nossa sociedade", proclamou uma manchete do *The New York Times* em outubro de 2020. Uma pesquisa com mulheres casadas revelou que o cuidado com os filhos era uma fonte importante de estresse, e que as mulheres em grande parte internalizavam suas frustrações. Em vez de pedir aos parceiros que aumentem sua participação em casa, revelou a pesquisa, "as mães se culpam por esses conflitos e se sentem responsáveis pela sua redução, inclusive tomando medidas como parar de trabalhar, começar a tomar antidepressivos ou ignorar as próprias preocupações ligadas à covid-19".[22]

"Todo esse trabalho extra está afetando a saúde das mulheres", afirmou a autora britânica Caroline Criado Perez em *Mulheres invisíveis*, seu premiado livro sobre o viés implícito que favorece os homens em praticamente todos os aspectos da vida social, econômica, cultural, acadêmica e até mesmo médica. Ela dá um exemplo fascinante da divisão assimétrica de tarefas entre homens e mulheres:

> Sabemos há muito tempo que as mulheres (em especial abaixo dos 55 anos) têm prognósticos piores do que os homens depois de uma cirurgia cardíaca. Mas foi só depois da publicação de um estudo canadense em 2016 que os pesquisadores conseguiram isolar a carga de cuidadoras que as mulheres suportam como um dos fatores por trás dessa discrepância, ao notar que as que passam por cirurgias cardíacas tendem a voltar imediatamente aos seus papéis de cuidadoras, ao passo que os homens tinham uma probabilidade maior de ter alguém cuidando deles.[23]

Nossa sociedade reforça a sensação dos homens de ter direito aos cuidados femininos de uma forma quase impossível de se expressar em palavras. Refiro-me aqui à maternagem automática que as mulheres proporcionam a seus parceiros homens, ao apoio emocional que constitui a argamassa invisível de muitos relacionamentos heterossexuais: uma dinâmica muito convencional que revela quão tenazes são os construtos sociais de gênero, e quanto estamos imersos neles. Alguns homens só têm consciência dos cuidados que recebem quando estes desaparecem, e experimentam um forte ressentimento quando são retirados; nos momentos em que sua parceira está ocupada com outras coisas, como filhos recém-nascidos. Muitas mulheres já reclamaram comigo que seu cônjuge fica distante e mal-humorado sempre que elas pegam nem que seja um resfriado. Como observei atendendo famílias, as crianças podem perder parte da atenção materna quando o marido exige uma energia de maternagem da parceira. (Nem é preciso dizer que a sintonia estável do pai com os filhos também fica comprometida quando ele assume um papel infantil na parceria.) Com frequência, a mãe perde vitalidade ou desenvolve sintomas físicos ou emocionais que assinalam a rebelião do seu corpo contra a sobrecarga, impondo uma pressão ainda maior tanto a ela mesma quanto a seus dependentes.

Confesso que aquilo que "observei atendendo famílias" espelha o cenário que ocorria em nossa própria casa, em especial quando as crianças eram pequenas. Para ser honesto, não é uma dinâmica que eu possa relegar ao passado. Entrevistei Rae, a maior autoridade nesse tema. "É como se a sua tensão fosse uma responsabilidade minha, que eu tivesse negligenciado", disse ela.

Você me vê por uma lente negativa, como se o problema de alguma forma devesse ser comigo. Eu começo a me questionar. Passo a tomar cuidado com você, como se estivesse pisando em ovos. Começo a me sentir deprimida, isolada, sozinha. O que me sobra é muito ressentimento, e isso é realmente estressante e frustrante.

Então veio o diagnóstico de especialista. "Acho que existe uma raiva da mãe que surge com a frustração masculina, e ela é descontada na mulher", concluiu Rae. "Ela precisa mantê-lo feliz. Ele não faz diferença entre ela e a sua raiva e frustração: a mulher se torna para ele um simples objeto."

Quando conversei com Julie Holland, ela confessou que a taxa desproporcionalmente alta de ansiedade e depressão nas mulheres vem, em grande parte, do fato de elas absorverem a angústia masculina e de sua responsabilidade culturalmente orientada de aliviá-la. Nesse sentido, as mulheres estão tomando os antidepressivos e ansiolíticos pelos dois sexos. "As meninas recebem todo tipo de mensagens explícitas e implícitas de que o jeito de conseguir as coisas é concordar e buscar consenso, garantir que todo mundo esteja feliz", disse ela.

Elas veem a própria mãe, sabe? Eu com certeza via minha mãe fazendo isso pelo meu pai: preparando o jantar, lavando a louça, a roupa. Ele depois do jantar ficava lendo o jornal... Você assume a dor do outro. Quando comecei a sair com meu companheiro Jeremy, lembro de lhe dizer coisas como: "Se você estiver se sentindo triste ou com medo, quero levá-lo na direção da luz."

Concordei com um meneio de cabeça quando Julie disse isso. Mais de meio século atrás, eu deveria dizer, Rae assumiu praticamente a mesma tarefa, ou "fardo". "Eu vi sua luz quando nos conhecemos", recorda ela, "e vi sua sombra. Eu ia curar você; ia dissipar aquela escuridão." Uma empreitada pouco invejável, para não dizer outra coisa.

Em *Down Girl: The Logic of Misogyny* (Menina triste: a lógica da misoginia), a filósofa feminista contemporânea Kate Manne, professora associada de filosofia na Universidade Cornell, nos propõe um jeito prático de conceitualizar as expectativas que se tem das mulheres e das demandas às quais elas são submetidas: *mercadorias e serviços codificados como femininos*, aqueles que "ela deve fornecer". Entre eles estão "atenção, afeto, admiração, empatia, sexo e filhos (ou seja, trabalho social, doméstico, reprodutivo e emocional); [...] um porto seguro, acalento, segurança, tranquilidade e conforto". A isso são contrapostas as *prerrogativas e privilégios codificados como masculinos*, aos quais "ele tem direito": por exemplo "poder, prestígio [...] posição, reputação, honra [...] status hierárquico, mobilidade social e o status conferido por usufruir da lealdade, do amor, da devoção, etc. de uma mulher valorizada".[24] Não é difícil intuir quais desses agrupamentos de atributos pode acarretar e gerar mais autossupressão, sacrifício e estresse. Não esqueça também que Manne está se referindo a mulheres de relativo privilégio. Muitas outras, além dos papéis de gênero atribuídos, precisam também dar conta da pesada carga da pobreza, da maternidade solo e da discriminação racial. Já vimos o custo para a saúde que esses infortúnios somados cobram.

Quando digo *patriarcado*, não estou me referindo à vontade consciente, nem com frequência sequer à consciência propriamente dita de homens individuais, mas sim a um sistema de poder. Embora o patriarcado seja muito antigo, uma vez que surgiu nos primórdios da civilização, o capitalismo o adaptou confortavelmente às próprias necessidades: além do lar, podemos vê-lo na economia, na política e em todas as outras instituições da sociedade. Os homens também pagam um preço por isso, embora tenham direito aos duvidosos "benefícios" do sistema que os privilegia. Quando reduzo minha esposa a um objeto cujo propósito é me satisfazer, em que papel estou me colocando? O de uma criança impotente e dependente, cujo bem-estar emocional depende da disposição da mamãe de atender ao que se percebe serem minhas necessidades. Essa criança num corpo de adulto bate o pé, reclama, fica emburrada e exige coisas da sua cuidadora. Ela nunca se sacia, nunca fica satisfeita. Ambos os parceiros, cada um a seu modo, são impotentes.

O sofrimento dos homens também faz parte do ciclo patriarcal, onde é tanto efeito quanto causa. O tabu da vulnerabilidade, em especial, é profundamente prejudicial tanto para homens quanto para mulheres. A raiva pode ser mais permissível para os homens, mas o mesmo não vale para tristeza, dor ou "fraqueza" – que na verdade significa apenas reconhecer os próprios limites. Muitos ex-combatentes tiveram que superar esse estatuto do patriarcado ao enfrentarem angústia, depressão, pensamentos suicidas e outras manifestações do estresse pós-traumático para as quais não existe cura sem um fluxo desimpedido de emoções vulneráveis. A masculinidade tóxica, assim como a supressão do feminino, é letal. Ela ceifa suas vítimas de muitas formas, entre elas o alcoolismo e outras dependências químicas, o vício em trabalho, a violência e as inclinações suicidas,[25] todas defesa ou fuga da vulnerabilidade, da tristeza e do medo.

"Em nossa cultura, nós 'transformamos meninos em homens' por meio da desconexão", afirma o terapeuta Terry Real. "Aprender a nos desconectar dos próprios sentimentos, das próprias vulnerabilidades e das outras pessoas é o que denominamos autonomia e independência. Essa é uma ferida traumática, e uma ferida oculta por ser culturalmente normativa. Ela é quase pré-verbal." Em seu livro *I Don't Want to Talk About It: Overcoming the Secret Legacy of Male Depression* (Não quero falar sobre isso: como superar o legado secreto da depressão masculina), Real fala sobre fragilidade masculina e sobre a negação da sensibilidade dos homens. "Para mim, a fragilidade tem a ver tanto com o trauma quanto com a injunção contra ser humano", me disse ele.

> A essência dessa masculinidade [tóxica] é a invulnerabilidade. Quanto mais vulnerável você for, mais "mulherzinha" você é. Quanto mais invulnerável você for, mais "másculo" é. Assim, a fragilidade de ser humano, a simples vulnerabilidade humana, é suprimida. Os homens tentam corresponder a um padrão desumano, e são assombrados o tempo inteiro por uma sensação de não conseguir alcançar esse padrão.

Ao ouvir Real falar, lembrei dos bombeiros que jogavam OBs na cama de Liz e da vulnerabilidade da qual estavam tentando fazê-la sentir vergonha, da mesma forma que eles sentiam vergonha da sua.

"Os caras que eu atendo são todos chefes de empresas que se saíram lindamente no mundo, mas na vida pessoal são histórias de terror", confidenciou Real. A dominação masculina cobra um preço alto nos dois sentidos, e a julgar por todos os indicadores ela custa mais do que rende.

# 24
# Nós sentimos a dor deles: nossa política impregnada de trauma

*Nos círculos internos da política, quase todos os políticos são vistos como pessoas difíceis, corrompidas até, que numa espécie de inversão da aula de moral e cívica têm de ser toleradas por terem sido eleitas.*

– MICHAEL WOLFF, *Landslide: The Final Days of the Trump Presidency*

Depois de começar nossa jornada nos níveis individual e celular, chegamos agora à camada mais externa da cebola biopsicossocial: a política. Você pode estar se perguntando: mas o que isso tem a ver com as questões deste livro, com doença e saúde, com trauma? Que importância tem a política? Por que tocar nesse assunto?

Independentemente de onde cada um se insere (ou deixa de se inserir) no espectro político, não é difícil concluir que hoje a política e a cultura de mídia que a cerca estão mais tóxicas do que nunca. É verdade que as notícias da atualidade, desde as fofocas de cidade pequena até questões de política internacional, sempre serviram de combustível para conversas. Hoje em dia, elas são tão incendiárias que muitas vezes nenhuma conversa parece possível, a ponto de muita gente – chegando a 60% dos americanos, segundo uma pesquisa – ficar apreensiva com a perspectiva de um feriado em família.[1] Os autores de um estudo de 2010 com americanos formados pela Universidade de Nebraska-Lincoln descobriram que "um grande número de americanos acredita que sua saúde física foi prejudicada pela exposição à política, e um número maior ainda afirma que a política teve custos emocionais e causou a perda de amizades".[2] Talvez eles estejam mais certos do que pensam. Na matéria "Estressado com a política? Ela também pode estar fazendo seu corpo envelhecer mais depressa", a pesquisadora de telômeros Elissa Epel (ver capítulo 4) sugere que o desgaste alostático causado pela política pode encurtar essas estruturas cromossômicas que cuidam da saúde.[3] Um psicólogo da região da cidade de Washington chegou a cunhar um nome para esse mal-estar dos governados: "transtorno do estresse das manchetes."[4]

A toxicidade da vida política talvez fosse menos preocupante se conseguíssemos pelo menos uma trégua momentânea. Nossos celulares viraram máquinas portáteis indutoras de estresse, sempre zumbindo urgentemente com alguma atualização, das mais banais às mais graves, relacionadas ao conflito e à incerteza, questões em grande parte fora do nosso controle. Os feeds das redes sociais nos "alimentam" (do verbo em inglês *feed*) com tudo que conseguimos comer, e mais até. A coisa nunca para.

Não que estejamos de todo impotentes: provavelmente todos nós poderíamos, por exemplo, ajustar nossos hábitos de consumo de notícias para filtrar melhor o rancor, o desprezo, a ansiedade e o pessimismo. Poderíamos praticar uma escuta melhor e exercitar mais a empatia com aqueles de quem discordamos. Poderíamos adotar um regime rigoroso de mindfulness: cinco minutos de respirações profundas antes e depois de rolar a tela, sem exceção. Talvez todas essas medidas sejam salutares. Talvez elas também não bastem. Na minha opinião, existe algo acontecendo além e por baixo dos frequentemente deplorados "hiperpartidarismo", "polarização" e "radicalização" que estamos vendo.

Quanto mais eu olho para quem povoa a paisagem política – tanto quem está no topo quanto nós, que estamos na base (ou em algum ponto entre uma coisa e outra, para os mais privilegiados dentre nós) –, mais vejo feridos elegendo feridos, traumatizados liderando traumatizados e, de modo inexorável, implementando políticas que cristalizam condições sociais traumáticas. Por baixo de toda a pose, de todas as críticas e de todas as manobras, o pulso das correntes emocionais subjacentes lateja sem cessar. Não posso provar isso, claro. A psicologia social não se presta ao tipo de conclusão categórica que se pode obter nas ciências duras. O que posso fazer é apontar esse fato, oferecendo minhas observações e citando exemplos e pesquisas quando possível, e confiar que as pessoas seguirão buscando sozinhas. Considero essa questão realmente de suma importância, e não só pelo fato de o trauma alimentar com um combustível emocional inflamável os debates familiares já acalorados ao redor da mesa de jantar.

Para começar, a cultura política é um dos muitos caminhos pelos quais mitos tóxicos se transformam em verdades normalizadas. Conforme discutimos, a política tem íntima ligação com a personalidade social: o conjunto de características desejáveis que mais dispõem as pessoas a funcionarem bem dentro de um determinado sistema, mesmo que alguns desses traços sejam literalmente repugnantes. O mesmo vale para aqueles que conduzem o barco. Uma sociedade como a nossa exige de seus líderes um determinado conjunto de disposições e visões de mundo – chamemos isso de personalidade *política* –, sem o qual a carreira deles jamais decolaria, considerando as exigências para o cargo. Os traços mais propícios para conduzir um sistema socioeconômico que traumatiza populações como se fosse a coisa mais natural do mundo, naturalmente, são aqueles que dessensibilizam o candidato a aspectos vitais da vida emocional, ou mesmo desabilitam por completo seu circuito de compaixão. Isso sempre começa com o próprio eu, cedo na vida. Pode haver exceções, mas eu particularmente não vi muitas, sobretudo nos altos escalões do poder.

Quando o trauma se manifesta na arena política, as consequências para as pessoas e para o planeta são colossais. Afinal de contas, políticos elaboram políticas, e políticas criam ou cimentam justamente as condições culturais que sabemos serem prejudiciais à nossa saúde. O nível de consciência ou cegueira em relação ao trauma que eles e nós introduzimos no debate político não tem como não se traduzir no mundo em que acabamos vivendo. Se a doença é a forma de o corpo *individual* nos alertar para algo que está desregulado, algo contrário ao que a nossa natureza tenciona para nós, então certamente doenças sociais como as dependências e catástrofes globais como a mudança climática são todos sinais de algo errado no *corpo político*. O mesmo vale para a atitude resignada e cínica que cerca a política de modo geral, e para os níveis por vezes ridículos de desconfiança e maldade que permeiam o debate público a respeito de qualquer tema, das eleições ao aborto e à maneira como deveríamos conduzir pandemias sanitárias.

Uma paranoia irreal em relação às vacinas, por exemplo, não é a mesma coisa que um ceticismo saudável. Tampouco o desprezo desdenhoso e arrogante em relação aos antivacina ou antilockdown equivale a uma cidadania responsável. No meu trabalho sobre trauma, já observei que o que revela a vida interna psíquica das pessoas, mais do que as ideias que elas defendem, é a ressonância emocional do seu modo de falar e de agir – *de quem e como elas estão sendo*. Quando tentamos identificar o conteúdo do seu discurso ou suas crenças sem nos importar com o combustível energético, estamos errando o alvo. O mesmo vale para a esfera sociopolítica: se quisermos entender por que indivíduos e grupos pensam e se comportam da maneira que pensam e se comportam – e deveríamos querer isso se de fato nos importamos com as consequências –, precisamos estar dispostos a ver as cicatrizes traumáticas que existem por baixo das reações emocionais extremas. Isso pode ser complicado quando nós mesmos estamos convencidos da nossa própria razão e do erro alheio, o que é um motivo maior ainda para tentar.

Tudo isso é mais do que pura especulação. Já se demonstrou que experiências traumáticas na infância têm influência direta na orientação política adulta. Michael Millburn, professor emérito de psicologia na Universidade de Massachusetts, descobriu que quanto mais rígido o estilo de criação ao qual as pessoas foram expostas quando pequenas, mais propensas elas ficavam a apoiar políticas autoritárias ou agressivas, como guerras no exterior, leis punitivas e pena de morte. "Nós usamos os castigos físicos na infância como um marcador de ambientes familiares disfuncionais", disse ele. "Havia um apoio significativamente maior à pena capital, oposição ao aborto e defesa do uso da força militar em especial entre os homens que tinham sido expostos a altos níveis de castigos físicos, *principalmente se eles nunca tivessem feito psicoterapia*". Esse último achado me intrigou. "A psicoterapia", explicou Millburn, "remete a um potencial de autoexame, de autorreflexão."

A confluência da política e do trauma não é um conceito novo. Décadas atrás, a grande psicoterapeuta suíça-polonesa Alice Miller apontou como as práticas rígidas de criação de filhos que durante muito tempo estiveram em voga na Alemanha ajudaram a preparar o modelo do autoritarismo nazista. Ela também argumentou, de modo persuasivo, que o sofrimento e a opressão intensos na infância dos líderes fascistas alemães, em especial de psicopatas monstruosos como Adolf Hitler e Hermann Göring, tinham desempenhado um papel decisivo na formação de suas vidas mental-emocionais, e necessariamente de suas tendências políticas. "Entre todas as figuras de proa do Terceiro Reich", escreveu ela em *For Your Own Good: Hidden Cruelty in Child-Rearing and the Roots of Violence* (Para o seu próprio bem: crueldade oculta na criação dos filhos e as raízes da violência), "não consegui encontrar uma sequer que não tivesse tido uma criação rígida e severa."[5] Podemos substituir "rígida e severa" por "traumatizante": afinal, Miller não estava se referindo a lares chefiados por pais e mães gentis com horários rigorosos de voltar para casa, mas ao tipo de ambiente que imprimiria na criança uma visão de mundo matizada pelo medo e/ou exigiria que ela se anestesiasse diante do sofrimento, a começar pelo próprio.

As crenças subliminares que os líderes têm sobre a natureza humana, o mundo e sua posição nele, e os impulsos inconscientes que motivam seus atos são de grande consequência para a sua maneira de fazer política, ou seja, para nossa vida e nosso mundo. A visão de mundo que eles desenvolveram cedo na vida, sob o impacto de infortúnios que eles não escolheram e que não podiam controlar, permeia décadas mais tarde o que eles sentem em relação ao Universo e a seus semelhantes, seu modo de interagir com eles e os atos que dirigem a eles. Apesar disso, como assinala a psicoterapeuta britânica Sue Gerhardt: "Nós raramente abordamos as dinâmicas psicológicas e emocionais subjacentes de nossas figuras públicas ou de nossa cultura como um todo."[6]

Examinemos rapidamente duas duplas de inimigos políticos, uma no Canadá, outra nos Estados Unidos; todas essas quatro pessoas convenceram milhões de outras a depositar nas mãos delas um poder imenso. O que as torna tão atraentes e tão lamentáveis, a depender de quem está observando, deve muito a traços de personalidade forjados no caldeirão do trauma precoce.

No meu próprio país, o ex-primeiro-ministro Stephen Harper era muito admirado pelos conservadores por suas opiniões gélidas e linha-dura em relação ao crime, por alegar a irrelevância da ciência climática e afirmar que a dependência era escolha de marginal, sendo pelo mesmo motivo execrado pelos progressistas. Apesar de criado por um pai rigoroso e "certinho" cujo próprio pai desaparecera misteriosamente anos antes e nunca fora encontrado, Harper recorda uma infância idílica. Concordo inteiramente com o comentário do jornalista do *The Toronto Star* Jim Coyle de que, ao contrário das recordações de Harper, "não é difícil imaginar que a vida sob o comando desse patriarca tenha sido sufocante".[7] Afinal de contas, trata-se de um homem caracterizado pelo próprio biógrafo como "autocrático, fechado e cruel", e cujo ex-chefe de gabinete qualificou de "desconfiado, fechado e vingativo, dado a rompantes de raiva extrema por detalhes sem importância". Um colunista canadense certa vez escreveu sobre os "olhos mortos de sociopata" de Stephen Harper, enquanto outro jornalista o descreveu como "frio e inescrutável". Nenhuma criança nasce com olhos mortos: uma expressão assim revela uma evitação para não ver algo terrível a uma jovem alma.

O homem que sucedeu Harper na Colina do Parlamento de Ottawa transmite uma energia muito diferente e de absoluta simpatia. Justin Trudeau é conhecido por usar um tom de voz caloroso e uma linguagem inclusiva. Ele já chorou de tristeza em público em mais de uma entrevista coletiva, inclusive quando um astro da música canadense morreu de câncer no cérebro em 2017.[8] Não há nada de errado com um político que mostra seu lado vulnerável – quem dera isso fosse mais normalizado –, mas, como muitos notaram, há também algo de inautêntico ou mesmo obsequioso na personalidade de bom moço de Trudeau. Recentemente, ele precisou se desculpar por ter feito um passeio particular em família num feriado nacional criado para relembrar o trauma infligido a nossos povos originários, história em relação à qual já se mostrou extremamente contrito.[9] Essa cegueira ética e emocional traz a marca de uma infância traumática. Justin foi criado numa família em que o pai – Pierre, o famoso e irascível primeiro-ministro das décadas de 1960 e 1970 – era obcecado por trabalho, status e virilidade. Quando menino, Justin ficava sob os cuidados de uma mãe 30 anos mais jovem do que o marido garanhão com quem ela muitas vezes entrava em conflito, cujo desânimo era aprofundado por um transtorno bipolar. Em alguns momentos ela exibia um alto-astral que beirava a histeria, e tinha interações sexuais constrangedoramente públicas com astros do naipe de Mick Jagger. O atual primeiro-ministro se lembra de "ficar desesperado […] para criar uma sensação de magia em cada instante que passávamos em família".[10] Admito estar especulando; nem Trudeau nem qualquer outro político nunca me procuraram para fazer terapia. Mas acho que não é exagero dizer que essa criação turbulenta talvez o tenha preparado para fazer da simpatia extrema e da obsequiosidade o seu métier.

Segundo a narrativa popular, não poderia ter havido opostos mais extremos na política dos Estados Unidos, seja do ponto de vista do apelo demográfico, dos valores éticos ou da personalidade, do que os adversários na eleição presidencial de 2016, Donald J. Trump e Hillary Clinton. As diferenças são fáceis de identificar, e as semelhanças mais sutis, porém instrutivas. Talvez seja uma surpresa para os apoiadores de ambos, por exemplo, ler uma análise da *Scientific American* publicada em 2016 apontando quantas das características que definem a psicopatia são com frequência encontradas em políticos importantes. Uma delas era a "frieza", traço em que tanto Trump quanto sua então adversária se destacavam.[11]

O visual caricato de Donald Trump, o caos que ele criou no sistema político americano e a turbulência cultural que cercou sua ascendência também podem facilmente esconder a pessoa triste e profundamente ferida que ele é. Foi preciso alguém que o conhecesse melhor do que a maioria, sua sobrinha psicóloga Mary Trump, para dissipar tanto o rebuliço quanto o desprezo até chegar ao sombrio xis da questão. Hoje sabemos, graças à reveladora biografia escrita por Mary em 2020, *Too Much and Never Enough: How My Family Created the World's Most Dangerous Man* (Demais e nunca o bastante: como minha família criou o homem mais perigoso do mundo), que o jovem Donald teve motivos de sobra para afastar a realidade da mente e dos olhos; para se tornar exageradamente grandiloquente, narcisista, combativo e totalmente oportunista. "Bem lá no fundo, não tenho problema nenhum em descrevê-lo como um psicopata", disse Mary sobre o pai de Donald, o patriarca Fred. "Ele não tinha nenhum sentimento verdadeiramente humano, e com frequência tratava os filhos com desprezo." O pai da própria Mary, Fred Jr., irmão mais velho de Donald, foi levado pelo trauma de infância ao alcoolismo e a uma morte precoce aos 41 anos. O que Donald foi levado a fazer o mundo inteiro viu. As revelações de Mary Trump não deveriam ter sido necessárias para desvendar o sofrimento por trás da personalidade do agressivo presidente-vendedor, mas no nosso mundo cego em relação ao trauma isso foi, sim, necessário. "Ele é uma criança traumatizada de almanaque", me disse o psiquiatra Bessel van der Kolk.

O jornalista Tony Schwartz pôde ver isso de perto ao trabalhar como ghost-writer do sucesso de vendas de Trump, *A arte da negociação*. "Mentir é algo que ele faz com total naturalidade", disse Schwartz anos depois à *The New Yorker*. "Mais do que qualquer outra pessoa que eu já tenha conhecido, Trump tem a capacidade de se convencer de que o que quer que esteja dizendo em determinado momento é verdade, ou mais ou menos verdade, ou pelo menos deveria ser verdade."[12] Uma "total naturalidade", como já observamos, não é a natureza verdadeira de ninguém. A natureza original de ninguém leva à mentira; várias pessoas têm talento para mentir, mas nenhuma nasce com ele. Friedrich Nietzsche escreveu em algum lugar que as pessoas mentem para sair da realidade quando esta as feriu, e isso é particularmente verdade em relação à história das origens de Donald Trump. A mentira, seja ela automática ou proposital, no início o protegeu de uma rejeição devastadora na infância, e mais tarde lhe foi útil na arena do poder político.

Hillary Clinton ainda é admirada e defendida por muitos como uma tenaz sobrevivente e a real vencedora da eleição de 2016. Em comparação com Trump, pelo menos, ela é o retrato da tranquilidade, da elegância, da empatia, do trabalho árduo e da razão. O que quase nunca se pergunta é: de onde vêm essa ambição e essa "tenacidade" incansáveis, e a que preço? Será que deveríamos mesmo comemorar essas coisas, ou será essa também, à sua própria maneira, uma norma pouco saudável, ainda que não tanto quanto as bravatas verborrágicas de Trump? Essas perguntas foram completamente ignoradas em meio à névoa santificada da campanha de Hillary, de formas que considero literalmente inacreditáveis. Um momento em especial me marcou, e demonstra a facilidade com que normalizamos e endeusamos as personalidades "vencedoras" de nossos líderes.

Na véspera da confirmação da sua candidatura, um vídeo em homenagem à vida e às conquistas de Hillary foi transmitido para o mundo, com narração do ator Morgan Freeman. Nele, a candidata mencionava uma lição de vida que aprendeu na infância com o pai severo e exigente. "Não choramingue, não reclame, faça o que precisa fazer e da melhor forma que conseguir." Ao que tudo indica, isso é um eufemismo. Como sabemos por meio de relatos biográficos, o pai de Hillary podia ser cruel e dado a caprichos. "Ele fazia comentários sarcásticos mordazes para a esposa e a única filha, e batia nos três filhos, às vezes além da conta, para mantê-los na linha."[13] No vídeo, a secretária de Estado Clinton também contou: "Minha mãe queria que eu fosse resiliente, corajosa." Ela então relata um exemplo de como essa "resiliência" era inculcada.

Eu tinha 4 anos, e éramos várias crianças no bairro. Eu saía na rua com um laço no cabelo, e as crianças todas tiravam sarro da minha cara. Foi minha primeira experiência com bullying, e fiquei apavorada. Um dia entrei correndo em casa e minha mãe veio falar comigo: "Aqui nessa casa não tem lugar para quem é covarde. Volte lá fora e pense em que jeito vai dar no que essas crianças estão fazendo."

Isso não é um chamado à resiliência, mas sim à repressão. A mensagem que uma criança pequena recebe numa circunstância dessas é: "Aqui nessa casa a vulnerabilidade é motivo de vergonha, não existe lugar para o seu medo. Não sinta nem demonstre o seu medo, engula o que está sentindo, você está sozinha. Não espere empatia nenhuma aqui." Ainda assim, ninguém na plateia pareceu achar esse golpe na sensibilidade de uma criancinha perturbador. Nenhum comentarista da mídia sequer captou que esse exemplo escolhido a dedo de criação supostamente inspiradora era na verdade uma celebração pública do trauma. Nenhum observador sugeriu que uma menina pequena que busca a segurança do abraço de um pai ou de uma mãe não é de forma alguma covarde, mas uma menina de 4 anos normal.

Em todo caso, a lição de vida sobre enfrentar a dor fez seu trabalho. Mais de seis décadas depois, em campanha, Hillary ficou doente e desidratada por causa de uma pneumonia, mas escondeu de todo mundo a sua "fraqueza" até desmaiar na rua. "Estou me sentindo ótima", garantiu ela no mesmo dia ao público, de modo nada convincente. "O dia aqui em Nova York está lindo." Sem dúvida foi a mesma dinâmica de autossupressão que a levou a tolerar as traições do marido, descritas pela falecida escritora Joan Didion como "a conhecida sexualidade predatória do adolescente interiorano". Estereotipadamente impactada pelo trauma, Hillary culpou a si mesma pela infidelidade do marido. Ele estava sob muito estresse e ela não tinha cuidado o suficiente das suas necessidades emocionais, foi o que disse a uma amiga, alinhando-se assim ao papel atribuído à mulher na cultura do patriarcado. "Ela acha que não foi inteligente o bastante, nem sensível o bastante, nem livre o bastante das próprias preocupações e dificuldades para entender o preço que estava pagando", foi como essa confidente próxima resumiu a opinião de Hillary.[14]

A falta de empatia internalizada se revelou durante a campanha presidencial, quando ela descuidadamente – mas de modo ainda mais revelador

– chamou metade da base eleitoral de Trump de "um bando de deploráveis", revelando a uma grande parte dos Estados Unidos o que o país no fundo já sabia: que muitas elites urbanas a consideram, com arrogância e desprezo, pessoas cujas reivindicações econômicas, políticas e morais podem ser ignoradas. A resposta dos deploráveis foi dada em novembro na forma de um espantoso maremoto político.

"Tanto Hillary Clinton quanto Donald Trump", escreveu com perspicácia em 2016 o colunista conservador David Brooks, "defendem uma visão da vida desconfiada, dura, combativa, olho por olho e dente por dente: a ideia de que ter sucesso neste mundo é uma labuta inclemente e que, dada a natureza egoísta dos outros, a vulnerabilidade é algo perigoso."[15] Essa sensação de perigo, eu acrescentaria apenas, começou muito antes de eles entrarem na vida pública. Embora seus respectivos apoiadores provavelmente estremecessem diante da ideia de que os dois sejam sequer remotamente parecidos, Trump e Clinton formavam uma dupla forjada no sofrimento infantil.

Ao ler as biografias de líderes de muitos países, em vários períodos históricos, pode-se ver como cada um deles, à sua própria maneira, teve uma infância emocionalmente árida; todos "superaram" essas adversidades devido justamente aos traços de personalidade que os fariam entrar para os livros de história como ícones e operadores de grandes mudanças, independentemente dos grandes males que tenham causado. Em ambos os casos, esses traços são vistos por muita gente até hoje como louváveis e dignos de imitação. Não há nada mais normal do que isso.

E é aí que entramos nós, o resto. Sustentada e amplificada pela máquina movida pelo lucro da mídia, a cultura política usa nossos mais profundos anseios de estabilidade, segurança ou até mesmo supremacia, mirando com força e precisão nossa "criança interior" ferida. Na verdade, grande parte da política faz muito mais sentido se virmos como as pessoas, milhões e milhões delas ao mesmo tempo, se voltam inconscientemente para seus líderes de modo a suprir as próprias necessidades infantis não atendidas. Como diz o cientista cognitivo George Lakoff: "Todos nós pensamos em termos de uma metáfora em grande parte inconsciente: o País como Família."[16]

Perguntei a Daniel Siegel o que leva as pessoas a seguirem líderes como Donald Trump, que exalam hostilidade e têm um viés autoritário. "As pessoas na verdade podem ficar empolgadas por uma figura pública estar expressando agressão ou assertividade, o contrário de impotência", respondeu o psiquiatra e pesquisador da mente, observando como esses traços podem parecer empoderadores para aqueles carentes de uma sensação de verdadeiro poder. "É como uma criança querendo estar com um pai ou uma mãe que vai protegê-la. Existe uma sensação de: 'Eu vou estar seguro e tudo vai ficar bem.'" O que Dan descreve é também uma *memória sensorial*, marca indelével e geralmente inexplorada da infância, um anseio armazenado no "corpomente" e ativado pelas inseguranças da atualidade projetadas na arena política.

Do lado liberal, idealizar os líderes como bons, empáticos, cuidadores e inclusivos pode ser uma outra forma de anseio mal direcionado por uma parentalidade sintonizada. Uma celebridade democrata importante, o compositor de canções de paródia conhecido como Randy Rainbow, tuitou uma foto de Joe Biden sorrindo ao lado de Kamala Harris na noite em que ela foi anunciada como sua companheira de chapa. A legenda da imagem dizia: "Boa noite, mamãe e papai. Nos vemos amanhã."[17] Pessoas tomadas por idealizações infantis desse tipo, ainda que meio brincando, tendem a ignorar indícios perturbadores.

Adjacente à política, e na verdade cada vez mais sobreposto a ela, está o imenso território do entretenimento, do esporte profissional, das modas e obsessões que denominamos cultura popular. De fato, uma das funções sociais da cultura pop é distrair as pessoas das coisas que de fato importam; imagine se toda a energia hoje gasta analisando a vida pessoal de celebridades ou os intrincados detalhes de eventos esportivos fosse em vez disso dedicada a mobilizar as populações para enfrentar coletivamente as grandes questões do nosso tempo.

A eleição de um ex-apresentador de reality show para o mais alto cargo de seu país é apenas um dos exemplos da membrana cada vez mais fina que separa essas duas esferas. "Bonito como um astro de cinema" foi um dos elogios aos quais o atual primeiro-ministro do Canadá teve direito ao decolar rumo ao estrelato mundial. Trinta anos atrás, Bill Clinton, então candidato de primeira viagem à presidência, adentrou a consciência nacional tocando saxofone no programa de TV *The Arsenio Hall Show*. Hoje em dia, o ex-presidente Barack Obama se sujeita a entrevistas bajuladoras com apresentadores de programas de entrevistas exibidos tarde da noite,[18] isso quando não está promovendo on-line uma de suas festas recheadas de celebridades em Martha's Vineyard. Notícia é entretenimento e vice-versa.

Pode-se lamentar essas trivialidades como uma degradação da vida política. Menos compreendido é o modo como a cultura popular nos prepara para uma forma específica de relação passiva de espectadores com a política. A veneração do herói e a projeção emocional que movem o showbiz atual se abastecem com um supercombustível destilado em grande medida a partir do trauma. Pense em quão esperados, quão absolutamente *normais* são os seguintes fenômenos: uma brilhante estrela, muitas vezes na vanguarda do seu ofício, se apaga em meio às chamas do vício, da instabilidade emocional ou das lesões autoprovocadas; surgem revelações sobre as predações sexuais desse ou daquele adorado figurão ou astro; um atleta ou uma personalidade do entretenimento revela ter suportado violações sexuais ao longo de toda a carreira, ou desde antes da fama até; uma estrela infantil anteriormente imaculada se transforma num símbolo sexual objetificado, muitas vezes com um final infeliz.

No melhor dos casos, a máquina da cultura pop trata esses incidentes como interrupções perturbadoras: abaixamos a cabeça por um breve instante, num silêncio solene em memória das vítimas, antes de voltar a olhar, fofocar, consumir. E o que consumimos, exatamente? Às vezes arte; com razoável frequência uma diversão inócua. Mas ingerimos também a dor de pessoas feridas, vendidas como entretenimento, para aliviar ou talvez validar nossos próprios problemas. Veneramos as "personalidades" que escondem um sofrimento patológico, depois demonstramos surpresa quando as coisas dão errado.

Por sua vez, muitas celebridades buscam a fama exatamente porque o amor de uma base de fãs é o mais perto que elas podem chegar de preencher um vazio de estima familiar da vida inteira. Figuras emblemáticas como Marilyn Monroe, Elvis Presley, Kurt Cobain e Amy Winehouse são porta-vozes de uma triste classe de superastros derrubados pela colisão de seus tormentos infantis com os holofotes da fama. Todos quatro chegaram ao estrelato graças a um carisma advindo de uma mistura de capacidade extraordinária com desespero abastecido pelo trauma, tiveram seu talento idolatrado e explorado, e suas feridas ignoradas mesmo quando expostas no palco.

Muitos outros sofrem em segredo durante longas e ilustres carreiras, como no caso de Aretha Franklin, cuja irmã Erma certa vez afirmou: "Aretha é uma mulher que sofre muito, mas que não gosta de mostrar." É claro que ela mostrava *sim*, para quem se desse ao trabalho de ver. A reverenciada cantora do hino de autoafirmação "Respect" teve uma infância mais do que problemática, e continuou a sofrer abuso em seus relacionamentos adultos. A desconexão é dolorosamente aparente no espantoso documentário do show *Amazing Grace*, filmado em 1972 numa igreja de Los Angeles. Aos 30 anos, com um domínio de palco e uma profundidade emocional assombrosos, Aretha sacode as arquibancadas e eletriza o público. A máscara de autoconfiança só cai quando o pai pastor sobe ao púlpito para elogiar os dons da filha. Na presença desse patriarca emocionalmente cruel, ela se retesa, e seu rosto adota uma curiosa mistura de deferência ensaiada com dissociação involuntária, como se ela não estivesse de todo dentro do próprio corpo, o mesmo corpo que, poucos minutos antes, havia canalizado de forma tão transcendente a palavra divina e a deliciosa dor do anseio. Na música, essa magnífica artista se enchia do poder e da força que não podia exercer na vida pessoal. Sua sina foi ser uma lenda num ramo e numa cultura que prefere o endeusamento à empatia. Nós desviamos o olhar da dor para evitar que a vida atrapalhe a magia.

Devo dizer que me anima o fato de celebridades como Alanis Morrissette, Dave Navarro, Lena Dunham, Ashley Judd, Russell Brand e Jamie Lee Curtis, todos entrevistados para este livro, além de outros como Oprah Winfrey e as cantoras Jewel, Sia e Lady Gaga, terem recentemente se aberto em relação ao próprio trauma e ao impacto que ele teve na vida e na carreira delas. Na política, Hunter Biden, filho do atual presidente dos Estados Unidos, falou publicamente sobre alguns dos traumas por trás do seu histórico de dependência; apesar do histórico lamentavelmente punitivo em relação aos "crimes" ligados às drogas, seu pai pelo menos deu recentemente algumas declarações na mídia mais compassivas com os problemas do filho.

De modo geral, o sistema funciona com uma elegância cíclica: uma cultura fundamentada em crenças equivocadas sobre quem e o que somos cria condições que frustram nossas necessidades básicas, gerando uma população que sente dor e vive desconectada de si mesma, dos outros e de qualquer significado. Uns poucos escolhidos, em especial aqueles com mecanismos precoces de adaptação que os preparam para negar a realidade, bloquear a empatia, temer a vulnerabilidade, abafar a própria noção de certo e errado e evitar com todas as forças examinar-se demasiado de perto, serão alçados a posições de poder. De lá vão liderar uma maioria que anseia tanto por conforto e estabilidade, tão esmagada pelo cinismo e pela alienação que trocará instintos autênticos e autoafirmação coletiva pelo pseudoapego de falsas promessas e de um carisma tranquilizador. Para completar o círculo, nossos líderes feridos, com suas prioridades falseadas, implementam políticas sociais que mantêm as condições iguais ou então as pioram.

Ao fazer campanha para Bernie Sanders em 2020, a ex-senadora pelo estado americano de Ohio Nina Turner gostava de parafrasear Mateus 7,16: "E conhecerás a árvore pelos frutos que ela gerar." A julgar pela safra atual, a árvore da nossa vida social e da nossa política está permeada de trauma desde as raízes até os frutos. Se quisermos ter alguma esperança de mudar esse jogo, esperança de que certamente depende o futuro do planeta, muitos de nós – ou pelo menos tantos quantos conseguirem – terão de fazer aquilo de que muitos de nossos líderes são constitutivamente (mas não constitucionalmente) incapazes: olhar com coragem para dentro, para então poder olhar melhor e mais honestamente ao redor e para fora.

# PARTE CINCO

# OS CAMINHOS DA INTEIREZA

*Uma mudança de visão de mundo pode mudar o mundo que se vê.*

– JOSEPH CHILTON PEARCE, *The Crack in the Cosmic Egg: New Constructs of Mind and Reality*

# 25
# A mente no comando: a possibilidade de cura

*A mente exclama, explica, demonstra, protesta; mas dentro de mim uma voz se ergue e lhe grita: "Quieta, mente, vamos escutar o coração!"*

– NIKOS KAZANTZAKIS, *Relatório ao Greco*

Após navegar pelos círculos concêntricos da saúde e da doença humanas, do celular ao social, e de traçar as conexões recíprocas e inextricáveis entre eles, passamos agora à "boa notícia": a cura. A notícia pode até ser encorajadora, mas isso não quer dizer que seja fácil. Afinal, como abordar a cura nesta época conturbada? Como avançar em direção à saúde no contexto de um sistema socioeconômico decididamente desinteressado em remediar qualquer das suas doenças de origem, e diante de uma pandemia que ao mesmo tempo realçou e nos privou de tantas coisas em que nem sequer prestávamos atenção? Como manter viva a esperança quando as chances parecem estar tão contra nós?

E, afinal, *o que é* a cura?

Quando falo em cura, estou me referindo a nada mais, nada menos do que *um movimento natural em direção à inteireza*. Repare que não a defino como a condição de estar totalmente inteiro, ou "iluminado", ou qualquer ideal psicoespiritual desse tipo. Ela é uma direção, não um destino; uma linha num mapa, não um ponto.

Curar-se tampouco é sinônimo de autoaprimoramento. Mais exato seria dizer que é um *resgate de si*. Na verdade, nossa cultura moderna de desenvolvimento pessoal – em grande medida cooptada pelas mesmas forças consumistas responsáveis pelos distúrbios que vimos – pode com demasiada facilidade obscurecer ou complicar a jornada em direção à cura. Quando nos curamos, estamos ocupados em resgatar as partes perdidas de nosso eu, não em tentar mudá-las ou "melhorá-las". Como me disse o especialista em psicologia profunda e guia de vida selvagem Bill Plotkin,[1] a questão crucial não é "nem tanto olhar para o que está errado, mas sim para onde a inteireza da pessoa não se realizou ou não foi plenamente vivenciada".

Curar-se também é diferente de sarar: sarar significa estar livre de doença; curar-se significa tornar-se inteiro. "É possível *sarar* sem *se curar*, e é possível se curar sem sarar", assinala minha colega Lissa Rankin.[2] "Idealmente, curar-se e sarar acontecem juntos, mas nem sempre é assim." Veremos exemplos disso nos capítulos a seguir.

Fiz uma distinção parecida em relação à dependência: é possível estar *em abstinência* sem estar *limpo*. O primeiro estado é a ausência ou evitação de algo – em si um objetivo louvável –, enquanto o segundo é uma capacidade nova e positiva de viver no presente, livre para vivenciar a existência como ela é. De modo análogo, sarar é eliminar sintomas ou distúrbios que prejudicam a vida, curar-se é o processo de nos reencontrar com as qualidades internas que ainda vivem em nós como possibilidades inerentes, como acredito que seja sempre o caso, e fazem a vida valer a pena. Não nos curamos "para" sarar, ainda que esse desejo compreensível esteja presente. Melhor ver a cura como um fim em si.

O que se segue não é uma tentativa de prescrever uma solução que funcione para todo mundo – nenhuma funciona – mas de apontar a possibilidade de cura nos níveis individual e social, mesmo no contexto de nossa cultura cada vez mais ansiosa e desordenada. Também pretendo, até onde puder, fazer sugestões em relação ao que a cura nos demanda, e às condições internas e externas mais propícias para que ela floresça.

Qualquer movimento em direção à inteireza começa com reconhecer nosso próprio sofrimento e o sofrimento do mundo. Isso não significa ficar preso num vórtice eterno de dor, melancolia e, principalmente, vitimização; uma nova e rígida identidade baseada no "trauma" – ou na "cura", aliás – pode constituir uma armadilha em si. A cura real significa apenas nos abrir para a verdade da nossa vida, passada e presente, do modo mais simples e objetivo de que formos capazes. Reconhecer onde fomos feridos e, até onde conseguirmos, fazer uma auditoria sincera do impacto dessas feridas na forma como elas influenciaram nossa própria vida e a daqueles que nos cercam.

Por inúmeros motivos compreensíveis, isso pode ser excepcionalmente difícil. Seja qual for o grau de desconforto recoberto por nossas ilusões, a verdade dói, e não gostamos de sentir dor se isso puder ser evitado, mesmo quando sentimos que do outro lado da dor talvez exista algo melhor. Como escreveu Nadezhda Mandelstam em suas potentes memórias de vida sob o regime stalinista, *Hope Against Hope* (Esperança apesar de tudo): "É muito difícil encarar a vida." Muitos de nós só estarão prontos para buscar a verdade quando concluirmos que o custo de *não* fazê-lo é alto demais, ou quando nos familiarizarmos o suficiente com a dor que o anseio pelo real nos causa. O dramaturgo grego Ésquilo tocou de modo sublime o ponto certo ao fazer seu coro declarar:

*Zeus nos fez saber*
*que o Timoneiro impõe a lei*
*de que devemos sofrer, sofrer rumo à verdade.*[3]

Há exceções, mas eu mesmo nunca conheci ninguém que não tenha sido impulsionado em seu caminho de crescimento e mudança por um revés ou uma perda, uma doença, angústia ou alienação. Felizmente – ou não, dependendo de como escolhermos ver esse fato – a vida costuma entregar o sofrimento necessário bem na nossa porta.

*Verdade* é uma pequena grande palavra, facilmente mal interpretada. Não estou falando de nenhuma verdade espiritual suprema; tampouco estou me referindo a uma veracidade puramente intelectual ou a fatos passíveis de verificação, no sentido de "verdadeiro ou falso". Se fosse só isso, poderíamos "estudar, estudar rumo à verdade", e os funcionários das instituições acadêmicas seriam todos Budas modernos. Apesar de todos os seus méritos, aonde nossa capacidade intelectual espantosa nos fez chegar?

Exatamente onde estamos: um mundo injusto, em risco de autoextinção, com dor e privação inimagináveis e desnecessárias num universo de abundância, onde aumenta a alienação e o desespero. Na verdade, nosso talento intelectual é recrutado com demasiada facilidade pela parte de nós que deseja *negar* como as coisas são; existe um motivo para "racionalidade" e "racionalizar" serem termos linguísticos irmãos.

A verdade à qual me refiro é muito mais modesta e simples: o ato de olhar com clareza para aquilo que é, para como de fato as coisas estão neste exato momento. É esse o tipo de verdade que traz a cura. Para acessá-la, precisaremos acessar algo mais versátil do que nossa inteligência.

O intelecto se torna uma ferramenta bem mais inteligente quando permite ao coração falar; quando se abre para como a verdade *reverbera* dentro de nós, em vez de tentar *racionalizá-la*. "E agora vou lhe contar meu segredo, um segredo bem simples", aconselha a raposa ao Pequeno Príncipe na adorada história de Antoine de Saint-Exupéry: "Só se vê bem com o coração; o essencial é invisível para os olhos." O intelecto pode ver *fatos* verificáveis, contanto que a negação não os oculte nem os distorça, como com frequência faz para proteger nossas partes feridas ou avessas à dor. É possível declamar, declarar e reiterar fatos sem a mais ínfima parcela do que estou chamando de verdade. O tipo de verdade que cura se dá a conhecer pela sensação que ela provoca, não só pelo "sentido" que faz.

Se alguma parte disso lhe parecer vago ou pouco científico, lembre-se de que o coração, antes de ser um conceito abstrato, é um órgão vivo que bate. Stephen Porges mostrou, de maneira brilhante, que os circuitos neurais de interação social e de amor estão intrincadamente ligados ao coração e às suas funções. Mais do que isso, o coração tem também um sistema nervoso próprio.[4] O cérebro verbal e pensante se atribuiu a honra de ser o único, mas não. Na verdade, ele divide essa distinção com o trato digestivo e o coração. Em outras palavras, o coração *sabe* coisas, da mesma forma que uma intuição sentida "nas entranhas" também é um tipo de saber. Na verdade, o plexo neural do trato digestivo já foi adequadamente chamado de "segundo cérebro", assim como o coração. Dessa forma, podemos falar em três cérebros, projetados para funcionar de maneira harmoniosa, todos conectados pelo sistema nervoso autônomo. Sem esse saber do coração e do trato digestivo, nós muitas vezes funcionamos como "répteis geniais", na expressão bem adequada de Joseph Chilton Pearce.[5]

No entanto, não podemos tampouco ignorar a mente, já que é lá que grande parte da ação acontece. Se o coração é nossa melhor bússola no caminho da cura, a mente – consciente e inconsciente – é o território a ser navegado. A cura traz alinhamento e cooperação entre os dois, com frequência depois de uma vida inteira de um se escondendo do outro e de um sendo desconsiderado pelo outro.

"Tudo tem a mente no comando, a mente em primeiro plano, tudo é criado pela mente", disse Buda 2.500 anos atrás. Volto a essa frase do grande mestre Gautama porque ela é fundamental para compreendermos nossa relação com aquilo que consideramos real. Ela é também a base da abordagem terapêutica que uso em meu trabalho e, quando estou consciente, no meu caminho pessoal. Construímos com nossa mente o mundo em que vivemos: é esse o ensinamento principal. A contribuição da psicologia e da neurociência modernas foi mostrar como, antes de nossa mente poder criar o mundo, o mundo cria nossa mente. Então geramos nosso mundo a partir da mente que o mundo instilou em nós antes de podermos ter qualquer poder de escolha em relação a isso. O mundo em que nascemos, é claro, era em parte produto da mente *de outras pessoas*, numa cadeia causal que remonta à origem dos tempos.

Pode ser que isso soe pessimista. Mas as palavras de Buda propõem uma saída, já que continuamos a ser aqueles que criam o mundo que vemos, o mundo que pensamos ser real, a cada instante. E é aí que entra a cura. Não podemos fazer nada em relação ao mundo que criou nossa mente, que talvez tenha nos instilado crenças limitantes, prejudiciais e falsas sobre nós mesmos e os outros. No entanto, e é essa a boa notícia que mencionei, podemos aprender a ser responsáveis pela mente com que criamos nosso mundo daqui para a frente. A capacidade de cura nasce da disposição para fazer justamente isso, assumir essa responsabilidade. Essa disposição não é uma declaração que se faz uma vez e pronto, mas sim um compromisso de cada instante, que pode ser refeito quando perdemos contato com ele. Eu, por exemplo, preciso me lembrar de fazer isso o tempo todo. Ela também não é um convite a uma ingenuidade autoimposta nem a um alegre pensamento supostamente positivo. Tem a ver com a disposição de reconsiderar toda a nossa visão.

Se a mente ferida pode ser tirânica, ela é uma tirana cujo anseio secreto é ser deposta. Já vi isso várias vezes na minha própria vida, ao vivenciar a liberdade que vem quando se abre mão de alguma crença ou percepção infeliz à qual, poucos segundos antes, a mente ainda se agarrava. Também tive a grande sorte, por meio do meu trabalho, de encontrar casos e mais casos de reviravoltas espantosas. Em todos eles, a mudança essencial ocorreu não nas circunstâncias ou na história das pessoas, mas no seu modo de se relacionar com elas. Isso fica evidente nas histórias a seguir de duas pessoas que, no sentido mais literal e de modos que a maioria de nós sentirá sorte de nunca ter precisado vivenciar, sofreram rumo à verdade. Se elas podem fazer isso, qualquer um de nós também pode.

Numa manhã de 2019, entrevistei Sue Hanisch em sua aconchegante casinha de Sedgwick, vilarejo situado no verdejante Lake District da Inglaterra, uns 120 quilômetros ao norte de Liverpool. Enquanto tomávamos chá, essa terapeuta ocupacional e especialista em trauma de 62 anos e fala mansa me contou a história de sua subida ao monte Kilimanjaro: um feito notável para qualquer um, e ainda mais para ela, 13 anos depois de uma bomba do Exército Republicano Irlandês (IRA, na sigla em inglês) na estação de trem de Victoria, em Londres, lhe arrancar a parte inferior da perna direita e lesionar gravemente o pé esquerdo. "Lembro de uma enfermeira chorando e de outra sentindo ânsia de vômito ao ver minhas pernas", recordou ela. A explosão do artefato de cinco quilos largado dentro de uma lata de lixo ocorreu exatamente 50 anos depois de o avô de Sue perder a vida no bombardeio de Coventry pela Luftwaffe, em 1940.

Seguiram-se várias cirurgias e anos de pessimismo. Quarenta pessoas tinham se ferido naquele dia; o homem que estava ao lado de Sue morrera na hora. Sua mente carregava uma culpa imensa por ter sobrevivido, e em igual medida pela própria depressão. "Aquele homem estava entre mim e a bomba. É quase assim: como eu me atrevi a sobreviver, e como me atrevo a não aproveitar plenamente a vida no planeta Terra quando ele não teve essa opção?"

Quando Sue se propôs subir o Kilimanjaro com sua prótese abaixo do joelho na perna direita e seu pé esquerdo cirurgicamente reconstruído e quase insensível, suas feridas psíquicas já tinham se curado de modo significativo. Essa liberação viera com a integração de suas experiências na trama da própria vida, à medida que ela foi desviando energia das histórias limitantes que antes contava a si mesma sobre o que tudo aquilo significava. "Estar no planeta Terra é uma bênção contraditória", disse ela suavemente. "É uma experiência difícil. Mas também recebi a oportunidade de encontrar o ouro na ferida. Tive experiências incríveis por causa do que me aconteceu." Para ela, essas experiências invariavelmente envolvem outras pessoas.

> Reparei como as conexões que estabeleço com as pessoas são aquilo por que realmente vale a pena viver, na verdade a única coisa. São as conexões que me fazem sentir que estou aqui, e que também me fazem *querer* estar aqui. Como posso estender a mão para os outros e ajudá-los a se sentir conectados? Essa é a única coisa que me parece ter uma importância verdadeira.

Algumas das conexões profundas que Sue estabeleceu foram com as últimas pessoas com quem alguém teria esperado que ela criasse um laço. Com seu espírito sempre aventureiro, alguns anos depois do atentado ela acabou indo parar nas matas da região sul-africana de KwaZulu-Natal numa missão de paz de que participavam, entre outros, vários irlandeses do norte, veteranos da mesma organização cuja bomba havia mutilado seu corpo e mudado para sempre a sua vida. "A ideia", disse ela, "era ouvir o outro lado da história, ver as dificuldades uns dos outros e estar num ambiente diferente onde precisaríamos proteger uns aos outros."

Em determinado momento, o grupo precisou atravessar um rio. O dilema de Sue era que ela não podia molhar a prótese metálica, e pensar na travessia a estava deixando bastante nervosa. Ela não precisava ter se preocupado: uma travessia segura e seca já tinha sido planejada. Dois homens a carregaram nos ombros, um deles ex-militante do IRA.

> O fato de ser um cara do IRA me tomou de emoção. Eu comecei a chorar, e Don, era esse o nome dele, também. A experiência de trabalhar com esses homens me fez perceber quanto eles tinham sido traumatizados pelo que acontecera na vida deles. Don, por exemplo, era o caçula de 17 irmãos. Tinha segurado a primeira arma aos 8 anos e sido criado num reformatório. Já tinha sido preso, sofrido bullying, e estava passando por um momento muito difícil na vida. Estava carregando o

fardo de ter matado gente sem uma consciência tranquila. Foi bom para mim estar com aquelas pessoas de cuja vida eu nunca tivera nenhuma percepção antes. Me dei conta de que eu poderia perfeitamente ter sido Don se tivesse crescido naquelas circunstâncias.

A subida ao Kilimanjaro veio alguns anos depois na vida de Sue. Também nessa ocasião ela foi acompanhada por um homem da Irlanda do Norte, que havia escutado a sua história e queria chegar com ela ao cume da montanha. Ambos chegaram, e então esses dois montanhistas improváveis fizeram algo ainda mais improvável: eles dançaram, emprestando um novo significado à expressão "o ápice da experiência". "Tive que ser convidada de volta à vida", refletiu ela. "E o que me convidou de volta foi o amor."

Outra conversa reveladora com uma mulher que havia passado por um inferno pessoal acabou servindo de apoio para minha própria e improvável reconciliação com o passado. Minha interlocutora foi Bettina Göring, sobrinha-neta de Hermann Göring, o *Reichsmarschall* cuja Luftwaffe havia matado o avô de Sue, e um dos pilares do regime criminoso que assassinou meus avós. Nós tínhamos sido reunidos pela diretora de uma série documental em que éramos ambos personagens; a diretora intuíra, com razão, que poderíamos ter algo a oferecer um ao outro. Nos falamos por Skype, eu de Vancouver, Bettina da Tailândia, onde hoje reside e trabalha em meio período como facilitadora de cura para outras pessoas. O fato de essa conversa ter de fato acontecido, e de ter sido tão sincera, exige uma palavra que não uso com frequência: *milagre*. Fora Bettina quem dera o pontapé inicial, ao me escrever dizendo quanto valorizava meu trabalho. A magia desse encontro, para mim, foi o fato de duas pessoas que tinham começado a vida em polos tão distintos – uma descendente de mártires, a outra parente de um notório criminoso – serem ambas impelidas numa jornada de cura na qual, por um feliz acaso, iriam se encontrar e encontrar também uma compreensão mútua.

Nascida 11 anos depois da guerra, Bettina havia passado a vida inteira suportando um legado sombrio. Menina hipersensível, carregava todo o fardo familiar de trauma multigeracional, e acabou absorvendo a culpa pela monstruosa depravação do tio-avô. Após ter sido abandonado pela mãe com 6 semanas de vida, Hermann Göring crescera sob o regime rigoroso e cruel de criação que Alice Miller havia identificado ao estudar a vida de todos os grandes líderes nazistas e denominado "pedagogia venenosa". O vício em morfina e a compulsão alimentar foram algumas das escapatórias que ele tentou usar para fugir de seu horrendo mundo interior, cujas monstruosidades ele tanto contribuiu para infligir aos outros.

Bettina contou como havia buscado uma cura para si. Segundo ela, foi numa autoinvestigação de grupo na Austrália que se deu conta "de toda a culpa que sentia, embora não fizesse sentido algum... quero dizer, eu sabia no meu cérebro e na minha mente que aquilo não fazia sentido, mas mesmo assim eu sentia". Ela estremeceu ao me contar isso. "Foi muito doloroso encarar essa vergonha, encarar o horror e tudo que tinha feito parte dele." Dotada de uma forte capacidade de empatia, ela decidiu usar esse recurso interno, e corajosamente se abriu para vivenciar a psique do tio-avô, ou seja, para sentir dentro de si suas ressonâncias e vibrações. Fez isso não para perdoar Göring, mas para perdoar *a si mesma*, para abrir mão da escuridão com que sempre havia se identificado. "Eu encarei aquilo", me disse ela. "Foi horrível. Foi como atravessar a noite mais escura da alma. Encarei o pior do pior, o monstro. Foi muito assustador. Mas quando saí me senti muito mais livre."

Foi exatamente como me senti depois de nos despedirmos. Meu próprio passado não tinha mudado em nada, mas minha noção do que era possível, sim. Fui lembrado de algo que meu colega, o especialista em trauma Bessel van der Kolk, tinha me dito num dia ameno de outono 10 anos antes, enquanto almoçávamos num congresso em que ambos estávamos apresentando trabalhos, no norte do estado de Nova York. Não me lembro mais daquilo que na conversa ou no meu comportamento provocou o comentário dele, mas de repente, do outro lado da mesa, Bessel me olhou por cima da armação dos óculos e disse: "Gabor, você não precisa ficar arrastando Auschwitz por onde quer que vá." Nesse instante, Bessel me viu. Apesar de todas as minhas interações positivas com a vida, apesar do amor, da alegria e da sorte imensos com que também fui contemplado, essa desesperança em relação a mim mesmo era uma sombra sempre à espreita, pronta para exterminar a luz toda vez que eu sofria algum revés ou ficava desanimado, e até mesmo em momentos inocentes nos quais baixava a guarda.

O campo de prisioneiros mental que Bessel identificou fora construído e cercado pelo *significado* forjado por minha mente de bebê a partir de acontecimentos dolorosos, assustadores e muito além do meu controle, *não só pelos acontecimentos em si*. Esse significado, a história sem fim cuja moral é "Sou um ser estragado, sem qualquer esperança de cura", tinha influenciado bastante minha experiência subjetiva da vida, independentemente de fatores externos e de tudo que testemunhei e aprendi que indicava o contrário, e até mesmo contrariava meus valores e convicções de base a respeito da humanidade. Sempre acreditei – e *acreditei* não é uma palavra forte o bastante aqui, porque me refiro a uma convicção mais poderosa do que a crença – que dentro de todo mundo existe um potencial de desenvolvimento e de crescimento, pouco importando o que a pessoa vivenciou, no que acreditou ou o que fez. E ao lado de todo mundo lá estava eu, a única exceção! Eis quanto a mente é poderosa: ela é capaz de manter de modo rígido e por muito tempo as próprias convicções, mesmo quando essas visões são prejudiciais para nós, contrárias à experiência e até dissonantes em relação a outras crenças semelhantes.

As jornadas mais inspiradoras em direção à inteireza são as mais improváveis, porque desmentem a ideia de que alguns traumas são incuráveis. Ao escrever este capítulo, tive o prazer de conversar com Edith Eger, judia húngara como eu, psicoterapeuta internacionalmente admirada e escritora, hoje com 90 e poucos anos. As mesmas diretoras de cinema que tinham me conectado com Bettina também me apresentaram a Edith.

Em junho de 1944, cinco meses depois de eu nascer, Edith tinha 16 anos quando ela e a família foram transportadas para Auschwitz de Košice, mesma cidade da Eslováquia na qual minha mãe foi criada e de onde meus avós foram deportados. Muito provavelmente os dois viajaram no mesmo trem de Edith. Assim como minha avó e meu avô, os pais dela foram mandados para as câmaras de gás assim que chegaram. A sobrevivência de Edith, e muito mais do que isso, sua transcendência em relação aos horrores que teve de suportar, estão retratados em seu livro *A bailarina de Auschwitz*, cujo título em inglês é *The Choice*, "a escolha". A que escolha ela estava se referindo? Certamente não onde e quando nasceu, nem o que aconteceu com seus parentes mais próximos. O que ela encontrou, isso sim, foi uma forma de exercer a única escolha que tinha, que era o próprio ponto de vista e a atitude emocional em relação ao passado imutável. Aqui ela explica como, décadas mais tarde, chegou a perdoar o próprio Hitler. Isso aconteceu em Berghof, nos Alpes bávaros, onde ficava a residência do Führer de 1933 em diante. "É fácil demais criar uma prisão a partir da nossa dor, do nosso passado", escreve ela.

> Então fui até o local da antiga casa de Hitler e o perdoei. Não teve nada a ver com Hitler. Foi algo que fiz por mim. Eu estava me desapegando, liberando essa parte de mim mesma que passara a maior parte da vida gastando energia mental e emocional para manter Hitler acorrentado. Enquanto eu me agarrasse a essa raiva, continuaria acorrentada junto com ele, presa no passado traumatizante, trancafiada dentro da minha dor. Perdoar significa elaborar um luto daquilo que aconteceu, daquilo que não aconteceu, e abrir mão da necessidade de um outro passado. Significa aceitar a vida como foi e como é.[6]

Poderíamos dizer que Edith passou a "escolher" o próprio passado, não no sentido de apreciá-lo ou corroborá-lo, mas de simplesmente deixá-lo ser como é. "É claro que não quero dizer que foi aceitável Hitler assassinar 6 milhões de pessoas", acrescenta ela. "Só que isso aconteceu, e não quero que esse fato destrua a vida à qual me agarrei e pela qual lutei contra tudo e contra todos."

Quando Bessel aconselhou que eu poderia abrir mão de Auschwitz, quis dizer justamente que eu não precisava viver agarrado à dor e ao ressentimento do passado, nem às crenças que havia desenvolvido numa época em que não tinha como fazer outra coisa. Essa é uma liberdade que vale a pena buscar.

Quando tornei a falar com Edith Eger, em 2019, ela estava terminando de escrever *A liberdade é uma escolha*, seu segundo livro de reflexões sobre a cura. Fiquei comovido, pois sabia que era improvável tornar a encontrar alguém tão intimamente próximo da história da minha própria origem. "Edie", falei, "ainda não consegui superar, e aqui estou eu, 76 anos depois." Ela riu baixinho. "Talvez você nunca supere, Gabor. Nem precisa. Só precisa se permitir viver com isso." Nada precisava mudar, estava me lembrando Edith, apenas a forma como eu guardava minha história na mente.

Nenhum de nós precisa ser perfeito, nem exercitar uma compaixão de santo, nem alcançar qualquer marco emocional ou espiritual para poder dizer que está no caminho da cura. Tudo de que precisamos é estar dispostos a participar de qualquer processo que queira se dar dentro de nós para que a cura possa ocorrer naturalmente.

Qualquer um, seja qual for sua história, pode começar a ouvir a inteireza chamando, quer com um grito ou com um sussurro, e decidir avançar na sua direção. Com o coração como guia e a mente como uma disposta e curiosa companheira, seguimos qualquer caminho que pareça se identificar mais com esse chamado.

# 26
# Quatro disposições e cinco compaixões: alguns princípios de cura

*Tudo na natureza cresce e luta à sua maneira, estabelecendo a própria identidade, insistindo nela a todo custo, contra qualquer resistência.*

– RAINER MARIA RILKE, *Cartas a um jovem poeta*

Ninguém consegue planejar a trajetória de cura de outra pessoa, porque não é assim que a cura funciona. Não existem mapas para algo que precisa encontrar o próprio arco individual. Podemos contudo mapear o território, descrevê-lo, nos familiarizar com ele, nos preparar para enfrentar seus desafios. Podemos aprender que leis naturais parecem reger a cura, e em especial que atitudes e atributos ela desperta e aos quais reage dentro de nós. Assim como o parto natural, a cura não pode ser determinada nem apressada, mas certamente podemos ajudá-la a progredir. Nas palavras eloquentes da poeta e cantora Jewel: "A natureza não se pode forçar/ Só cultivar." Essa tinha sido sua experiência pessoal de cura, me contou ela numa entrevista.

As quatro disposições que se seguem não são um passo a passo nem uma recomendação rígida. Elas representam princípios de cura que se revelaram sinalizações úteis para muitas pessoas. Eu formulei pela primeira vez esses princípios enquanto escrevia *When the Body Says No* (Quando o corpo diz não), e desde então os revisei, condensando-os de seis em quatro. (Num capítulo posterior, proporei duas outras disposições que harmonizam a cura individual e social, das quais a justiça é um dos pilares centrais.) Cada uma dessas disposições representa uma qualidade correspondente a uma necessidade humana, com frequência atrofiada ou enterrada à força cedo na vida devido a condições emocionais ou físicas adversas, ou então, nesta nossa cultura confusa e reprimida, simplesmente a ambientes incapazes de dar apoio ao seu desenvolvimento. Um dos aspectos essenciais da cura é acolher novamente em nossa vida cada uma dessas qualidades, e deixar que elas nos transmitam seus ensinamentos.

## 1. AUTENTICIDADE

Sem meias palavras, a autenticidade é uma qualidade que, na nossa cultura, mais se vende do que se pratica. Até a Coca-Cola é vendida como "a original". Nós nos vemos cercados pelo fenômeno em ascensão da falsa autenticidade: alguém representando o "real" para uma plateia ou uma câmera, mas sem convencer: as palavras podem não se encaixar na cadência, ou pode haver oposição ou bravata demais na atitude.

É difícil isolar a autenticidade. Embora sinônimos como "genuinidade", "verdade", "originalidade" e tais venham à mente, a autenticidade em si dribla qualquer definição exata que capte por completo a sua essência. Assim como seu estado natural irmão, o amor, a autenticidade não é um conceito, mas algo vivido, vivenciado, fruído. Na maioria das vezes você sabe quando ela está presente. Já tentou explicar para alguém o que é o amor em termos puramente intelectuais? O que vale para o amor vale também para a autenticidade.

A busca da autenticidade está repleta de armadilhas. Para começar, temos o paradoxo de que não se pode buscar a autenticidade, apenas personificá-la. Por definição, buscar uma autoimagem idealizada é incompatível com ser autenticamente quem se é. Precisamos começar nos aceitando plenamente, como descobriu Anita Moorjani em seu encontro com uma doença fatal.[1] "Bastava a mais ínfima resistenciazinha do outro... por exemplo, se eu tivesse desagradado alguém um mínimo que fosse – era assim que eu era *antes* – quem cedia era eu", me disse ela. "Hoje não tenho medo de não gostarem de mim ou de decepcionar alguém. Não tenho medo do que costumava considerar defeitos meus. Me dei conta de que eles são apenas o outro lado de ser quem eu sou."

Uma das abordagens mais diretas da autenticidade é reparar quando ela está ausente, então lançar mão de um pouco de curiosidade e de um ceticismo suave contra as crenças pessoais limitantes que a estão substituindo, ou simplesmente a impedindo de aparecer.

A falta de autenticidade se revela por meio de tensão ou ansiedade, irritabilidade ou arrependimento, depressão ou cansaço. Quando qualquer uma dessas perturbações surgir, podemos nos indagar: será que existe alguma orientação interna que estou contrariando, a que estou resistindo, ignorando ou evitando? Existem verdades que estou evitando expressar, ou mesmo imaginar, por medo de perder minha segurança ou minha noção de pertencimento? Num encontro recente com outras pessoas, eu de alguma forma abandonei a mim mesmo, minhas necessidades e meus valores? Que medos, racionalizações ou narrativas conhecidas me impediram de ser eu mesmo? Eu nem sequer sei quais são meus valores?

A capacidade crescente de admitir para si mesmo: "Ai, isso dói", ou: "Eu não estava falando sério quando disse o que disse, sabe?", ou: "Tenho muito medo de estar nessa situação", é o impulso em direção à autenticidade se fortalecendo. Quando prestamos atenção suficiente, oportunidades reais de escolha começam a surgir *antes* de trairmos nossas verdadeiras vontades e necessidades. Enquanto antes essa consciência só teria sido notada *a posteriori*, agora talvez nos peguemos parando na hora e dizendo: "Humm, sinto que estou prestes a sufocar esse sentimento ou pensamento… será que é isso mesmo o que eu quero fazer? Será que existe outra alternativa?" O surgimento de novas escolhas no lugar das dinâmicas antigas e pré-programadas é um sinal certeiro de que nosso eu autêntico está voltando a aparecer.

## 2. AÇÃO

Capacidade de ação é a capacidade de assumir livremente responsabilidade pela nossa existência, exercitando uma "capacidade de resposta" em todas as decisões essenciais que afetam nossa vida, no máximo grau possível. Ser impedido de agir é uma fonte de estresse. Essa privação pode advir de condições sociais ou políticas: pobreza, injustiça, marginalização ou o aparente colapso do mundo à nossa volta. No caso de uma doença, essa privação com frequência se deve a restrições internas.

Exercitar a ação tem um poder de cura imenso. A psicóloga Kelly Turner estudou muitos casos de suposta remissão espontânea do que fora diagnosticado como um tumor maligno em estágio terminal. "Já trabalhei como orientadora psicológica em vários hospitais e consultórios de oncologia", relata ela, "e sei, por experiência própria, que os pacientes que ouvem e seguem instruções são considerados 'bons', ao passo que os pacientes 'chatos' são os que fazem muitas perguntas, trazem as próprias pesquisas ou então, o pior de tudo, contestam as ordens médicas."[2] Mas são esses últimos, constatou ela, os que encontram formas de assumir o controle da própria cura, que têm mais probabilidade de melhorar a longo prazo. Em retrospecto, observa Turner, todos os seus sobreviventes com remissão radical gostariam de ter começado muito antes a serem agentes ativos do próprio destino, em vez de pacientes dóceis nas mãos dos médicos.

Como no caso da autenticidade, o capitalismo vende uma versão fajuta da capacidade de ação por meio de mantras de poder pessoal do tipo "seja tudo que você conseguir ser" e "faça do seu jeito". A escolha pessoal se torna uma marca, sem que se dê qualquer atenção aos contextos nos quais essas escolhas se dão. Muitas vezes a liberdade que está sendo anunciada é a liberdade duvidosa de poder escolher entre esse ou aquele produto ou serviço para envernizar a identidade que não conseguem nem podem nos satisfazer. A capacidade de ação tampouco significa algum tipo de falsa onipotência ou domínio total sobre os acontecimentos e circunstâncias. A vida é muito maior do que nós, e não contribuímos para nossa própria cura fingindo controlar aquilo que não controlamos.

Capacidade de ação significa ter algum poder de escolha sobre quem e como vamos "ser" na vida, com que partes de nós mesmos nos identificamos e quais iremos expressar. Isso com frequência começa renegociando nossa relação com os traços de personalidade que passamos muito tempo pensando serem idênticos a quem realmente somos, aqueles que no início surgiram para nos manter seguros, mas que agora nos mantêm presos. Não existe liberdade em *ter obrigação* de ser "bom", ou o mais exímio ou talentoso, ou na necessidade de agradar, entreter ou ser "interessante". Tampouco podemos exercer a capacidade de ação quando nos opomos automaticamente às demandas dos outros: uma reatividade por reflexo não deixa espaço para a "capacidade de reação", ou para aquilo que, no primeiro capítulo, denominamos flexibilidade de reação, uma capacidade que o trauma prejudica muito.

Capacidade de ação não é nem atitude nem afeto, nem uma aceitação cega ou uma rejeição da autoridade. É uma autoconcessão do direito de avaliar as coisas livre e plenamente, e de escolher com base em instintos autênticos, sem se curvar às expectativas do mundo ou aos ditames de um condicionamento pessoal arraigado.

## 3. RAIVA

As pessoas muitas vezes me pedem para definir a "raiva" saudável. Eis o que ela não é: raiva cega, bravata, ressentimento, desprezo, maldade ou amargura. Tudo isso vem de um acúmulo pouco saudável de emoções não expressadas ou não integradas, que precisam ser vivenciadas e compreendidas em vez de extravasadas. Tanto a raiva suprimida quanto a raiva desproporcional são tóxicas.

Em sua forma natural, saudável, a raiva é um limite que serve de defesa, uma dinâmica ativada ao percebermos uma ameaça à nossa vida ou à nossa integridade física ou emocional. Como nosso cérebro é programado para senti-la, não temos muito como evitá-la: é o sistema autoprotetor da RAIVA identificado por Jaak Panksepp. Seu funcionamento pleno é um dos traços padrão de nossa inteireza, essencial para a sobrevivência: pense num animal protegendo seu território ou seus filhotes. O movimento em direção à inteireza com frequência envolve uma reintegração dessa emoção muitas vezes banida ao nosso repertório de sentimentos disponíveis. Isso não equivale a atiçar o ressentimento ou cultivar a rabugice, muito pelo contrário. A raiva saudável é uma reação de momento, não um animal que guardamos no porão, alimentando-o com vergonha ou histórias que justifiquem nossa forma de agir. Ela tem a ver com a situação e tem uma duração limitada: ao surgir quando é necessária, cumpre sua tarefa de afastar a ameaça e depois arrefece. Não se torna nem uma experiência a ser temida ou odiada, nem um fator crônico de irritação.

O fato – e algumas pessoas podem precisar fazer força para se lembrar disso – é que estamos falando de um sentimento válido e natural, que por si só não pretende causar nenhum dano. Em sua forma pura, a raiva não tem conteúdo moral, certo ou errado: ela simplesmente *é*, e seu único desejo é um desejo nobre, manter a integridade e o equilíbrio. Se e quando ela se transforma numa versão tóxica de si mesma, podemos tratar as histórias e interpretações que não ajudam, os padrões de pensamento donos da verdade ou de autoflagelação que continuam a atiçá-la, sem invalidar a emoção em si. Podemos também observar como nossa incapacidade de dizer não serve de combustível para um ressentimento crônico que nos deixa propensos a rompantes prejudiciais.

Muitos de nós aprendemos a reprimir nossa raiva a ponto de nem sequer sabermos a cara que ela tem. Nesse caso, o melhor é nem idealizar nem exagerar: imaginar uma explosão bombástica de ira ou um monólogo moralista cheio de palavrões não vai nos ajudar. Assim como a autenticidade, a raiva genuína não é um espetáculo. A mensagem central da raiva é um não conciso e potente, dito com a maior ênfase que o momento exige. Sempre que nos pegamos tolerando ou tentando encontrar explicações para situações que repetidamente nos causam estresse, insistindo que "não é tão ruim assim", "eu dou conta" ou "não quero criar caso por causa disso", provavelmente existe uma oportunidade para treinar dar à raiva algum espaço para se manifestar. Mesmo a admissão claramente enunciada "eu não gosto disso" ou "não quero isso" pode ser um passo à frente.

Pesquisas sugerem que expressar a raiva pode fazer bem para a saúde física, por exemplo em pessoas com esclerose lateral amiotrófica (ELA) ou fibromialgia, dois distúrbios que intrigam a mentalidade médica convencional. Já relatamos (no capítulo 2) que pacientes com ELA são percebidos por seus médicos como extraordinariamente gentis. De modo revelador, em outro estudo sobre a ELA, os mais "agradáveis" desses pacientes – ou seja, aqueles menos propensos a ter contato com a raiva – também apresentaram uma evolução mais rápida da doença e uma maior deterioração da qualidade de vida.[3] O mesmo se aplica à fibromialgia, que muitos estudos relacionaram ao trauma de infância. Um estudo de 2010 publicado no periódico *European Journal of Pain* concluiu que "a raiva e uma tendência geral a inibir a raiva prognosticam mais dor na vida cotidiana de pacientes mulheres com fibromialgia. Uma intervenção psicológica poderia focar numa expressão saudável da raiva para tentar mitigar os sintomas de fibromialgia".[4]

A questão, para a maioria de nós, não é ficar ou não com raiva, mas como se relacionar de maneira sadia com os sentimentos que vão e vêm naturalmente com a maré da vida, entre os quais a raiva.

## 4. ACEITAÇÃO

A aceitação começa ao permitirmos às coisas serem como são, seja como elas forem. Isso nada tem a ver com complacência ou resignação, embora às vezes estas possam passar por aceitação – pense na expressão "fazer o quê?", quando a pessoa dá de ombros –, da mesma forma que um egoísmo teimoso pode passar por autenticidade. Aceitação é, isso sim, o reconhecimento, sempre preciso, de que *neste momento* as coisas não podem ser diferentes do que são. Nós nos abstemos de rejeitar ou corroborar. Em vez de resistir à verdade ou negar ou fantasiar uma saída, tentamos simplesmente *estar com ela*. Ao fazer isso, promovemos uma relação alinhada com o momento presente, o agora.

Aceitação significa também aceitar quão difícil pode ser aceitar. Pode parecer um paradoxo, mas a verdadeira aceitação não nega nem exclui nenhum aspecto de como as coisas são, *nem mesmo nosso impulso de rejeitar como as coisas são*. Raiva, tristeza, expectativa, resistência e até ódio: dentro de uma atitude de aceitação todos esses sentimentos têm espaço para se expressar. Às vezes nos aceitar começa encarando o fato de não sabermos o que estamos sentindo, ou de nossos sentimentos serem contraditórios. Rejeitar *qualquer* parte da nossa experiência é uma autorrejeição antinatural, mas que mesmo assim parece normal para muitos de nós. Você cometeu alguns erros graves? Constata que está cheio de ódio, mágoa ou incompreensão? Essas coisas também são candidatas à aceitação: por baixo delas sempre existe dor. Na verdade, o ódio, a mágoa e até mesmo a incompreensão podem ser tentativas da psique de *não* sentir dor ou tristeza. Uma dor saudável – a joia com tanta frequência escondida dentro de queixas engessadas – com frequência aguarda do lado de lá da aceitação de como as coisas são e têm sido. Isso também pode ser difícil de aceitar, mas, quando bloqueamos a energia da dor que deseja nos atravessar, nós só fazemos aumentá-la. Como diz Gordon Neufeld: "Seremos salvos num oceano de lágrimas."

É preciso fazer uma distinção entre *aceitar* e *tolerar*. Estar com alguma coisa e aguentar essa coisa têm muito pouco a ver um com o outro. Aceitar energiza, porque abre espaço para as outras três disposições: permite a entrada da *raiva* se esta estiver presente, aumenta nossa sensação de livre *ação* e abre espaço para qualquer que possa ser nossa experiência *autêntica*. Tolerar o intolerável, por sua vez, enrijece. Por exemplo, resignar-se com pessimismo a situações como abuso ou negligência significa *rejeitar* partes cruciais de si, bem como necessidades e valores que merecem ser respeitados e uma integridade que deve ser protegida. Isso está muito distante da verdadeira aceitação.

Darlene, terapeuta de família de 38 anos moradora de San Jose, na Califórnia, só começou a aceitar que as realidades do seu casamento eram intoleráveis ao desenvolver uma doença autoimune. Com base na criação cristã fundamentalista que tivera, ela realmente acreditava que o dever ditado por Deus era "aceitar" – leia-se: suportar – a infelicidade que as marcas de trauma do próprio marido lhe impunham. "Quando o vínculo entre meu estresse e minha doença ficou claro para mim", contou ela, "em determinado momento eu me lembro de pensar 'caramba, fiquei aqui nessa posição de mártir que reverencia Deus, insistindo nesse casamento abusivo, só que não vai dar: isso vai me matar!'"

O mesmo vale para a injustiça ou a opressão no nível social. Aceitar que o que quer que esteja acontecendo no momento está acontecendo – o simples fato em si – não significa aceitar que *deveria* ser assim. Para lidar com racismo, pobreza ou qualquer outro mal social, precisamos primeiro reconhecer que eles são realidades da vida nesta cultura. Eles existem, e precisamos reconhecer nossa dor e nossa tristeza pelo fato de existirem. Agora podemos nos perguntar como seria possível trabalhar de modo eficiente para eliminar não só a expressão desses males, mas as raízes deles. Podemos avançar rumo a uma raiva saudável, à capacidade de ação, à autonomia em movimento.

## AS CINCO COMPAIXÕES

O aclamado neurocirurgião James Doty[5] chefia o Centro de Pesquisa e Educação em Compaixão e Altruísmo da Universidade Stanford. "Existe um subconjunto de pessoas que acreditam que a compaixão é uma coisa mole, que não é digna de estudo científico", disse ele durante uma conversa pública que tivemos no centro de retiro californiano 1440 Multiversity.[6]

> Mas eu lhe garanto: os dados científicos de que dispomos hoje demonstram que essas práticas de mindfulness, autocompaixão e compaixão

estão entre as mais poderosas que existem para mudar nossa fisiologia e trazer benefícios para nossa própria saúde, tanto mental quanto física, e também em termos de longevidade.

A compaixão, tanto como bálsamo quanto como salvação, não se limita ao universo individual. Se quisermos sonhar com um mundo mais saudável, menos fragmentado, teremos de canalizar e amplificar o poder de cura da compaixão.

Em meu trabalho com clientes e na formação de milhares de terapeutas, distingui cinco níveis de compaixão que se sobrepõem e se reforçam de modo não hierárquico. Juntos eles nos incentivam, nos guiam e nos orientam no caminho rumo à inteireza. Como escreveu o dramaturgo (e médico) Anton Tchékhov: "É a compaixão que nos faz ultrapassar a anestesia na direção da cura."

## 1. *Compaixão humana comum*

A palavra *compaixão* vem do latim, e significa "sofrer junto". Quer vivenciemos ou não a dor do outro de modo assim tão vívido, a compaixão de nível mais básico é a capacidade de *estar na presença do sofrimento*. É também *comover-se* com a consciência de que alguém está passando por dificuldades; isso não é percebido como um fato neutro.

A compaixão interpessoal envolve necessariamente empatia, a capacidade de alcançar e se identificar com os sentimentos alheios. Nossa experiência dessa compaixão pode variar dependendo de quem estamos observando, ou mesmo de como estamos nos sentindo em determinado momento. Com certeza ela pode se desgastar ou diminuir, como é capaz de atestar qualquer um que já tenha sentido a "fadiga de compaixão" relacionada ao trabalho. Para a maioria de nós, ela volta quando obtemos o descanso e o reabastecimento necessários. Sua ausência em qualquer um, patente nos sociopatas e psicopatas, é sempre um sinal de ferida na alma ou, nas palavras de A. H. Almaas, de "supressão da dor". Quando notarmos essa falta de empatia em nós mesmos, no lugar do autojulgamento – em si uma falta de compaixão – podemos muito bem perguntar que dor *nós* ainda não sentimos e metabolizamos totalmente. Podemos aprender muito sobre nosso histórico de feridas emocionais observando em que situações, e em relação a quem, nosso coração naturalmente maleável tende a endurecer e se fechar.

Compaixão não é a mesma coisa que pena, que em algum nível está sempre associada a uma história preexistente sobre si ou sobre o outro. Enquanto a compaixão gera as melhores políticas sociais, a pena não empodera ninguém. Para sentir pena de você, primeiro eu tenho que nos colocar em papéis desiguais e ver seu infortúnio de cima, a partir de uma posição elevada imaginária. Ainda que haja de fato no mundo uma diferença de poder entre nós – advinda de uma hierarquia racial ou econômica, digamos –, tratá-la como um fator permanente, essencial em relação a nós dois não tem qualquer benefício para nenhuma das partes. A autocompaixão, igualmente necessária, também tem seu análogo pouco sadio: "um poço de autocomiseração" transmite a ideia da armadilha confortável porém pantanosa de sentir uma eterna pena de si mesmo. A autopiedade encontra certo alívio quando nos vemos como alguém desafortunado, maltratado pelo destino. Ela atrapalha a cura ao reforçar as histórias que nos mantêm presos a um mundo de dor, e ao desestimular a responsabilidade por nosso próprio ponto de vista. A autocompaixão, por sua vez, não resiste a como as coisas são nem envolve a dor em camadas de gaze narrativa; ela simplesmente diz: "Está doendo."

## 2. *A compaixão da curiosidade e da compreensão*

A segunda compaixão adota como seu primeiro princípio o fato de que tudo existe por um motivo, e de que esse motivo faz diferença. Nós perguntamos, sem julgar, por que uma pessoa ou um grupo – qualquer pessoa, qualquer grupo – acabou ficando do jeito que é e agindo do jeito que age, mesmo ou em especial quando seu comportamento for irritante ou incompreensível. Também poderíamos chamar isso de compaixão de contexto. Por mais sincero que seja nosso desejo de nos ajudar ou de ajudar os outros, não podemos fazê-lo sem considerar o sofrimento que está sendo vivenciado, inclusive conhecendo o melhor possível sua origem. Não basta, por exemplo, sentir-se mal pelas pessoas mergulhadas na dependência sem tentar entender de que dor na vida delas elas foram levadas a tentar fugir, e como essa ferida continuou aberta. Na falta de uma visão clara de contexto, o que se fará, no melhor dos casos, é nutrir bons sentimentos inertes e realizar intervenções bem-intencionadas, mas em última instância ineficazes. Podemos ver essa limitação nas abordagens lamentavelmente inadequadas dos tratamentos para dependência atualmente em voga.

A disposição para buscar o porquê antes de pular para o como é a compaixão da curiosidade e da compreensão em ação. Embora seja necessária em todos os casos de sofrimento crônico, seja no âmbito pessoal ou social, ela na prática pode ser um desafio. Na sociedade atual, muitas vezes nos contentamos com explicações fáceis, julgamentos rápidos e soluções automáticas. Investigar com uma visão clara até encontrar as razões sistêmicas de por que as coisas são como são exige paciência, curiosidade e força de caráter.

O acadêmico métis Jesse Thistle, mencionado no capítulo 15, escreveu um envolvente livro de memórias sobre sua infância, sua juventude, seu mergulho no vício e no crime e, por fim, sua recuperação, permeado justamente por esse tipo de compaixão integral. "Escrevi *From the Ashes* (Das cinzas) principalmente para as pessoas poderem ser testemunhas do que aconteceu comigo e com meus irmãos na minha família", disse Jesse.

> De certa forma eu estava tentando vingar minha família e fazer as pessoas entenderem. O mesmo vale para a história da minha nação: estou ajudando a relembrar. Não só relembrar no sentido de recordar. Relembrar no sentido de lembrar outra vez, de reconstruir essa história que foi desmontada pelo Estado e esquecida.

Ao narrar os acontecimentos da própria vida, Thistle, e como ele os outros escritores e artistas do Canadá originário, estão resgatando um contexto de compaixão para os seus – tanto no sentido familiar quanto nacional desse pronome – para poderem existir e ser vistos pelos olhos do mundo, e também pelos próprios olhos.

### 3. *A compaixão do reconhecimento*

Lembra de Bruce, do capítulo 15? O cirurgião vascular do Oregon preso no hospital em que trabalhava por forjar receitas para alimentar o vício em opioides? Por mais humilhante que tenha sido essa experiência, ele a vê com gratidão devido ao despertar que ela causou e que mudou sua vida. "Se isso não tivesse acontecido comigo do jeito que aconteceu", me disse ele, "eu teria continuado a levar alegremente minha vida de indivíduo insensível, tecnicamente competente, mas emocionalmente prejudicado, que caracteriza tantos de nós cirurgiões." No lugar de seus antigos modos "autocentrados" de se relacionar, Bruce descreve "uma nova atitude", caracterizada por se ver nos outros. "[Posso dizer] 'Eu sou um ser humano que tem falhas, que passou por dificuldades. Talvez você pertença a essa mesma categoria. Vamos ver como podemos resolver juntos esse problema.'"

Bruce está personificando o que chamo de *compaixão do reconhecimento*, que nos permite perceber e aceitar que estamos todos no mesmo barco, sacudido por atribulações e contradições parecidas. Enquanto não reconhecermos o que temos em comum, estamos gerando mais infortúnios para nós mesmos e para os outros: para nós mesmos porque aumentamos a distância entre nós e nossa humanidade e nos enredamos nos estados fisiológicos tensos do julgamento e da resistência; para os outros porque disparamos a vergonha que sentem e aumentamos o isolamento deles. Se não estiver entendendo muito bem a que estou me referindo, da próxima vez que sentir um intenso julgamento em relação a alguém, preste atenção no seu estado físico, nas sensações em seu peito, sua barriga e sua garganta. Elas são agradáveis? É improvável; e elas tampouco fazem bem para a sua saúde.

A lição não é que não deveríamos julgar, já que quem está julgando não somos *nós*, mas nossa mente automática. Julgar-se por estar julgando é fazer a roda da vergonha continuar girando. A oportunidade é investigar com curiosidade e compaixão a própria mente e o próprio estado físico julgadores. A cura vem quando somos capazes de ver esse mundo de sofrimento como um espelho da nossa própria dor, e de permitir aos outros se verem também refletidos em nós; esse reconhecimento prepara o caminho para a reconexão.

### 4. *A compaixão da verdade*

Podemos acreditar num ato de bondade que proteja as pessoas de vivenciar a dor. Embora isso valha para quando a dor é desnecessária e evitável, não há compaixão alguma em proteger alguém das dores, das decepções e dos reveses inevitáveis que a vida impõe a todos nós, da infância em diante. Essa tentativa, além de inútil, é contraproducente, e pode até ser inautêntica, quando o impulso aparentemente altruísta vem do nosso desconforto com nossas próprias feridas.

Sejam quais forem as nossas intenções, não estaremos ajudando ninguém temendo a sua dor ou nos aliando a ele para bani-la. À medida que as pessoas trabalham para curar seus traumas, a dor inevitavelmente vai surgir. Por isso todos nós negamos, suprimimos, reprimimos, racionalizamos, justificamos, recordamos mal ou exercemos graus variados de dissociação na presença da dor. Quando enfrentarmos todas as formas como nos anestesiamos, a dor inevitavelmente vai emergir; na verdade, ela passou um longo tempo esperando para vir à tona. É claro que o medo dessas partes exiladas de nós mesmos também é natural. "Quando se passa uma vida inteira fugindo de emoções", escreve Helen Knott, "fica parecendo que quando elas a alcançarem vão lhe dar uma surra e deixá-la aleijada num beco."[7] Isso não precisa acontecer. A compaixão da verdade reconhece que a dor não é o inimigo. Na verdade, a dor tem uma compaixão inerente na medida em que tenta nos alertar de qual é o problema. Em certo sentido, curar-se é desaprender a ideia de que precisamos nos proteger da nossa dor. Assim, a compaixão é um portal para outra qualidade fundamental: coragem.

A compaixão da verdade também reconhece que, a curto prazo, a verdade pode conduzir a mais dor. Darlene, a terapeuta de família de San Jose, descobriu isso ao abandonar seu casamento disfuncional. "A comunidade da minha infância não me compreende, não consegue me ver, não entende", disse ela. "Isso me parte o coração, porque quero ser amada e quero ter vínculos, mas desconfio de que essas pessoas nunca vão conseguir me ver nem se conectar comigo." O fato de alguns vínculos talvez não sobreviverem à escolha de ser autêntico é uma das revelações mais dolorosas que alguém pode ter; mesmo assim, existe liberdade nessa dor. Ela reverte e redime as escolhas trágicas e obrigatórias que tivemos que fazer no começo da vida na direção contrária. "É uma jornada em que jogamos fora a vontade de agradar todo mundo e passamos a não ligar para o que os outros pensam", disse Darlene.

Tem horas em que penso: "Eu quero a aprovação dessa pessoa." Não posso dizer que cheguei lá, mas o processo é como uma cebola: já tirei várias camadas, e sou cada vez mais livre na minha autenticidade. Tive que encontrar meus próprios bolsões comunitários onde sou vista e compreendida. Tem sido um processo doloroso, mas sei que é a coisa certa.

5. *A compaixão da possibilidade*

Todos somos mais do que as personalidades condicionadas que apresentamos ao mundo, do que as emoções suprimidas ou externadas que colocamos para fora e do que os comportamentos que exibimos. Entender isso permite o que chamo de *compaixão da possibilidade*. Não me refiro à possibilidade no sentido hipotético de um futuro possível, como em "quem sabe um dia", mas a uma qualidade inerente no momento presente, viva e sempre disponível. A possibilidade está relacionada a muitos dos maiores dons da humanidade: o assombro, o deslumbramento, o mistério e a imaginação: qualidades que nos permitem permanecer conectados àquilo que não somos necessariamente capazes de provar. Cabe a nós cultivar essa conexão, porque o dia a dia nem sempre vai nos mostrar evidências sólidas. Esse aspecto mais profundo da compaixão reconhece que o aparentemente impossível só *parece* impossível, e que aquilo de que mais necessitamos e por que mais ansiamos, seja o que for, pode se materializar a qualquer instante.

Manter-se aberto às possibilidades não requer resultados instantâneos. Mas saber que existe mais em cada um de nós do que se pode ver, no sentido mais positivo possível. O mesmo se aplica ao que quer que pareça mais real, sólido ou intratável seja em nós, seja nos outros. Numa história famosa, Buda viu o potencial universal da humanidade surgir num criminoso notório que o abordou com a intenção de assassiná-lo, e esse homem se tornou seu mais humilde e gentil seguidor.

"Para ter o domínio de nós mesmos, precisamos ter alguma autoconfiança, alguma esperança de vitória", escreveu o místico católico Thomas Merton. "E para manter viva essa esperança em geral precisamos sentir algum gosto de vitória."[8] A compaixão da possibilidade, diria eu, é uma porta que mantemos aberta para poder ver a vitória chegando. Se não confundíssemos a nós ou aos outros com quaisquer traços de personalidade e comportamento visíveis na superfície, fossem eles "bons" ou "ruins", se em cada pessoa pudéssemos sentir o potencial de inteireza que nunca pode ser perdido, isso seria para todos nós uma vitória que valeria a pena saborear.

## 27
# Um presente terrível: a doença como professora

*Sobreviver ao câncer de mama redefiniu quem eu sou... Antes dele, eu tinha passado a vida inteira cuidando de todo mundo à minha volta. Dali em diante, passei a me colocar em primeiro lugar. Costumava ouvir vozes no fundo da minha mente me dizendo que o que quer que eu fosse não era bom o bastante. Agora eu finalmente fiz essas vozes se calarem.*

– SHERYL CROW[1]

"Hoje tenho lindas conversas com minha artrite reumatoide... elas me dão vontade de chorar", ouvimos Julia, 42 anos, dizer no capítulo 5. Trata-se à primeira vista de uma afirmação esquisita e improvável. Não seria mais natural ver uma doença potencialmente debilitante como uma ameaça perigosa a ser evitada, suprimida ou combatida, em vez de uma companheira íntima e uma afirmação de vida? No entanto, nas histórias que irei relatar neste capítulo, e em tantas outras com as quais me deparei no meu trabalho, Julia descobriu valor e significado em seu encontro com a doença. Algumas pessoas, e não poucas, vão mais além, e chamam sua doença de presente valioso. *Blessed With a Brain Tumor* (Abençoado com um tumor no cérebro) é o título do livro de Will Pye, um rapaz que entrevistei. "Isso foi um presente do espírito, para minha alma poder ajudar na transformação curativa e no despertar", disse ele. O que Julia e Will descobriram é profundamente diferente do pensamento convencional: ver a doença em si como agente de cura, ou pelo menos uma oportunidade de aprendizado e crescimento. Em vez de apenas se curar *da* doença, eles de alguma forma aprenderam a se curar *por* ela.

Para que fique claro: a doença não é um "presente" que eu desejaria para ninguém. Ela não é um caminho de transformação para o qual eu orientaria alguém se houvesse alguma forma de evitá-la. Para as mulheres e homens de coragem cujas histórias são contadas a seguir, esse foi apenas o rumo que a vida deles tomou. Tampouco parto do princípio de que, no lugar deles, eu conseguisse encontrar força interior, coragem, confiança e sagacidade para lidar com meus males como eles lidaram. Mesmo assim, se nos dispusermos a aprender com o seu exemplo, suas provações têm muito a nos ensinar sobre cura.

Tenhamos em mente a distinção que fizemos no capítulo 25 entre sarar e curar. Embora eu tenha testemunhado pessoas revertendo e sobrevivendo aos mais duros prognósticos, e tenha visto isso documentado em outros lugares também, não estamos explorando o fato de melhorar a saúde, mas sim de alcançar a *inteireza*. A bênção que a doença concedeu a essas pessoas foi a cura, não o restabelecimento. O restabelecimento nunca está garantido. Já a cura está disponível até o momento em que damos nosso último suspiro. Ela é o movimento em direção a uma experiência de si como algo inteiro e vital, seja lá o que estiver acontecendo no seu corpo. A cura não é um ponto de chegada: da mesma forma que a doença, ela é um processo. Nas histórias a seguir, a doença por acaso foi a professora que fez as pessoas darem início à sua jornada rumo à cura.

Nenhum de nós, esteja doente ou não, precisa esperar as coisas ficarem tão duras para embarcar na própria jornada.

"O que acontece nessas conversas com sua artrite reumatoide?", perguntei para Julia, que desde que aliou terapia, meditação e outras formas de trabalho com ela mesma à dose baixa de um único medicamento teve poucas crises, sem avanço da doença por mais de uma década e com uma melhora significativa em seus exames de sangue. "Quando ela fala comigo", respondeu Julia, "em vez de vê-la como algo que preciso superar ou o motivo de um grande drama, eu literalmente apenas a sinto. Fico quieta com ela, me mostro curiosa em relação ao que vem acontecendo na minha vida, ao que eu talvez esteja suprimindo."

Já ouvimos como, em sua abusiva família de origem, Julia tinha se tornado uma pessoa "legal", hiper-responsável, que reprimia os próprios sentimentos para proteger os de todos os outros. "Eu faço minha própria autoinvestigação", continuou ela.

"O que você está tentando me dizer?", penso. Isso me aconteceu tem apenas duas semanas, quando tive uma crise no maxilar. Como sabia que a doença só estava ali para me lembrar de permitir que alguns sentimentos difíceis aflorassem, eu a escutei. Passei uma hora deitada na cama, respirando. Pratiquei um pouco de contemplação com atenção plena. Não fiquei chateada, só curiosa. No dia seguinte, literalmente, a crise passou. Não precisei ajustar minha medicação. Nunca preciso.

Contrariando todas as normas culturais, Julia demonstrou gratidão pela doença. "A artrite reumatoide me salvou", disse ela.

Foi o jeito de o meu corpo dizer: "Acorde, acorde. Você não está se ajudando retendo tanta raiva e tanta fúria assim lá no fundo." Raiva e fúria não são sentimentos aos quais eu quero me agarrar, mas os vejo sim como guias que me avisam de que algo em minha vida está em desequilíbrio. Eu hoje tenho crises [de artrite reumatoide] uma vez por ano, talvez. Quando uma delas vem, simplesmente aceito que ela chegou e que eu posso fazer algo a respeito, que tenho algo a aprender com ela.

Isso é um testemunho potente do duplo poder da aceitação e da capacidade de ação, dois dos princípios centrais e universais da cura que examinamos no último capítulo.

Eu jamais sugeriria que a prática de investigação compassiva de Julia é a única responsável pelo seu bem-estar, ou que a sua medicação não foi útil. O que estamos testemunhando é a autotransformação para a qual a doença a guiou, junto com o consequente aumento de consciência, equanimidade, alegria, saúde e satisfação em sua vida. O que ela aprendeu com o distúrbio de saúde também a levou a crescer profissionalmente. A doença lhe revelou sua verdadeira vocação, e promoveu competências e capacidades com as quais ela pode apoiar outras pessoas. "Ela me deu muita coisa", disse Julia. "Me levou a fazer mestrado e virar psicóloga. E hoje minha área, minha especialidade é a dor crônica na doença." Essa conversa aconteceu três anos atrás. Julia recentemente me mandou um e-mail contando ter passado os últimos 12 meses "sem tomar medicação nenhuma pela primeira vez em 16 anos, e com zero sintomas".

Para meu amigo psicólogo Richard Schwartz, nada na jornada de Julia surpreende. Dick é criador de uma forma de terapia amplamente praticada chamada Sistemas Familiares Internos. Os IFS, na sigla em inglês, imaginam a personalidade como um amálgama de "partes" independentes, cada qual surgida em reação a acontecimentos da vida. A "família interna" é uma constelação de todos esses diferentes aspectos, alguns em conflito entre si, outros colaborativos. No caso de Julia, a raiva e a fúria provocadas pelo abuso emocional e sexual na infância seriam vistas como partes "exiladas": facetas de si que ela não podia se dar ao trabalho de vivenciar quando criança, e portanto reprimiu. A persona "legal", hiperambiciosa e hiper-responsável representa partes "protetoras", adaptadas para manter o fluxo de amor e de aprovação dos outros. Em algum lugar dentro dela, ansiando por afirmar sua liderança, está o que os IFS denominam "si", ou aquilo que no capítulo 7 descrevi como "noção de si advinda da própria essência singular e genuína".

É para isso que o corpo está nos chamando de volta por meio de indicadores emocionais ou físicos. Sintomas e doenças são a forma que o corpo tem de nos avisar quando nos afastamos desse centro.

"A minha experiência é que, quando determinadas partes de nós não conseguem entrar em contato de outra forma, elas não têm muitas alternativas, mas têm o corpo", explicou Dick.

> Existem muitos, muitos tipos diferentes de sintomas. Quando fazemos o cliente focar no sintoma em si e se mostrar curioso a respeito, e lhe fazer perguntas, ele em geral encontra a parte que está usando o sintoma para transmitir alguma mensagem, para tentar se expressar de alguma forma, porque o cliente se recusou a escutá-la de outra forma. Quando ele começa de fato a ouvir essa parte, muitas vezes os sintomas somem, ou então melhoram bastante.

Foi justamente esse o achado de um estudo no qual os IFS foram aplicados a um grupo de pacientes com artrite reumatoide. À medida que as pessoas iam escutando essas suas "partes" e seus corpos, de modo semelhante ao que Julia aprendeu sozinha a fazer, os aspectos subjetivos da sua experiência melhoravam, como a dor e a autocompaixão, da mesma forma que parâmetros objetivos como marcadores sanguíneos de doença e inflamações nas articulações.[2]

A médica romena Bianca, também apresentada no capítulo 5, segue tendo as próprias conversas íntimas com sua doença. Como você talvez se lembre, ela tinha crises de esclerose múltipla ao passar por estresses no trabalho ou na vida pessoal, ou seja, quando assumia tarefas demais ou ignorava as próprias necessidades em qualquer uma dessas esferas. Hoje sua condição é estável, apesar de ter aberto mão do regime de medicações que tinham lhe dito que deveria manter pelo resto da vida. Embora seus exames de ressonância magnética ainda revelem sinais de inflamação no sistema nervoso central, ela não progrediu em muitos anos e Bianca não tem sintomas, exceto quando se negligencia de alguma forma. Nesses momentos ela sente a pele anestesiada, algo que considera uma metáfora perfeita para alguma emoção que talvez não esteja se permitindo sentir.

> É aquela luz vermelha me dizendo: "Tá, pode parar. Volte a você mesma." E é exatamente isso que faço. Nessa hora eu paro, porque nos últimos anos aprendi que quando sinto isso, mesmo que só um pouquinho, eu tenho que parar. Eu relaxo. Medito. Observo como estou me sentindo, o que aquilo está me dizendo. E na hora em que descubro o que é – talvez alguma dor emocional, talvez uma tristeza em relação a algo, talvez um gatilho que tenha me levado para algum lugar e de repente eu não estou mais aqui – eu volto para mim mesma. Na hora em que descubro o que é, nessa mesma hora o sintoma desaparece.

Bianca hoje trabalha principalmente com pacientes de esclerose múltipla, a maioria dos quais sofre de estresse pós-traumático, e todos apresentam a mesma tendência de compensação excessiva que antes a movia, com foco, segundo ela, "na performance e no sucesso excessivos".

Em 2003, Donna Zmenak, fonoaudióloga de Ontário, Canadá, recebeu o diagnóstico de câncer no colo do útero. Isso aconteceu na esteira de um grande estresse em sua vida, que incluiu uma disputa amarga de três anos envolvendo os três filhos menores. O oncoginecologista sugeriu que Donna passasse imediatamente por uma histerectomia radical, envolvendo a retirada do útero e de alguns ligamentos, bem como a retirada de vários nódulos na pelve e na parte superior da vagina, tudo seguido por sessões de radiação. Ela recusou. "Eu disse para o cirurgião que não queria viver assim, com as entranhas ocas. Ele argumentou que eu estava sendo burra e que ele também podia tomar decisões. Ali mesmo ele me dispensou."

O fato de o médico se afastar de uma paciente que não se dispunha a acatar sua opinião profissional é compreensível. Mas diminuí-la por isso é inaceitável. Eu me lembrei do rompante zangado do paciente recalcitrante Kostoglotov no romance *Pavilhão de cancerosos*, de Aleksandr Soljenítsyn: "Por que o senhor parte do princípio de que tem o direito de decidir por outra pessoa? Não concorda que esse é um direito aterrorizante, e que raramente conduz a algo bom? O senhor deveria tomar cuidado. Ninguém tem esse direito, nem os médicos."[3]

Por um ano, Donna fez as coisas do seu jeito: seguiu uma dieta desintoxicante, tomou suplementos e fez acompanhamento com um médico especializado em nutrição. Ao final desse período, ficou consternada ao saber que o câncer tinha se espalhado e que, sem cirurgia, ela não teria mais de seis meses de vida. Mais uma vez, ela recusou a cirurgia. Quando a entrevistei, mesmo em retrospecto e mesmo conhecendo o final feliz da história, tive dificuldade para entender a origem da sua autoconfiança e determinação. "Simplesmente havia alguma coisa dentro do meu coração que dizia: 'Você vai conseguir'", respondeu ela à guisa de explicação.

> Eu considerava que a minha voz interior tinha mais validade do que as pessoas à minha volta me dando seus melhores conselhos. Eu sabia que elas tinham as melhores intenções. Mas não sentia que aqueles eram os melhores conselhos para mim. Como uma mulher jovem, por mais que quisesse viver, eu não queria viver naquele corpo. Àquela altura da vida, já sabia que, para mim, a qualidade de vida era mais importante do que a longevidade.

Donna embarcou numa peregrinação interna e externa de mais seis meses, que a levou a curadores espirituais com os quais aprendeu práticas como ioga e meditação. Também consultou ex-pacientes de câncer que tinham criado o próprio caminho. Nesse meio-tempo ela leu um livro,

*Profound Healing* (Cura profunda), de Cheryl Canfield, outra sobrevivente de câncer que tinha recusado o tratamento convencional e ultrapassado em muito um prognóstico de morte apavorante. Ela se encontrou com Canfield, hoje hipnoterapeuta e consultora de bem-estar na Califórnia, e passou um tempo hospedada com ela aprendendo, como resume, os valores "da aceitação, da autonomia e da autenticidade. Ela me ensinou tudo isso, e me ensinou a *morrer bem*. Fui para casa tão diferente que na verdade nunca mais voltei ao meu antigo modo de ser".

Mais do que tudo, Donna tomou uma decisão fundamental sobre como viver durante o tempo de vida que lhe restava: sendo verdadeira com ela mesma, ainda que as suas intuições desafiassem a opinião dos médicos, parentes e amigos. "Se eu tenho só seis meses para viver, meus filhos vão me conhecer, conhecer meu eu verdadeiro, quem eu sou", ela se lembra de ter pensado. "Isso sempre me faz chorar. Eu me recordo desse momento. Falei: 'Sabe o que mais? Chega. Eu vou aceitar. Vou ser eu mesma e seguir sendo feliz.' E eu estava falando sério. Simplesmente pus esse limite e nunca voltei atrás." Percebendo o próprio exagero, ela rapidamente se corrigiu: "Eu sou humana e vivo caindo em armadilhas. Mas saio depressa."

Seis meses depois do começo de sua odisseia psicoemocional-espiritual, Donna ouviu o mesmo prognóstico de outro ginecologista, comunicado em termos ainda mais alarmantes. Sem cirurgia, disse ele, sua morte era inevitável, iminente, e seria "muito feia e desagradável". "Dessa vez eu *soube* que o câncer tinha ido embora", recorda ela.

> Falei para ele: "Eu acho que não tenho mais câncer; na verdade acho que gostaria de ter outro filho..." E ele olhou para o meu companheiro e disse: "Não só ela nunca vai ter um filho, como tampouco vai sobreviver a ter um filho ou sequer viver tempo suficiente para ter um. Como companheiro dela, você precisa convencê-la a fazer essa cirurgia agora mesmo, porque a situação não está nada boa." Ele então se virou de volta para mim. "Você precisa pensar nas pessoas à sua volta. Pense nos seus filhos. Você precisa pensar no seu companheiro."

A ironia daquele médico instando-a a "pensar nas pessoas à sua volta", depois de anos de se autossuprimir para agradar aos outros, o que ajudara a causar sua doença, não passou despercebida para Donna.

Pouco tempo depois, várias biópsias e exames de imagens não revelaram nenhum sinal de câncer no útero, abdome ou linfonodos de Donna, exames aos quais ela se submetera com total confiança de ter vencido o tumor, mas também concordando em fazer a cirurgia caso contrário. Ela voltou a se consultar com o cirurgião para conversar sobre os resultados.

Entrei no consultório, me sentei na cadeira com um sorriso e ele perguntou: "Por que não está na maca?" Estava zangado. Eu falei: "Não está sabendo? Não tem nada lá." Ele disse: "Você não está curada. Você tem câncer, sempre vai ter câncer. O câncer volta, e precisamos fazer a cirurgia agora. Você não tem como se curar sozinha. Isso é impossível. Não se iluda. Você não está curada." Eu simplesmente me levantei e disse: "Quem não vai voltar sou eu." E pronto, fui embora. Nunca mais o vi.

Desde então, Donna vem mandando para esse cirurgião ocasionais cartões de Natal, inclusive após o parto do quinto filho, hoje com 12 anos – outro feito que tinham lhe garantido ser impossível devido à instabilidade da sua abertura uterina depois da biópsia em cone. "No primeiro cartão de Natal eu dizia: 'Por favor, não diga a ninguém que não é possível. Porque eu continuo viva, e continuo aqui, e foi isso que eu fiz.'" Ela nunca teve resposta.

Entrei em contato com Nancy Abrams, médica de família de Donna, que confirmou todos os detalhes do histórico médico. "Eu testemunhei tudo. Tenho os registros", disse Abrams.

Ela fez tudo isso, e de repente não tinha mais câncer. O que realmente acho esquisito é: por que esses oncologistas não querem saber como essas pessoas se curam? Ela conseguiu. E depois disso ainda teve outro filho, o quinto, por parto vaginal, mesmo com uma contraindicação enorme por causa da biópsia em cone. O colo do útero dela provavelmente nem suportaria a gestação, mas suportou, e ninguém diz: "Uau, como foi que isso aconteceu com ela?"

Essa falta de curiosidade é a norma. Quando falei com a psicóloga oncológica Kelly Turner, cujo livro *Radical Remission* (Remissão radical) descreve muitos pacientes de câncer que se recuperaram apesar dos mais duros prognósticos, perguntei se as pessoas que ela havia estudado, aquelas cuja evolução contrariava as previsões sombrias dos profissionais de saúde, tinham encontrado nos seus cuidadores médicos profissionais abertos a escutar suas histórias de cura. "Na maior parte das vezes a triste resposta é não", respondeu Turner.

A imensa maioria das pessoas que pesquisei me disse com gratidão: "Você é a primeira médica... a primeira pessoa com algum tipo de diploma da área de saúde a demonstrar qualquer interesse no motivo de eu ter ficado bom(boa)... Tentei contar para meu(minha) oncologista tudo que estava fazendo, mas ele(ela) não quis saber." Ouço isso o tempo todo, e realmente me parte o coração.

A mesma indiferença foi observada por Jeffrey Rediger,[4] que nas pesquisas para seu livro *A ciência revolucionária por trás da cura espontânea* documentou mais de 100 casos de "remissão espontânea". "O melhor que os médicos dizem é: 'Continue, está dando certo'", comentou ele. "Mas eles nunca se mostram curiosos a respeito de como os pacientes fizeram isso."
Posso entender parte da reticência desses médicos. Mesmo para alguém como eu, versado na ciência da unidade mente-corpo e que valoriza muito o poder do espírito humano – único motivo pelo qual histórias como a de Donna fazem sentido[5] –, é um desafio imaginar uma saga tão fora das expectativas e experiências médicas habituais. Seu exemplo é um que poucos poderiam imitar; na verdade, ninguém deveria fazê-lo sem os recursos internos e uma inclinação genuína para tal. O ensinamento que a trajetória dela nos traz não é que todo mundo deveria seguir suas escolhas radicais, mas que é possível adquirir a capacidade de aceitar a vida como ela de fato é, a autenticidade de buscar a própria verdade em todas as situações e a capacidade de ação para escolher nossa reação ao que quer que ocorra. Para finalizar as quatro disposições, temos a raiva saudável, que se manifestou na declaração de Donna: "Quem não vai voltar sou eu." Sua jornada para dentro de si mesma não terminou. "Eu me esforço todos os dias para manter minha autenticidade", disse ela.

Outra pessoa com uma determinação – ou autodeterminação – singular que conheci, Erica Harris, passou por mais tratamentos médicos em uma década do que a maioria de nós poderia imaginar para várias vidas, entre eles uma quimioterapia agressiva, um duplo transplante de pulmão, uma internação prolongada devido a uma infecção crônica e várias remoções de câncer de pele, isso para listar só as mais relevantes. Sem intervenções médicas inteligentes ela teria morrido há muito tempo, e também não poderia continuar viva hoje sem elas. Os remédios potentes que garantem sua sobrevivência cobram um preço alto. "Perdi a visão do olho direito", me escreveu ela recentemente,

> vivo tendo cânceres de pele, perdi metade do lábio inferior, tenho osteoporose, lesão renal crônica, sou imunossuprimida para a vida inteira, parei de menstruar aos 35 anos [ela agora tem 44], tive três AVCs, preciso de infusões constantes de imunoglobulina e de transfusões de sangue. Cheguei até a perder o que antes era um casamento feliz por causa do que o câncer causou, mas mesmo assim sou mais feliz do que jamais fui e do que jamais poderia ter imaginado ser! Sou mesmo muito abençoada!

Apesar de tudo de que teve de abrir mão em termos de saúde física, ela não abriu mão de nada em matéria de exuberância e alegria de viver. Na verdade, essas qualidades ganharam corpo e se tornaram mais fortes, além de muito menos condicionais.

Quiropraxista esportiva talentosa e muito requisitada, antes um retrato da saúde, Erica nunca se poupava quando o assunto era trabalho. "Eu era apaixonada por meus clientes atletas", me disse ela. "Adorava ajudar os outros. Digamos que eles tivessem treinado um tempão, aí se lesionassem poucos meses antes de uma prova. Minha recompensa interna era ver a alegria deles ao cruzar a linha de chegada. Eu era meio viciada em trabalho, por assim dizer..."

"Você provavelmente poderia tirar o 'meio'", interrompi.

"É", concordou ela.

Minha clínica cresceu muito, muito depressa. Quando os horários normais ficavam lotados, eu tinha muita dificuldade em deixar alguém sentindo dor. Comecei a chegar muito cedo e ficar até muito, muito tarde. As pessoas começaram a reparar que eu vivia doente. Tinha amigdalite no mínimo uma vez por mês. Tinha uma hérnia de disco horrível na lombar que impactava minha perna direita, e mesmo assim ia trabalhar. Eu mancava enquanto tentava ajudar os outros a deixarem de sentir dor, o tempo inteiro ignorando a minha dor. Adorava ficar ocupada.

Sua personalidade podia amar o excesso de trabalho, mas seu corpo não. Aos 35 anos, num passeio com os dois filhos, Erica recebeu o chocante diagnóstico. "Ali estava eu", recorda ela,

> mãe de dois bebês, um dos quais ainda amamentava, visitando o aquário. Tinha feito um exame de sangue bem de rotina naquele dia, mas aí o laboratório ligou num tom de urgência. "É Erica Harris quem está falando? A senhora precisa ir ao pronto-socorro mais próximo agora mesmo." Acabei recebendo o diagnóstico de uma forma muito agressiva de LMA, leucemia mieloide aguda, um tipo raro de leucemia que em geral só acomete homens em idade avançada.

Encorajada pela alta taxa de bons resultados, ela fez duas rodadas de quimioterapia. Nenhuma das duas surtiu efeito.

Em 2012, Erica foi aconselhada a dar entrada numa unidade de cuidados paliativos, onde soube que transfusões diárias poderiam mantê-la viva por não mais de dois meses. Não querendo aceitar esse diagnóstico sombrio, ela lutou para ficar em casa com os filhos pequenos, e ia ao hospital todos os dias receber as transfusões. Continuou também a buscar cura emocional e a seguir seu caminho espiritual até que, pouco antes do fim daqueles dois meses, uma remissão improvável surpreendeu tanto ela mesma quanto seus médicos. "Foi bem difícil", disse ela. "Não sei muito bem por que estou aqui hoje, mas realmente acredito que foi por ter me transformado de dentro para fora, me permitindo ser verdadeira em relação a tudo que estava acontecendo no presente, mas também no passado. E me permitindo expressar tudo isso."

Assim como Donna Zmenak, Erica praticou ioga, meditação e seguiu uma alimentação nutritiva. Mas a maior mudança foi que, pela primeira vez na vida, ela se permitiu sentir toda a gama das próprias emoções, libertando-se de um padrão de repressão de toda uma vida. Ela se entregou por inteiro ao seu luto e derramou lágrimas de desespero. "Uma vez, na minha primeira internação, vi meus filhos voltarem para casa com a babá", recordou ela. "Queria ser *eu* voltando para casa com aqueles bebês. Queria ser *eu* preparando o jantar. Queria ser *eu* colocando-os para dormir. Dei as costas para aquela janela e desabei no chão com as costas apoiadas na parede. Abracei os joelhos e chorei. Chorei, chorei. Passei dias chorando." Num sinal revelador da cultura médica reinante, a psiquiatra do setor foi enviada para avaliá-la. "Ela entrou", disse Erica, sorrindo ao contar isso,

> e literalmente estava usando um capote florido com estampa havaiana, e disse: "Estou indo para o Havaí, mas posso lhe receitar alguma coisa para tratar essa depressão, qualquer coisa de que você precisar. Soube que você andou chorando." Aquilo de que eu realmente precisava era só espaço para vivenciar todas as minhas emoções, sem fingir... pela primeira vez, sem fingir. Precisava sentir toda aquela dor.

Apesar de seus problemas de saúde recorrentes, quase 10 anos depois do prognóstico terminal de apenas 60 dias de vida, Erica é uma mulher vibrante que transborda energia, cria os dois filhos que acompanhou triunfalmente até a adolescência e inspira e ajuda ativamente outras pessoas em suas trajetórias de cura. Ela e eu temos planos de trabalhar juntos algum dia. Vejo no caso dela os milagres da medicina unidos ao poder da autotransformação para alcançar resultados que nenhuma das duas teria conseguido sem a outra.

O psiquiatra de Harvard Jeffrey Rediger, que já explorou muitos casos de recuperação "milagrosa" de tumores terminais ou outras doenças fatais, me disse que uma transformação de identidade como a que Donna e Erica tiveram lhe parecia ser a chave. "É um conceito nebuloso", admitiu ele, "mas em última instância é aí que podemos encontrar a cura. Essas pessoas que melhoram realmente modificam suas crenças em relação a si mesmas ou em relação ao Universo." Também pude observar isso, independentemente de qual for a doença: câncer, doença autoimune ou transtornos neurológicos como esclerose múltipla ou ELA.[6] Algumas pessoas, como Donna Zmenak, recusaram o tratamento médico; outras, como Will Pye e Erica Harris, não teriam sobrevivido sem ele. Em todos os casos, elas realizaram, voluntariamente e com uma coragem incansável, a dolorosa, mas em última instância empolgante, remoção de uma segunda pele: a mistura de traços adaptativos de abnegação que caloguei no capítulo 7, sobre apego *versus* autenticidade, e agrupados também sob a expressão "personalidade social" de Erich Fromm. O papel da doença como professora consiste em como ela leva as pessoas a questionarem tudo que pensavam e sentiam em relação a si mesmas, e a manterem somente aquilo que favorece a sua inteireza.

Em sua própria documentação de uma cura "milagrosa", Kelly Turner encontrou temas parecidos. A importância da reorientação da identidade em direção à autenticidade é um de seus achados fundamentais. "Todo mundo que entrevistei disse que na verdade não trocaria essa experiência por nada", disse ela.

> Porque a pessoa que eles são agora é muito mais completa. Eles se sentem inteiros, mais felizes, mais gratos, tanto que não quereriam voltar a ser quem eram antes dessa dificuldade. Muitos – quase todos, eu ousaria dizer – me dizem ser agora pessoas totalmente diferentes do que eram no início da sua jornada.

Como relatei anteriormente, Turner disse também que muitos de seus entrevistados gostariam de ter aprendido essas mesmas lições décadas antes de adoecerem. O desafio que todos enfrentamos é: podemos adquirir esse aprendizado antes de a vida nos forçar a fazê-lo? Precisamos esperar para "sofrer rumo à verdade"?

"Cada instante foi precioso", recordou Erica.

> Precisei entrar bem fundo em mim mesma naquela época e refletir sobre todas as camadas, de um jeito que nunca tinha feito na vida. Finalmente entendi como meu corpo tinha passado meu tempo inteiro como quiropraxista esportiva gritando não, e como eu o tinha ignorado. A doença foi minha maior professora.

Intrigado por seu conselho a Donna Zmenak, entrei em contato com Cheryl Canfield, para quem agora o câncer de útero que tinham lhe garantido ser terminal ficou muitas décadas para trás. Fiquei surpreso ao saber que ela havia aceitado a possibilidade de sucumbir à doença. "Quando comecei a escrever *Profound Healing* (Cura profunda)", contou ela, o título era para ser *Dying Well* (Como morrer bem), porque parti do princípio de que o que os médicos estavam me dizendo podia não ser necessariamente verdade, mas era provável que fosse. A probabilidade, ainda que não a certeza, era de que eu fosse morrer daquele câncer. Comecei o livro porque, aos 41 anos, não tinha a menor ideia de como encarar essa jornada totalmente inesperada, que significava abandonar antes da hora meu corpo, minha família e todos que eu amava. Queria criar um último projeto, e escrever algo que me ajudasse a entender como seguir aquele caminho e, quem sabe, ajudasse também outras pessoas que viessem depois de mim. O título acabou tendo que ser alterado. Aquilo de que precisamos para morrer bem é a mesma coisa de que precisamos para viver bem. Foi isso que a doença me ensinou.

Também conversei com Will Pye sobre a experiência que o levara a escrever *Blessed With a Brain Tumor* (Abençoado com um tumor no cérebro). Esse homem alto e atlético tinha recebido, aos 31 anos, o diagnóstico de um tumor maligno exatamente no ponto em que, aos 21 e deprimido, costumava se imaginar apontando uma arma, numa fantasia visual de suicídio. Seguindo sua orientação interna e com a anuência do seu neurocirurgião, ele atrasou a cirurgia por dois anos. Praticou o que o jargão médico denomina "observar com atenção" ao mesmo tempo que se dedicava a práticas intensas de cura, até que o início das convulsões alertou para o crescimento do tumor. O tumor foi então removido numa cirurgia seguida por radioterapia. Pye hoje acabou de ultrapassar o limite do período de vida previsto para o seu tipo de câncer cerebral.[7] Está há sete anos sem tomar os anticonvulsivantes, apesar de terem lhe dito que precisaria deles pelo resto da vida. Pye não tem como saber o que vai lhe acontecer, mas mesmo assim, como afirma o título de seu livro, insiste que a doença foi uma bênção. O diagnóstico, afirmou ele, foi o que fez a ficha cair.

"E que ficha foi essa que caiu?", perguntei.

Sobre a natureza finita da vida, para começar. A doença trouxe a verdade sobre a minha mortalidade para uma dimensão mais concreta, de mais fácil compreensão. Embora todos nós a conheçamos de um ponto de vista intelectual, funcionamos psicologicamente na negação e na evitação da realidade da morte. Depois do diagnóstico, eu conversava com as pessoas consciente de que aquela poderia ser a última conversa que teria com elas. E isso cria um grau extraordinário de presença, escuta e cuidado mútuo. Então, sim, foi uma transformação total. Diariamente, ao sair da cama, faço uma prática de reconhecer plenamente o presente que é este momento, este dia, este corpo, esta respiração que está acontecendo agora.

Nossa cultura é inteiramente avessa à morte, e até mesmo ao envelhecimento; pense em todos os produtos destinados a apagar ou "reverter" os sinais de futuras enfermidades, os lembretes físicos da finitude da vida. Eis, portanto, outra ideia de como na cura é preciso nadar contra a corrente: ela envolve necessariamente a aceitação total da inevitabilidade da morte, e a determinação de vivenciar todos os dias e todos os instantes que nos conduzem à nossa partida terrena.

Alguns anos atrás, organizei um retiro para pessoas com todo tipo de problema de saúde, desde questões mentais como depressão até dependências e males físicos. Um dos participantes era um homem de 64 anos que chamarei de Sam, e estava num estágio avançado da ELA, a misteriosa, paralisante e fatal degeneração do sistema nervoso. A forma da doença dele era o chamado tipo bulbar, ou seja, não afetava primeiro pernas e braços, mas os músculos da fala, da mastigação e da deglutição. "Eu vim… para cá", disse ele ao grupo com uma voz rouca, fraca e pausada, "porque quero… viver." Quando ele se descreveu, sua persona anterior à doença correspondia ao que vi em todas as pessoas afetadas pela ELA: o que já chamamos de autossuficiência superautônoma, repressão de sentimentos e uma recusa quase fóbica de pedir ajuda ou apoio emocional a qualquer um.

Após uma semana de intensa exploração pessoal e de um compartilhamento íntimo com os outros participantes de uma forma que ele nunca foi capaz de fazer, além de algumas reveladoras sessões com psicodélicos, Sam disse ter um anúncio a fazer. "Quando falei no começo que queria viver", disse ele, com uma voz perceptivelmente mais forte e com mais alcance,

> eu quis dizer viver mais tempo. Agora não penso mais assim. Continuo querendo *viver*, mas agora sei que "viver" significa não a cronologia, mas sim a qualidade. Quero de fato estar na minha vida a cada instante, vivenciar plenamente o que tiver pela frente, de um jeito que nunca fiz antes.

Ele morreu um ano e meio depois, desfecho alinhado com seu prognóstico. Nos meses subsequentes ao retiro, Sam – e, após a morte dele, sua família – me mandou mensagens de gratidão e celebração da vitalidade, do amor e da alegria que conseguira manifestar em si mesmo e nas pessoas mais próximas em sua última fase da vida.

A forma de morrer de Sam, medida não em números num calendário mas nos aspectos de si que ele conseguiu resgatar, foi a mais próxima que já vi do que se denomina "boa morte". Ele não ficou livre da doença, mas conseguiu se curar. Conseguiu harmonizar partes da própria essência que, sem o convite não solicitado que a doença lhe apresentou, talvez tivessem continuado fragmentadas e discordantes. Encontrou também um jeito de extrair um significado positivo daquilo que poderia com a mesma facilidade ter considerado cruel, destruidor ou sem sentido, como muitos consideram a morte em decorrência de uma doença "prematura". Como a correspondência posterior com sua família deixou claro, o significado que ele havia criado perdurou até bem depois da sua existência física, irradiando-se para a vida dos seus familiares.

"A jornada", disse Will Pye, "consiste em encontrar a dádiva no desafio. Isso me levou a praticar e cultivar a capacidade de escolher conscientemente o significado de tudo que está acontecendo."

Esse desafio, e as dádivas que podem advir de enfrentá-lo, estão pacientemente à espera de cada um de nós no "que está acontecendo" de nossa vida aqui e agora. A escolha que temos é aceitá-lo ou esperar uma ocasião em que esse aprendizado se mostre mais urgente.

# 28
# Antes de o corpo dizer não: primeiros passos no retorno a si

*A cura não tem outra escolha senão se expandir quando somos verdadeiros com nós mesmos e com os outros.*

– HELEN KNOTT, *In My Own Moccasins*

Vou dizer outra vez: a doença não é o instrutor de autenticidade que eu desejaria a nenhum de nós. Calamidades físicas e mentais extremas são apenas os últimos e mais altos chamados de partes essenciais de nós mesmos com as quais perdemos contato. Para tornar menos necessários esses sinais drásticos, podemos melhorar nossa escuta e prestar atenção nos alertas mais sutis que a vida infalivelmente nos dá antes de eles virarem uma gritaria. Este capítulo propõe algumas práticas simples, mas poderosas, compiladas a partir do meu trabalho com milhares de pessoas, que podem retreinar a mente e o corpo de modo a torná-los mais sensíveis e reativos a esses chamados internos.

Ao fazer esses exercícios, pode ser útil ter em mente alguns princípios fundamentais e, a essa altura, já conhecidos e debatidos ao longo deste livro:

a. *Sua personalidade não é você; você não é sua personalidade.* O mistério de quem realmente somos jaz em algum lugar por trás do véu da personalidade. Isso não torna a personalidade "falsa", não mais do que uma roupa é verdadeira ou falsa. Ao contrário da roupa, porém, "tirar" a personalidade, ou quem sabe apenas algumas partes dela, parece estar fora de cogitação porque *a personalidade se parece com quem somos*. Não se trata de devermos (ou podermos) de repente tirar tudo em nome da autenticidade. Mas nos lembrarmos de que nossa personalidade não nos define. Para citar uma música famosa: nós não nascemos assim.[1]

b. *A personalidade é uma adaptação.* Aquilo que denominamos personalidade é muitas vezes uma mistura de traços genuínos com estilos de imitação condicionados, incluindo alguns que não refletem de forma alguma nosso verdadeiro eu, mas, pelo contrário, a sua perda. Cada personalidade se molda de acordo com a forma como o temperamento específico de cada um interage com a família, a comunidade e a cultura. Ela pode não expressar nossas verdadeiras necessidades, nossos anseios mais profundos e nossa natureza mais genuína, mas sim nossa tentativa de compensar o fato de estarmos alijados dessas coisas. "Nós sofremos de um caso de identidade equivocada. Nossa cultura nos vendeu uma farsa sobre quem de fato somos", escreve o terapeuta de casal e de família Dick Schwartz.[2]

O objetivo de um trabalho de cura não é eliminar totalmente a personalidade, mas nos libertar da sua programação automática, permitindo acessar o que há por baixo e nos reconectar ao que existe de essencial em nós. "Essa liberação", afirma A. H. Almaas, "na verdade nada mais é do que a personalidade se libertando no momento presente; a personalidade solta a tensão, e se permite simplesmente relaxar."[3] Nossos pontos fortes genuínos permanecem, com mais espaço do que nunca para se expandir e aparecer.

c. *Nosso corpo guarda de fato as marcas.*[4] Mesmo que possa estar recoberto por muitas camadas de crenças limitantes em relação a si e comportamentos condicionados, o eu autêntico nunca é eliminado. Ele continua a se comunicar com a gente por meio do corpo. Podemos aprender a prestar atenção nas mensagens que o corpo está mandando, aprendendo a falar seu idioma.

d. *A personalidade, e a perda da nossa natureza essencial, não é pessoal.* A desconexão do próprio eu é endêmica em nossa cultura materialista, incentivada e depois explorada em muitas esferas, desde a econômica até a cultural e a política. Historicamente falando, claro, a busca do verdadeiro eu sob as camadas limitadoras da mente precede em muito a sociedade moderna. Cada um de nós, portanto, embora responsável pela própria jornada de cura e fadado a lidar com as particularidades da própria personalidade, também pode tirar coragem de saber que essa é uma dinâmica universal: uma história tão antiga quanto o tempo, para citar a música-tema de *A bela e a fera*, amado musical da Disney sobre uma transformação improvável e a recuperação da própria essência.

O importante na aplicação das práticas que se seguem não é nem tanto a letra da lei, mas a energia do tentar. Essa energia pode ser resumida no nome de uma metodologia desenvolvida por mim: Investigação Compassiva (IC). A Investigação Compassiva é tanto uma formação profissional que ministrei a milhares de terapeutas, em mais de 80 países, quanto uma prática de autorreflexão individual conforme delineada a seguir. Para sua edificação (e ocasional consternação), os profissionais que participam do curso de IC passam os três primeiros meses trabalhando nas próprias questões, não nas dos outros. *Terapeuta, cura a ti mesmo.*

Analisemos primeiro a parte inicial do nome: o que significa *investigar*? Se for genuína, uma investigação é uma exploração aberta. Ela demanda, em primeiríssimo lugar, humildade: admitir, como Sócrates, que já não sabemos a resposta ou, melhor ainda, admitir a possibilidade muito real de ainda não termos esbarrado com as perguntas certas. Sendo assim, nas recomendações a seguir, meu conselho é que é melhor suspender, pelo menos por ora, quaisquer que sejam suas crenças em relação a si. Nessa era de psicologia pop superficial, o autoconhecimento consiste na maioria das vezes na personalidade especializada no tema de si mesma, não no tipo de conhecimento mais profundo e mais íntimo capaz de iluminar os recantos mais escuros da nossa história e de nos ajudar a ver com mais clareza nossas dificuldades atuais. É isso que estamos investigando aqui. Estamos embarcando numa jornada para nos conhecer, não apenas para saber *coisas* a nosso respeito.

A outra parte do nome da metodologia é *compaixão*. Investigar compassivamente requer estar aberto, ter paciência e generosidade. Pense em como você trataria um amigo ou pessoa amada em dificuldade quando ela mais estivesse precisando, na margem que lhe daria para se sentir incompreendida, perplexa ou frustrada. Ser compassivo com você mesmo não é diferente, só que é muitas vezes mais difícil de praticar. Na compaixão não existe exortação alguma para sermos diferentes do que somos, só um convite para investigar o quê, o como e o porquê das crenças e dos comportamentos que já não nos fazem bem. Eu nunca diria a ninguém que é *preciso* ter compaixão com você mesmo. A compaixão não aceita nenhum "dever". De toda forma, nossas partes protegidas e isoladas não reagem muito bem a esse tipo de demanda; e por que reagiriam? É muito mais gentil e eficiente focar a atenção na *falta* de autocompaixão, reparar nela e demonstrar curiosidade em relação a como ela se apresenta na nossa vida. Uma vez vista, ela se suaviza, permitindo que suas origens distantes e seus impactos atuais sejam investigados.

Não há nada de sentimentaloide aqui. Compaixão é diferente de nutrir sentimentos de ternura por alguém, incluindo a própria pessoa. É uma atitude, não um sentimento. Ao contrário dos sentimentos, que vêm e vão quando querem, as atitudes podem ser convidadas, geradas e cultivadas na presença de *qualquer* estado emocional. A compaixão é uma atitude de não julgamento inexaurível em relação a tudo que se percebe. Quando o autojulgamento surge, como inevitavelmente acontece, podemos nos manter curiosos em relação à sua origem sem acreditar no seu conteúdo.

Tudo é passível de investigação, mesmo as experiências intensamente negativas como o ódio por si mesmo.[5] Em vez de nos repreender por odiar a nós mesmos, podemos ser curiosos em relação a por que esse ódio surgiu lá atrás. Uma pergunta nesse sentido é muitas vezes reveladora. Quando o lado belo que existe em nós consegue aceitar compassivamente o lado fera – e deixar que ele seja "nosso convidado", por assim dizer –, esse lado fera pode se transformar num companheiro atraente e amoroso; no pior dos casos, pode se acalmar e parar de nos atormentar tanto.

## ANTES DE O CORPO DIZER NÃO: UM EXERCÍCIO DE AUTOINVESTIGAÇÃO

Eis aqui um exercício, a ser feito uma vez por dia ou uma vez por semana, ou com qualquer frequência que lhe pareça correta. Ele exige um compromisso temporal, algo que, se eu puder servir de exemplo, talvez seja difícil de conseguir. Se o comprometimento em fazer uma autoinvestigação desse tipo por uns poucos minutos diários parecer impossível, vale a pena observar isso também, sem julgamento, e perguntar de onde vem essa relutância.

Sem julgamento não significa sem vigilância. Nossa personalidade é especialista em lançar mão da racionalização quando sente que está tentando soltar ou mesmo questionar alguma crença. Um compromisso com a cura significa estar atento a esses truques, por assim dizer. A desculpa padrão é também a mais esfarrapada: "Não tenho tempo." A maioria de nós, até os atarefados, tem tempo de sobra; o que nos falta é um conceito forte de *intenção* em relação ao seu uso. Atividades automáticas, sejam elas nobres ou frívolas, preenchem rapidamente o espaço, e de repente o tempo "acaba". Não ajudamos ao protestar: "Ah, eu quero *muito* fazer esse trabalho pessoal, mas é que...", para depois insistir em todos os motivos que tornam isso impossível. Se isso lhe soa familiar, pergunte-se, empoderado pela curiosidade compassiva, que desconforto pode haver aqui e agora no ato de se dedicar a um trabalho pessoal. Talvez seja porque estabelecer uma forte intenção deixe você vulnerável à possibilidade de se decepcionar, ou ter que confrontar ou ser empurrado para fora das zonas de conforto conhecidas. Esses riscos são reais. Seja como for, não ajuda tentar se forçar pela coação, pelo convencimento ou pela vergonha a realizar qualquer prática, nem mesmo aquelas cujo objetivo é ajudá-lo.

O melhor é fazer esse exercício por escrito, num lugar tranquilo em que você possa ficar sozinho com você mesmo e com a sua experiência, sem distrações. O melhor é escrever por extenso as respostas, porque ao fazer isso você estará mobilizando a mente de modo mais ativo e profundo do que se apenas observasse mentalmente as próprias ideias ou percepções; além do mais, você talvez queira registrar a própria evolução. Escrever à mão em vez de digitar ajuda a criar uma sensação de conexão com você mesmo, ao mesmo tempo que mantém afastadas as distrações digitais.

As pessoas já me disseram muitas vezes que esse exercício ajudou a mudar a vida delas. O segredo é fazê-lo com regularidade na frequência que você escolher, mas no mínimo uma vez por semana.

*Pergunta nº 1: Nas áreas importantes da minha vida, para o que não estou dizendo não?*

Em outras palavras: onde, no dia ou na semana, senti dentro de mim um "não" que queria ser expressado, mas que sufoquei dizendo "sim" (ou não dizendo nada) quando o que queria ser ouvido era "não"?

Seja atual e específico. Examine de verdade, e lembre que estamos falando não de lapsos ocasionais, mas de padrões crônicos. Todos tomamos decisões conscientes e sinceras em prol dos outros e em detrimento da nossa própria conveniência. Pais e mães, por necessidade, agem assim o tempo todo: a maioria dos filhos nunca vai saber quantas noites em claro sua mãe ou seu pai passaram cuidando deles quando estavam doentes. Ou, se um amigo estiver passando por sérias dificuldades, decidir ir encontrá-lo em vez de seguir nosso desejo de ficar em casa descansando pode ser uma escolha autêntica. De forma alguma a investigação compassiva busca estigmatizar o altruísmo genuíno. O que estamos trazendo para o primeiro plano é o apagamento *habitual, involuntário* de si, entranhado na personalidade de muita gente e do tipo que cobra um preço alto.

As pessoas tendem a constatar que essa dinâmica está presente em duas áreas principais: no trabalho e nos relacionamentos pessoais. No trabalho, por exemplo, pode ser que você tenha aceitado uma tarefa extra que sentia ser excessiva, ou levado trabalho para fazer em casa no fim de semana sacrificando tempo para si ou para sua família. Pode ser que não tenha dito não para um colega que estava invadindo seu espaço pessoal, ou pode ser que alguém tenha pedido a sua opinião e você tenha dito o que achava que a pessoa queria escutar, não o que era verdadeiro para você.

Na vida pessoal, pode ser que você tenha aceitado o convite de um amigo para beber alguma coisa quando na verdade precisava descansar. Pode ser que tenha transado com um parceiro quando era a última coisa que queria fazer, ou quando alguma questão precisava ser resolvida antes de reatar o contato íntimo; ou pode ser que tenha sufocado um sentimento de "não" surgido no meio do sexo. Pode ser que você tenha dito sim quando, sem avisar com antecedência, vizinhos pediram ajuda com a mudança, mesmo que você tivesse outros assuntos urgentes para resolver. Pode ser que precisasse abrir espaço para si, mas tenha decidido não pedir ao(à) seu(sua) companheiro(a) que cuidasse um pouco das crianças. Ou pode ser que tenha assumido seu eterno papel de cuidador da família com seus pais idosos, em vez de pedir para seus irmãos ou suas irmãs ajudarem e aliviarem a sua carga.

De modo mais geral, pergunte-se: com quem e em que situações acho mais difícil dizer não? Mesmo que eu diga, será que faço isso com relutância, me desculpando ou sentindo culpa? Me recrimino por isso depois?

Existe uma diferença abissal entre um "sim" pensado e consciente e a supressão compulsiva de um "não". É bem verdade que as realidades do trabalho de hoje em dia podem borrar essa distinção: podemos decidir racionalmente que manter um emprego exige dizer sim a demandas que nos sobrecarregam, demandas essas que preferiríamos não aceitar. Pessoas demais se veem em situações como essa em nome da simples sobrevivência econômica. Nesses casos, podemos nos perguntar se o preço que pagamos vale o estresse que isso causa. O fato de milhões de pessoas não terem sequer a liberdade de fazer essa pergunta é um problema social de vastas proporções. Para muitos de nós, porém, a ausência do "não" não promove nosso bem-estar pessoal nem econômico. Só você pode saber que "não" negado caracteriza sua própria situação. Mesmo assim, o simples fato de deixar claro que estamos aceitando de modo consciente e proposital uma situação que causa estresse crônico já é uma evolução em relação a fazer isso de forma automática.

*Pergunta nº 2: Como minha incapacidade de dizer não impacta minha vida?*

Você verá que essa incapacidade atinge três esferas principais: a física, a emocional e a interpessoal.

No nível físico, estamos falando de sinais de alerta do corpo como insônia, dor nas costas, espasmos musculares, boca seca, resfriados frequentes, dores abdominais, problemas digestivos, cansaço, dores de cabeça, erupções na pele, perda de apetite ou compulsão alimentar.

No plano emocional, essa investigação traz consequências como tristeza, alienação, ansiedade ou tédio. O impacto pode também se manifestar como déficits emocionais: por exemplo, perda de prazer com coisas que antes causavam alegria, diminuição do senso de humor, etc.

Na esfera interpessoal, o impacto mais frequente é um ressentimento em relação às pessoas ou situações em que a reação de autenticidade tenha sido sufocada. Se examinado de perto, esse é um desfecho irônico. Digamos que você tenha suprimido o "não" para poder se manter próximo de alguém importante. Na prática, o ressentimento distancia você mais ainda, porque vai contaminar o amor que sente pela pessoa. Ela também vai sentir o recuo emocional alimentado pelo ressentimento: isso vai transparecer nas suas expressões faciais, no seu tom de voz, na sua linguagem corporal. Você terá conseguido o contrário do que almejava. E, se prestar atenção, saberá que o ressentimento é mais do que uma qualidade emocional abstrata: ele literalmente causa uma sensação corrosiva na barriga ou no peito, ou uma contração nos músculos da mandíbula, do pescoço ou da testa. O ressentimento pode ser visto como o resíduo de coisas não ditas, de sentimentos não honrados. A palavra *ressentir*, afinal, vem do homônimo francês *ressentir*, que significa "sentir de novo". E de novo, e de novo, e mais uma vez ainda, na nossa mente e no nosso corpo, até entendermos o recado.

Para uma investigação mais profunda, outro lugar para se procurar impacto está localizado um pouco mais para fora, no mundo material e cotidiano. A pergunta seria: "O que eu perco na vida como resultado da minha incapacidade de me impor?" Respostas possíveis podem incluir diversão, alegria, espontaneidade, respeito próprio, libido, oportunidades de crescimento e aventura, e assim por diante.

*Pergunta nº 3: Que sinais físicos eu tenho deixado de ver? Que sintomas tenho ignorado que poderiam ser sinais de alerta se estivesse prestando atenção consciente?*

A terceira pergunta reverte a direção da anterior: aqui nós *começamos* com os impactos físicos, e confiamos neles para nos revelar onde tem faltado autenticidade. Isso exige que você faça um inventário do seu corpo, uma varredura regular e voluntária, seja diária ou semanal. Para algumas pessoas essa pergunta é uma medida de apoio essencial, porque sua abnegação se tornou tão normal que elas talvez não consigam identificar um "não" que deixou de ser dito: a palavra nem sequer se atreve a se formar na mente, quanto mais na língua.

A ideia é relacionar de modo regular sintomas atuais – cansaço, digamos, ou uma dor de cabeça insistente, ou dor de estômago, ou dor na lombar –, depois perguntar de que "não" não dito eles podem ser um sinal. É claro que isso demanda parar por tempo suficiente para detectar os sinais. Na nossa cultura de separação entre mente e corpo, muitos nos acostumamos a ignorar os recados do corpo. Os mecanismos de recompensa do cérebro podem inclusive apreciar, de forma muito parecida com a dependência, os níveis elevados de dopamina e de endorfinas que sentimos quando os outros apreciam ou se beneficiam da nossa abnegação. Existe um motivo para a expressão "viciado em adrenalina" existir. O impulso de fazer o bem para os outros, um impulso genuíno se não fosse compulsivo, pode assim sufocar o imperativo igualmente autêntico de fazermos bem para nós mesmos.

Da mesma forma, em pessoas totalmente identificadas com seus papéis no mundo, a palavra *não* tem dificuldade para romper a armadura à prova de som da identidade e se fazer ouvir. Nós nos confundimos com nossas descrições profissionais mundanas – médico, terapeuta, professor, advogado, CEO, homem da casa, supermãe. Daí esta terceira pergunta, que nos convida a proativamente refletir sobre o que o corpo vem nos dizendo o tempo todo, sobre como ele está tentando transferir nossa atenção de nossa identidade condicionada para aquilo de que realmente precisamos. Isso pode muito bem impedir o corpo de gritar mais alto com a gente ou causar um acidente mais desastroso.

*Pergunta nº 4: Qual é a história oculta por trás da minha incapacidade de dizer não?*

Aquilo que alimenta nosso padrão habitual de negar nosso "não" é o que chamo de *a história*. Com isso me refiro à narrativa, explicação, justificativa, racionalização que faz esses hábitos parecerem normais ou até necessários. Na verdade, eles vêm de crenças centrais limitantes sobre nós mesmos. O mais comum é nem sequer termos consciência de que essas coisas *sejam* histórias. Pensamos e agimos como se elas fossem verdades.

Quando faço essa pergunta nos workshops, as pessoas podem levar algum tempo para identificar a narrativa subjacente, a história por baixo da história. Quando vamos além das minúcias da situação específica (exemplo:

"Bom, você sabe como a minha mãe é... é mais fácil dizer sim e pronto do que ter trabalho"), encontramos a história mais profunda, cuja lógica interna determina nossas interpretações e reações. A camada de subtexto tem sempre a ver com nosso eu, não com as circunstâncias atuais.

Se você tiver dificuldade para identificar a história subjacente ao seu comportamento, tente perguntar: "Em que ideia sobre mim mesmo preciso acreditar para negar dessa forma minhas próprias necessidades?" A resposta, ainda que especulativa, chegará bem perto do alvo. Embora não sejam nem objetivas nem exatas, nossas histórias são sempre *internamente consistentes* com nosso comportamento e nossa experiência.

Alguns exemplos de histórias comuns:

- Dizer não significa que eu não dou conta de alguma coisa. É um sinal de fraqueza. E preciso ser forte.
- Preciso ser "bom" para merecer amor. Se disser não, não sou digno de ser amado.
- Sou responsável pela forma como os outros se sentem e pelo que vivenciam. Não devo decepcionar ninguém.
- Só sou merecedor se estiver fazendo alguma coisa útil.
- Se as pessoas soubessem como eu realmente me sinto, não iriam gostar de mim.
- Se eu decepcionar meus amigos/cônjuge/colegas/pais/vizinhos, iria me sentir merecidamente culpado.[6]
- Dizer não é egoísta da minha parte.
- Não é amoroso sentir raiva.

É possível notar nessas respostas o duplo padrão por elas sugerido. Em geral, um duplo padrão é quando temos conjuntos de regras distintos, dos quais nos isentamos ao mesmo tempo que cobramos sem dó a adesão dos outros, como parodiado na expressão: "Faça como eu digo, não como eu faço." Na prática, essa duplicidade inconsciente é empregada com a mesma frequência *contra* o próprio eu; podemos chamar isso de hipocrisia reversa. Eu muitas vezes pergunto às pessoas: "Se o seu amigo ou a sua amiga dissesse não para algum pedido porque é isso que lhe parecia verdadeiro, você o(a) condenaria como 'fraco(a)'?" A resposta previsível é: "Claro que não." Pense com você mesmo: você sobrecarregaria qualquer outra pessoa com a responsabilidade de jamais contrariar as expectativas dos outros? Se um vizinho precisasse recusar um favor por ter outra coisa para fazer, você o acusaria de egoísmo? Diria ao seu filho ou à sua filha que ele é inútil a não ser que esteja fazendo algo "útil"? Tenho certeza de que você, assim como todo mundo a quem faço essas mesmas perguntas, responderá que não.

Existem pessoas que recuam diante de um não devido a uma noção inculcada de ser "forte", alguém que os outros respeitam por sua confiabilidade e por nunca reclamar. Esse tipo de "força" tem como custo o verdadeiro poder, qualidade que envolve ser capaz de decidir que fardos assumir ou não. A maioria de nós, se pudesse escolher, preferiria levar uma vida de poder consciente e potência construída do que de força indesejada.

*Pergunta nº 5: Onde aprendi essas histórias?*

Ninguém é imbuído ao nascer de uma noção de falta de valor. É por meio de interações com cuidadores amorosos que desenvolvemos nossa visão de nós mesmos. Se, devido aos próprios traumas, essas pessoas nos tratam mal, levamos isso para o lado pessoal. Se, por qualquer motivo, elas estiverem estressadas ou infelizes, também levamos isso para o lado pessoal. A consciência do mal-estar do pai e da mãe, que como criancinhas nós éramos incapazes de aliviar, pode nos fazer questionar nosso próprio valor, mesmo que verbalmente eles nos garantissem que éramos amados. Isso com certeza aconteceu comigo, como me dei conta muito enfaticamente no divã de um analista, incidente que descrevo no capítulo 30.

A intenção de olhar para o passado não é se prender a ele, mas sim se soltar. "Na hora em que você descobre como seu sofrimento surgiu, já está no caminho para se libertar dele", disse Buda.[7] Essa quinta pergunta exige, portanto, um olhar franco sobre nossas experiências infantis, não como teríamos gostado que fossem, mas como foram de fato.

*Pergunta nº 6: Onde ignorei ou neguei o "sim" que queria ser dito?*

Se sufocar um "não" pode nos deixar doentes, o mesmo pode acontecer se segurarmos um "sim" autêntico. O que você já quis fazer, manifestar, criar ou dizer e de que abriu mão em nome daquilo que percebia como um dever ou em nome do medo? Que desejo de brincar ou explorar você ignorou? Que alegrias se negou devido à crença de que não as merecia, ou a um medo condicionado de que elas lhe seriam arrancadas?

Como no caso do "não" não dito, pergunte a si mesmo: que crença me impede de afirmar meus impulsos criativos? Para mim era o imperativo de continuar trabalhando à custa de ignorar minha intuição. Como escrevi em *When the Body Says No* (Quando o corpo diz não):

> Por muitos anos depois de virar médico, fiquei envolvido demais com meu próprio vício em trabalho para prestar atenção em mim mesmo ou nos meus anseios mais profundos. Nos raros momentos em que me permitia ficar parado, podia notar um pequeno tremor na barriga, uma perturbação praticamente imperceptível. O débil sussurro de uma palavra ecoava na minha cabeça: escrever. No início eu não soube dizer se aquilo era azia ou inspiração. Quanto mais escutava, mais alto ficava o recado: eu precisava escrever, me expressar por meio da linguagem escrita; nem tanto para os outros talvez me escutarem, mas para poder escutar a mim mesmo.

"A música me salvou a vida", disse a compositora e ex-alcoólatra de Nashville Mary Gauthier.[8] "A autoexpressão que consigo articular por meio da canção, e sua influência quando ela se conecta a outras pessoas, para mim foi literalmente uma salvação. Além de me fazer ficar sem beber. Esse é um motivo que me faz levantar de manhã e até hoje me mobiliza." A força criativa interior, para onde quer que nos leve, é um coadjuvante poderoso da cura.

"O que existe dentro de nós precisa sair, caso contrário podemos explodir nos lugares errados, ou então nos tornar irremediavelmente limitados pelas frustrações", escreveu o sábio cientista médico János Selye em *The Stress of Life* (O estresse da vida).[9] Aprendi bem essa lição. Toda vez que algo em mim exigia ser dito e eu não o expressava, esse silêncio me sufocava. Os livros que escrevi, inclusive este que você agora está segurando, vieram de ouvir o chamado daquilo em mim que precisava sair.

# 29

# Ver para desacreditar: como desfazer crenças autolimitantes

> *A cura não tem como ocorrer se não aceitarmos nosso valor: se não aceitarmos que somos dignos de ser curados, mesmo que fazer isso acabe abalando nossa visão de mundo e nossa forma de interagir com os outros.*
>
> – MARIO MARTINEZ, médico psiquiatra, *The MindBody Code*

Numa sociedade que capitaliza em cima da sensação de inadequação das pessoas, a história autolimitadora que mais nos contamos é "eu não mereço isso". Ela está por trás de todas as outras listadas no capítulo anterior. Se não for identificada, ela sabota todos os nossos esforços de autoinvestigação interna compassiva. Posso sentir seus efeitos enquanto escrevo este livro. Ela foi reconhecida de forma comovente por Peter Levine, um de meus amigos e professores na área terapêutica. "Eu respondi com um sim à pergunta: 'Será que *fiz* o suficiente?'", me disse Peter numa conversa recente. "Eu *fiz* o suficiente, sim. Mas será que 'eu *sou* o suficiente?'. Com essa ainda estou lutando." Sorri, pois me identifiquei com o que ele dizia.

Existem muitas formas de trabalhar com a história da falta de valor. Alguns professores sugerem afirmações positivas. Eu, pessoalmente, constatei que essas afirmações parecem se evaporar justamente quando mais preciso delas.

Não deveríamos subestimar quão entrincheirada e insidiosa é essa convicção de falta de valor, ou quão difícil é desalojá-la com palavras. Somos quase literalmente hipnotizados para acreditar nela. Do ponto de vista neural, como explica o biólogo Bruce Lipton, é uma questão de ondas cerebrais. As ondas delta, a mais baixa frequência cerebral, são as que predominam em nossos dois primeiros anos de vida, e então as ondas teta vão aumentando até por volta dos 6 anos. "Uma criança com menos de 7 anos tem predominantemente ondas teta", disse ele. "O teta é um estado de hipnose, e é assim que você consegue absorver essas coisas todas durante sete anos. Como se estivesse sob o transe de um hipnotista, você acredita em qualquer mensagem que recebe." Somente depois é que vêm o estado de consciência e o pensamento lógico associados à atividade das ondas alfa e beta. "Absorvemos nossas percepções e crenças em relação à vida anos antes de adquirirmos a capacidade de pensar criticamente", escreve Lipton. "Essas percepções ou falsas percepções se tornam as nossas verdades."[1] A partir dessas verdades, nós daí em diante geramos nossos conceitos em relação a nós mesmos no mundo. Ou a partir dessas inverdades, melhor dizendo.

Acertamos um belo golpe a favor da autonomia autêntica quando reparamos onde residem os autoengodos e os submetemos a novas percepções alimentadas pela investigação compassiva.

Você identificou o "não" ou "sim" não dito, começou a identificar seus vários impactos, examinou as histórias que sustentam essas autonegações padronizadas e investigou suas origens. E agora? Embora haja um valor intrínseco em reconhecer nossas histórias como *histórias*, nosso objetivo final é diminuir o poder que elas têm sobre nós.

O exercício a seguir vai sugerir alguns primeiros passos para nos libertar, nos despertar do enleio hipnótico da desvalorização.

Para a seção sobre cura do meu livro a respeito da dependência, adaptei – mediante autorização – uma série de passos formulados por Jeffrey M. Schwartz, professor de psiquiatria na Universidade da Califórnia em Los Angeles, em seu livro *The Mind and the Brain* (A mente e o cérebro).[2] Aqui levo a adaptação um passo além, e aplico o método a crenças autolimitantes de todos os tipos.

Embora Schwartz tenha desenvolvido esses passos originalmente para curar o transtorno obsessivo-compulsivo, eles também se prestam com facilidade à reprogramação de outros circuitos de pensamento. Afinal de contas, o pensamento negativo tem uma característica mais do que obsessiva: somos compelidos a tê-lo, vezes sem conta, apesar de ele não nos proporcionar prazer algum. A ideia é retreinar o cérebro, fortalecer por meio de um esforço consciente a capacidade do córtex pré-frontal de sair de um transe baseado no passado e reabitar o presente. Qualquer padrão de pensamento que seja repetitivamente autodepreciativo pode ser trabalhado dessa forma.

Trata-se de um método *experimental*, que exige compromisso e atenção plena. Precisa ser não apenas feito, mas vivenciado plenamente. Somente quando a atenção estiver presente é que a mente consegue reprogramar o cérebro. "*É preciso prestar uma atenção consciente*", insiste Jeffrey Schwartz. "É aí que está o segredo. Para serem criadas, mudanças físicas no cérebro dependem de um estado mental, o estado chamado atenção. Prestar atenção importa."

Aos quatro passos originais de Schwartz, eu acrescento mais um. Esses cinco passos são mais eficazes quando praticados regularmente, mas também toda vez que alguma crença autolimitante exerça uma força tal que você fique com medo de ser tragado por ela. Ache um lugar para se sentar e escrever, de preferência tranquilo. Também é melhor escrever tudo à mão.

## PASSO 1: RECATEGORIZAR

O primeiro passo é chamar o pensamento autolimitante do que ele é: um pensamento, uma crença, não a verdade. Por exemplo: "Eu *pareço acreditar* ser responsável pelos sentimentos de todo mundo." Ou: "Estou *tendo o pensamento* de que preciso ser forte." Ou: "Estou *agindo como se pensasse* que só tenho valor quando me mostro prestativo." Trazer consciência para esse passo é particularmente vital: estamos despertando a parte de nós mesmos capaz de observar pensamentos sem se identificar com eles, agindo como nosso próprio observador, interessado, porém imparcial.

O objetivo da recategorização não é fazer o pensamento de autonegação desaparecer: ele ocupa seu cérebro há tanto tempo que vai resistir com todas as forças a ser expulso. Na verdade, ele se fortalece tanto com os esforços para suprimi-lo ou expulsá-lo quanto com os momentos em que cedemos a ele. Lembre-se: você não está tentando desalojar a história ou torná-la errada. Discutir com ela seria como dizer a uma criança de 2 anos que está gritando "Eu te odeio!" diante de um prato de legumes: "Não, não odeia não. Isso é só um pensamento que você está tendo." Tampouco se trata de tentar substituir o pensamento por algum tipo de oposto alegre, por exemplo: "Eu sou uma pessoa boa", ou "Eu irradio luz". Trata-se, isso sim, de se desfazer da *certeza* de que essa crença implícita é verdadeira. Ao fazer isso, você põe a história no seu devido lugar, tirando-a delicadamente da prateleira de não ficção. Ela não é mais uma lei escrita em pedra a ser resistida nem uma acusação a ser refutada: é apenas um pensamento, por mais doloroso ou disfuncional que seja. Possivelmente o pensamento vai voltar, mas nessa hora você vai tornar a recategorizá-lo, com uma determinação tranquila e uma consciência atenta e vigilante.

## PASSO 2: REATRIBUIR

Nesse passo você aprende a relacionar a crença recategorizada à sua origem correta: "Isso é o meu cérebro me mandando um recado antigo e conhecido." Em vez de se culpar ou culpar qualquer outra pessoa, você está colocando a causa no seu lugar correto: em circuitos neurais programados no seu cérebro quando você era criança. A crença representa uma época, no início da vida, em que você não tinha as condições necessárias para desenvolver de forma saudável os seus circuitos emocionais. Você não está expulsando o pensamento, mas deixando claro que não o solicitou, nem jamais o mereceu.

A reatribuição está diretamente relacionada à curiosidade compassiva de si. A presença de uma crença negativa não diz nada sobre você como pessoa; ela não é um fracasso moral ou uma fraqueza de caráter, apenas o efeito de circunstâncias sobre as quais você não tinha controle algum. O que você tem agora é uma palavra a dizer a respeito de como vai reagir a essa crença negativa. A qualidade da sua experiência no momento presente está muito mais ligada a essa escolha de reações do que a qualquer coisa fixada ou preordenada pelo passado.

## PASSO 3: REAJUSTAR O FOCO

Esse passo tem tudo a ver com ganhar um pouco de tempo para si mesmo. Por serem fantasmas da mente, suas autocrenças negativas vão passar... se você lhes der tempo. O princípio-chave, assinala Jeffrey Schwartz, é o seguinte: "O que importa não é como você se sente; o que conta é o que você faz." Isso não quer dizer suprimir seus sentimentos ou crenças, apenas não deixar que eles o sufoquem ou atrapalhem a sua investigação. Você segue se relacionando com eles ao mesmo tempo que faz conscientemente um desvio.

O plano é o seguinte: se você notar uma autocrença negativa tentando assumir o controle, *arrume outra coisa para fazer*. Isso requer consciência, e é melhor não se recriminar se no início não conseguir perceber isso acontecendo. Às vezes esses padrões de crenças simplesmente assumem o comando antes mesmo de conseguirmos agir.

Seu objetivo inicial é modesto: tente ganhar 15 minutos. Escolha algo que goste de fazer e que o mantenha ativo, de preferência algo saudável e criativo, mas na verdade qualquer coisa que lhe agrade sem causar maiores estragos. Em vez de afundar impotente no desespero conhecido da autocrença negativa, vá dar uma caminhada, ponha uma música para tocar, faça palavras-cruzadas, qualquer coisa que o ajude a atravessar os próximos 15 minutinhos. "A atividade física parece ser especialmente útil", sugere Schwartz. "Mas o importante, seja qual for a atividade escolhida, é que ela deve ser algo que você goste de fazer." Ou então, se estiver sem energia imediata para fazer qualquer coisa, você pode reajustar o foco para aquilo que existe de amoroso e vivo em sua vida: possibilidades que você concretizou ou vislumbrou, suas contribuições para si mesmo e para os outros, pessoas que você amou ou que lhe deram amor.

O objetivo de reajustar o foco é ensinar ao seu cérebro que ele não precisa sucumbir à mesma história de sempre. Ele pode aprender a escolher outra coisa, mesmo que só por um tempinho no começo.

## PASSO 4: REAVALIAR

É aqui que você faz o balanço e encara a realidade. Até agora, a crença de autorrejeição dominou o pedaço, obscurecendo qualquer outra coisa em que você pudesse conscientemente acreditar em relação a si mesmo. Digamos que tenha afirmado: "Eu mereço amor na minha vida", mas o tempo todo sua mente continuou a atribuir um valor maior à moeda do "Eu não tenho valor". É esse segundo pensamento que desequilibra a balança em 90% dos casos. Pode considerar esse passo, portanto, uma espécie de auditoria, uma investigação dos custos objetivos das crenças nas quais sua mente investiu tanto tempo e tanta energia.

Pergunte-se: *o que essa crença de fato fez por mim?* Respostas possíveis: *me causou vergonha e isolamento. Gerou amargura. Me impediu de correr atrás dos meus sonhos, de me arriscar, de vivenciar o amor íntimo. Causou doenças ou sintomas físicos.* Para reconhecer esses impactos, permita que suas respostas ultrapassem o âmbito conceitual. Sinta o estado do seu corpo enquanto reflete sobre o espaço que a crença ocupava em sua mente. É aí que os impactos residem, na sua fisiologia, da mesma forma que nas suas ações e nos seus relacionamentos.

Seja específico: qual foi o saldo da história de desvalorização – ou qualquer história que você tenha identificado e em que esteja trabalhando – para sua relação com seu parceiro ou parceira, sua esposa ou seu marido? Com seu melhor amigo ou amiga, seus filhos, seu chefe, seus funcionários, seus colegas de trabalho? O que aconteceu ontem quando você se deixou conduzir por essa crença? O que aconteceu na semana passada? O que vai acontecer hoje? Preste muita atenção em como se sente ao recordar esses acontecimentos e imaginar o que vai acontecer.

Uma reavaliação completa leva em conta também quaisquer *lucros* ou *juros* que essa crença tenha lhe rendido. Ela o protegeu de algum perigo, mesmo que a curto prazo? Protegeu-o de críticas ou rejeição? Inclua isso também: quanto mais completa a auditoria, melhor.

Acima de tudo, faça esse exercício sem se julgar. Você não chegou ao mundo pedindo para ser programado dessa forma, e não será punido pelo que vai se revelar; muito pelo contrário: você está tentando comutar a pena que vem cumprindo. Lembre-se também de que você não é o único. Milhões de outras pessoas com experiências parecidas desenvolveram os mesmos mecanismos. Como decide reagir a isso no presente, *nisso, sim*, você é único.

## PASSO 5: RECRIAR

O que determinou sua identidade até aqui? Você vem agindo segundo mecanismos programados no seu cérebro muito antes de poder decidir qualquer coisa em relação a isso, e a partir desses mecanismos automáticos e dessas crenças programadas muito tempo atrás você criou uma vida. Está na hora de recriá-la: de imaginar outra vida, uma que realmente valha a pena escolher.

Você tem valores. Tem paixões. Tem intenção, talento, capacidade, um desejo de contribuir, talvez uma noção latente de propósito ou vocação. No seu coração existe amor, e você quer conectar esse amor ao Universo. Ao recategorizar, reatribuir, reajustar o foco e reavaliar, está rompendo padrões que o prendiam e aos quais você se agarrava. No lugar de uma vida dominada pela sua compulsão obsessiva com aquisições, comportamentos anestesiantes, autojustificação, admiração, inconsciência e atividades sem qualquer significado, qual é a vida que você realmente quer? O que você decide criar? Anote seus valores e intenções e, aqui também, faça isso com uma atenção consciente. Imagine-se vivendo com integridade, sendo capaz de encarar as pessoas nos olhos com compaixão por elas... e por si.

O caminho para o inferno não está coalhado de boas intenções: está coalhado de falta de intenção. Quanto mais você recategorizar, reatribuir, reajustar o foco e reavaliar, mais livre estará para recriar. Está com medo de tropeçar? Olhe só: tropeços vão acontecer. Isso se chama ser humano.

Para concluir, um conselho aos sábios, ou aos que desejam ter sabedoria. Se trocarmos uma vogal do verbo "recriar", temos "recrear", sinônimo de "brincar". Esse é um excelente lembrete de que não estamos nos ajudando em nada se nos levarmos – e também ao processo de investigação – tão a sério a ponto de perder uma sensação de espontaneidade e vitalidade. Esses passos podem não ser muito divertidos, mas funcionam melhor quando lhes incutimos alguma leveza. Já vi várias pessoas surpreenderem a si mesmas com um sorriso no meio do processo.

# 30

# Inimigos que viram amigos: como lidar com os obstáculos à cura

*Minha vida não teve a ver com consertar o que estava quebrado. Teve a ver com fazer uma escavação arqueológica cheia de amor e carinho de volta ao meu verdadeiro eu.*

– JEWEL, *Never Broken: Songs Are Only Half the Story*

Gostaria de poder lhe dizer que a cura é algo tão direto quanto realizar um determinado exercício mental um certo número de vezes por semana. Infelizmente, a busca da inteireza não tem como ser reduzida a uma ou duas (ou três, vinte, cinquenta) práticas, modalidades ou abordagens. Longe de ser uma questão que se resolve uma vez e pronto, o retorno a nós mesmos é uma estrada que escolhemos seguir, com todos os meandros, curvas e becos sem saída que surgem quando se percorre – ou melhor, se desbrava – um caminho incerto. Na minha experiência, nunca chegamos tão perto quanto gostaríamos de chegar, e nunca estamos tão longe quanto temermos estar.

Este capítulo propõe uma forma de lidar com alguns dos obstáculos mais universais à cura: a culpa incapacitante; o ódio por si mesmo e seus primos próximos: autorrejeição, autossabotagem, impulsos autodestrutivos; e bloqueios em nossa memória emocional, ou o que podemos chamar de negação da dor. Aqui também não estou me referindo a conceitos abstratos. "Não tenho valor" e "Sou uma pessoa defeituosa" são muito mais do que pensamentos: eles vivem em nossa neurofisiologia e em nossa mente como "conglomerados distintos de processos mentais correlatos", para usar as palavras de Dick Schwartz. "Para ser mais eficaz, o cérebro é projetado para criar esses conglomerados – conexões entre determinadas lembranças, emoções, percepções do mundo e comportamentos –, que permanecem coesos como unidades internas que podem ser ativadas quando necessário."[1]

Procurar compreender a gênese, e sobretudo a função original de conglomerados neuromentais vexatórios nos leva ao primeiro princípio da autoinvestigação compassiva. Tudo dentro de nós, por mais desagradável que seja, existe com um objetivo; por mais que cause problemas ou até mesmo nos debilite, não há nada que não devesse estar ali. A pergunta, portanto, deixa de ser "Como me livro disso?" e passa a ser: "Para que isso serve? Por que isso está aqui?" Em outras palavras, primeiro precisamos conhecer esses aspectos desagradáveis de nós mesmos para então, da melhor forma que conseguirmos, transformá-los de inimigos em amigos.

A verdade é que esses perturbadores da nossa paz, por mais estranho que isso possa soar, sempre foram nossos amigos. Na sua origem, eles nos protegeram e beneficiaram, e esse continua sendo seu objetivo atual, mesmo quando parecem tentar alcançá-lo de modo equivocado.

Não precisamos temer, evitar, rejeitar nem suprimir esses "indesejáveis"; na verdade, ao fazer isso nós apenas retardamos nossa emancipação deles. Não são eles, mas sim nossas tentativas desesperadas de mantê-los afastados que cobram o mais alto preço do nosso bem-estar mental ou físico. Quando passamos a ver esses aparentes antagonistas internos como o que de fato são e os deixamos em paz, eles tendem a nos pagar na mesma moeda e a nos deixar em paz também. A capacidade de ação é conquistada não por meio da resistência a nós mesmos, mas pela aceitação e pela compreensão.

Meio de brincadeira, chamo esses aparentes inimigos de "amigos burros". Se o adjetivo lhe parecer feio, fique à vontade para substituí-lo por algo com carga menos pejorativa, como "obtuso" ou "teimoso". O guia de vida selvagem e especialista em psicologia profunda Bill Plotkin chega a se referir a eles como "leais soldados", em homenagem aos militares japoneses que, até os anos 1970, foram encontrados escondidos na floresta das Filipinas, sem saber que a guerra já tinha acabado havia décadas. A única coisa que eu quero dizer com "burros" é que essas partes não conseguem aprender novos truques: elas se recusam a ver que as circunstâncias nas quais surgiram inicialmente não existem mais, e que não somos mais crianças indefesas em perigo.

O motivo de elas existirem, aliás, está longe de ser burro. Embora elas possam nos causar dor agora, no início surgiram para nos salvar. Sua presença, na verdade, é um sinal inconfundível da profunda inteligência do "corpomente" humano. E felizmente a cura não exige a extinção dessas partes, apenas seu realinhamento, ou talvez uma reatribuição de função. O importante é nós estarmos no comando, não elas.

Ao longo dos anos, já cometi muitos atos ou me omiti em muitas ocasiões em que um remorso saudável era ou teria sido uma reação adequada. Já menti, já negligenciei obrigações e já fui ríspido com os outros. Na esteira desses comportamentos, espero ter sentido um grau proporcional de arrependimento que tenha me levado a me responsabilizar pelos meus atos, remediar quanto possível a situação, restaurar a confiança e pensar duas vezes antes de me comportar de novo dessa forma. Esse tipo de remorso saudável caminha de mãos dadas com o autoconhecimento, com uma bússola interna e com valores pró-sociais; podemos até dizer que ele é a forma que a natureza tem de nos chamar de volta à nossa natureza interconectada. Duvido que qualquer um de nós queira viver num mundo em que as pessoas fossem incapazes de senti-lo.

Mas existe também um tipo nada saudável de culpa: uma convicção crônica de que carregamos uma culpa nata, e de que já deveríamos esperar, ou até merecemos, ser punidos ou repreendidos. Sob essa luz mortiça, nossos defeitos e falhas, em vez de serem convites para crescer e melhorar, se tornam provas da nossa irrecuperável torpeza. Esse tipo de culpa, ou o medo de senti-la, muitas vezes nos impede de dizer um "não" robusto, sufocando a autoafirmação: a perspectiva da reprovação ou da decepção dos outros serve de gatilho para a intolerável convicção de que somos ruins, errados, imperdoáveis. Como vimos nas histórias ao longo deste livro, isso pode acarretar dificuldades físicas ou mentais se não for combatido. Muita gente sente uma culpa e uma vergonha corrosivas, automáticas, caso sequer cogitem decepcionar os outros, tratar as próprias necessidades como algo valioso ou agir em benefício próprio.

No pior dos casos, a culpa vai tão fundo que faz a pessoa se sentir culpada pelo simples fato de existir. Essa culpa existencial é anterior à linguagem e à consciência. Entrei em contato com esse sentimento em mim mesmo durante uma sessão terapêutica com psilocibina.[2] Deitado no divã, vivenciei o que um paciente meu certa vez descreveu como "mente dupla". Por um lado, sabia exatamente quem era e em que lugar e momento estava; por outro, a experiência dominante que tive ao vislumbrar o rosto bondoso da terapeuta foi que ela era minha mãe e eu, um bebê de 1 ano. Eu me ouvi dizer, aos soluços: "Sinto muito mesmo por ter tornado sua vida tão difícil." O que me estava sendo mostrado era eu mesmo no início da vida: um bebê que já carregava a responsabilidade pelo sofrimento à sua volta, inundado de vergonha e culpa por ter causado tudo aquilo.

A culpa crônica, assim como o resto dos "amigos burros" da mente, não passa de uma guardiã já não mais no auge das suas competências. Como assim? Que papel essa postura debilitante e causadora de vergonha poderia ter desempenhado na manutenção da nossa segurança? Pense numa redução de danos. Quando o mundo adulto assim o exige, mesmo que de modo involuntário, que um bebê ou uma criança suprima parte do seu verdadeiro eu – os próprios desejos, sentimentos e preferências –, a criança não pode correr o risco de não acatar essa exigência, pois a relação de apego indispensável pode ficar comprometida ou ameaçada. Ela precisa desenvolver dentro de si mesma mecanismos potentes a serem acionados para evitar a angústia de decepcionar ou ser isolada do adulto cuidador. Desses vigilantes internos, a culpa é uma das mais confiáveis. A autoexpressão da criança é reduzida, mas a relação com o pai ou a mãe é preservada. Para fins de sobrevivência, o apego importa mais do que a autenticidade, como é preciso que seja nessa idade.

A maior parte da culpa crônica é obsessivamente monotemática: responde a apenas um estímulo e tem exatamente uma única resposta. O estímulo é o fato de você, criança ou adulto, querer fazer para si algo que possa decepcionar outra pessoa. Pode ser uma verdadeira má ação, como roubar ou se comportar de uma forma que viole algum princípio moral; com muito mais frequência, porém, não é nada além do desejo de agir conforme um impulso nato, desde afirmar os próprios limites até expressar ou mesmo *ter* um sentimento negativo. Sem fazer qualquer distinção, independentemente do que seja, a culpa joga na sua cara o mesmo adjetivo: *egoísta*. Presa no passado, essa amiga que já não é bem-vinda não consegue distinguir entre o que foi e o que é: ela interpreta qualquer interação atual – seja com cônjuge, filho, pai, mãe, amigo, médico, vizinho, desconhecido – através do filtro dos seus primeiros relacionamentos.

A culpa fala com a voz de circuitos de memória implícitos e muito densos, tornando-a incapaz de – e impermeável à – racionalidade. Ela não tem como evitar estar ali, e não podemos nos livrar dela à força. Mesmo obedecendo às suas ordens, só conseguimos afastá-la por um tempo; mas ela em breve volta. Nossa aquiescência, e nisso reside a armadilha, vem do fato de temermos a culpa, de a detestarmos, de ansiarmos por nos livrar dela. *Está bem, vou obedecer*, nós imploramos. *Qualquer coisa para fazer você ir embora.*

Ao reconhecer a culpa como a amiga bem-intencionada que é – e tão obstinadamente fiel que chega a ser excessiva –, podemos abrir espaço para ela. Ao iniciar com ela uma conversa cordial sem acreditar na sua mensagem depreciativa, percebemos que estamos conversando com uma criatura muito jovem e inocente. Entender isso abre espaço para a compaixão com essa culpa interna. Com o tempo, podemos até nos sentir gratos pela sua dedicação: agora podemos escutar a canção de alerta de uma nota só, *não seja egoísta*, mas conscientemente decidir por nós mesmos se queremos ou não dançar ao som dela. *Sim, obrigado. Estou ouvindo o que você diz, e obrigado por se manifestar. Pode ficar, se quiser, mas vou deixar minha inteligência adulta julgar se estou de fato ferindo outro alguém ou simplesmente respeitando meu autêntico eu. Quem manda aqui sou eu, não você.* Quando deixamos a culpa se sentar à mesa, ela não precisa mais saquear a casa toda.

A ranzinza vizinha de baixo da culpa é a autoacusação. A fotógrafa de fama internacional Nan Goldin passou muito tempo se culpando por seus anos de vício, ela que foi dependente de muitas substâncias, em especial de opioides. "Todo dia de manhã eu acordo no inferno", disse ela. "Acordo me condenando. Aí levo duas horas para sair da cama, porque isso é horrível." Nossa conversa ocorreu durante uma sessão de investigação compassiva que ela solicitou.

"Se isso aqui fosse um julgamento e você, a ré", perguntei, "o que a acusação teria a dizer a seu respeito?"

Nan nem pestanejou para responder. "Que perdi anos da minha vida; agora não me restam muitos mais. Que passei a maior parte da minha vida adulta viciada em drogas, então não sei nada. Meu conhecimento é muito limitado. Não olhei no espelho nem lidei comigo mesma. Muita coisa se perdeu." E isso dito por uma locomotiva criativa, que nunca parou de produzir uma arte destemida e única, de exibi-la mundo afora e de colher fartos aplausos.

"Qual é o veredito, então?", perguntei. "Por ter feito todas essas coisas, você é o quê?"

"Sem valor, defeituosa." Nan tinha passado sem dificuldade alguma pelos papéis de reclamante, advogada de acusação e juíza.

Ela disse também que, quando se acusa de não ter valor e de ser uma pessoa defeituosa, sente uma pressão na garganta e no tronco. Nesse ponto do processo, eu em geral pergunto se essas sensações físicas são fenômenos novos. "Não, são bem conhecidos", respondeu Nan. "A voz engasgada e essa pressão, aqui, são sensações conhecidas." Essa é uma resposta prototípica: não há nada de novo sob o sol, nem nas sombras, aliás.

"E essa sensação que você tem de si mesma como alguém sem valor, defeituoso. Quão conhecida ela é?"

"Muito, muito. Demais."

"E a quando remonta isso?"

"Pelo menos aos meus 9 anos. Ou, quem sabe, antes até... Me disseram que minha mãe tinha ataques de pânico quando eu era pequena." Em outras palavras, as crenças centrais que Nan usava para se categorizar e sua manifestação fisiológica eram muito anteriores às suas "décadas perdidas" de dependente química. Foram concebidas muito antes do período em que sua voz de autocensura a castigava todo dia de manhã.

A menos que suas dificuldades emocionais possam ser compartilhadas com adultos atentos e validadas, o narcisismo infantil normal ao desenvolvimento dispõe as crianças a levarem tudo para o lado pessoal. É natural elas acreditarem que, quando coisas ruins acontecem – quando a vida as machuca, quando há estresse no entorno, quando o pai e a mãe estão infelizes ou doentes – é porque a culpa é *delas*, criaturas sem valor e defeituosas.

Menos óbvio é o fato de essa crença também ter uma função protetora. Quando o universo de uma criança está perturbado – quando as coisas desmoronam e o centro não se sustenta, parafraseando Yeats[3] – existem duas teorias com que a criança pode trabalhar. Uma é que seu mundinho está terrivelmente torto e deformado, e seus pais não conseguem ou não querem lhe dar amor e carinho. Em outras palavras, ela não está segura. A outra teoria, que vence praticamente todas as vezes, é que ela, a própria criança, é quem está com defeito. Helen Knott descreve esse processo em seu eloquente relato sobre trauma, violência sexual e dependência intergeracional:[4] "Eu estava absolutamente convencida de que a culpa era minha, por isso me calava." Ela não poderia ter se convencido de outra coisa: reconhecer que aqueles de quem depende são incapazes de suprir suas necessidades seria um golpe devastador para uma jovem pessoa. Assim, da mesma forma que a culpa, a autorrecriminação é uma ótima protetora. Acreditar que a deficiência é nossa nos dá pelo menos um pouco de capacidade de ação e de esperança: quem sabe, se nos esforçarmos o suficiente, conseguiremos conquistar o amor e o cuidado que merecemos.

A autoacusação é o incansável chicote que leva tantos perfeccionistas e pessoas ambiciosas a apertarem o cinto e fazerem mais, serem melhores. Como no caso da culpa, não há negociação, argumentação ou discussão possível com essa voz estrepitosa, porém imatura. Ela precisa ser reconhecida, vista como o que é, e delicadamente posta no seu devido lugar.

Certa vez, num workshop em Budapeste, trabalhei com uma jovem alemã que carregava dentro de si uma entidade por ela denominada seu "Adolf Hitler interior", cheia de uma raiva que queria destruir o mundo. Ela odiava e temia essa parte sua como se fosse literalmente o fantasma do Führer vindo assombrá-la. Essa moça tinha a sensação de estar pessoalmente, devastadoramente conectada com ele e até mesmo de ser culpada pelo genocídio que, décadas antes de ela nascer, matou milhões de pessoas. Quando se permitiu mergulhar por completo na lembrança, de corpo inteiro, descobriu que seu "Adolf" era uma menina de 2 anos, aflita e assustada, furiosa por ser deixada sozinha no berço por períodos prolongados. Essa raiva a protegia de sentir o pânico e a dor do abandono que ela havia enterrado muito tempo antes, e que a faziam evitar situações nas quais ela pudesse mais uma vez ficar vulnerável e ser machucada. E a mantinham também, é claro, num isolamento terrível, para o qual ela buscava alívio na dependência.

"Não somos todos descendentes de nazistas", escreve Edith Eger, sobrevivente de Auschwitz e terapeuta, "mas todos temos um nazista dentro de nós."⁵ Esse fascista interior, que pode parecer tão temível, é na verdade uma parte assustada de nós mesmos que há muito tempo banimos da consciência.

Entender que um ódio cruel por si, como a culpa, surgiu para no começo nos defender de um mal maior, e entender também exatamente quão jovem esse ditador interno é, nos dá a chance de então recebê-lo com curiosidade, compaixão ou até gratidão. Permitir que ele exista, sem corroborar nem condenar suas ofensas raivosas, atenua seu poder totalitário.

Quando o assunto é culpa, ódio por si mesmo e assim por diante, é fácil ouvir as vozes: afinal, elas nunca se calam. Mas nossos exilados e protetores internos podem se manifestar de outras formas mais insidiosas. Essas formas são mais visíveis do que audíveis: surgem em nosso comportamento, nossos humores e nossos processos mentais. Estou falando dos distúrbios compensatórios de que tratamos anteriormente, como a dependência e as chamadas doenças mentais. Essas dinâmicas – e lembre-se: são processos dinâmicos, mais do que "coisas" sólidas – podem ser trabalhadas de uma forma que as transforme de adversárias em aliadas, instrutoras ou, no pior dos casos, conhecidas chatas.

Por mais que lamente as décadas "perdidas", Nan Goldin reconhece na hora que a fuga representada pelo uso de substâncias a resgatou quando ela recorreu a isso pela primeira vez, aos 18 anos, numa época extraordinariamente dolorosa cujos detalhes me pediu para não divulgar. "O vício literalmente salvou minha vida", disse ela. Sem esse alívio, reconheceu, ela teria sido levada ao suicídio. Seu único desejo, como o de todos os dependentes, é que as consequências pudessem ter sido menos duras. Mas e se nos concentrássemos não nos danos, mas na redução deles?

"E se eu chegasse para você aos 18 anos", sugeri, "e dissesse: 'Tá, vamos fazer um acordo. Eu vou salvar sua vida. Não precisa se matar. Vou te mostrar um jeito de fugir da dor que vai lhe permitir viver, criar e continuar viva aos 60 anos com novas possibilidades pela frente, mas você vai ter que pagar um preço.' Eu pelo menos conseguiria chamar sua atenção?" Nan assentiu. "Se você aceitar esse acordo", continuei, "vai poder fazer muito trabalho criativo no mundo. Vai poder expressar verdade, beleza e sofrimento: uma verdadeira vida de artista. Mas isso vai cobrar um preço, um preço alto, na forma de isolamento, perda de relacionamentos, de autoestima e de saúde física, mesmo que você viva até os 60. Você vai abrir mão de algumas possibilidades, perder experiências. Seria esse um 'acordo' que você, que suportou abuso e outros traumas, poderia ter aceitado?" Ela novamente assentiu sem hesitar. São esses "acordos" inconscientes que todos nós fazemos com esses nossos amigos obtusos, e que bom que isso acontece: na época, talvez eles fossem os melhores acordos que pudemos fazer.

Jesse Thistle vivia amargurado por causa de seus anos como usuário de drogas e criminoso, até uma mulher métis mais velha esclarecer as coisas. "Eu estava na cozinha dela, reclamando do fato de estar na rua e de todas as coisas horríveis que tinham acontecido", recordou ele.

> Horríveis mesmo. Sabia que ela também tinha tido um passado parecido de usuária de heroína quando morava em Vancouver nos anos 1960. Achei que ela fosse me entender, e que fôssemos os dois trocar reclamações, sabe... mas ela me deu a maior bronca. Disse: "Que falta de respeito. Que desrespeito falar assim dos mais velhos."

Antes de Jesse poder se desculpar, a mulher continuou:

> Ela disse: "A mais velha aqui não sou eu, Jesse; os seus mais velhos foram esses vícios. Eles estavam te ensinando a importância da família. A importância da saúde. Da conexão humana. De perseverar. Tudo isso o vício ensina. Tudo." Então para mim o vício foi o grande teste, a grande atribulação da minha vida. Quase um rito de passagem para um saber. Ele me deu um saber que me permite ver coisas que outras pessoas não entendem. Eu tenho outra perspectiva. Não estou corroborando o vício. Preferiria ter começado 20 anos atrás uma família e ter potencialmente uma casa como todos os meus amigos agora têm. Mas tenho uma visão e um jeito de ver o mundo que eles nunca terão.

Nos distúrbios que reunimos sob o guarda-chuva dos transtornos mentais e da personalidade também podemos encontrar dimensões úteis. Aludimos a isso no capítulo 18 com relação a encontrar significado nessas perturbações; agora podemos levar isso um passo além e vislumbrar a possibilidade de uma coexistência amigável, ou até mesmo de uma aliança produtiva. Meu filho e coautor Daniel descreve um exemplo disso tirado da própria vida:

> Receber em 2019 o diagnóstico de ciclotimia, que é basicamente uma forma branda de transtorno bipolar, foi uma coisa imensa para mim. Algo na minha vida ganhou coerência quando me dei conta de que as fases loucamente produtivas e as baixas depressivas na verdade não são opostas – estão mais para gêmeas siamesas – e ambas vêm tentando me ajudar a atravessar o mundo desde a infância. O modo "não consigo parar" é o cérebro hiperestimulado de um menininho tentando acompanhar e diminuir o ruído à sua volta, enquanto o colapso emocional é como um nobreak destinado a impedir minha caixa de fusíveis de estourar.
>
> Graças em parte aos estabilizadores de humor que tomo, hoje existe alguém entre uma coisa e outra, observando esses altos e baixos e sabendo que eles não são eu. Agora, sempre que me pego numa fase maníaca turbinada, cheio de inspiração e insônia, ou quando acordo me sentindo pesado e relutante, não luto contra essas coisas nem me preocupo demais. Ambos os estados trazem presentes: por um lado a empolgação e o fluxo criativo; por outro, o descanso, o abraçar meus próprios limites. Nenhum dos dois nunca assume o comando por muito tempo.
>
> Estou achando bem importante saber que nossa mente não é nossa inimiga.

"Não me lembro da minha infância", já ouvi pessoas dizerem. "Toda essa gente com histórias de terror de quando eram crianças... nada de que eu consiga me lembrar explica por que me comporto assim." Você também talvez tenha se pegado sem entender todas as histórias de criações adversas apresentadas ao longo deste livro.

Muitas pessoas, impedidas pelo que acreditam ser uma incapacidade de recordar, se perguntam com frequência se essa falha de memória está inibindo sua cura. Existem alguns bons motivos para a resposta ser um encorajador não. Como já dissemos, o trauma não é aquilo que nos aconteceu, mas o que aconteceu *dentro* de nós como consequência. Peter Levine nos lembra que "trauma tem a ver com ruptura de conexão. Ruptura de conexão com o corpo, com nossa vitalidade, com a realidade e com os outros". Assim, nunca é demais insistir: contanto que estejamos livres e de plena posse de nossas capacidades mentais, a reconexão ainda é possível. Não precisamos do passado para isso, apenas do presente. Esse é o primeiro motivo pelo qual não precisamos nos desesperar achando que não vamos nos curar se não conseguirmos ligar os pontos da história. Podemos sempre trabalhar com o aqui e agora, mesmo que o antigamente esteja trancado a sete chaves.

Mas existe um segundo motivo mais prático: *não é verdade* que nós não lembramos. Nossas lembranças surgem diariamente em nossa relação com nós mesmos e com os outros, basta sabermos reconhecê-las. Toda vez que nossos gatilhos são disparados – ou seja, toda vez que nos vemos tendo uma reação emocional indesejada e incompreensivelmente exagerada –, isso é o passado aparecendo: um eco de nossa infância como de fato a vivenciamos, mesmo que não seja como a recordamos conscientemente. Existem jeitos de recuperar essas lembranças codificadas e descobrir suas origens usando emoções do aqui e agora e experiências do corpo.[6]

A própria palavra *gatilho* é uma pista importante. Ela se tornou uma espécie de bala de canhão retórica, disparada de um lado para o outro por lados opostos em vários debates e confrontos, raramente aprofundando a discussão, com frequência encerrando-a. No entanto, se a examinarmos mais de perto, essa palavra tem muito a nos ensinar sobre nós mesmos. Pense o seguinte: qual o tamanho do gatilho em relação à arma como um todo? Na verdade ele é minúsculo; talvez seja o menor dos seus componentes visíveis. A arma tem também munição, material explosivo, muitas vezes um sistema de mira e um mecanismo para disparar a carga contra o alvo com a força desejada. Se quando nossos gatilhos são acionados nós concentramos nossa ira apenas nos estímulos externos que nos afetam, perdemos uma oportunidade de ouro para examinar que munição e cargas explosivas nós mesmos carregamos desde a infância.

Revisitemos rapidamente a questão da "infância feliz", tantas vezes alegada apesar de dificuldades posteriores com doenças, dependências ou distúrbios emocionais. O objetivo de acessar uma história mais completa não é gerar autocomiseração, tampouco eliminar do registro os momentos genuinamente bons. O objetivo é o seguinte: para fazer as pazes com nossos algozes internos, precisamos primeiro compreendê-los no contexto de suas histórias de origem. É a compaixão do contexto.

Certa vez me pediram que desse um depoimento de especialista num caso de assassinato em que o réu, alcoólatra contumaz, fora avaliado por três psiquiatras e criado num ambiente supostamente feliz. Dez minutos após começarmos nossa conversa na cela da cadeia, ele me contou que o pai bebia muito e a mãe era deprimida. Quando tinha 4 anos, o irmão quebrou seu braço e tocou fogo no seu cabelo; mais tarde, ele sofreu bullying na escola. Nunca tinha lhe ocorrido – nem aos especialistas forenses que aceitaram sua "história" feliz sem fazer mais perguntas – que a história real pudesse contradizer, ou mesmo desalojar, suas lembranças pasteurizadas. Ele tampouco estava sendo insincero: aquilo era tudo que ele sabia. Decerto estava se agarrando com força a momentos genuinamente bons, uma apresentação de slides cuidadosamente selecionados das lembranças que ele havia intitulado "Minha infância feliz".

O mito da infância feliz não requer extremos tão óbvios para que suas rachaduras fiquem aparentes. Lembre-se de Erica Harris, confessadamente viciada em trabalho e sobrevivente de leucemia, de um duplo transplante de pulmão e de uma infecção do sangue potencialmente fatal e resistente aos remédios. Em determinado momento de nossa conversa, ela comentou: "Fui agraciada com o que muita gente chama de infância muito feliz, abençoada. Nós tínhamos dinheiro, eu tinha um montão de amigos, então não sofria bullying… não tive nenhuma dessas circunstâncias de vida radicais. Mas aos 12 anos tive muitas dificuldades." Um conflito familiar a deixou triste, confusa e atarantada. Ela acredita que foi então que sofreu sua ferida traumática.

Na verdade, como revelou minha pergunta seguinte, seu desconforto com ela mesma vinha de muito antes, da sua "infância muito feliz e abençoada". É uma pergunta que sempre faço aos meus clientes e a quem me escuta, e que agora farei a você, leitor ou leitora. Qualquer um cuja memória consciente seja de uma infância feliz – categoria que pode variar entre inócua e idílica – mas mesmo assim tem alguma doença crônica, alguma dificuldade emocional, alguma dependência ou dificuldade de ser autêntico está convidado a pensar o seguinte:

*Quando eu me sentia triste, infeliz, com raiva, confuso, atarantado, solitário, importunado, com quem ia falar? Para quem eu contava? Em quem podia confiar?*

Repare nas suas respostas, e também no que você sente em relação a elas. Se, como no caso de Erica, a resposta for "ninguém", ou então indicar qualquer outra coisa que não a presença de um "alguém" adulto disponível de forma consistente, certamente estava havendo alguma desconexão inicial. (Um irmão ou uma irmã mais velha e amorosa podem sob certos aspectos substituir pai ou mãe, mas é improvável conseguirem ocupar totalmente o seu lugar. E, mesmo nesse caso, isso indica uma desconexão do cuidador adulto.) Nenhum bebê se impede de manifestar para os pais exatamente o que está sentindo ou de demonstrar quando precisa de ajuda. Se a criança quando mais velha não faz isso, trata-se de uma adaptação anormal do desenvolvimento, verdadeiramente devastadora para algumas pessoas e que serve de base para as feridas subsequentes.

Assim, a supressão da tristeza infantil não está circunscrita ao trauma ou ao abuso. Nunca tratei nem entrevistei ninguém com uma doença física ou um distúrbio mental crônicos que fosse capaz de recordar que compartilhava aberta, livre e irrestritamente sentimentos infelizes com seus cuidadores ou outro adulto de confiança. Esse é um aspecto da vida que a maioria das lembranças de infâncias felizes deixa de fora, pelo simples motivo de que é mais fácil recordar o que aconteceu do que o que *não* aconteceu mas deveria ter acontecido. As lembranças agradáveis que temos, embora genuínas, são bidimensionais, e lhes falta a profundidade e o corpo da experiência real da criança. Até conseguirmos criar um vínculo com essa terceira dimensão interna, nos faltará a percepção de profundidade para nos vermos de modo completo, e a cura e a inteireza ficam bloqueadas.

Para quem ainda não se comoveu com o fato de "não ter ninguém com quem falar" ser algo traumático, ilustrarei a questão com a conversa que tive com Erica, que não foi submetida a nenhum abuso nem nunca chegou sequer perto disso. Propus a ela meu experimento mental de sempre, incentivando-a a sair de dentro de si mesma e imaginar outra criança, a saber a própria filha, numa situação parecida. Nossa conversa, que considero um estereótipo, foi assim:

"Se você, como mãe, descobrisse que sua filha teve aos 12 anos um choque emocional parecido com o que você vivenciou, mas não falou com você, como explicaria isso?"

"Ela não confiou em mim."

"E como é para uma criança não confiar nos pais?"

"Isso seria uma coisa horrível. Eu não me sentiria segura e protegida. Eu me sentiria por conta própria, muito sozinha."

Ali estava, portanto, a "infância muito feliz e abençoada" de Erica como fora de fato vivida. E nada disso significa que seus pais não a amassem ou que não teriam feito tudo que podiam pelo seu bem-estar. Significa apenas que alguma desconexão essencial aconteceu no início desse relacionamento. Não começou de repente quanto ela estava com 12 anos, mesmo tendo sido nessa idade que a coisa ficou clara.

Por fim, as pessoas com frequência fazem comparações que rebaixam de modo injusto a própria experiência. Embora você possa sentir uma gratidão justificada pela infância que teve, o fato de outros terem sofrido "mais" do que você não diminui em nada a sua própria dor, nem apaga as marcas que ela deixou na sua psique. Os níveis de trauma não devem ser avaliados, muito menos classificados numa escala. Você pode, por exemplo, ter se tranquilizado de um jeito muito parecido com o de Erica: "Nós tínhamos dinheiro, eu tinha um montão de amigos, então não sofria bullying... não tive nenhuma dessas circunstâncias de vida radicais." "Que sorte", eu em geral retruco. "Mas imagine só por um instante sua sobrinha ou seu sobrinho pequenos vindo procurar você aos prantos: 'Estou me sentindo muito triste, sozinho e confuso, e estou com medo de contar para a mamãe ou para o papai.' Se você quisesse mostrar seu apoio a ela, mandaria a criança embora dizendo: 'Ah, deixe disso, qual é o problema? Pense em todas as crianças que estão passando dificuldades na vida, entre elas fome, abuso ou bullying. Já você não tem nada do que reclamar.' É isso que você diria para essa criança se quisesse que ela soubesse que é seguro sentir o que está sentindo, que independentemente de qualquer coisa ela é digna de amor?" Ainda estou para ouvir alguém responder que sim; quando lhes faço a pergunta dessa forma, as pessoas conseguem enfim escutar nela o duplo padrão absurdo que aplicam a si mesmas.

Já perto de concluir, uma história:

Muito tempo atrás, perdemos nossa inteireza quando o time de estrelas formado por nossos amigos internos – Culpa, Ódio de Si, Supressão, Negação e Companhia – chegou para garantir nossa segurança. Não tivemos como recusar, claro, e praticamente não reparamos neles enquanto eles cumpriam suas tarefas. Como uma equipe de cenografistas de reality show, eles remodelaram nossa personalidade para que pudéssemos sair inteiros da infância: decoraram determinados cômodos e interditaram outros, instalaram alarmes, trancaram a porta da adega. Mas como conseguiram nos manter intactos, isso fez com que chegássemos à idade adulta sem acesso a partes fundamentais de nós mesmos. Eles fizeram bem o seu trabalho.

Depois de morar por muitos anos nessa casa abafada e dividida, começamos a ansiar por uma existência mais espaçosa, mais arejada. Então nós agradecemos aos especialistas pelo seu trabalho e os mandamos embora para fazerem um merecido lanche. E com toda a delicadeza, mas diligentemente, nos dedicamos a uma nova tarefa, literalmente o antídoto para o desmembramento psíquico que foi exigido de nós muito, muito tempo atrás: a tarefa de juntar outra vez nossos pedaços.

# 31

# Jesus na tenda: psicodélicos e cura

*A única cura que eu conheço é uma boa memória.*

– LESLIE MARMON SILKO, *Ceremony*

Um dia de manhã, não faz tanto tempo assim, fui expulso do meu próprio retiro por um grupo de xamãs shipibo. Na noite anterior, no calor úmido da selva, esses homens e mulheres nada sabiam a meu respeito; quando o dia raiou, já entendiam tudo que precisavam entender, então me dispensaram. Fizeram isso pelo bem-estar dos profissionais de saúde que tinham vindo de muitas partes do mundo trabalhar comigo, e para meu eterno benefício.

Para chegar ao Templo do Caminho da Luz, é preciso trocar de avião em Lima e voar uma hora e meia até Iquitos, no norte do Peru. De lá, pelo meio da luxuriante floresta tropical, desce-se o caudaloso rio Nanay, afluente do Amazonas, passando de vez em quando por vilarejos ribeirinhos. Ocasionalmente, o rio se estreita a ponto de podermos tocar a mata tropical verdejante.

Chegamos num dia em meio a um período de chuva forte. Calçamos galochas para percorrer a trilha na mata, onde a lama avermelhada tem alguns trechos fundos. Mais de uma vez as galochas que me deram, vários números maior do que o meu, ficam presas na lama, e dependo de nossos ajudantes shipibo para me levantarem, recuperarem as galochas presas e tornarem a me calçar. Depois de 45 minutos caminhando pela selva densa e alagada, a trilha se estreita à medida que começamos a subir um morro para chegar ao nosso destino.

Fui convidado a esse lugar para conduzir um retiro de cura para profissionais da saúde de quatro continentes, vindos de países como Romênia, Grã-Bretanha, Austrália, Brasil, Canadá e Estados Unidos. Os participantes são psicoterapeutas, psicólogos, psiquiatras, orientadores psicológicos, médicos de família e especialistas em medicina interna. Somos 24 no total, já que essa é a capacidade máxima da maloca, a habitação coletiva de palha onde vão ocorrer as cerimônias da ayahuasca. Muitos lugares no Peru e outros países da Amazônia oferecem esse tipo de ritual, alguns íntegros e de boa-fé, outros mais interessados nos dólares que o turismo traz.[1] O Templo do Caminho da Luz é conhecido como um dos melhores. Quem o administra é um inglês chamado Matthew, cuja salvação pessoal muito deve à planta e às práticas tradicionais relacionadas a ela. Os xamãs pertencem ao povo de origem peruana shipibo, assim como os funcionários que atendem as construções cerimoniais e os salões de jantar e de reunião. Os funcionários do templo trabalham muito próximos aos curadores espirituais nativos, tomando cuidado para honrar seus costumes tradicionais ao mesmo tempo que tentam proporcionar uma experiência significativa e palatável para a clientela ocidental majoritariamente neófita. Em geral há também alguns voluntários internacionais.

Venho organizando há uma década retiros que usam a bebida amarga preparada a partir da planta mística ayahuasca. Esses eventos misturam a tradição amazônica do vegetalismo, sistema muito antigo e altamente sofisticado de cura pelas plantas, com minha abordagem terapêutica da investigação compassiva. As sessões da planta são conduzidas pelos xamãs à noite; eu em geral participo, e tomo *la medicina* junto com os participantes. Meu trabalho começa durante o dia, quando ajudo as pessoas a formularem suas intenções para a cerimônia. Uma intenção pode assumir a forma de uma questão pessoal espinhosa que elas queiram esclarecer, de uma emoção difícil que esperam conseguir explorar ou de uma qualidade interna que desejam cultivar com o auxílio dessa substância. No dia seguinte, eu as ajudo a processar e integrar quaisquer revelações, pensamentos, emoções, visões, aparições aterrorizantes ou assombros oníricos, sensações, desconfortos físicos ou tédio absoluto que elas tenham experimentado enquanto os xamãs entoavam seus cânticos na roda e executavam sua cura energética.

Ao longo dos anos passei a apreciar esse trabalho de facilitador, e ajudei pessoas a superarem depressões e vícios e a se curarem de doenças físicas. Por algum motivo, quando as pessoas atravessam o portal da ayahuasca, eu me vejo altamente sintonizado com a natureza de seus obstáculos e com as nuances das suas descobertas, e consigo guiá-las intuitivamente enquanto elas trazem suas novas e ainda frágeis percepções de volta para o plano consciente normal. Fico inspirado e comovido com as transformações que regularmente testemunho, transformações essas que, de modo gratificante, se alastram para fora e adentram a vida dessas pessoas para muito além da semana de retiro.

No que diz respeito à minha própria transformação, porém, a história é outra. Durante toda a minha vida, independentemente de qualquer revelação que tenha tido ou ajudado a potencializar, uma certeza pessimista dominou minha opinião em relação às minhas próprias chances de cura. Já participei de dezenas de cerimônias da ayahuasca sem acreditar que muita coisa pudesse acontecer comigo, e em geral esse meu pessimismo acaba recompensado: nada de visitas nem de aparições, nenhum antepassado ou espírito animal, nem sequer um pensamentinho profundo, só um leve enjoo e o desejo de que mais coisa acontecesse. Certamente um punhado de experiências comoventes aprofundaram minha gratidão ou apreciação das muitas bênçãos em minha vida, mas, apesar disso nada, nem mesmo esses encontros positivos com a planta conseguiram modificar a visão negativa da minha mente, assombrosamente teimosa e digna do personagem Bisonho, o burro deprimido da turma do Ursinho Pooh.

Entramos na primeira cerimônia, todos os 24, e junto com a gente seis xamãs indígenas, três *maestras* e três *maestros*, todos com no máximo um metro e meio de altura, vestidos de branco e usando cintos e faixas de cores vivas. Cada um de nós será visitado por cada um deles sucessivamente: seis cânticos personalizados para cada participante. Entremeados a períodos de silêncio na maloca escura – sem contar os trinados, coaxares e pios das criaturas noturnas à nossa volta – são entoados cânticos hipnóticos nas cadências ancestrais da língua shipibo, ao mesmo tempo suaves e potentes. Sob a influência da amarga bebida, esses cânticos podem assumir qualidades sinestésicas: algumas pessoas veem imagens, outras vivenciam cada sílaba como sensações físicas ou então viajam em sua mente até lembranças há muito enterradas. Poucos, como eu, vivenciam a ausência desconcertante dessas coisas.

Toda vez que um xamã se senta diante da minha esteira, eu me reteso, desafiando-o em silêncio a fazer o pior de que for capaz. Vai, penso eu, tente atravessar as barricadas *dessa* psique. Saber muito bem que essa atitude não ajuda não impede a voz interior de falar primeiro e mais alto do que todas as outras. De modo previsível, nada acontece, a não ser as costumeiras frustração e decepção. (O que está longe de ser "nada", eu assinalaria se estivesse orientando outra pessoa. Qualquer experiência numa cerimônia dessas pode ser rica em ensinamentos se abordada com compaixão e curiosidade; obviamente isso é mais fácil de recomendar do que de praticar.) Passo a maior parte do tempo dissociado, e mal reparo nos cânticos ou na boa vontade direcionados a mim. No dia seguinte, depois de dormir e de comer adequadamente, o grupo se reúne e, como de costume, presto minha orientação certeira. À medida que cada um descreve suas experiências de dor ou incompreensão, eu os ajudo a dar sentido às próprias visões e a relacionar os ensinamentos da planta à própria história de vida. No meu papel de curador espiritual e professor, consigo facilmente deixar qualquer cinismo de lado; o retiro não tem a ver comigo. Tudo está correndo bem.

Durante o almoço, Matthew me puxa num canto. Os xamãs querem falar comigo, diz ele; o grupo elegeu dois porta-vozes para comunicar uma decisão coletiva. Recebo a notícia por meio de um intérprete. "O senhor tem uma energia densa e escura que os nossos *icaros*[2] não conseguem penetrar", dizem eles. "Essa energia se espalha pelo recinto e atrapalha nosso trabalho com os outros. Não podemos ter o senhor aqui." Antes de eu poder reagir, eles acrescentam que eu não posso trabalhar com o grupo nem mesmo durante o dia.

Dizer que fico surpreso é um eufemismo. Meu ego não gosta nadinha daquilo; por acaso aquelas pessoas não reorganizaram suas vidas e vieram de todas as partes do mundo até uma floresta tropical especificamente para trabalhar *comigo*? Com certeza deve haver algum jeito, algum meio-termo possível. Os xamãs se mostram irredutíveis. "Mesmo durante o dia", explicam eles,

> sua energia teria um efeito perturbador nos outros, e mais importante ainda: você estaria absorvendo seus lutos e traumas. Como médico, o senhor obviamente já faz isso por muito tempo, trabalhar com pessoas em dificuldade, e não fez nada para eliminar isso de dentro de si. E bem

antes disso todos nós sentimos que o senhor deve ter passado por um medo muito, muito grande no início da vida; e ainda não o superou. Por isso sua energia é tão densa.

Até a noite anterior, esses xamãs nunca tinham ouvido falar de mim. Com exceção de saber que sou médico, não conhecem nem minha história de origem nem o trabalho que faço. Ainda assim, eles souberam me ler com absoluta precisão. Mesmo consternado, sinto e entendo na mesma hora que eles têm razão. "Nós podemos ajudá-lo", prometem eles. Apesar das suas garantias, tenho sérias dúvidas de que consigam. Mas o que me leva a seguir sua orientação não é só a deferência, tampouco a fé cega. Parece que algo dentro de mim sente alívio por poder transferir a responsabilidade.

Passo os 10 dias seguintes socialmente distanciado do restante do retiro, por assim dizer. Permaneço isolado em meu chalé, exceto durante as refeições no salão, quando não interajo com os participantes; felizmente, eles estão nas mãos capazes de um colega americano meu. Durante essa quarentena psíquica, eu medito, leio livros sobre espiritualidade, faço ioga, caminho pelas trilhas na floresta e contemplo a natureza. Reações mentais e emocionais variadas a essa estranha situação vêm e vão. Noite sim, noite não, numa tenda cerimonial exclusiva, um dos xamãs me serve o remédio, em seguida passa mais de três horas entoando cânticos em shipibo só para mim. Sopra fumaça, agita os braços acima de mim, pousa as mãos no meu peito ou nas minhas costas. Quase sempre canta em sua língua materna, mas às vezes entoa acima da minha cabeça hebraica hinos católicos em espanhol que falam sobre Espírito Santo, Santa Maria e Jesus. Sua voz, ora um grave profundo de barítono, ora um tenor anasalado insistente ou um falsete agudo, é indescritivelmente maleável e bela. Na escuridão opaca da maloca, esse homenzinho se avulta como um gigante. A cada dia que passa eu me sinto mais leve, com a mente menos preocupada. Mesmo assim, nas primeiras quatro dessas noites de cerimônia nenhuma visão surge, nenhuma experiência profunda, apenas uma sensação crescente de relaxamento e gratidão.

Ao cabo da quinta e última cerimônia – eu acho – com os não resultados previstos, me sinto mesmo assim purificado e agradecido. Com a ajuda do intérprete Publio, fico conversando animadamente com o *maestro*. De repente, no meio de uma frase, eu me jogo na esteira, ou melhor, sou atirado de bruços no chão com uma força repentina e involuntária. A ayahuasca enfim assumiu a direção, e eu sou um passageiro impotente. Estou finalmente, indiscutivelmente, abençoadamente fora do controle.

Mais tarde me dizem que passei quase duas horas de bruços no chão. Para mim poderiam ter sido dois dias: no turbilhão das visões, a noção do tempo se perdia. Durante todo esse período, sentados de pernas cruzadas, imóveis e calados, Publio e o xamã ficaram de vigília ao meu lado. Não preciso, na verdade não consigo descrever o que vivenciei, mas lembro da alegria transcendental que senti.

O que consigo articular é o que vi bem no final. Num céu azul-escuro que parecia uma tela, traçada em letras gigantes feitas de nuvens, estava escrita a palavra *BOLDOG*: "feliz" em húngaro. A visão e a paz interior por ela evocada vieram de um lugar além do pensamento – além até, eu ousaria dizer, do meu inconsciente.[3] Aquilo ao mesmo tempo estava além de mim e fazia profundamente parte de mim, conectando o que quer que eu antes pensasse ser "eu" a algo misterioso, transcendental e assombroso. Esse mesmo estado – amplo e consciente, desfragmentado, livre de preocupação com ele mesmo – permeia minha consciência agora ao revisitar a experiência e refletir sobre as suas lições (das quais voltarei a falar no próximo capítulo).

Pode ser que o leitor ou a leitora esteja se perguntando o que aconteceu com os profissionais da saúde que tinham viajado tão longe para fazer o trabalho com a planta sob minha orientação. Informo que a maioria se saiu extremamente bem. Meu colíder fez o seu trabalho de forma admirável. E apesar de toda a sua compreensível decepção, e contrariando meus temores de um motim, as pessoas entenderam que eu estava lhes servindo como um exemplo de disposição para cuidar de si mesmas. Talvez fosse esse o ensinamento de que aqueles curadores espirituais sobrecarregados de trabalho, fatigados de compaixão e eles próprios feridos mais precisavam; certamente assim pensavam os xamãs. O templo já tinha hospedado muita gente da Europa e da América do Norte, mas nunca um grupo de profissionais da medicina, e os curadores espirituais shipibo comentaram depois, para a própria surpresa, que nunca tinham trabalhado com um "pessoal tão pesado". "Como somos nós mesmos curadores", disseram eles,

> precisamos encarar todas as dores e traumas que as pessoas nos trazem, mas nós nos cuidamos: regularmente limpamos essas energias de

nosso corpo e de nossa alma, para que não se acumulem e nos sobrecarreguem. Imaginamos que vocês médicos fizessem a mesma coisa. Mas não: vimos que chegaram aqui vergados sob o peso dos lutos e das energias pesadas que vêm absorvendo há tantos anos.

Falei recentemente com um médico que estava no retiro, um especialista de quase 60 anos que ocupa um cargo médico alto nas Forças Armadas do Canadá. Seus pacientes muitas vezes padecem de uma mistura de lesões físicas e TEPT. "Estou encontrando muita alegria no meu trabalho agora", disse ele. "Eu estava cansado, cínico. Depois de 32 anos, mal podia esperar para me aposentar. Agora não vejo a hora de me conectar com as pessoas num nível real, e não de forma rasa, artificial e medicalizada." Ouvi relatos parecidos de muitos dos outros sobre quanto eles tinham se beneficiado do fato de os xamãs terem demitido o "doutor Gabor".

Na manhã seguinte ao dia em que li no límpido céu azul a palavra "feliz" em húngaro, Publio perguntou ao xamã o que ele tinha achado da minha viagem. O *maestro* sorriu. "Ah", disse ele, "o doutor Gabor estava comungando com Deus."

Em algum momento após a publicação em 2009 do meu livro sobre dependência, *In the Realm of Hungry Ghosts*, comecei a receber perguntas sobre o que sabia em relação ao uso terapêutico da ayahuasca. Na época a resposta era "nada", assim como eu nada sabia sobre o potencial curativo dos psicodélicos de modo geral. Embora sempre tivesse me interessado por investigar formas de cura diferentes do modelo médico ocidental, no começo eu achava essas perguntas incômodas. Não queria aprender sobre nada tão estranho e novo, nada tão "radical" assim. Tampouco podia imaginar como uma substância psicodélica poderia ajudar alguém a superar uma dependência, ou ajudar a curar o TEPT, ou a descondicionar os padrões arraigados de autossupressão que tantas vezes contribuem para a doença.

De lá para cá, desenvolvi um profundo respeito pelo poder sinergético dos psicodélicos aliado às percepções e práticas da psicologia moderna. *Respeito* talvez seja uma palavra demasiado branda; *reverência* está mais próxima da verdade. Ao longo dos anos, trabalhei com pessoas que lutavam contra o uso de drogas e o vício em sexo, pessoas que enfrentavam câncer, doenças neurológicas degenerativas, depressão, TEPT, ansiedade e fadiga crônica, além daquelas que buscavam inteireza, significado e uma experiência de seu verdadeiro eu. Em todos esses casos, as pessoas procuraram se liberar de padrões arraigados, habituais e restritivos. Já vi pessoas procurando sua criança interior vulnerável e inteiramente viva, seu pai e sua mãe, o amor, Deus, a verdade, uma comunidade, a natureza. Não posso dizer que todas tenham encontrado tudo que estavam buscando. O que posso afirmar é que a maioria deu passos importantes em seu caminho rumo à autenticidade, e encontrou uma liberação significativa de seus padrões mentais e comportamentos limitadores ou mesmo debilitantes.

Um homem na casa dos 30 anos, socorrista na Colúmbia Britânica, me escreveu o seguinte:

> Desde minha primeira experiência com ayahuasca, vários meses atrás, tenho vivenciado diariamente essa mudança na minha consciência. Minha presença dentro de mim mesmo e com os outros, inclusive os animais, é outra. Vejo tudo que fiz de uma perspectiva inteiramente nova e vivencio isso. Sou capaz de ver a diferença que faço para aliviar a dor alheia, e para ajudar os outros a se verem sob outra luz.

Um corretor de imóveis de Nova York que participou de um de nossos retiros disse algo na mesma linha: "Nas minhas preocupações capitalistas do dia a dia, eu agora com frequência medito sobre maneiras possíveis de ajudar as pessoas de uma forma mais profunda." E uma mulher cuja vida foi arruinada pela dor crônica e pela dependência, com um histórico de abuso sexual na infância, escreveu: "Hoje me assombro com as bênçãos da vida e com a natureza sagrada e preciosa da vida. Nunca tinha entendido isso antes."

Com certeza, antes da transcendência espiritual, a experiência psicodélica precisa primeiro penetrar os recônditos mais ocultos de tormento na psique. "Hoje à noite senti a dor de quando era um feto, e então a liberei para o céu", relatou um rapaz depois de uma cerimônia com a planta.

> Eu vinha pedindo ao remédio que me levasse até lá, até meu sofrimento mais profundo e fundamental, mas isso não tinha acontecido. E hoje à noite de repente eu estava lá, no útero, e senti a dor mais forte que acho que jamais senti. Foi horrível. Isso me consumiu totalmente. Fiquei ali

com a dor pelo máximo de tempo que aguentei, porque sabia que era aquilo que eu precisava vivenciar. Então saí, e sem hesitação liberei essa dor para o céu. A partir do pior sentimento que sou capaz de recordar, eu estava tendo um dos mais felizes.

O livro de Michael Pollan, *Como mudar sua mente: O que a nova ciência das substâncias psicodélicas pode nos ensinar sobre consciência, morte, vícios, depressão e transcendência*, abriu muitos olhos para as possibilidades curativas dos psicodélicos. "As pessoas estão ávidas por alguma coisa", me disse o autor de sucesso.

É muito difícil dizer o quê, mas me parece que elas com certeza estão procurando uma dimensão espiritual em sua vida. Além disso, temos níveis muito altos de doença mental: as pessoas estão sofrendo de todas as formas, e os tratamentos de saúde mental disponíveis são completamente inadequados e não estão à altura.

Pollan reconheceu que tinha levado um susto com a recepção do seu livro no mundo médico, eleito um dos 10 melhores do ano pelo *The New York Times*. "Pensei que fosse haver muita resistência da psiquiatria, de pessoas que trabalham com atendimento de saúde mental", disse ele. "Mas elas sabem como o armário de remédios está vazio de substâncias e modalidades de cura eficazes. Esse renascimento da medicina psicodélica está surgindo num momento em que é mais urgente do que jamais imaginei quando escrevi o livro." Seu tema abarca plantas cerimoniais tradicionais como ayahuasca, peiote, tabaco e cogumelos, e inclui também substâncias modernas artificiais como os psicodélicos LSD (ou ácido) e MDMA (droga psicoativa conhecida popularmente como ecstasy ou bala), ambos cada vez mais estudados em ambientes terapêuticos, com resultados animadores.

Muitas vezes identificamos a palavra *psicodélico* com expressões como "alteração de consciência", mas um exame de sua etimologia nos leva para mais perto da verdade. O psiquiatra britânico Humphry Osmond, que cunhou a palavra a partir dos gregos *psyche*, "alma", e *deloun*, "revelar, tornar visível", utilizava-a para designar uma "manifestação mental". Em outras palavras, não para alterar nem sequer "expandir" a mente, mas para revelar a consciência a ela mesma.[4] O uso terapêutico dos psicodélicos exige um ambiente adequado e a intenção e a orientação corretas. Isso é absolutamente fundamental; na ausência dessas condições, o uso de psicodélicos pode com bastante frequência levar a um pesadelo digno de *Aprendiz de feiticeiro*. Em sessões conduzidas da forma adequada e em circunstâncias seguras, por sua vez, eles podem revelar e ajudar a aceitar dores e tristezas das quais as pessoas passaram a vida inteira tentando fugir, e também deixar ver a paz, a alegria e o amor que existem no cerne de estar vivo, coisas muitas vezes soterradas sob o edifício da personalidade condicionada.

Leitores interessados nas pesquisas e dados científicos por trás do ressurgimento das terapias psicodélicas em nossa época podem consultar o livro muito completo de Pollan, ou então os muitos estudos científicos que não param de ser publicados no mundo inteiro.[5] Direi aqui apenas que, após mais de uma década de experiência como participante, médico e curador espiritual, fiquei mais do que impressionado com as possibilidades dos psicodélicos, cuja raiz está na unidade mente-corpo que exploramos. Já vi pessoas se recuperarem de todo tipo de vício, inclusive em pornografia, cigarro, álcool e drogas; de problemas de saúde mental como depressão e ansiedade; e de males físicos como esclerose múltipla e doenças reumáticas.

Lembre de Mee Ok, do capítulo 5: a coreana traumatizada e sexualmente molestada adotada em Boston com um diagnóstico de esclerodermia avançada, que não conseguia mover o próprio corpo "mumificado", como ela dizia, sem ajuda. À beira da morte, desenganada pela medicina ocidental, ela em determinado momento viu na morte a única escapatória possível daquele sofrimento. Numa noite, sozinha, Mee Ok tomou um pouco de ayahuasca que conseguira não se sabe como. Naquela noite, pela primeira vez em meses, conseguiu se levantar da cama, ficar em pé e caminhar sozinha. A experiência foi transformadora. "Em vez de me ver como Mandy[6] e me identificar com meu corpo físico", disse ela, "ou seja, com a minha origem demográfica, minha raça, meu gênero e tudo isso, a ayahuasca me ajudou a ver em mim um núcleo mais profundo, que continuaria a existir mesmo que tirasse todos esses elementos."[7]

De lá para cá, Mee Ok participou de um de meus retiros e recebeu outras formas de terapia e tratamento físico. Como mencionei no capítulo 5, ela agora consegue se locomover de modo independente, é ativa fisicamente e no momento está escrevendo sua autobiografia. "Antes, quando eu estava muito doente", lembrou ela,

> via a coisa toda como se tudo na vida tivesse me acontecido. "Esse é o meu destino; eu vou morrer. Não tenho voz nenhuma nisso." E nunca tive mesmo... Quando vi que havia um motivo por trás disso tudo, aí pude procurar significado. Foi uma baita mudança conceitual para mim. Me dei conta de que todos os traumas que tive na vida podiam ter um significado, e que eu podia escolher a vida que devo viver. Esses traumas ficaram então administráveis, ao passo que antes eu nem sequer conseguia acessá-los. Não conseguia me lembrar de grande coisa da minha infância. A ayahuasca de fato foi revelando aos poucos muitas dessas lembranças, e tudo aquilo que eu tinha esquecido: quem eu era quando criança e quem realmente sou.

Conversei com a médica de família de Mee Ok em Boston, que confirmou o histórico médico e a recuperação que ela própria, médica, era incapaz de explicar. Mas do ponto de vista da ciência do corpo-mente não há nada de milagroso ou sequer surpreendente nessa recuperação. Quando Mee Ok se reconectou com seu autêntico eu – no caso dela com o auxílio de uma planta, mas o princípio pode ser generalizado –, ela conseguiu se desvencilhar da personalidade confinada pelo trauma. Começou a se libertar do conjunto condicionado de crenças, comportamentos e emoções, e consequentemente das reações fisiológicas que eles impunham. Seu corpo então a seguiu – seu sistema nervoso, seu sistema imunológico e seus tecidos – pelos caminhos que já descrevemos.

Para além do universo da cura, muitos constataram que os psicodélicos são professores com um poder transformador. Certamente, em seus contextos originais, as plantas medicinais eram e são consultadas por muitos outros motivos além da cura e do alívio da dor: xamãs consultavam o espírito dessas plantas para obter orientações para a comunidade, prever padrões climáticos e de caça, comungar com os antepassados e ajudar a criar paz entre grupos rivais e, o mais importante de tudo, simplesmente para conhecer e aprender como elas funcionam. Estima-se que cada planta – inclusive muitas flores, arbustos e árvores que pelos nossos padrões não seriam considerados psicodélicos – tem a própria sabedoria para transmitir, e as próprias propriedades cujo aprendizado pode requerer anos de prática e dedicação. O antropólogo Wade Davis é efusivo em sua avaliação:

> Sempre digo aos jovens que nossos pais tinham um medo danado dessas substâncias, sabe, que viviam gritando: "Não tome isso. Você nunca mais voltar igual!" Mas era justamente essa a ideia. Nesse sentido sou muito aberto em relação ao papel catártico que essas substâncias tiveram na minha vida, e a quão valiosas elas são. Se tem uma coisa que eu sei, é que esses remédios me permitiram compreender nossa conexão com o mundo natural de uma forma que nem em 1 milhão de anos poderia ter acontecido só lendo livros.

Como podem os psicodélicos ter efeitos transformadores tão potentes? Por meio da unidade corpo-mente que exploramos, e do seu poder de acessar o inconsciente onde, ocultas da consciência, residem muitas das emoções e motivações que orientam nossa vida. Sigmund Freud certa vez afirmou que os sonhos são a estrada real para o inconsciente. Pode-se dizer que os psicodélicos são uma estrada mais direta ainda. Rick Doblin, fundador e diretor-executivo da Associação Multidisciplinar de Estudos sobre Psicodélicos, foi um pioneiro do impulso de investigação das modalidades de tratamento com essas substâncias. "Existe uma membrana entre a mente consciente e a mente inconsciente, entre aquilo em que estamos prestando atenção e pensando e os sentimentos em níveis mais profundos", me disse Doblin quando conversamos pouco tempo atrás.

> Os psicodélicos abrem essa membrana de modo que mais coisa possa vir à tona. Cada substância faz isso de um jeito. Ela ao mesmo tempo conecta você a partes de si mesmo que tinham sido suprimidas ou ignoradas, mas você também consegue ver o mundo maior além de si, além do próprio ego.

Ele traçou uma analogia com a revolução de Copérnico no século XVII. "Temos tendência a acreditar, com nosso ego, que somos o centro do Universo", explicou ele.

Os psicodélicos dissipam essa ideia, e vemos que fazemos parte de algo imenso, muito maior do que qualquer indivíduo, e que essa unidade avança no tempo e também recua. Eles conseguem nos tirar de nossos padrões habituais. Quando se deixa de olhar as coisas da perspectiva do "eu", tem-se a sensação de um potencial e de uma conexão que se liberam.

As substâncias vegetais e os psicodélicos sintéticos não são "drogas" no sentido médico da palavra. Um comprimido como o antidepressivo Prozac, ou as facilmente acessíveis aspirina e codeína, tem por objetivo modificar, enquanto você os estiver tomando, seu estado biológico – sua fisiologia. Dependendo da sua situação, isso pode ser ou não uma coisa boa, mas esses tratamentos farmacêuticos não foram criados para acessar causas originais e dinâmicas inconscientes. Os remédios psicodélicos não são para serem tomados diariamente de modo a manter você num estado fisiológico alterado. Idealmente, eles podem ajudar a facilitar sua entrada numa nova relação com você mesmo e com o mundo, muito tempo depois da sua ingestão, seja numa cerimônia, como no caso da ayahuasca, ou numa consulta terapêutica, como no caso do MDMA. De maneira real, essas experiências recalibram o aparato emocional do cérebro. Não fiquei surpreso, por exemplo, com um estudo recente mostrando que o uso de psicodélicos reduzia as chances de homens praticarem violência contra suas parcerias íntimas.[8]

Não sou nenhum evangelista da psicodelia. Ao contrário das fantasias vãs de alguns entusiastas, nem os remédios psicodélicos extraídos de plantas nem os sintéticos poderão, por si sós, transformar o atendimento de saúde ou a consciência humana de modo geral. Para isso, teremos que aguardar uma mudança social em escala gigantesca, a começar pela expansão da ideologia médica convencional. Apesar de tudo que têm a oferecer, atualmente os tratamentos psicodélicos são esotéricos, caros e demandam tempo. Por motivos tanto práticos quanto culturais, estão fadados a permanecer fora do alcance de muita gente. Mas seria negligência nossa excluí-los e ignorar seu potencial de cura para muitas doenças endêmicas diante das quais a medicina ocidental se vê em grande medida impotente.[9]

Por mais maravilhosos que possam ser seus efeitos, para nossos fins os remédios baseados em plantas e outras substâncias que provocam manifestação mental não são apenas interessantes em si, mas também poderosos embaixadores dos princípios do "corpomente" que a ciência moderna só agora está alcançando. As lições que eles transmitem são uma prova do caráter indomável do espírito humano e da possibilidade de liberar sua potência com ou sem substâncias e independentemente do que a vida nos reserva. Sabemos hoje que em todos os continentes, e ao que parece em todas as épocas registradas, as pessoas utilizaram a farmácia chamada Terra para promover cura, conhecimento e plenitude espiritual, e de fato para transmitir cultura de geração em geração.

A medicina psicodélica passou a exercer uma influência importante na vida de um dos últimos grandes líderes guerreiros originários da América do Norte a ter desafiado a expansão incansável e genocida do colonialismo de assentamento no Sudoeste do continente. Após sua inevitável derrota e o confinamento humilhante de seu povo em reservas cada vez menores, o brilhante cacique comanche Quanah Parker passou a buscar consolo em rotas espirituais. Ele trabalhou com o cacto do deserto chamado peiote e foi o precursor do que viria a se tornar o peiotismo. Como de costume nas práticas originárias, seu interesse não era a religião, mas a espiritualidade. "O homem branco entra na sua igreja e fala *sobre* Jesus", disse ele certa vez, "mas o índio entra na sua tenda e fala *com* Jesus."[10]

Depois da minha "comunhão com Deus" na selva peruana, pude sentir na pele o que Quanah Parker quis dizer.

# 32

# Minha vida como uma coisa genuína: tocar o espírito

*Em última instância, seu maior presente para o mundo é ser quem você é; seu presente, e também sua plenitude.*

— A. H. ALMAAS, *Being and the Meaning of Life*

Até o meu momento de límpido céu azul na selva peruana em 2019, a espiritualidade existia para mim em grande medida como boatos, teorias ou conceitos, ou então como um vago anseio, imbuído de melancolia e desejo. Embora tivesse consumido prateleiras e mais prateleiras de livros e fosse capaz de discorrer articuladamente sobre o tema, eu próprio jamais tivera um contato direto com estados tão celebrados quanto o assombro, o mistério ou "a paz que transcende qualquer entendimento". Minha fé no potencial da humanidade para uma transformação genuína, reveladora, ainda que sincera, tinha chegado a mim em grande parte de segunda mão: eu não conseguia relacionar essa fé a qualquer experiência própria. Ela certamente não vinha de nenhuma crença divina ou de práticas devocionais como as das religiões organizadas. Assim, o que aprendi no Peru proporcionou a essas vagas possibilidades o estofo da experiência. Aquilo ia além da crença, e tinha a ver com a essência da cura.

Deixando de lado as crenças literais, tudo que posso dizer sobre a observação sem um pingo de surpresa do xamã de que "o doutor Gabor estava comungando com Deus" é: amém. Algo transcendental *de fato* aconteceu naquele dia de manhã: um encontro tardio com aquilo em mim que ia além do "eu" com quem me identifiquei por tanto tempo. Tive acesso a um espaço onde estava consciente de mim mesmo como uma consciência vasta, sem estar atrelado ao lastro biográfico autoconfinante da minha identidade. O uso do remédio guiado pelo xamã e, igualmente importantes, meus dias de preparação interior, tinham me aberto para informações tão fora das minhas estruturas de referência habituais que imaginava que nunca seria capaz de acessar. Hamlet de Shakespeare tinha esse tipo de conhecimento: "Há mais coisas entre o céu e a terra, Horácio/ Do que sonha nossa vã filosofia."[1]

Em retrospecto, vejo que essa experiência, menos do que me instilar novas crenças, relaxou e destravou a *des*crença militante da minha personalidade, que pode ser tão fundamentalista quanto as certezas divinas das seitas ultrarreligiosas. A atriz e ativista Ashley Judd tem uma expressão incrível para designar esse salto de fé não literal: "Render-se a um Deus no qual não se acredita."

A primeira coisa que aprendi no Peru – e me refiro aqui a um aprendizado direto, não a mais fatos acrescentados à pilha do conhecimento – foi que a cura é externa à seara da mente pensante. Para começar, a mente é por natureza uma casa dividida: nossa personalidade se contradiz o tempo inteiro. No meu caso, parte de mim sempre manteve a esperança, ainda que teórica, de que eu algum dia, sabe-se lá como, tivesse um instante de "iluminação", o verdadeiro eureca, enquanto outra parte permanecia guardada, alimentando o cinismo e o pessimismo. O espírito, pelo contrário, é uno. Nossa mente, o saber aprendido, pode armazenar princípios de cura que valem a pena ser lembrados e podem até ajudar a nos conduzir a experiências que curam. Mas vai chegar um momento, se desejarmos "ir até o fim", em que essas protetoras de confiança precisarão parar na porta e permitir a entrada de um elemento menos sofisticado, mais vulnerável, despido da armadura das certezas.

Em segundo lugar, aprendi que eu não poderia ter planejado aquilo. Muito pelo contrário: toda a sequência de acontecimentos que me conduziu até aquele instante destruiu qualquer plano que eu tivesse feito. Meu ingresso no reino do espírito só poderia acontecer quando eu abrisse mão da ilusão de controle e me entregasse por inteiro ao modo como as coisas eram. Minha disposição de ter meu planejamento subvertido foi a minha contribuição, o custo para que eu pudesse me sentar à mesa do mistério.

Em terceiro lugar, e estreitamente relacionado ao que acabamos de ver, tive que fazer várias coisas difíceis: abrir mão da minha identidade de líder ou curador espiritual, deixar de lado meu hábito de ajudar os outros sem reservar tempo ou energia para minha própria transformação e aceitar qualquer diminuição pessoal que eu temia fosse resultar de me afastar do meu papel esperado. O maior desafio de todos foi superar os protestos ressentidos do meu ego ameaçado: "Não posso decepcionar essas pessoas; elas vieram até aqui para trabalhar *comigo*." Minha identidade, a persona à qual eu havia me agarrado por toda a vida, tinha sido inteiramente subvertida. Tudo que lhe restava era negociar os termos da sua rendição.

A vida havia me colocado sabiamente numa situação em que eu não tinha controle. Minha única opção era largar tudo e confiar – nos outros, em mim mesmo e acima de tudo na direção que minha vida tinha subitamente tomado – ou não. Ao escolher o sim, escolha pela qual eu talvez não tivesse optado antes na vida, me foi aberta a possibilidade de uma experiência de cura poderosa, de um contato com o divino. Não direi que o fato de eu ter aberto mão do controle *causou* a cura – até onde sei, não é assim que a graça funciona –, mas foi uma condição. Eu simplesmente por acaso estava pronto, aos 75 anos, para fazer isso.

Nem todo mundo vai ou deveria se consultar com xamãs ou experimentar plantas psicotrópicas; um número relativamente pequeno de pessoas nem sequer tem probabilidade de um dia ter essa oportunidade. Não importa. Minha experiência pessoal, embora em circunstâncias um tanto incomuns, foi alimentada pelos princípios de cura universais que são o fio condutor deste livro, e que estão disponíveis para todo mundo: aceitar, despir-se da identidade, escolher confiar no guia interior contrariando os protestos da mente condicionada e ter a capacidade de ação genuína que vem, paradoxalmente, de se dispor a abrir mão de um controle rígido. Se eu consigo fazer isso, estou convencido de que qualquer um consegue – contanto que esteja comprometido com a própria cura e permita que ela lhe instrua, em vez do contrário.

Minha experiência com os xamãs no Peru também me ensinou algo sobre o que a cura não é. Durante anos, eu havia me agarrado a uma ideia fixa de que, para me curar, precisaria passar por alguma liberação catártica monumental, como já vi acontecer com outras pessoas, ou quem sabe voltar de alguma forma no tempo para reviver ou redimir um passado difícil. Sim, a cura pode assumir essa forma, mas não necessariamente. Mais uma vez, não é o passado que precisa (ou pode) mudar, apenas nosso relacionamento presente com nós mesmos. De bruços naquela esteira – dizem que gargalhei e chorei em vários momentos – tive a profunda consciência de que minha infância havia acontecido exatamente como aconteceu, de que nada jamais vai alterar isso, de que meus avós nunca deixarão de ter sido enviados para a morte. Entendi também que nada disso podia interferir ou dissipar a paz que era meu direito nato e minha essência, sempre presente e sempre possível. E não só meu: de todo mundo. Foi mais do que uma aceitação. Naquele instante, ao entrar em contato com como é e como deve ser, entendi que não havia nada a aceitar, a não ser no sentido de receber de bom grado.

Mesmo antes do Peru, eu já tinha vislumbrado, ainda que só por meio da observação e da intuição, que existem mais coisas no ser humano do que se pode ver, ou, como brincou o mestre espiritual Eckhart Tolle, "mais do que o eu pode supor". Nós fazemos parte, e somos dotados, de algo maior do que pode compreender, quanto mais provar, a mente egoica com sua noção intrínseca de separação. "Ninguém nunca tocou ou viu uma alma dentro de um tubo de ensaio", escreveu em 1928 o criador da psicologia do comportamento John Watson; no que diz respeito aos cinco sentidos, ele tinha razão. Só que nós, no Ocidente, estamos jogando com um baralho sensorial desfalcado: nossos sentidos foram privados, para citar Bob Dylan,[2] de outros mais sutis que adeptos da espiritualidade e culturas originárias sempre cultivaram. "Como vivemos num mundo cindido", me disse o professor de meditação budista Jack Cornfield,

> nossa psique também é cindida. Ganhamos dinheiro trabalhando, cuidamos de nosso corpo na academia, talvez cuidemos um pouquinho de nossa mente na terapia, apreciamos arte quando assistimos a um show e entramos em contato com o sagrado indo à igreja, à sinagoga, à mesquita ou algo assim. É tudo compartimentado, como se o sagrado fosse

de algum modo separado do trabalho que devemos fazer ou da música que criamos.

Um dos primeiros, e para muitos mais desafiadores, passos de programas como o Alcoólicos Anônimos é confiar a vida aos cuidados de um poder superior, seja qual for o significado que se atribua a isso. Quer saibamos ou não, todos nós buscamos nosso poder superior. Esse anseio se manifesta de muitas formas: nosso desejo de pertencimento; nosso impulso de conhecer nosso propósito na vida; a ânsia de escapar dos limites de nossa personalidade condicionada e autocentrada; nosso gosto por experiências transcendentais. Infelizmente, na nossa cultura, somos ensinados a buscar a plenitude nos enchendo de fatores externos evanescentes. Isso é impossível, pois nos falta o que não pode ser trazido de fora. O vazio que nos atormenta vem de lugares em que perdemos o contato com nosso eu mais profundo. A. H. Almaas, que tenho a sorte de chamar de mentor, chama essas conexões rompidas de "buracos".

> Permitir-nos tolerar os buracos e passar por eles para chegar ao outro lado agora é mais difícil, porque tudo na sociedade vai contra isso. A sociedade é contra a essência. Todo mundo à sua volta, aonde quer que você vá, está tentando preencher buracos, e as pessoas se sentem muito ameaçadas se você não tenta preencher os seus da mesma forma.[3]

"Não vejo a sociedade como uma inimiga", esclareceu ele quando conversamos.

> É mais que a sociedade está adormecida. Ela simplesmente não sabe. Um certo conhecimento disso pode advir da religião, em que existe pelo menos uma consciência de que somos mais do que a coisa física habitual. O impulso espiritual desperta em algum momento num ser humano. É um mistério quando isso acontece: às vezes ele desperta sozinho; às vezes é precipitado por algo que acontece externamente, ao escutarmos alguém ou lermos um livro. Quando o impulso ou a curiosidade espiritual despertam, é aí que ansiamos por saber mais sobre o que um ser humano é para além dos limites que a sociedade em geral entende, reconhece e tenta aplicar.

A espiritualidade não pode ser nem descrita nem prescrita. Existem incontáveis caminhos disponíveis; pessoas diferentes se identificarão com alguns mais do que com outros. Já tentei tanta meditação prolongada quanto minha mente inquieta é capaz de tolerar. Certa vez, passei 10 dias sentado numa contemplação muda; para nunca mais. Esse por acaso não é o meu caminho, embora eu na época tenha sentido alguns benefícios. Ioga, sessões curtas de meditação, silêncio contemplativo, leitura dos clássicos da espiritualidade de fés e disciplinas diversas, e a escuta dos mestres contemporâneos: tudo isso me ajudou na minha caminhada atribulada rumo a verdades mais profundas. Alguns, em sua busca, não escolherão nada disso e se aproximarão do espírito por atalhos acidentais ou inteiramente mapeados por eles mesmos. O importante não é nenhum grande eureca, e sim o despertar, seja súbito ou gradual, da consciência que contém a mente mas não se confunde com seu conteúdo. Meu colega médico Will Cooke, que em seu trabalho com dependentes na região vizinha aos Apalaches do Sul do estado de Indiana já testemunhou seu quinhão de despertares espirituais, me descreveu

> aquela centelha que existe dentro de todo mundo, aquele eu cintilante à espera de ser revelado, que está simplesmente entulhado e debaixo da pilha de tudo que a vida acumulou por cima das pessoas, e elas não conseguem brilhar. Mas se formos tirando um pouquinho de cada vez e revelando o que elas são, é sempre algo belo.

O anseio pelo espírito foi resumido pelo jornalista e comunicador americano Michael Brooks pouco antes de sua morte prematura aos 36 anos, no verão de 2020. Pranteado por muitos por seu coração gigante, seu senso de humor e seu compromisso com a verdade e com a justiça em seu país e no resto do mundo, Brooks vinha explorando mais profundamente o trabalho espiritual. Sua irmã Lisha citou o comentário que ele fez na véspera de sua morte sobre uma consciência cada vez maior do espírito: "Posso sentir um espaço dentro de mim, como se fosse o espaço sideral ou o oceano." Em palavras que resumem o trabalho de encarar a realidade e voltar a nós mesmos, ele então afirmou seu compromisso com cultivar e expandir essa sensação. "Nas próximas semanas", escreveu, "quero trabalhar na mecânica do que significa *seguir me distanciando das coisas que me separam de mim.* Quero me lembrar do que existe dentro."

Ashley Judd criou seu próprio caminho singular rumo à cura. Uma das primeiras mulheres a denunciar o magnata do cinema Harvey Weinstein por suas agressões sexuais recorrentes, Judd carrega há muito tempo as marcas de viver numa família na qual grassavam o alcoolismo e os lutos não processados. Para ela, a graça que lhe permitiu se render a um Deus "no qual não acreditava" veio em parte de um encontro íntimo com o mundo natural. "Eu estava sentada num córrego no Parque Nacional de Great Smoking Mountains", recordou ela quando conversamos, "e todas as borboletas vinham descendo pelo córrego, o sol reluzia na água, e eu simplesmente soube que estava tudo bem. Foi um daqueles momentos mágicos em que o tempo fica suspenso e eu estava bem, e sozinha, e talvez esteja sempre sozinha, mas estava tudo bem." Mesmo quando acontecimentos antigos ressurgem, Judd diz que a lembrança desses momentos permanece viva para ela de um modo que fortalece sua dedicação ao caminho da cura, e que pode até tornar o processo mais leve. "Possibilita que exista um pouco de humor", disse ela com uma risadinha. "Eu já chutei o traseiro dessas coisas antes. Eu vou ficar bem."

"Eu vou ficar bem" também é a mensagem que a ciclista e skatista olímpica canadense Clara Hughes descobriu em seu encontro com a natureza. Única atleta na história das Olimpíadas a ter conquistado várias medalhas tanto na edição de verão quanto na de inverno – seis no total –, Clara tinha criado uma nova e agitada carreira de palestrante e professora, e uma nova identidade que leva para os outros mensagens de cura e inspiração. Após uma luta dolorosa com a depressão profunda, ela teve um despertar. "Me dei conta de que estava ficando emperrada", disse essa mulher vibrante de 47 anos. "Estava repetindo tudo. 'Isso não é saudável', pensei comigo mesma. Isso não sou eu. Eu precisava ter uma vida… Em 22 de março de 2017, larguei tudo. Parei de dar palestras, saí do conselho em que estava, simplesmente parei e comecei a andar." Seguindo a própria voz interior, ela abraçou uma nova paixão: a caminhada de longa distância, atividade que atribui um significado inteiramente novo ao título desta última parte, "os caminhos da inteireza". Nos últimos três anos, ela passou cerca de seis meses por ano caminhando.

Entre seus muitos efeitos salutares, essas extensas peregrinações trazem Clara para o momento presente de um jeito que está em perfeita sintonia com a vontade de se curar. "Quando estou andando não existe amanhã", disse ela, empolgada. "O ontem já passou… só existe o aqui e agora. Fico escutando a floresta, as montanhas, a água. Fico ouvindo as vozes de tudo isso. As árvores viram minha família. As pedras viram seres vivos que você conhece e fica feliz em encontrar." Caminhar também lhe trouxe uma nova compreensão do que significa resiliência.

> Eu sei, sem sombra de dúvida, que respirando posso atravessar tudo, toda e qualquer dificuldade que surgir. Em qualquer estado mental que eu esteja no dia… posso me sentar e escrever, desenhar, fazer jardinagem, lavar a louça. Posso voltar à minha respiração, e fico bem. E vou ficar bem, e isso sou eu.

Fiquei contente por ela ter mencionado o desenho e a jardinagem, já que poucos de nós algum dia entrarão na natureza de um modo tão épico quanto o dela. Mas qualquer atividade que nos traga de volta à nossa própria natureza – que naturalmente não passa de uma expressão da natureza com N maiúsculo – sem a distração de aparelhos ou obsessões digitais pode servir para nos revigorar.

A natureza teve um papel fundamental na recuperação de V de um câncer metastático no útero, depois de várias cirurgias e quimioterapia. "Eu antes tinha horror da natureza", disse a escritora e ativista. "Até ficar muito, muito doente e então escutar… escutar a Mãe me chamando para o campo. Era tipo: você *precisa* vir." Começou com uma única árvore num vaso do lado de fora da janela do seu quarto de hospital. "Eu me apaixonei por aquela árvore", disse ela, sorrindo ao recordar.

> Estava muito doente nessa ocasião. Tinha perdido 15 quilos, não sabia se ia sobreviver, e olhava para aquela árvore e pensava: "Ai, meu Deus, será que vou ter de ficar olhando para essa árvore todo dia enquanto espero a morte?" E nesse primeiro dia a árvore simplesmente começou a falar comigo… E eu pensei: *Caramba! Acho que nunca vi o que são folhas…* E no dia seguinte foi tipo: *Casca!* E no seguinte: *Tronco!* Eu literalmente não queria mais que ninguém falasse comigo, não queria que as pessoas chegassem perto de mim: só me deixem ficar com essa árvore; eu e essa árvore estamos vivendo uma coisa incrível. No meu último

dia naquele quarto a árvore floriu, os botões todos brancos. Aquilo foi o começo da minha transformação.

Nada disso é novidade para os povos originários do mundo: essas culturas têm na comunhão com a natureza desde sempre um pilar. Mesmo quando as nações originárias da América do Norte foram brutalmente expulsas dos territórios que eram seu sustento e parte integrante de sua identidade, a consciência de pertencer a este planeta nunca se perdeu. Na verdade, segundo a ativista, artista e líder cerimonial navajo Pat McCabe, conhecida como Mulher em Pé Brilhando, essa consciência é uma boia salva-vidas, uma fonte de resiliência e força. "A primeira coisa que me vem ao coração", contou ela,

> é que nós temos um compromisso com a Terra. Só que não é apenas um compromisso: é um caso de amor louco com Ela. E temos a capacidade e a obrigação de ajudar a Ela e ao resto da vida a prosperar. Isso não faz parte do paradigma do mundo moderno. Tudo é muito individualista, focado no sucesso individual e até antropocêntrico, não é? Inteiramente autocentrado. Quando se faz parte dessa comunidade maior, a Terra, e se assume responsabilidade por esse louco romance com os pássaros, peixes, árvores, montanhas e o céu, passa-se a ter mais coisas para servir de atrativo, para servir de guia.

Em minhas entrevistas para este livro, fiquei impressionado com a frequência com que as pessoas mencionavam as experiências e a reverência que tinham pelas tradições originárias, sentimento que passei a compartilhar por meio de minhas interações com curadores espirituais e sábios originários tanto na América do Sul quanto na América do Norte, seja sentado numa cerimônia dentro de uma maloca peruana, de uma cabana na Colômbia ou de uma "tenda do suor" em Alberta. Sou grato às comunidades que me acolheram, eu, um forasteiro do lado dos "colonos" da linha divisória neocolonialista, e que me fizeram sentir um gostinho de seus costumes, ou pelo menos o gosto que alguém que veio da cultura dominante é capaz de sentir.

Se virmos o saber originário não como algo a ser consumido, mas como um tesouro rico em tradições de jeitos de viver e morrer que merecem e exigem nosso respeito e nossa humilde curiosidade, sua perspectiva ampla e unitária poderia compensar o foco dualista e biológico da mentalidade médica ocidental. Apesar de estarem elas próprias lutando para sobreviver, as tradições originárias ainda são capazes de proporcionar um complemento salutar e igualitário às proezas científicas da medicina ocidental. Elas podem também ser um corretivo necessário ao fracasso desta última em honrar nossas necessidades emocionais, sociais, comunitárias e espirituais.

Helen Knott compara estar numa tenda do suor a voltar para o útero. "Nossa cura", observou ela,

> precisa incluir esse tiquinho de humildade em que você pede ajuda e reconhece que não pode fazer tudo sozinho, que sozinho você poderia ser uma criatura digna de pena como ser humano. A tenda do suor nos leva, sofrendo com essa condição humana e tentando encontrar nosso caminho, de volta às nossas origens: o ventre da Mãe Terra. Conseguir se desapegar das coisas, deitar-se na terra e simplesmente *estar* ali. A tenda é sempre um lugar potente.

Quando as grandes pedras aquecidas são jogadas no buraco cavado no meio da tenda do suor, os participantes lhes dão as boas-vindas como "avós e avôs". Não se trata de uma metáfora, mas de um entendimento profundo e de uma visão clara, muito mais clara e sábia do que a maioria de nós aprendeu. Não viemos todos da terra que gerou essas pedras, assim como da água que se despeja sobre elas antes de começarem as rezas e cânticos? Se conseguíssemos ver as coisas assim, será que não pensaríamos duas vezes antes de pilhar e destruir aquilo que nos cria e nos sustenta? No mundo ocidental, com um grande custo para nós mesmos, perdemos há muito tempo contato com essa unidade que as culturas originárias reconhecem e honram.

O psiquiatra e médico Lewis Mehl-Madrona,[4] que é parte lakota, tem experiência tanto em medicina de emergência de alta tecnologia quanto nos métodos de cura tradicionais do seu povo. Na sua opinião ambos têm seu lugar, e não deveríamos abrir mão nem de um nem de outro. Assim como eu, ele já viu os milagres de que ambos são capazes. "Para um indígena americano, a cura é uma jornada espiritual", escreve ele.

Como a maioria das pessoas compreende intuitivamente (com exceção talvez dos médicos, que são ensinados a desacreditar dessa ideia), o que acontece com o corpo reflete o que está acontecendo na mente e no espírito. As pessoas *podem* se curar de doenças. Mas antes de isso ser possível elas frequentemente precisam passar por uma transformação – de estilo de vida, emoções e espírito – além de realizar as mudanças necessárias no corpo físico.[5]

"Segundo a concepção lakota", me disse Mehl-Madrona quando nos encontramos para conversar sobre este livro e a possibilidade de colaborar em alguns eventos de cura,

devemos celebrar e dar apoio às pessoas doentes porque elas são os bois de piranha. São elas que estão nos mostrando que nossa sociedade está desequilibrada, e precisamos lhes agradecer por assumir esse fardo e fazer isso pelo restante de nós. Todos precisamos participar da cura delas, porque, se não fossem elas, onde estaríamos? Somos todos responsáveis pelo que quer que as esteja afligindo. Temos a responsabilidade de contribuir para sua cura, pelo bem de todos.

Que pensamento velho/novo vigoroso: uma sociedade na qual somos todos responsáveis pela saúde de todos, onde a doença é vista como a manifestação de uma experiência comum. Uma cultura como a nossa tem muito que aprender com pessoas que consideram nossa natureza biopsicossocial algo elementar.

Tive de rir quando Mehl-Madrona então apontou outra diferença entre as posturas médicas ocidentais e a tradição originária de seus avós. Um de seus professores, um célebre médico americano, estava dando uma aula para sua turma mista de alunos de medicina:

"Rapazes", dizia esse professor... Ele era incapaz de aceitar a ideia de haver mulheres na turma... "Rapazes, a vida é uma progressão incansável rumo à morte, à doença e à deterioração. A tarefa de um médico é diminuir a velocidade do declínio." E eu fiquei bem chocado, porque minha avó sempre tinha nos ensinado que era preciso morrer com saúde "para poder aproveitar o outro lado". Ela realmente não acreditava que fosse preciso estar doente para morrer. Não relacionava doença e morte. Para ela, a morte era tipo "seu tempo acabou", e a doença apenas algo que você tinha que atravessar.

"Quantos anos sua avó tinha quando morreu?", perguntei.

Uns 90 e tantos, e estava em boa saúde. É uma história engraçada: num início de noite, ela disse a todo mundo que iria morrer naquela madrugada. E falou: "Minha hora chegou. Meu tempo acabou." Aí minha mãe, que estava tentando muito ser moderna, disse: "Que bobagem, você está muito bem de saúde." "Saúde não tem nada a ver com morrer", respondeu minha avó. E de manhã estava morta.

Não se trata de romantizar os costumes originários, nem de imitar as práticas indígenas. Mas nós podemos e devemos superar o que Wade Davis furiosamente chama de "miopia cultural", o conceito de que "outros povos são versões fracassadas de nós mesmos. Ou que são criaturas antiquadas, em vias de extinção, fadadas a se apagar, seres humanos esquisitos e coloridos que se enfeitam com penas de pássaro. Esses povos são vivos, dinâmicos, têm algo a dizer".

Embora minha própria experiência de cura tenha acontecido na selva, e a de Clara Hughes na natureza selvagem, já vi pessoas reencontrando a si mesmas até mesmo no ambiente claustrofóbico, confinado e com demasiada frequência nada humano dos presídios. Algumas das pessoas mais gentis que já conheci foram condenadas à prisão perpétua nos Estados Unidos ou no Canadá; elas tinham corajosamente confrontado o próprio passado. Muitos outros que trabalham com pessoas assim já compartilharam comigo essa impressão sincera.

Graças a meu trabalho com a dependência, fui convidado a dar palestras para populações carcerárias – em outras palavras, as pessoas mais traumatizadas e mais marginalizadas de nossa cultura. Nunca vou me esquecer do que me disse Rick, um condenado à prisão perpétua no famoso Presídio Estadual de San Quentin, na Califórnia. Ele havia feito um programa de transformação conduzido por voluntários que o levara a dar um mergulho profundo em si mesmo, a começar por uma infância que envolvia todas as categorias de experiências adversas na infância, depois uma adolescência alienada e violenta e uma juventude permeada por drogas que havia culminado num assassinato. Agora 30 anos mais velho, ele era um homem preto mais para baixo, magro, com uma barba por fazer grisalha e os cabelos rareando. Tinha esperança de poder pedir a condicional. Estávamos sentados numa sala de reunião com cerca de uma dúzia de outros detentos de idades variadas. "Esse grupo me fez pensar no que fiz e me ajudou a parar de correr dos meus demônios", disse ele, "a levantar a cabeça e encará-los. Aprendi a me amar e a saber que tem gente por aí que se importa comigo."

Eu me perguntei o que ele iria querer que a comissão de condicional soubesse a seu respeito. "Bom", refletiu Rick,

> naquela fase da minha vida eu estava separado de mim. Nem sabia quem eu era. Como eu não me respeitava, não conseguia respeitar ninguém. Como eu não me amava, não tinha amor nenhum por ninguém. Mas depois de cumprir essa pena, de realmente parar e olhar para minha vida como uma coisa genuína, e com amor por mim mesmo e a compreensão de que para mim o amor é tudo... o amor está me abrindo para tudo fora de mim. O que estou fazendo por mim, aprendendo sobre mim, estou aprendendo também sobre todos os outros. Não sou diferente de ninguém. Se eu tocar o espírito não sou separado. Se vocês me deixarem sair daqui, é esse o tipo de trabalho que eu quero fazer quando sair. Estou pronto. Quero ir para casa, mas mesmo se não me deixarem ir eu já sei quem sou e o que quero fazer.

Cada uma das cinco compaixões que examinamos estava presente ali, reluzindo nas palavras de Rick.

"Só existe uma regra comum válida para encontrar sua verdade especial. É aprender a se escutar com toda a paciência, a se dar uma chance de encontrar o próprio caminho, que é seu e de mais ninguém", escreveu o psicólogo e visionário Wilhelm Reich.[6]

Escutar sua "verdade especial" é um dos mais árduos desafios em meio à cacofonia de nosso mundo cada vez mais barulhento, um mundo que isola ao mesmo tempo que desencoraja a solidão saudável. Essa busca vem de outros tempos. A peça *Santa Joana*, de Bernard Shaw, narra a vida e a morte heroicas da jovem camponesa Joana d'Arc, cujas visões e "vozes" a inspiraram a liderar a revolta armada contra a ocupação inglesa da França no século XV. "Ah, as suas vozes, suas vozes", diz em determinado momento para Joana o rei francês Carlos VII, com inveja e frustração. "Por que as vozes não vêm para mim? O rei sou eu, não você." "Elas vêm sim, majestade", responde Joana, "só que o senhor não escuta. Não se sentou no campo à noite para ouvi-las. Quando toca o ângelus, o senhor se benze e assunto encerrado, mas se rezasse com o coração e escutasse o retinir dos sinos no ar quando eles param de tocar, ouviria as vozes tão bem quanto eu."

Um dos desafios de nos curar, e de trazer cura para nosso mundo tão castigado, é ficar parado por tempo suficiente para permitir a nosso verdadeiro eu ser ouvido, aquela "brisa suave" sobre a qual se pode ler na Bíblia[7] ou, na descrição do Tanakh hebraico, aquele "suave murmúrio". As práticas antigas e modernas de mindfulness encorajam e abrem espaço para essa voz surgir, ao nos afastar da cacofonia de pensamentos em nossa mente e nos permitir observá-la sem nos deixar seduzir, submergir ou intimidar.

Nas práticas de mindfulness também foram documentadas vantagens de reduzir inflamação, reprogramar o funcionamento epigenético, promover a reparação dos telômeros, reduzir os níveis de hormônios do estresse e incentivar o desenvolvimento de circuitos cerebrais mais saudáveis.[8] O mindfulness chegou a frear a progressão da ELA em pacientes afetados pela doença:[9] é a unidade mente-corpo em ação outra vez.

Ao nos observarmos com curiosidade compassiva em vez de julgamento, talvez possamos também aprender a abrir mão de nossos pré-julgamentos em relação aos outros, também conhecidos como preconceitos. Um estudo muito animador vem de Israel/Palestina, palco de ódio e conflito incessantes. Lá, 300 estudantes judeus do terceiro ao quinto ano foram expostos a um programa socioemocional baseado em mindfulness e compaixão. Seis meses depois, e apesar de um aumento das hostilidades violentas, esses alunos apresentavam uma "redução significativa" do preconceito e dos estereótipos negativos em relação aos palestinos.[10]

Entrevistei vários praticantes renomados de mindfulness: todos afirmaram que sua prática os havia conduzido, e outras pessoas também, a uma maior compaixão e aceitação dos seus semelhantes seres humanos.

"Eu nunca teria apostado contra o coração humano", disse o psicólogo e professor de meditação budista Rick Hanson.[11]

O título deste livro usa a palavra *mito* no seu sentido contemporâneo do dia a dia. "Isso não passa de um mito", poderíamos dizer a algum amigo agitado tentando nos vender a teoria da conspiração do momento. "Não existe prova." Mas esse uso pejorativo da palavra na verdade nos põe em conflito com a maior parte da história cultural. Até muito recentemente, o mito era visto como uma fonte de conhecimento, um portal para a espiritualidade e um dos fundamentos de qualquer cultura saudável. Esse conceito original de mito pode muito bem servir de portal para o mundo da cura, nos reconectando a eras de saber humano e promovendo um estado mental no qual nada é uma ocorrência isolada, e onde se pode obter significado a partir de qualquer uma das matérias-primas da vida. Esse é um potente antídoto para o pensamento dualista que imagina mente e corpo como duas coisas separadas. No mundo do mito tudo está conectado, e essa é uma das muitas verdades em relação ao mundo real que o pensamento mítico pode nos ajudar a encarar.

O mito é uma expressão coletiva de uma das qualidade humanas mais singulares: a imaginação. Longe do pensamento mágico ou do negacionismo, o pensamento imaginativo nos permite ver além das aparências e acessar percepções fundamentais sobre o significado da inteireza e do bem-estar. "Quando perdemos o mito", me disse o contador de histórias, escritor e apresentador do podcast *Living Myth* (Mito vivo) Michael Meade, "passamos a saber menos. Sabemos menos em relação a nós mesmos, em relação às doenças e, portanto, em relação à cura". "Então o que um resgate da imaginação mítica poderia nos ensinar sobre inteireza e cura?", perguntei. "Uma doença interrompe nosso caminho, então, se permitirmos ao corpo nos ensinar o que está acontecendo, ela pode ser um chamado à realidade", respondeu ele. Já testemunhamos isso várias vezes ao longo deste livro.

O mítico e o profético estão intimamente relacionados. Numa escala social, poderíamos avançar na direção da inteireza se nos dispuséssemos a ouvir os alertas que os males coletivos, do câncer à covid-19, estão fazendo sobre nosso modo de viver. O pensamento mítico pode nos ajudar a valorizar e a aplicar o princípio científico de que a saúde vem da conexão: com nossa essência, uns com os outros e com uma cultura que honre essas inter-relações.

Entendimentos mais antigos do mito vêm também de uma profunda conexão (ou união) com a natureza, motivo talvez pelo qual a criação de mitos, no sentido positivo, nos é tão natural. Como disse Wade Davis quando conversamos: "Na maior parte da história humana, nossas relações com o mundo natural foram baseadas em metáforas." Montanhas são símbolos de força e constância; rios personificam mudança, fluxo ou mesmo a própria vida. Esses significados têm consequências profundas na forma como vivemos, como vemos o mundo e nosso lugar nele. Eles são as marcas de uma cultura que sabe ler e obedecer aos sinais da natureza.

Michael Meade tem uma linda expressão para o tipo de saber coletivo que remonta ao início de nossa presença no mundo: "um pensamento no coração". Meu próprio coração se identifica com a ideia de que, apesar de todos os indícios aparentes do contrário, existe em todos nós um aspecto essencial que não pode ser extinto. Nossa sociedade, com seu estado espiritualmente adormecido de imaturidade e negação, bloqueia nossa consciência desse "pensamento no coração", substituindo-o por atividades, bens e crenças incapazes de nos satisfazer. Como indivíduos, não conseguimos ver nossa própria beleza ou perfeição; como integrantes de um coletivo, deixamos de perceber que somos todos feitos da mesma matéria divina, entrelaçados, por assim dizer, nessa trama. Se preferir, pode substituir a palavra *divina* por outras como *eterna*, *ancestral*, *alma* ou pela expressão "mais do que humana".

Alcançar o espírito, para usar a expressão de Rick de San Quentin, só enriquece a jornada de cura.

## 33

# Um mito desfeito: visão de uma sociedade mais sã

*De tempos em tempos se pode vislumbrar a verdade, essa luz da alma humana.*

– **VICTOR HUGO**, *Os miseráveis*

O que será preciso para desfazer o mito do normal? Como podemos ter alguma esperança de desmontar um acúmulo tão imenso de percepções equivocadas, preconceitos, pontos cegos e ficções que arruínam a saúde, todos culturalmente fabricados, em especial quando atendem aos interesses de uma ordem mundial ciosa da própria perpetuação, mesmo isso sendo sinônimo de autodestruição?

A verdade é que eu não sei. De certa forma, me sinto mais à vontade descrevendo o problema do que mapeando uma rota para sair dele. Tenho minhas próprias convicções e palpites, em especial no que diz respeito aos obstáculos para um mundo melhor, mas isso não equivale ao desenho detalhado de algo novo. Mesmo tendo crenças fortes em relação a como as coisas deveriam ser, não me parece adequado tornar o último capítulo deste livro sobre trauma e cura uma preleção. Mesmo assim, na reta final dessa nossa investigação, sinto de fato a responsabilidade de propor uma visão alternativa à cultura tóxica que venho descrevendo.

O que posso dizer com convicção, como médico e curador espiritual, é que para nossa sociedade se endireitar e traçar um caminho em direção à saúde plena, determinadas condições terão que ser cumpridas. E para criá-las será preciso algumas transformações ou mudanças importantes. Todas elas derivam dos princípios centrais deste livro: medicina biopsicológica, doença como professora, a primazia tanto do apego quanto da autenticidade e acima de tudo uma autoinvestigação destemida, dessa vez numa escala social. Nenhuma dessas mudanças por si só basta, mas na minha opinião todas são necessárias. Elas podem vir a não se realizar totalmente sem uma transformação política significativa, mas são fáceis de entender, e seguir na sua direção é algo totalmente possível para nós.

Uns poucos anos atrás, durante as pesquisas para este livro, conversei com Noam Chomsky, pai da linguística moderna, filósofo, ativista e crítico cultural. Perguntei a esse gigante intelectual, que já se autoqualificou de "pessimista tático e otimista estratégico", se ele ainda tinha uma visão positiva sobre o que está por vir. Chomsky sorriu.

> É preciso ser otimista, caso contrário não haveria por que não se matar. Então sim, é claro que sou otimista. Tentamos fazer o possível para corrigir as coisas; se isso pode ou não ser feito, não sabemos. É o lema que Gramsci tornou famoso: "Pessimismo do intelecto, otimismo da vontade."[1] Não existe outra escolha.

Eu chamaria isso também de otimismo do coração e da alma, que é onde nasce a vontade. Essas partes não racionais de nós sabem coisas sobre o potencial humano e a natureza da vida que nem mesmo o mais arguto dos intelectos consegue acessar.

Antes de nos lançarmos em qualquer reforma importante para termos uma sociedade mais consciente em relação ao trauma e mais favorável à saúde, o que queremos é examinar nosso próprio coração e nossa própria mente para garantir que estamos abordando essas tarefas desafiadoras de um lugar possível. Os problemas que o mundo enfrenta já são desafiadores o suficiente sem que somemos a eles nossos próprios estresses, advindos de nossos padrões habituais de adaptação. Estamos olhando para as coisas *criativa* ou *reativamente*? As reações automáticas, afinal, são a especialidade da personalidade traumatizada, que é como um martelo que só vê pregos. A criatividade, por sua vez, tem a ver com algo mais fundamental: ela começa vendo que *podemos* criar, depois avalia o que *quer* ser criado. Ela é um aspecto da autenticidade, uma prima próxima da autoria.

Só se pode criar de um ponto de vista que diz: "Independentemente de como as coisas possam parecer, algo é possível aqui." Existem muitos motivos para esse tipo de otimismo com base no que sabemos sobre a natureza e as necessidades humanas, e sobre a resiliência e os poderes de cura misteriosos do corpo e da mente. Podemos também nos apoiar no fato de cada um de nós ser um integrante de uma comunidade cada vez maior de pessoas que está desmascarando o *status quo* e imaginando alternativas para ele.

Essa atitude requer necessariamente paciência e distanciamento, e uma tolerância saudável tanto em relação ao real quanto ao ideal.

Se quisermos ver as coisas como elas são, precisamos estar preparados – ansiosos, até – para nos despir de nossas ilusões. Precisamos acolher a desilusão, ou talvez até, como canta Alanis Morrissette no refrão de um de seus sucessos, lhe agradecer.[2] Em geral nos referimos à desilusão com pesar, como uma experiência a ser evitada, semelhante à decepção ou à sensação de ter sido traído. E a desilusão de fato tem um custo: talvez precisemos abrir mão de algo que passamos a valorizar, ou de um ponto de vista ou de uma atitude na qual nos refugiamos. Mais difícil de ver, porém, é o custo de se recusar a fazer isso. Como pergunto com frequência às pessoas: "Você prefere ser *iludido* ou *des*iludido?" Preferimos nos relacionar com o mundo como ele de fato é, ou como gostaríamos que fosse? Qual das duas abordagens provoca mais sofrimento no fim?

Eu cresci no período da opressão stalinista em meu país natal, a Hungria, embora o pequeno comunista idealista que era não se desse conta da natureza do regime. Lembro de sentir o coração se encher de orgulho por viver num sistema dedicado à liberdade, à igualdade e ao que a humanidade tem em comum. Nas reuniões escolares, eu levantava com um pulo nos momentos certos para bater palmas ritmadamente e entoar cantos com meus colegas toda vez que o diretor dizia "partido" e "líder". Meus pais e professores sabiam que era melhor não estourar minha bolha ideológica: uma palavra contrária ao regime que por descuido escapasse da boca de uma criança podia significar assédio, perda de emprego ou até prisão da pessoa responsável por ela. Então, numa manhã do final de outubro de 1956, nosso prédio se sacudiu com o ribombar da artilharia. Alguns dias de liberdade concedidos pelo triunfo efêmero do levante húngaro contra a ditadura, seguidos por uma repressão rápida e sangrenta, abriram meus olhos de menino de 12 anos. O Exército soviético que eu por tanto tempo idolatrara, a força de combate que salvara minha vida quando bebê, de repente se transformou no inimigo. Pouco tempo depois disso, numa noite chuvosa de novembro, meu irmão, meus pais e eu atravessamos a pé a lamacenta fronteira com a Áustria, abandonando para sempre nossa vida na Hungria. Essa foi minha primeira desilusão; outras vieram depois. Na esteira dos horrores da Guerra do Vietnã e das mentiras inescrupulosas contadas para justificá-la, aprendi que o império americano, que na minha mente adolescente havia substituído o soviético como o novo ideal, era tão cruel e gananciosamente autocentrado quanto seu rival. Tive também que chegar à compreensão devastadora de que o sonho que servira de bálsamo para minha alma, o de um renascimento nacional triunfante dos judeus na terra bíblica ancestral do meu povo, fora conquistado impondo um pesadelo aos palestinos que habitavam aquelas terras, pesadelo que perdura até os dias de hoje.[3] Quando a ficha da verdade caiu, fiquei mais uma vez atônito com o fato de o meu universo imaginado ter sido uma versão tão distorcida da realidade. Ao visitar a Cisjordânia e Gaza, passei duas semanas chorando sem parar.

Digo tudo isso não para convencer você, leitor, leitora, das minhas opiniões políticas pessoais, mas só para indicar que para todos nós pode haver coisas em nosso "normal", entre elas a noção de quem somos e da natureza de nossa sociedade, das quais relutamos em abrir mão. Minha série de desilusões com certeza foi dolorosa na época; elas significaram que algo teve que ser deixado para trás, algo que eu antes valorizava e em torno de que tinha construído parte do meu mundo. Mesmo assim, eu não trocaria a liberdade que acompanhou cada ilusão perdida pelos confortos dos quais tive que abrir mão. Quando uma falsa crença se desfaz, quando a dor da perda e a sensação de estar à deriva diminuem, reparei que algo em mim fica mais relaxado, liberado da tarefa de encaixar círculos em buracos quadrados e de equilibrar contradições impossíveis. A ignorância pode trazer uma feliz tranquilidade, mas ela não é uma felicidade verdadeira: no nível coletivo, pode resultar num sofrimento imenso e generalizado. Fazemos um favor imenso para nós mesmos e para o mundo quando nos esforçamos em desfazer nossas ilusões e nos abrir para as verdades que elas escondem.

"Nem tudo que se encara se pode mudar", escreveu James Baldwin, "mas nada muda sem antes ser encarado."[4]

Uma disposição para se desiludir significa confrontar a negação, um dos pilares centrais do *status quo* e uma barreira importante para imaginar ou buscar um mundo transformado. Afinal, se alterássemos o suficiente nossa visão de mundo para ver o estado das coisas como o que é e quanto está nos custando, não poderíamos mais aceitá-lo com tanta facilidade. "Vivemos num país em que as palavras são usadas principalmente para cobrir quem está dormindo, não para acordá-lo", outro comentário perspicaz de Baldwin que poderia descrever com exatidão quase qualquer lugar do mundo.[5]

"O mundo esquece fácil, fácil demais, aquilo que não gosta de recordar", escreveu Jacob Riis quase 100 anos antes em *How the Other Half Lives* (Como vive a outra metade), seu relato sobre a vida miserável nos cortiços da Nova York do fim do século XIX. Nossa cultura é mestre em esquecer o próprio passado e esconder a sordidez do presente.

Qualquer um que espere que o sistema capitalista corporativo global possa um dia encarar a verdade sobre sua própria natureza e se transformar de modo fundamental vai ter uma espera longa e frustrante. As instituições acadêmicas e a mídia tampouco abrirão mão de seu papel de capacitadoras ideológicas desse sistema. Como observou Joan Didion para os jornalistas, "o que 'justiça' passou a significar muitas vezes é uma passividade escrupulosa, uma concordância em ocultar o fato não da forma como está ocorrendo, mas da forma como é apresentado, ou seja, da forma como é fabricado".[6] Isso deixa a cargo de cada um de nós, como indivíduos e como grupos, nos expor à incerteza, entrar no ponto de vista dos outros quer concordemos com eles ou não, ouvir as pessoas que fazem o duro trabalho de campo do ativismo, estar alertas aos muitos tentáculos que o mito do normal estende para se manter normalizado. Isso representaria um novo tipo de cidadania, advindo das necessidades e exigências do momento presente.

## UMA SOCIEDADE CONSCIENTE DO TRAUMA

Difícil pensar em qualquer área coletiva na qual uma consciência maior do trauma e uma percepção maior da natureza da cura não pudesse fazer uma diferença positiva. Nestas últimas páginas, quero me concentrar em algumas que são fundamentais.

As consequências de uma sociedade que compreendesse o trauma seriam imensas. Como o trauma é a dinâmica subjacente central de tantas doenças, precisamos primeiro desenvolver olhos e ouvidos atentos para identificá-lo. Há quem veja sinais animadores: meu colega Bessel van der Kolk chega a afirmar que "estamos à beira de nos tornar uma sociedade consciente do trauma".[7] Não compartilho desse otimismo a curto prazo, porque a consciência ainda está longe de penetrar as instituições decisivas de nossa cultura. Mas concordo que, por parte do público, houve uma mudança recente e completa no reconhecimento da prevalência e do significado do trauma em nossa vida. Muitas pessoas, tanto leigas quanto especialistas, estão ávidas para entender melhor o trauma. Vemos isso no livro de referência de Bessel, um best-seller perene, e no sucesso impressionante e gratificante de livros como *O que aconteceu com você?*, escrito por Bruce Perry em parceria com Oprah Winfrey. E também, se é que posso usar isso como exemplo, na viralização de um documentário sobre o meu trabalho, *A sabedoria do trauma*, que foi revelador nesse aspecto até mesmo para mim: o filme foi visto por 4 milhões de pessoas *em mais de 220 países* nas duas primeiras semanas após o lançamento, em junho de 2021.[8]

*Conscientização sobre o trauma: medicina*

Um sistema médico a par do trauma, para começar, poderia ajudar a curar e evitar sofrimento em grande escala e de maneiras inspiradoras de imaginar. Um sistema assim reformularia o modo como o tratamento médico é prestado, alinhando-se aos últimos achados científicos. Publicados quase semanalmente nos mais importantes periódicos científicos, esses achados ainda não tiveram muita repercussão no pensamento médico convencional. Neste livro já citamos muitos, e outros são publicados regularmente.[9]

Atualmente, ainda existe na profissão médica uma forte resistência à conscientização sobre o trauma, ainda que ela seja mais subliminar do que proposital, mais passiva do que ativa. Nas dezenas de entrevistas que fiz para este livro com colegas médicos, entre eles recém-formados, praticamente ninguém se lembrou de ter aprendido sobre a unidade mente-corpo ou a amplamente documentada relação entre, por exemplo, trauma e doença mental ou dependência, quanto mais sobre os vínculos entre adversidade e doenças físicas. Nós, médicos, nos orgulhamos do que chamamos de uma prática baseada em evidências, ao mesmo tempo que ignoramos uma vasta gama de evidências que questionam princípios centrais do nosso dogma.

Há também o impacto altamente estressante, muitas vezes fonte de feridas emocionais ou anestesia, da própria formação em medicina, experiência relatada por muitos de meus entrevistados. "Fiquei totalmente traumatizado com meu primeiro ano na faculdade de medicina", disse-me um colega conhecido. "Era um ensino pelo terror, que nos intimidava a aprender quando já estávamos altamente motivados para aprender." "É um sistema abusivo, traumático", disse meu amigo psiquiatra do Colorado, Will van Derveer. "Os residentes [de medicina] estão se matando." Suas palavras me fizeram lembrar do estudo que mencionei no capítulo 4, mostrando que os telômeros dos estudantes de medicina se desgastavam mais depressa do que os de outros jovens da mesma idade. Tirando os riscos de saúde para os profissionais dessa área, a falta de consciência em relação ao trauma os impede de reconhecer nos outros as marcas de experiências de vida dolorosas. Assim, sem querer, eles perpetuam um sistema que ignora ou até agrava o problema real. Uma existência estressada e as restrições de tempo que lhes são impostas, em especial nos modelos em que a remuneração está atrelada à quantidade de serviços prestados, inibem os profissionais de explorar a história de vida de seus pacientes, mesmo quando eles têm inclinação para isso. Residentes me contaram que, quando escutavam a história pessoal de seus pacientes, o que quase imediatamente aliviava os sintomas deles, eram em seguida repreendidos pelos superiores de suas respectivas especialidades. Os alunos de medicina são criticados com frequência por não trabalharem rápido o bastante. Entrevistei Pamela Wible, médica do Oregon, cuja própria trajetória dolorosa a levou a trabalhar com a prevenção do suicídio entre os médicos. Ela confessa:

> Nunca, nem em meus sonhos mais absurdos, pensei que depois de ter atravessado todos os obstáculos da formação em medicina eu fosse acabar imprensada em consultas de sete minutos, sendo tratada como uma operária de fábrica e tendo que tratar meus pacientes como objetos sem importância.

Um sistema médico a par do trauma cuidaria da saúde emocional de seus alunos e profissionais.

Apesar de tudo, há avanços positivos. Algumas faculdades de medicina estão introduzindo elementos de formação em empatia, e no Canadá houve iniciativas para ensinar aos alunos de medicina a história e as tradições dos povos originários. A pediatra Nadine Burke Harris, conhecida defensora da conscientização sobre o trauma e hoje secretária de saúde da Califórnia, está introduzindo uma avaliação de experiências adversas na infância nos programas de saúde pública californianos. Numa entrevista feita antes de sua nomeação para o cargo, ela expressou um otimismo semelhante ao de Bessel van der Kolk. "Acredite ou não, está correndo melhor do que eu esperava", me disse ela. "Acho que está havendo marcos incrementais que precisam ocorrer ao longo de 30, 40 anos, mas muitas bases estão sendo estabelecidas." Por sua vez, Will van Derveer criou uma formação focada em trauma muito apreciada por seus colegas psiquiatras, da qual participam colegas do mundo inteiro. E Pam Wible foi pioneira de uma abordagem comunitária que respeita a unidade corpo-mente e ajuda a empoderar as pessoas de forma a serem agentes ativos no próprio atendimento de saúde. "A medicina é uma vocação, um propósito da alma", afirmou ela. E agora criou um caminho para seguir essa vocação.

*Conscientização sobre o trauma: direito*

Será que podemos imaginar a seguir um aparato legal a par do trauma, e que pudesse fazer jus ao seu nome de "sistema de correção"? Um sistema assim teria que se dedicar a de fato corrigir as coisas de modo humano, algo muito distante do que temos agora. Na América do Norte, assim como em muitas partes do mundo, o atual modelo deveria ser chamado "sistema de punição e indução do trauma", seria bem mais preciso. Apesar do fato documentado de um grande número de presidiários terem cometido seus crimes devido a dinâmicas originadas num atroz sofrimento infantil, a formação em direito deixa o advogado ou juiz mediano ainda mais lamentavelmente ignorante em relação ao trauma do que seu equivalente em medicina. Moralmente falando, nosso sistema judiciário é um sistema não de justiça criminal, mas de justiça *criminosa*.

Um sistema jurídico a par do trauma não justificaria nem desculparia o comportamento prejudicial. Ele iria, isso sim, substituir medidas obviamente punitivas por programas criados para reabilitar as pessoas, não para traumatizá-las ainda mais. "Todos nós criminosos começamos como pessoas normais, iguais a qualquer outra, mas aí acontecem coisas em nossa vida que nos rasgam, nos transformam em algo capaz de machucar os outros", escreve o acadêmico e ex-detento Jesse Thistle. "Toda escuridão na verdade é só isso. O amor que deu errado. Não passamos de pessoas de coração partido que a vida machucou."[10] "Ao contrário de alguns outros países, aqui a prisão não foi criada para reabilitar a pessoa", ponderou ele. "Ela foi criada para estragar a pessoa de modo que ela continue a apresentar altas taxas de reincidência, é isso que eu penso."

A psicóloga e ex-agente penitenciária Nneka Jones Tapia é atualmente diretora-executiva da Chicago Beyond e da Justice Initiatives. Como mulher preta, ela conhece bem o trauma racial institucionalizado. Ela me falou sobre resiliência e a criação de um judiciário a par do trauma.

> Nós tendemos a reduzir as pessoas a seus comportamentos: "Você é um assassino, você é uma assaltante, você é ladrão." Só que nós não somos nosso pior comportamento. Eu tive a bênção de ver que todo mundo preso tem seus pontos fortes, e que essas pessoas são capazes de amar, contanto que lhe seja dada essa oportunidade. Não são só as pessoas que precisam de cura. É o sistema que precisa ser condenado e transformado.

*Conscientização sobre o trauma: educação*

Como o trauma afeta a capacidade de aprendizado das crianças, um sistema educacional a par do trauma formaria professores versados na ciência do desenvolvimento. Num sistema assim, a educação promoveria um ambiente em que a inteligência emocional seria tão valorizada quanto as conquistas intelectuais. Não avaliaríamos mais as crianças com base em desempenho, que na sua maioria ainda refletem e atribuem vantagens sociais e raciais, mas proporcionaríamos ambientes em que todos seriam incentivados a desabrochar. "Os currículos escolares seriam elaborados para promover o desenvolvimento social e emocional saudável", escreve a professora e psicóloga escolar Maggie Kline. "Quando os alunos se sentem seguros, isso estimula as regiões do cérebro que cuidam da linguagem, do pensamento e do raciocínio."[11] A formação dos professores reconheceria os sinais e indícios dos "problemas comportamentais" das crianças como pedidos de ajuda ou sinais de dor emocional, em vez de considerá-los maus comportamentos a serem suprimidos ou motivo de castigo ou exclusão.

Para além da escola, as implicações potenciais da visão de meu amigo Raffi Cavoukian de uma sociedade inteira que honre as necessidades irredutíveis das crianças são ao mesmo tempo imensas e muito simples (ver capítulo 9). Deixo para você, leitor, leitora, a tarefa de imaginar como seria nossa ferida mundial se puséssemos o bem-estar dos jovens no alto de nossa lista de prioridades. O que isso significaria para a criação dos filhos e para o apoio à criação dos filhos, para os cuidados com as crianças e sua educação, para a economia, para que produtos vendemos e compramos, para que alimentos vendemos e preparamos, para o clima, a cultura? E se nossa intenção, como pais e mães, educadores e sociedade, fosse criar filhos em contato com os próprios sentimentos, autenticamente empoderados para expressá-los, para pensar de forma independente e preparados a agir em prol de seus princípios?

Uma sociedade saudável também se esforçaria para eliminar o abismo em grande parte artificial entre gerações que torna difícil para mães e pais se identificarem com os filhos e vice-versa. Conforme discutido no capítulo 13, o arranjo humano natural tem uma dimensão comunitária forte, e a comunidade dos adultos deve trabalhar junta de modo a deixar espaço para o desenvolvimento dos mais jovens. Isso não significa mandar em nossas crianças nem ditar todos os aspectos da vida delas, apenas assumir responsabilidade por criar e manter as condições para o seu crescimento. E precisamos também lembrar que pai e mãe precisam um do outro, e que todos nós precisamos da presença de pessoas mais velhas e experientes; num mundo comprometido com a saúde, a criação de filhos e a transmissão intergeracional de valores e de cultura não seriam tarefas isoladoras.

Nas últimas décadas, em muitos países do mundo, as pessoas – milhões de adultos e crianças – se mobilizaram para forçar o debate político a incluir questões cruciais como justiça ambiental, direitos dos povos originários, direitos das mulheres, justiça de gênero, igualdade racial e reforma da polícia. Uma dessas pessoas é Greta Thunberg, a adolescente ativista ambiental que, ao descrever o próprio autismo como seu "superpoder", contribuiu muito para a conscientização da sua geração sobre a mudança climática. "Muita gente ignorante ainda vê o autismo como uma 'doença' ou algo negativo", escreveu ela no Twitter. "Quando os haters focam na sua aparência e nas suas diferenças, isso significa que eles não têm mais para onde ir. E aí você sabe que está ganhando." Seu próprio exemplo ilustra o poder de cura de agir com significado. Antes da sua campanha pelo clima, disse Thunberg, ela "não tinha energia nem amigos, e não falava com ninguém. Eu simplesmente vivia sozinha em casa com um distúrbio alimentar".[12]

Inspirados por figuras como Thunberg e incontáveis outras cujos nomes talvez nunca venhamos a conhecer, podemos revisitar a lista dos quatro elementos promotores da cura citados no capítulo 26: *autenticidade*, *ação*, *raiva* e *aceitação* – e a eles acrescentar outros dois, necessários para a busca de uma mudança transformadora mais ampla: *ativismo* e *mobilização*. Trata-se de duas formas socialmente significativas que podem sintetizar as quatro primeiras, com alguns ingredientes a mais – solidariedade, pensamento coletivo e conexão – para ajudar a combater os efeitos "atomizantes" do capitalismo.

Parte da mobilização consiste em usar qualquer privilégio que tenhamos para amplificar a voz daqueles a quem a sociedade a nega; parte do ativismo consiste em organizar grupos de pessoas para exigir mudanças necessárias. Ambos expressam um "não" saudável e necessário, muitas vezes acompanhado por um retumbante "sim", como por exemplo num objetivo político concreto como o Medicare For All nos Estados Unidos, ou na justiça há tanto tempo devida aos povos das Primeiras Nações no Canadá. Esses dois elementos suplementares não são nem podem ser empreitadas individuais. Em setembro de 2011, visitei o Zuccotti Park, em Nova York, onde aconteceram os protestos contra a desigualdade Occupy Wall Street. Por mais defeituoso e evanescente que esse movimento tenha se revelado, me impressionaram o entusiasmo, a solidariedade e a vitalidade da multidão ao encontrar um canal coletivo para promover sua visão de uma sociedade justa. Muitas vezes impedida de ser expressada, essa energia latente existe dentro de todos nós.

A fotógrafa Nan Goldin, cujo vício em opioides abordamos no capítulo 15, travou mais do que um combate pessoal pela recuperação: ela praticou um ativismo tanto individual quanto coletivo contra a Purdue Pharma, corporação que ajudou a criar a crise de overdoses por opioides que ceifou milhares de vidas. A Purdue obteve lucros enormes com seu remédio OxyContin, que comercializou como um analgésico opioide menos viciante, suprimindo indícios do contrário. Os amigos de Goldin no AA a desaconselharam a divulgar seu envolvimento, dizendo que isso destruiria sua abstinência. "Essa se revelou a melhor escolha que eu já fiz", me disse ela.

Sua cruzada pessoal foi dirigida contra a família Sackler, que controla a Purdue. A fama artística de Goldin lhe proporcionou uma plataforma para levantar sua bandeira, já que os Sackler vêm cultivando uma reputação de mecenas das artes. "Eu conhecia o nome deles de ir a museus, e sempre os havia considerado filantropos bondosos do mundo das artes, donos de um extremo bom gosto", disse ela. Mais uma desilusão salutar, pensei. "Aí descobri", continuou Goldin, "seu envolvimento na crise dos opioides, quanto eles lucravam com o sofrimento de centenas de milhares de pessoas e a total insensibilidade e desumanidade deles." Movida por uma indignação com essas descobertas, Goldin fez alguns dos museus mais prestigiosos do mundo, entre eles o Metropolitan Museum of Art de Nova York, pararem de aceitar dinheiro dos Sackler e eliminar seu logo de lavagem de dinheiro pessoal de todos os seus prédios. O Instituto Sackler de Pós-Graduação em Ciências Biomédicas da Escola de Medicina da New York University também removeu o sobrenome da família.

Perguntei a Goldin por que ela considerava sua decisão de praticar o ativismo público a melhor escolha que já tinha feito. Sua resposta remete às recompensas de saúde dos dois elementos suplementares, ativismo e mobilização. "Precisamos de algo maior do que nós mesmos", respondeu ela sem hesitar.

> Para mim, maior do que eu mesma é o sofrimento dos outros. E essa é uma situação que eu posso ajudar a remediar. A política de hoje, o jeito como o mundo está agora é maior do que qualquer indivíduo. Tentar encontrar um jeito de causar impacto, é esse o meu poder, é por isso que eu luto. Isso ajuda a me manter limpa.

Como Goldin descobriu, resistir a um sistema tóxico pode nos ajudar a encontrar um chão firme dentro de nós mesmos.

Nunca é demais lembrar que a expressão chinesa que significa "crise" é uma combinação dos ideogramas de "perigo" e "oportunidade".

Já vimos como pessoas com patologias debilitantes ou até mesmo mortais podem aprender com a própria doença e transformar sua vida. Se o mesmo princípio fosse aplicado numa escala social, a crise do clima seria uma oportunidade para examinar as percepções e práticas dominantes de uma cultura que está no caminho da autodestruição. A experiência da covid-19, que com grande ironia contribuiu bastante para *desmascarar* diversos fatos nada agradáveis sobre nosso modo de viver, é um poderoso lembrete das interconexões entre todas as formas de vida; de nossa verdadeira natureza, baseada em nossos relacionamentos uns com os outros; das desigualdades de um sistema em que os mais socialmente vulneráveis são deixados mais expostos ao ataque de um vírus letal; de como o lema "estamos todos juntos nessa" é uma triste ficção em se tratando dos estragos e das consequências econômicas da catástrofe de saúde pública que marcou para todo o sempre esta década.

Falando em crises, aliás, não poderia haver condenação mais evidente de um sistema do que o fato de os seus jovens, acossados como estão pela ansiedade em relação à mudança climática gerada pelo ser humano, não confiarem nem nos adultos nem nos governos de modo geral.[13] A inimitável Greta Thunberg expressou isso com uma simplicidade devastadora numa cúpula de jovens organizada em Milão em setembro de 2021:

> Planeta B. Blá-blá-blá. Economia verde. Blá-blá-blá. Emissões zero em 2050. Blá-blá-blá. Só escutamos isso de nossos supostos líderes. Palavras que soam muito bem mas até agora não levaram a nenhuma ação. Nossas esperanças e ambições se afogam nas suas promessas vazias.[14]

A ganância sem limites, a falta de autenticidade e a desconexão nos levaram a um lugar tão sombrio que cabe aos jovens nos fazer acordar para aquilo que esta cultura tóxica perpetrou, e durante tanto tempo ignorou.

Antes de ser julgado por crimes de guerra, o cérebro por trás do genocídio nazista, o tenente-coronel Adolf Eichmann, da SS, foi julgado "normal" por vários psiquiatras; "pelo menos mais normal do que eu", teria exclamado um deles segundo o relato clássico de Hannah Arendt.¹⁵ "Outro desses psiquiatras", relatou Arendt, "havia constatado que todo o histórico psicológico de Eichmann, incluindo sua relação com a mulher e os filhos, com a mãe e o pai, os irmãos, irmãs e amigos, era 'não só normal, mas altamente desejável.'"

É isso que o psiquiatra americano Robert J. Lifton chamou de "normalidade maligna". Muitos dos maiores crimes foram e continuam sendo cometidos por pessoas em posições de liderança consideradas um modelo de normalidade em suas respectivas sociedades, seja produzindo substâncias químicas tóxicas que alteram o clima ou, por exemplo, impondo políticas que acarretam fome em massa em países distantes. Centenas de milhares de crianças no Iraque morreram de desnutrição na década de 1990 por causa dos embargos americanos.¹⁶ Numa entrevista assistida por milhões de pessoas, a então embaixadora americana na ONU, Madeleine Albright, declarou que "o preço vale a pena".¹⁷ Como sabemos hoje, e como qualquer um poderia ter sabido então, não havia nenhuma justificativa plausível para uma coisa tão desumana. Albright viria a ser a primeira mulher a ocupar a Secretaria de Estado dos Estados Unidos e até hoje segue muito respeitada, em especial nos círculos liberais.¹⁸ Vem à mente a expressão de desprezo de Victor Hugo por esse tipo de personagem: "os bárbaros da civilização."

Na verdade, com frequência os indivíduos que desafiam a normalidade convencional são os mais saudáveis. O psicólogo Abraham Maslow fez da investigação da autoatualização – o atingimento da satisfação autêntica não baseada em valores externos – o trabalho de sua vida. "Um estudo das pessoas saudáveis o suficiente para se autoatualizarem", escreveu ele num artigo lido por muita gente, "revelou que elas não eram 'bem-ajustadas' (no sentido ingênuo ter a aprovação da cultura e se identificar com ela)." Essas pessoas saudáveis, sugeriu Maslow, tinham um relacionamento complexo com sua "cultura muito menos saudável". Nem conformistas nem rebeldes por reflexo automático, esses homens e mulheres expressavam sua anticonvencionalidade de formas que os mantinham fiéis aos próprios valores internos, sem hostilidade, mas não sem luta quando necessário. "O sentimento de distanciamento da cultura não era necessariamente consciente, mas era exibido por quase todos... Eles muito frequentemente pareciam capazes de se distanciar como se não pertencessem de fato a ela."¹⁹

Como já vimos, o antídoto para a influência hipnotizante da normalidade é a autenticidade: encontrar significado na própria experiência interna, sem que esta seja ofuscada por ficções socialmente promulgadas, em especial o que Daniel Siegel chama de "a mentira do eu individual avulso". Essa falsidade é a maior das anomalias. Na minha opinião, uma vida dedicada a desmascarar uma não verdade tão traumatizante, a viver e criar fora dos seus limites, é uma vida bem vivida.

Tudo começa com um despertar: despertar para o que é real e autêntico dentro de nós e à nossa volta, e o que não é; despertar para quem somos e quem não somos; despertar para o que nosso corpo está expressando e nossa mente, suprimindo; despertar para nossas feridas e nossos presentes; despertar para aquilo em que acreditamos e aquilo que de fato valorizamos; despertar para o que não vamos mais tolerar e para o que agora podemos aceitar; despertar para os mitos que nos unem e para as interconexões que nos definem; despertar para o passado como foi, para o presente como é e para o futuro como ainda pode vir a ser; despertar, mais do que tudo, para o abismo entre o que nossa essência pede e o que o "normal" exige de nós.

Somos abençoados com uma oportunidade única. Ao remover mitos tóxicos de desconexão de nós mesmos, uns dos outros e do planeta, podemos aos poucos aproximar o que é normal do que é natural. É essa a tarefa do nosso tempo, uma tarefa capaz de redimir o passado, inspirar o presente e apontar para um futuro mais luminoso e saudável.

Ela é nosso mais árduo desafio e nossa maior possibilidade.

# AGRADECIMENTOS

Nenhum livro irrompe totalmente formado da cabeça do escritor, como Palas Atena da cabeça de Zeus. Este certamente não surgiu assim. Ele carrega a marca de centenas de cientistas, pesquisadores, médicos, pensadores e escritores, sem falar nos muitos colegas da área da medicina e profissionais de várias disciplinas que, com grande generosidade, compartilharam comigo seu tempo e seu saber, além de centenas de ex-pacientes e outros leigos que com franqueza e confiança me falaram sobre suas dificuldades, suas lutas e suas vitórias. Embora as interpretações, as formulações e a apresentação sejam de minha total responsabilidade, assim como quaisquer erros, não tenho como reivindicar como minhas as verdades que tentei transmitir.

Minha superagente literária em Nova York, Laurie Liss, surgiu no exato instante em que o projeto deste livro nasceu após um longo período de hibernação quase congelada, e ajudou na sua convalescência para que ele voltasse à vida, da etapa da proposta até a publicação, atravessando períodos de pessimismo até a criatividade autoconfiante. Ela também montou o time ideal de editores de língua inglesa nos Estados Unidos, Reino Unido e Canadá. Muito obrigado a Megan Newman, da Avery, Louise Dennys e Martha Kanya Forstner, da Knopf de Toronto, e Joel Rickett, da Ebury de Londres, pelo entusiasmo de ter visto as possibilidades desta obra desde o início, e por continuarem a vê-las apesar de os autores às vezes tentarem dar passos maiores do que as pernas ou acabarem entrando em becos sem saída. Sou grato, também, por seus comentários editoriais incisivos ao longo do processo, e por sua resiliência quando os autores passavam uma vez após a outra da truculência à apreciação conforme a verdade de suas críticas revigorantes se tornava evidente. O leitor e a leitora têm muito a lhes agradecer. Também devo mencionar Rick Meier, Nina Shield e Hannah Steigmeyer por suas contribuições editoriais. Nessa equipe valorosa, meu obrigado especial à cara amiga Louise Dennys, que assumiu o fardo de conduzir a revisão do manuscrito durante sua etapa mais crucial, e com quem em muitos dias mantive uma comunicação quase ininterrupta.

Em seus primeiros e cruciais estágios, a pesquisa contou com a diligente Estella Kuchta, e nesse quesito devo mencionar também a equipe sempre prestativa da Biblioteca da Escola de Medicina e Cirurgia da Colúmbia Britânica, muito em especial Karen Shaw-Karvelson. Também sou grato ao professor Peter Prontzos, que passou anos me encaminhando dados de pesquisa essenciais. Katherine Abegg e Jordan Stanger-Ross fizeram a gentileza de dar uma primeira olhada na proposta do livro, que afiaram com suas astutas reflexões.

Laura Kassama, da Virtual Squirrel, e Elsa DeLuca transcreveram centenas de horas de entrevistas. Obrigado às duas.

Stephanie Lee, minha agente sempre ciosa e eficiente, deu o melhor de si para manter meus pés no chão dizendo não no meu lugar, organizando minhas muitas atividades e separando tempo para eu trabalhar neste livro.

Para meus agradecimentos pela colaboração indispensável de Daniel, meu coautor, ver por favor "Nota do autor" no início deste volume. O que não está descrito nela é o puro prazer de trabalhar com meu filho neste que é o primeiro de dois livros que combinamos de escrever juntos. O próximo, *Hello Again: A Fresh Start For Parents and Their Adult Children* (Oi de novo: um recomeço para pais e seus filhos adultos), será mais ainda uma parceria, e não vejo a hora de iniciá-la.

Por fim, volto à pessoa a quem este livro está dedicado: Rae, minha mulher, que muito mais do que apoio moral e emocional em qualquer situação – e com frequência o estresse foi muito e a autoconfiança, pouca – proporcionou ao longo de muitas horas e muitas versões de cada capítulo críticas muito pertinentes e a opinião mais honesta possível, nem sempre recebidas com graça, mas no fim quase sempre acatadas. Para grande benefício de quem leu.

Obrigado a todos vocês.

GABOR MATÉ

DANIEL AGRADECE A: mamãe, Aaron e Hannah, por terem achado que eu conseguiria e insistirem para eu tentar: sou o filho e irmão mais sortudo da face da Terra; a Laurie Liss, pela solidariedade e sagacidade do início ao fim; a Eric Adams, Stan Byrne, Jeremy Gruman, Anna Guest, Katie Halper, Michael R. Jackson, Dashaun Justice Simmons e Jordan e Ilana Stanger-Ross e família, pela amizade amorosa e pelo incentivo sob todas as circunstâncias imagináveis, e outras inimagináveis também; a meus brilhantes colaboradores nos musicais – sobretudo, mas não só: Will Aronson, Victoria Clark, Max Friedman, Hannah Kohl, Fred Lassen, Kent Nicholson e Marshall Pailet – por me ensinarem tudo que sei sobre ser simpático com os outros (agora vamos montar essas porcarias de espetáculos, caramba!); à minha agente teatral, Sarah Douglas, por acreditar na minha voz durante todos esses anos; a Scott Kouri, por ter me escutado melhor do que eu jamais poderia escutar. Agradeço muito também a dois comentaristas culturais extraordinariamente incisivos, Stephen Jenkinson e Matt Christman, cuja eloquente irreverência ao abordar com precisão as muitas loucuras da atualidade foram ao mesmo tempo um bálsamo nos momentos difíceis e um revigorante convite a um pensamento mais claro e a uma transmissão mais corajosa.

Um obrigado especial a todos que conheci na Estación Migratoria Las Agujas, na Cidade do México. A gentileza e a coragem desses homens vindos de Cuba, Equador, Haiti, Uganda, Venezuela e todo o "sul global" me ajudaram a atravessar, no verão de 2021, uma temporada inesperada e estendida pela covid-19 que reconfigurou para todo o sempre meu conceito de normal. Também tenho uma imensa dívida de gratidão para com meus heróis e anjos "externos", entre eles Roberto Banchik, da Penguin Random House México; Louise Dennys, da Knopf Canadá; John Ralston Saul; e muito particularmente Jorge Kanahuati e Katherine Abegg.

Kat: para além daquelas primeiras e angustiantes semanas, não tenho como expressar o que significaram para mim, ao longo do tempo de vida deste livro, sua percepção, seu companheirismo e sua sinceridade impiedosa, que alimentaram o que acabou nestas páginas. Obrigado.

Por fim, obrigado a papai: por ter me convidado para brincar junto, por ter ficado ao meu lado durante os tropeços mais do que ocasionais e por ter me confiado sua obra magna enquanto me abria espaço para também contribuir com sua contribuição para o mundo. Foi a maior oportunidade que tive na vida de colocar enfim palavras na sua boca. E foi um prazer. Que orgulho de você, pai.

# NOTAS

## INTRODUÇÃO: POR QUE O NORMAL É UM MITO (E QUE IMPORTÂNCIA ISSO TEM)

1 Respectivamente, *Scattered Minds: The Origins and Healing of Attention Deficit Disorder* (Mentes dispersas: origens e cura do transtorno do déficit de atenção); *When the Body Says No: The Cost of Hidden Stress* (Quando o corpo diz não: o custo do estresse oculto); *In the Realm of Hungry Ghosts: Close Encounters with Addiction* (No reino dos fantasmas famintos: contatos imediatos com a dependência); e, com o dr. Gordon Neufeld, *Hold On to Your Kids: Why Parents Need to Matter More Than Peers* (Não larguem seus filhos: por que pais e mães precisam ser mais importantes do que os pares). Esses são os títulos no Canadá e no Reino Unido. Nos Estados Unidos, o livro sobre TDAH se chama *Scattered Minds: How Attention Deficit Disorder Originates and What You Can Do About It* (Mentes dispersas: as origens do déficit de atenção e o que você pode fazer), e *When the Body Says No* tem como subtítulo *Exploring the Stress-Disease Connection* (Uma exploração da conexão entre estresse e doença).

2 BERMAN, Morris. *The Twilight of American Culture*. Nova York: W. W. Norton, 2001, pp. 64-5.

3 HARTMANN, Thom. *The Last Hours of Ancient Sunlight: The Fate of the World and What We Can Do About It Before It's Too Late*. Nova York: Three Rivers Press, 2000, p. 164.

4 BUTTORF, Christine et al. *Multiple Chronic Conditions in the United States*. Santa Monica, CA: RAND Corporation, 2017.

5 NEARLY 7 in 10 Americans Take Prescription Drugs, Mayo Clinic, Olmsted Medical Center Find. Mayo Clinic, release para a imprensa, 19 jun. 2013. Disponível em: <https://newsnetwork.mayoclinic.org/discussion/nearly-7-in-10-americans-take-prescription-drugs-mayo-clinic-olmsted-medical-center-find/>.

6 WEEKS, Carly. "Up to Half of Baby Boomers Will Have High Blood Pressure Soon, Report Warns". *The Globe and Mail*, 3 abr. 2013.

7 ALONSO, Alvaro & HERNÁN, Miguel. "Temporal Trends in the Incidence of Multiple Sclerosis: A Systematic Review". *Neurology*, vol. 71, n. 2, 8 jul. 2008. DOI: 10.1212/01.wnl.0000316802.35974.34.

8 MACLEOD, Calum. "Obesity of China's Kids Stuns Officials". *USA Today*, 9 jan. 2007. Disponível em: <https://usatoday30.usatoday.com/news/world/2007-01-08-chinese-obesity_x.htm>.

9   MENTAL Health by the Numbers. National Alliance on Mental Illness. Disponível em: <https://www.nami.org/mhstats>.

10  THE SIZE and Burden of Mental Disorders in Europe. *ScienceDaily*, 6 set. 2011. Disponível em: <https://www.sciencedaily.com/releases/2011/09/110905074609.htm>. Fonte: European College of Neuropsycho-Pharmacology.

11  BURSTEIN, Brett et al. "Suicidal Attempts and Ideation Among Children and Adolescents in US Emergency Departments, 2007-2015". *JAMA Pediatrics*, vol. 173, n. 6, abr. 2019, pp. 598-600. Disponível em: <https://doi.org/10.1001/jamapediatrics.2019.0464>. Citado em CASSELLA, Carly. "Child Suicide Attempts Are Skyrocketing in the US, and Nobody Knows Why". ScienceAlert, 11 abr. 2019. Disponível em: <https://www.sciencealert.com/us-children-are-facing-a-mental-health-crisis-as-suicidal-ideations-climb>.

12  SHACKLE, Samira. "'The Way the Universities Are Run Is Making Us Ill': Inside the Student Mental Health Crisis". *The Guardian*, 27 set. 2019.

13  HUI Cao et al. "Prevalence of Attention-Deficit/Hyperactivity Disorder Symptoms and Their Associations with Sleep Schedules and Sleep-Related Problems Among Preschoolers in Mainland China". *BMC Pediatrics*, vol. 18, n. 1, 19 fev. 2018, p. 70.

14  HICKMAN, Caroline et al. "Young People's Voices on Climate Anxiety, Government Betrayal and Moral Injury: A Global Phenomenon". Pré-artigo apresentado a *The Lancet*, set. 2021. Disponível em: <https://papers.ssrn.com/sol3/papers.cfm?abstract_id=3918955>.

15  CDC Continues to Support the Global Polio Eradication Effort. Centers for Disease Control and Prevention, 18 mar. 2016. Disponível em: <https://www.cdc.gov/polio/updates/?s_cid=cs_404>.

16  Embora eu quase sempre vá usar "mito" na sua acepção contemporânea de "fictício" ou "equivocado", terei oportunidade, bem mais adiante no livro, de reconhecer o poder de cura do verdadeiro *pensamento mítico*, no sentido antigo da palavra.

## 1. O ÚLTIMO LUGAR EM QUE VOCÊ QUER ESTAR: ASPECTOS DO TRAUMA

1   Mark Epstein é psiquiatra, professor de meditação budista e escritor.

2   Conforme resumido pelo dr. Bessel van der Kolk em seu prefácio a LEVINE, Peter. *Trauma and Memory: Brain and Body in a Search for the Living Past*. Berkeley, CA: North Atlantic Books, 2015, p. xi.

3   Ibidem, p. xx.

4   Movimento político e paramilitar húngaro fascista cruelmente antissemita, aliado dos ocupantes nazistas.

5   BOWLBY, John. *Separação: Angústia e raiva*, trad. Leônidas Hegenberg. São Paulo: Martins Fontes, 2014, p. 12.

6   KOLK, Bessel van der. *O corpo guarda as marcas: Cérebro, mente e corpo na cura do trauma*. Rio de Janeiro: Sextante, 2020, p. 56.

7   LEVINE, Peter, op. cit., 2015, p. xxii.

8   Idem. *Healing Trauma Study Guide*. Boulder, CO: Sounds True, 1999, p. 5.

9   HERTZMAN, Clyde & BOYCE, Tom. "How Experience Gets Under the Skin to Create Gradients in Developmental Health". *Annual Review of Public Health*, vol. 31, 21 abr. 2010, pp. 329-47.
10  EPSTEIN, Mark. *The Trauma of Everyday Life*. Nova York: Penguin, 2013, p. 17.
11  LEVINE, Peter, op. cit., 1999, p. 7.
12  Ibidem, p. 7.
13  Ver capítulo 6, primeiro parágrafo e nota de rodapé.
14  WESTOVER, Tara. *Educated: A Memoir*. Nova York: HarperCollins, 2018, p. 111, grifos do original.
15  MAY, Rollo. *The Courage to Create*. Nova York: W. W. Norton, 1975, p. 100.
16  KAUFMAN, Gershen. *Shame: The Power of Caring*. Rochester, VT: Schenkman Books, 1980, p. 20.
17  WURTZEL, Elizabeth. "Elizabeth Wurtzel Confronts Her One-Night Stand of a Life". *New York Magazine*, 6 jan. 2013.
18  *Dhammapada: os ensinamentos de Buda*. São Paulo: Mantra, 2021.
19  E minha companheira de emigração para Vancouver na década de 1950, hoje moradora de longa data de Londres.
20  HOFFMAN, Eva Hoffman. *Time*. Londres: Profile Books, 2009, pp. 7-8.
21  Capítulo 4.
22  Obi-Wan Kenobi para Luke Skywalker em *O retorno de Jedi*, de 1983.

## 2. VIVER NUM MUNDO IMATERIAL: EMOÇÕES, SAÚDE E A UNIDADE CORPO-MENTE

1   Fiquei entristecido ao saber da sua morte, cerca de um ano após nossa entrevista.
2   Expressão cunhada em 1982 por pesquisadores da Universidade de Heidelberg, na Alemanha.
3   PERT, Candace. *Molecules of Emotion: Why You Feel the Way You Feel*. Nova York: Touchstone, 1997, p. 30.
4   WIRSCHING, M. et al. "Psychological Identification of Breast Cancer Patients Before Biopsy". *Journal of Psychosomatic Research*, vol. 26, n. 1, 1982, pp. 1-10.
5   GREER, S. & MORRIS, T. "Psychological Attributes of Women Who Develop Breast Cancer: A Controlled Study". *Journal of Psychosomatic Research*, vol. 19, n. 2, abr. 1975, pp. 147-53.
6   THOMAS, Sandra P. et al. "Anger and Cancer: An Analysis of the Linkages". *Cancer Nursing*, vol. 23, n. 5, nov. 2000, pp. 344-8.
7   Doença degenerativa do sistema nervoso, quase sempre fatal, conhecida na Grã-Bretanha como doença dos neurônios motores e nos Estados Unidos também como doença de Lou Gehrig.
8   WILBOURN, A. J. & MITSUMOTO, H. "Why Are Patients with ALS So Nice", apresentado no IX International ALS Symposium on ALS/MND, Munique, 1998.
9   MEHL, Theresa; JORDAN, Berit & ZIERZ, Stephan. "'Patients with Amyotrophic Lateral Sclerosis (ALS) Are Usually Nice Persons' – How Physicians Experienced in

ALS See the Personality Characteristics of Their Patients". *Brain Behavior*, vol. 7, n. 1, jan. 2017.

10   PENEDO, Frank J. et al. "Anger Suppression Mediates the Relationship Between Optimism and Natural Killer Cell Cytotoxicity in Men Treated for Localized Prostate Cancer". *Journal of Psychosomatic Research*, vol. 60, n. 4, abr. 2006, pp. 423-7.

11   REICHE, Edna Maria Vissoci; NUNES, Sandra Odebrecht Vargas & MORIMOTO, Helena Kaminami. "Stress, Depression, the Immune System, and Cancer". *The Lancet Oncology*, vol. 5, n. 10, out. 2004, pp. 617-25. As autoras escrevem: "Esses conceitos poderiam explicar a maior ocorrência de doenças linfáticas e hematológicas malignas e de melanomas vistos num grupo de 6.284 judeus israelenses que perderam um filho adulto. A incidência de câncer aumentava nos pais das vítimas de acidente e de guerra, em comparação com os membros não enlutados da população. Pais enlutados devido a acidentes também tinham um risco maior de câncer de pulmão."

12   LI, J. et al. "The Risk of Multiple Sclerosis in Bereaved Parents: A Nationwide Cohort Study in Denmark". *Neurology*, vol. 62, n. 5, 9 mar. 2004, pp. 726-9.

13   ROBERTS, A. et al. "PTSD Is Associated with Increased Risk of Ovarian Cancer: A Prospective and Retrospective Longitudinal Cohort Study". *Cancer Research*, vol. 79, n. 19, 1º out. 2019, pp. 5113-120. Disponível em: <https://doi.org/10.1158/0008-5472.CAN-19-1222>.

14   THEKAR, Premal H. et al. "Chronic Stress Promotes Tumor Growth and Angiogenesis in a Mouse Model of Ovarian Carcinoma". *Nature Medicine*, vol. 12, n. 8, 12 ago. 2006, pp. 939-44. Disponível em: <https://doi.org/10.1038/nm1447>.

15   MOL, Saskia L. et al. "Symptoms of Post-Traumatic Stress Disorder After Non-Traumatic Events: Evidence from an Open Population Study". *British Journal of Psychiatry*, vol. 286, jun. 2005, pp. 494-9.

16   WEISS, S. "The Medical Student Before and After Graduation". *Journal of the American Medical Association*, vol. 114, 1940, pp. 1709-18.

17   Jeff Rediger, diretor de medicina no McLean Hospital, em Harvard, comunicação pessoal.

18   TAWAKOL, Ahmed et al. "Relation Between Resting Amygdalar Activity and Cardiovascular Events: A Longitudinal and Cohort Study". *The Lancet*, vol. 389, n. 10.071, 25 fev. 2017, pp. 834-45.

19   SLOPEN, N. et al. "Job Strain, Job Insecurity, and Incident Cardiovascular Disease in the Women's Health Study: Results from a 10-Year Prospective Study". *PLOS ONE*, vol. 7, n. 7, 2012, e40512. Disponível em: <https://doi.org/10.1371/journal.pone.0040512>.

20   FULLER-THOMSON, Esme et al. "The Link Between Childhood Sexual Abuse and Myocardial Infarction in a Population-Based Study". *Child Abuse and Neglect*, vol. 36, n. 9, set. 2012, pp. 656-65. Disponível em: <https://doi.org/10.1016/j.chiabu.2012.06.001>.

21   Por muito tempo diretor do laboratório de neuroendocrinologia Harold e Margaret Milliken, na Universidade Rockefeller, e morto em 2020.

22   BAUMEISTER, D. et al. "Childhood Trauma and Adulthood Inflammation: A Meta--Analysis of Peripheral C-Reactive Protein, Interleukin-6 and Tumor Necrosis Factor--α". *Molecular Psychiatry*, vol. 21, n. 5, maio 2016, pp. 642-9.

## 3. VOCÊ ME VIRA A CABEÇA: NOSSA BIOLOGIA ALTAMENTE INTERPESSOAL

1. ENGEL, George L. "The Clinical Application of the Biopsychosocial Model". *American Journal of Psychology*, vol. 137, n. 5, maio 1980, pp. 535-44.
2. Idem. "The Need for a New Medical Model: A Challenge for Biomedicine". *Science*, vol. 196, n. 4286, 8 abr. 1977, pp. 129-36.
3. KOLK, Bessel van der. *O corpo guarda as marcas: Cérebro, mente e corpo na cura do trauma*. Rio de Janeiro: Sextante, 2020, p. 96.
4. GRANT, Richard. "Do Trees Talk to Each Other?". *Smithsonian*, mar. 2018. Disponível em: <https://www.smithsonianmag.com/science-nature/the-whispering-trees-180968084>.
5. Professor de prática médica na Escola de Medicina da Universidade da Califórnia em Los Angeles (UCLA) e diretor-executivo do Mindsight Institute.
6. SIEGEL, Daniel. *Pocket Guide to Interpersonal Neurobiology: An Integrative Handbook of the Mind*. Nova York: W. W. Norton, 2012, p. xviii.
7. "I'm on Fire" (1984), terceira estrofe.
8. Como na letra do seu clássico do rock 'n' roll, "Great Balls of Fire".
9. JOHNSON, N. J. et al. "Marital Status and Mortality: The National Longitudinal Mortality Study". *Annals of Epidemiology*, vol. 10, n. 4, maio 2000, pp. 224-38.
10. COYNE, J. C. & DELONGIS, A. "Going Beyond Social Support: The Role of Social Relationships in Adaptation". *Journal of Consulting and Clinical Psychology*, vol. 54, n. 4, ago. 1986, pp. 454-60, citado em ROBLES, T. E. & KIECOLT-GLASER, J. K. "The Physiology of Marriage: Pathways to Health". *Physiology and Behavior*, vol. 79, n. 3, ago. 2003, pp. 409-16.
11. "Existe uma quantidade bastante significativa de pesquisas que relacionam o conflito em relacionamentos a diferentes tipos de reações fisiológicas, tais como uma maior liberação de hormônios do estresse, inflamação, mudanças na regulação do apetite e função imunológica", disse Veronica Lamarche, professora de psicologia social na Universidade de Essex. "A Bad Marriage Can Seriously Damage Your Health, Say Scientists". *The Guardian*, 16 jul. 2018. Disponível em: <https://www.theguardian.com/lifeandstyle/2018/jul/16/a-bad-marriage-is-as-unhealthy-as-smoking-or-drinking-say-scientists>.
12. GOTTMAN, J. M. & KATZ, L. F. "Effects of Marital Discord on Young Children's Peer Interaction and Health". *Developmental Psychology*, vol. 25, n. 3, 1989, pp. 373-81.
13. WEIL, Constance M. & WADE, Shari L. "The Relationship Between Psychosocial Factors and Asthma Morbidity in Inner City Children with Asthma". *Pediatrics*, vol. 104, n. 6, dez. 1999, pp. 1274-80.
14. YAMAMOTO, N. & NAGANO, J. "Parental Stress and the Onset and Course of Childhood Asthma". *BioPsychoSocial Medicine*, vol. 9, n. 7, mar. 2015. Disponível em: <https://doi.org/10.1186/s13030-015-0034-4>.
15. COOGAN, P. F. et al. "Experiences of Racism and the Incidence of Adult-Onset Asthma in the Black Women's Health Study". *CHEST Journal*, vol. 145, n. 3, mar. 2014, pp. 480-5.
16. SEEMAN, T. E. & MCEWEN, B. S. "Impact of Social Environment Characteristics on Neuroendocrine Regulation". *Psychosomatic Medicine*, vol. 58, n. 5, set.-out. 1996, pp. 459-71.

17  HUGHES, A. et al. "Elevated Inflammatory Biomarkers During Unemployment: Modification by Age and Country in the UK". *Epidemiology and Community Health*, vol. 69, n. 7, jul. 2015, pp. 67-79. Disponível em: <https://doi.org/10.1136/jech-2014-204404>.
18  BUTTERWORTH, P. et al. "The Psychosocial Quality of Work Determines Whether Employment Has Benefits for Mental Health: Results from a Longitudinal National Household Panel Survey". *Occupational and Environmental Medicine*, vol. 68, n. 11, nov. 2011, pp. 806-12. Disponível em: <https://doi.org/10.1136/oem.2010.059030>.
19  HOLT-LUNSTAD, J. et al. "Social Relationships and Mortality Risk: A Meta-Analytic Review". *PLOS Medicine*, vol. 7, n. 7, 27 jul. 2010. Disponível em: <https://doi.org/10.1371/journal.pmed.1000316>.
20  HANH, Thich Nhat. *Buddha Mind, Buddha Body*. Berkeley, CA: Parallax Press, 2007, p. 25.

## 4. TUDO AQUILO QUE ME CERCA: DESPACHOS DA NOVA CIÊNCIA

1  Professora emérita do Departamento de Bioquímica e Biofísica da Universidade da Califórnia em São Francisco.
2  Algumas doenças são determinadas exclusivamente pelos genes, como a de Huntington e uma da qual sofremos na minha família, a distrofia muscular. Se uma pessoa tiver esse gene, tem quase 100% de chances de apresentar a doença. Essas condições são excepcionalmente raras. Por exemplo, existe um gene do câncer de mama, mas apenas cerca de 7% das mulheres que apresentam a doença têm o gene. E nem de longe todas as que têm o gene desenvolverão necessariamente a doença, embora com certeza o risco seja significativamente maior.
3  Como admitiu em 2010 um editorial da revista *Nature*: "Apesar de todo o alvoroço intelectual da última década, a saúde humana de fato se beneficiou do sequenciamento do genoma humano? Uma resposta surpreendentemente sincera pode ser encontrada [nos artigos da presente edição], onde os líderes das iniciativas públicas e privadas, Francis Collins e Craig Venter [respectivamente, geneticista e médico americano que capitaneou o Projeto Genoma Humano, e diretor dos National Institutes of Health dos Estados Unidos e destacado bioquímico e empreendedor], dizem ambos 'não muito'." "Has the Revolution Arrived?", *Nature*, vol. 464, 31 mar. 2010, pp. 674-5.
4  Moléculas receptoras acopladas à membrana das células recebem e se fundem a mensageiros químicos como opioides e hormônios. Sua interação com as substâncias mensageiras induzem o DNA no núcleo da célula a fabricar proteínas que desencadeiam processos vitais. Por meio de mecanismos como esse, o entorno instrui a célula quanto ao que fazer e quando fazê-lo.
5  HENRIQUES, Martha. "Can the Legacy of Trauma Be Passed Down the Generations?", BBC Future, 26 mar. 2019. Disponível em: <https://www.bbc.com/future/article/20190326-what-is-epigenetics>.
6  O modo como um gene age – ou seja, que proteínas mensageiras ele vai produzir, se é que vai produzir alguma – se chama *expressão do gene*. A expressão do gene é determinada por fatores vindos do entorno que chegam ao DNA por meio de receptores na membrana celular, e também por mecanismos intracelulares complexos programados pela experiência.
7  O eixo hipotálamo-hipófise-suprarrenais é discutido no capítulo 12.

8   SZYF, Moshe et al. "Maternal Programming of Steroid Receptor Expression and Phenotype Through DNA Methylation in the Rat". *Frontiers in Neuroendocrinology*, vol. 26, n. 3-4, out.-dez. 2005, pp. 139-62.

9   CHAMPAGNE, Frances A. et al. "Maternal Care Associated with Methylation of the Estrogen Receptor-1b Promoter and Estrogen Receptor-Alpha Expression in the Medial Preoptic Area of Female Offspring". *Endocrinology*, vol. 147, n. 6, jun. 2006, pp. 2909-15.

10  CAO-LEI, Lei et al. "DNA Methylation Signatures Triggered by Prenatal Maternal Stress Exposure to a Natural Disaster: Project Ice Storm". *PLOS ONE*, vol. 9, n. 9, 19 set. 2014. Disponível em: <https://doi.org/10.1371/journal.pone.0107653>.

11  O impacto do estresse "subjetivo" – medo, perda, dor emocional, etc. – não é menos fisiologicamente impactante.

12  LEUNG, Wendy. "Pregnancy Stress During 1998 Ice Storm Linked to Genetic Changes in Children After Birth, Study Suggests". *The Globe and Mail*, 30 set. 2014.

13  RODGERS, Ali B. et al. "Paternal Stress Exposure Alters Sperm MicroRNA Content and Reprograms Offspring HPA Stress Axis Regulation". *Journal of Neuroscience*, vol. 33, n. 21, maio 2013, pp. 9003-12.

14  ESSEX, Marilyn J. et al. "Epigenetic Vestiges of Developmental Adversity: Childhood Stress Exposure and DNA Methylation in Adolescence". *Childhood Development*, vol. 84, n. 1, jan. 2013, pp. 58-7.

15  BORGHOL, Nada et al. "Associations with Early-Life Socio-Economic Position in Adult DNA Methylation". *International Journal of Epidemiology*, vol. 41, n. 1, fev. 2012, pp. 62-74.

16  THAMES, April D. et al. "Experienced Discrimination and Racial Differences in Leukocyte Gene Expression". *Psychoneuroendocrinology*, vol. 106, ago. 2019, pp. 277-83.

17  Idem. "Racism Shortens Lives and Hurts Health of Blacks by Promoting Genes That Lead to Inflammation and Illness". *The Conversation*, 17 out. 2019. Disponível em: <https://theconversation.com/study-racism-shortens-lives-and-hurts-health-of--blacks-by-promoting-genes-that-lead-to-inflammation-and-illness-122027>.

18  RIDOUT, Kathryn K. et al. "Physician Training Stress and Accelerated Cellular Aging". *Biological Psychiatry*, vol. 86, n. 9, 1º nov. 2019, pp. 725-30.

19  EPEL, Elissa S. et al. "Accelerated Telomere Shortening in Response to Life Stress". *Proceedings of the National Academy of Sciences*, vol. 101, n. 49, 7 dez. 2004, pp. 17.312-5. Disponível em: <https://www.pnas.org/content/101/49/17312>.

20  DAMJANOVIC, Amanda K. et al. "Accelerated Telomere Erosion Is Associated with a Declining Immune Function of Caregivers of Alzheimer's Disease Patients". *Journal of Immunology*, vol. 179, n. 6, 15 set. 2007, pp. 4249-54.

21  CHAE, David H. et al. "Discrimination, Racial Bias, and Telomere Length in African-American Men". *American Journal of Preventative Medicine*, vol. 46, n. 2, fev. 2014, pp. 103-11.

22  GERONIMUS, Arline T. et al. "Do US Black Women Experience Stress-Related Accelerated Biological Aging?". *Human Nature*, vol. 21, n. 1, 10 mar. 2010, pp. 19-38.

23  JACOBS, Tonya L. et al. "Intensive Meditation Training, Immune Cell Telomerase Activity, and Psychological Mediators". *Psychoneuroendocrinology*, vol. 36, n. 5, jun. 2011, pp. 664-81; BRODY, Gene H. et al. "Prevention Effects Ameliorate the Prospective Association Between Nonsupportive Parenting and Diminished Telomere Length".

*Prevention Science*, vol. 16, n. 2, fev. 2015, pp. 171-80. Disponível em: <https://doi.org/10.1007/s11121-014-0474-2>; e ORNISH, Dean et al. "Effect of Comprehensive Lifestyle Changes on Telomerase Activity and Telomere Length in Men with Biopsy-Proven Low-Risk Prostate Cancer: 5-Year Follow-Up of a Descriptive Pilot Study". *Lancet Oncology*, vol. 14, n. 11, out. 2013, pp. 1112-20. Disponível em: <https://doi.org/10.1016/S1470-2045(13)70366-8>.

## 5. MOTIM NO CORPO: O MISTÉRIO DO SISTEMA IMUNOLÓGICO REBELDE

1. Seu nome de batismo em coreano, cuja pronúncia é "mi ôk". Por ter sido criada nos Estados Unidos, ela passou boa parte da vida sendo chamada de "Mandy". Seu nome completo hoje é Mee Oak Icaro, por motivos que vou explicar no capítulo 31, quando voltarmos a falar de sua impressionante história (ver nota 6).
2. CROUSE, Karen. "Venus Williams Says She Struggled with Fatigue for Years". *The New York Times*, 1º set. 2011.
3. AUTOIMMUNE Disease Rates Increasing. *Medical News Today*. Disponível em: <https:// www.medicalnewstoday.com/articles/246960.php>; BACH, Jean-François. "Why Is the Incidence of Autoimmune Diseases Increasing in the Modern World?". *Endocrine Abstracts*, vol. 16, S3.1, 2008.
4. VELASQUEZ-MANOFF, Moises. "Educate Your Immune System". *The New York Times*, 3 jun. 2016.
5. KNAPTON, Sarah. "Crohn's Disease in Teens Jumps 300 Percent in 10 Years Fuelled by Junk Food". *The Telegraph*, 18 jun. 2014.
6. BENCHIMOL, Eric I. et al. "Trends in Epidemiology of Pediatric Inflammatory Bowel Disease in Canada: Distributed Network Analysis of Multiple Population-Based Provincial Health Administrative Databases". *American Journal of Gastroenterology*, vol. 112, n. 7, jul. 2017, pp. 1120-34. Disponível em: <https://doi.org/10.1038/AJG.2017.97>.
7. RATTUE, Grace. "Autoimmune Disease Rates Increasing". *Medical News Today*, 22 jun. 2012. Disponível em: <https://www.medicalnewstoday.com/articles /246960.php>.
8. Robin McKie, "Global Spread of Autoimmune Disease Blamed on Western Diet". *The Guardian*, 9 jan. 2022.
9. MANZEL, Arndt et al. "Role of 'Western Diet' in Inflammatory Autoimmune Disease". *Current Allergy and Asthma Reports*, vol. 14, n. 1, jan. 2014, pp. 404. DOI: 10.1007/s11882-013-0404-6. ("A associação entre dieta e o risco de desenvolver doenças inflamatórias autoimunes já foi proposta cinquenta anos atrás [...] nenhuma associação definitiva entre fatores alimentares e doenças autoimunes foi firmemente estabelecida até hoje.")
10. Nesse caso, nem todos os fatores desfavorecem as mulheres: em homens, a mesma doença tende a ser mais grave, e tem maior probabilidade de ser fatal. PEOPLES, Christine. "Gender Differences in Systemic Sclerosis: Relationship to Clinical Features, Serologic Status and Outcomes". *Journal of Scleroderma and Related Disorders*, vol. 1, n. 2, maio-ago. 2016, pp. 177-240.
11. ORTON, Sarah-Michelle et al. "Effect of Immigration on Multiple Sclerosis Sex Ratio in Canada: The Canadian Collaborative Study". *Journal of Neurology, Neurosurgery and Psychiatry*, vol. 81, n. 1, jan. 2010, pp. 31-6.

12 MAGYARI, Melinda. "Gender Differences in Multiple Sclerosis Epidemiology and Treatment Response". *Danish Medical Journal*, vol. 63, n. 3, mar. 2016.

13 BLACK, Paul H. "Stress and the Inflammatory Response: A Review of Neurogenic Inflammation" *Brain, Behavior, and Immunity*, vol. 16, n. 6, dez. 2002, pp. 622-53.

14 FELDMAN, C. H. et al. "Association of Childhood Abuse with Incident Systemic Lupus Erythematosus in Adulthood in a Longitudinal Cohort of Women". *Journal of Rheumatology*, vol. 46, n. 12, dez. 2019, pp. 1589-96.

15 COELHO, R. et al. "Childhood Maltreatment and Inflamatory Markers: A Systematic Review". *Acta Psychiatrica Scandinavica*, vol. 129, n. 3, mar. 2014, pp. 180-92; HUANG Song et al. "Association of Stress-Related Disorders with Subsequent Autoimmune Disease". *Journal of the American Medical Association*, vol. 319, n. 23, 19 jun. 2018, pp. 2388-400.

16 Por exemplo, a proteína C-reativa (PCR).

17 DANESE, Andrea et al. "Childhood Maltreatment Predicts Adult Inflammation in a Life-Course Study". *Proceedings of the National Academy of Sciences of the United States of America*, vol. 104, n. 4, 23 jan. 2007, pp. 1319-24.

18 SOLOMON George F. & MOOS, Rudolf H. "The Relationship of Personality to the Presence of Rheumatoid Factor in Asymptomatic Relatives of Patients with Rheumatoid Arthritis". *Psychosomatic Medicine*, vol. 27, n. 4, jul. 1965, pp. 350-60.

19 ROBINSON, C. E. G. "Emotional Factors and Rheumatoid Arthritis". *Canadian Medical Association Journal*, vol. 77, n. 4, 15 ago. 1957, pp. 344-5.

20 ZAUTRA, Alex J. et al. "Examination of Changes in Interpersonal Stress as a Factor in Disease Exacerbations Among Women with Rheumatoid Arthritis". *Annals of Behavioral Medicine*, vol. 19, n. 3, 1997, pp. 279-86.

21 Ver capítulo 27.

22 PHILIPPOPOULOS, G. S. et al. "The Etiologic Significance of Emotional Factors in Onset and Exacerbations of Multiple Sclerosis". *Psychosomatic Medicine*, vol. 20, n. 6, nov. 1958, pp. 458-73.

23 MEI-TAL, Varda et al. "The Role of Psychological Process in a Somatic Disorder: Multiple Sclerosis". *Psychosomatic Medicine*, vol. 32, n. 1, jan. fev. 1970, pp. 67-85.

24 FRANKLIN, Gary M. et al. "Stress and Its Relationship to Acute Exacerbations in Multiple Sclerosis". *Journal of Neurologic Rehabilitation*, vol. 2, n. 1, 1º mar. 1988, pp. 7-11.

25 BRIONES, L. et al. "The Influence of Stress and Psychosocial Factors in Multiple Sclerosis: A Review", apresentação em congresso. Em: *Psychotherapy and Psychosomatics*, vol. 82, supl. 1, set. 2013, pp. 1-134.

26 "No último meio século, a prevalência de doenças autoimunes [...] aumentou de forma acentuada no mundo desenvolvido", relatou Moises Velasquez-Manoff. "Muitas, como o diabetes tipo 1 e a doença celíaca, estão vinculadas a variantes específicas de genes do sistema imunológico, o que sugere um forte componente genético. Mas sua prevalência aumentou bem mais depressa em duas ou três gerações do que é provável a carga genética humana ter se modificado. Muitas teorias foram propostas para o aumento acentuado de casos autoimunes, entre elas a chamada hipótese da higiene. Segundo essa ideia, a industrialização e a prosperidade levaram a estilos de vida que impedem os seres humanos de serem expostos a micro-organismos que teriam treinado nosso sistema imunológico a ser mais resistente e resiliente. A implicação é que, ao retardar a exposição a infecções outrora comuns, as melhorias na higiene da sociedade

podem aumentar a prevalência de doenças autoimunes." VELASQUEZ-MANOFF, Moises, "Educate Your Immune System". *The New York Times*, 5 jun. 2016. Até onde sabemos, talvez haja alguma verdade nessa visão, mas ela certamente não é capaz de explicar o aumento radical ocorrido em poucas décadas. Terá a situação de higiene das mulheres dinamarquesas de fato se modificado tanto assim nos últimos 25 anos?

27   HUANG Song et al. "Association of Stress-Related Disorders with Subsequent Autoimmune Disease". *Journal of the American Medical Association*, vol. 319, n. 23, 19 jun. 2018, pp. 2388-400.

28   ISRS significa "inibidores seletivos da recaptação da serotonina", ou seja, esses remédios bloqueiam a recaptação do mensageiro químico cerebral chamado serotonina pelos neurônios.

29   HARPAZ, Idam et al. "Chronic Exposure to Stress Predisposes to Higher Autoimmune Susceptibility in C57BL/6 Mice: Glucocorticoids as a Double-Edged Sword". *European Journal of Immunology*, vol. 43, n. 3, mar. 2013, pp. 258-769.

30   As notáveis diferenças de gênero, bem como as disparidades raciais da doença autoimune são tratadas nos capítulos 22 e 23.

31   TALBOT, Deborah. "What's It Like Living with Lupus". *Elemental*, 13 jul. 2018. Disponível em: <https://elemental.medium.com/what-its-like-living-with-lupus-8d0c2efcbe5e>.

32   Evidentemente, no caso de um agente externo como o novo coronavírus, estamos diante de um desafio totalmente distinto. Mesmo nesse caso, porém, fatores internos e condições sociais têm um papel fundamental na vulnerabilidade das pessoas à infecção.


## 6. NÃO É UMA COISA: A DOENÇA COMO PROCESSO

1   Desde nossa primeira entrevista, a autora e ativista mudou seu nome para V, abrindo mão do nome e sobrenome que lhe tinham sido dados pelo pai estuprador, por cujo legado ela não deseja ser definida. Daqui em diante neste livro, vamos honrar isso.

2   Exceto os casos de algumas malignidades específicas, nenhuma descoberta importante foi feita para a cura e a prevenção do câncer. Pouco mudou desde que Gina Kolata noticiou, em 2009, que em mais de meio século as taxas de mortalidade por câncer "mal haviam se movido", caindo apenas 5% entre 1950 e 2005. Os maiores progressos foram resultado da cessação do tabagismo, não de avanços médicos propriamente ditos. KOLATA, Gina. "Advances Elusive in the Drive to Cure Cancer". *The New York Times*, 21 abr. 2009.

3   MATÉ, Gabor. *When the Body Says No: The Cost of Hidden Stress*. Toronto: Knopf Canada, 2003, cap. 18; publicado nos EUA com o subtítulo *Exploring the Stress-Disease Connection*.

4   KELLY-IRVING, Michelle et al. "Childhood Adversity as a Risk for Cancer: Findings from the 1958 British Birth Cohort Study". *BMC Public Health*, vol. 13, n. 1, 19 ago. 2013, p. 767. Disponível em: <https://bmcpublichealth.biomedcentral.com/articles/10.1186/1471-2458-13-767>.

5   HARRIS, Holly R. et al. "Early Life Abuse and Risk of Endometriosis". *Human Reproduction*, vol. 3, n. 9, set. 2018, pp. 1657-68.

6   Lembre também a conexão entre sintomas de TEPT e câncer de ovário (capítulo 2).

7   WATSON, M. et al. "Influence of Psychological Response on Breast Cancer Survival: 10-Year Follow-Up of a Population-Based Cohort". *European Journal of Cancer*, vol. 41, n. 12, ago. 2005, pp. 1710-4.

8   GIESE-DAVIS, Janine et al. "Decrease in Depression Symptoms Is Associated with Longer Survival in Patients with Metastatic Breast Cancer". *Journal of Clinical Oncology*, vol. 29, n. 4, 1º fev. 2011, pp. 413-20.

9   Esse estudo sobre o câncer de colo do útero é citado em GOLDBERG, Jane G. (org.). *Psychotherapeutic Treatment of Cancer Patients*. Nova York: Routledge, 1990, p. 45.

10  PENEDO, Frank J. et al. "Anger Suppression Mediates the Relationship Between Optimism and Natural Killer Cell Cytotoxicity in Men Treated for Localized Prostate Cancer". *Journal of Psychosomatic Research*, vol. 60, n. 4, abr. 2006, pp. 423-7.

11  COKER, Ann L. et al. "Stress, Coping, Social Support, and Prostate Cancer Risk Among Older African American and Caucasian Men". *Ethnicity and Disease*, vol. 16, n. 4, out. 2006, pp. 978-87.

12  Professor de medicina e psiquiatria e de ciências comportamentais na Escola de Medicina da UCLA.

13  O'ROURKE, Meghan. "What's Wrong with Me?". *The New Yorker*, 19 ago. 2013.

14  MCDONALD, Paige Green et al. "A Biobehavioral Perspective of Tumor Biology". *Discovery Medicine*, vol. 5, n. 30, dez. 2005, pp. 520-6.

15  SMITHERS, David. "Cancer: An Attack on Cytologism". *The Lancet*, vol. 279, n. 7228, 10 mar. 1962, pp. 493-9.

## 7. UMA TENSÃO TRAUMÁTICA: APEGO *VERSUS* AUTENTICIDADE

1   SONTAG, Susan. *Illness as Metaphor and AIDS and Its Metaphors*. Nova York: Picador, 2001, p. 55. O ensaio foi publicado originalmente no periódico *The New York Review of Books* em 1978.

2   COTT, Jonathon. *Susan Sontag. The Complete Rolling Stone Interview*. New Haven: Yale University Press, 2013. A entrevista original foi publicada em outubro de 1979.

3   ANGELL, Marcia. "Disease as a Reflection of the Psyche". *New England Journal of Medicine*, vol. 312, 13 jun. 1985, pp. 1570-2.

4   FROM IRRITATED to Enraged: Anger's Toxic Effect on the Heart. *Harvard Heart Health*, 6 dez. 2014. Disponível em: <https://www.health.harvard.edu/heart-health/from-irritated-to-enraged-angers-toxic-effect-on-the-heart>.

5   TOFLER, Geoffrey H. et al. "Triggering of Acute Coronary Occlusion by Episodes of Anger". *European Heart Journal: Acute Cardiovascular Care*, fev. 2015. Disponível em: <https://doi.org/10.1177/2048872615568969>.

6   KEEP Calm, Anger Can Trigger a Heart Attack!. *ScienceDaily*, 24 fev. 2015. Disponível em: <https://www.sciencedaily.com/releases/2015/02/150224083819.htm>.

7   À época diretora do Programa de Medicina Comportamental da Faculdade de Medicina da Universidade de Maryland.

8   Na verdade Temoshok estava descrevendo traços de personalidade, não uma "personalidade" completa; mais é dito adiante sobre essa percepção equivocada de suas ideias.

9   Cito isso *ipsis litteris* a partir de um relato em primeira pessoa do diagnóstico de câncer de mama recebido por uma mulher de Montreal e publicado no *The Globe and Mail*. Não tenho mais a data do artigo, publicado em algum momento entre 2004 e 2007. Essa é exatamente a dinâmica observada por Lydia Temoshok.
10  KNEIER, Andrew W. & TEMOSHOK, Lydia. "Repressive Coping Reactions in Patients with Malignant Melanoma as Compared to Cardiovascular Disease Patients". *Journal of Psychosomatic Research*, vol. 28, n. 2, 1984, pp. 145-55. Disponível em: <https://doi.org/10.1016/0022-3999(84)90008-4>.
11  GROSS, James J. & LEVENSON, Robert W. "Emotional Suppression: Physiology, Self-Report, and Expressive Behavior". *Journal of Personality and Social Psychology*, vol. 64, n. 6, jun. 1993, pp. 970-86.
12  Eu assinava uma coluna sobre medicina no *The Globe and Mail*, e era colaborador frequente nas páginas de editorial.
13  Os nomes verdadeiros foram citados na coluna; mudei-os aqui para uma proteção adicional da privacidade. Tirando isso, o obituário é citado *ipsis litteris*.
14  TEMOSHOK, Lydia. Cartas ao editorial, *The New York Times*, 6 set. 1992.
15  Fevereiro de 2021.
16  SONTAG, Susan. Em: RIEFF, David (org.). *As Consciousness Is Harnessed to Flesh: Journals and Notebooks, 1964-1980*. Nova York: Farrar, Straus and Giroux, 2012, p. 313.


## 8. QUEM REALMENTE SOMOS? NATUREZA HUMANA, NECESSIDADES HUMANAS

1   KOHN, Alfie. *No Contest: The Case Against Competition*, ed. rev. Boston: Houghton Mifflin, 1992, p. 13.
2   SAHLINS, Marshall. *The Western Illusion of Human Nature*. Chicago: Prickly Paradigm Press, 2008; citado por NARVAEZ, Darcia. "Are We Losing It? Darwin's Moral Sense and the Importance of Early Experience". Em: JOYCE, Richard (org.). *The Routledge Handbook of Evolution and Philosophy*. Nova York: Routledge, 2017, p. 328.
3   FORBES, Jack D. *Columbus and Other Cannibals: The Wétiko Disease of Exploitation, Imperialism, and Terrorism*. Nova York: Seven Stories Press, 1992, p. 49.
4   E, mais recentemente, autor de *Comporte-se: A biologia humana em nosso melhor e pior*. São Paulo: Companhia das Letras, 2021.
5   ANSERMET, François & MAGISTRETTI, Pierre. *Biology of Freedom: Neural Plasticity, Experience, and the Unconscious*. Nova York: Other Press, 2007, p. 8.
6   Hominídeos: todos os grandes primatas, que incluem os humanos e também os gorilas, bonobos e chimpanzés; hominínios: espécies consideradas humanas ou antepassadas diretas dos humanos.
7   LIEDLOFF, Jean. *The Continuum Concept: In Search of Happiness Lost*, ed. rev. Boston: Da Capo Press, 1975, p. 24, grifo do original.
8   "Todos os seres humanos provavelmente viviam em bandos como esses no mínimo até poucas dezenas de milhares de anos atrás, e provavelmente muitos ainda o faziam até tão recentemente quanto 11 mil anos atrás." DIAMOND, Jared. *O mundo até ontem: O que podemos aprender com as sociedades tradicionais*. Rio de Janeiro: Record, 2014.

9   WAAL, Frans. *A era da empatia: Lições da natureza para uma sociedade mais gentil*. São Paulo: Companhia das Letras, 2010.

## 9. UMA BASE ROBUSTA OU FRÁGIL: AS NECESSIDADES IRREDUTÍVEIS DAS CRIANÇAS

1   Comunicação pessoal. Khazanov é neuropsicóloga em São Francisco.
2   Cavoukian trabalhou com alguns dos maiores especialistas em desenvolvimento do mundo para criar a Fundação Raffi para Honrar a Criança. Oficialmente, a fundação talvez tenha sido a primeira incursão de Raffi na área de mobilização social, mas não foi nem de longe a primeira vez que ele olhou para o que as crianças necessitam e merecem, como ilustra sua famosa música de 1980 sobre a necessidade de amor numa família.
3   DAMÁSIO, António R. *O erro de Descartes: Emoção, razão e o cérebro humano*. São Paulo: Companhia das Letras, 2012, grifo do original.
4   *Homeostase* refere-se aos processos por meio dos quais o corpo mantém a estabilidade e a constância necessárias para todos os seus subsistemas funcionarem adequadamente, entre eles a regulação da temperatura, os níveis de pH e muito mais.
5   LIEDLOFF, Jean. *The Continuum Concept: In Search of Happiness Lost*, ed. rev. Boston: Da Capo Press, 1975, p. 37.
6   SHONKOFF, Jack P. et al. "An Integrated Scientific Framework for Child Survival and Early Childhood Development". *Pediatrics*, vol. 129, n. 2, fev. 2012, pp. 1-13.
7   O inventivo psicólogo e pesquisador Allan Schore escreve: "A mãe está implicitamente moldando a mente inconsciente do filho que, como observou Freud, se desenvolve antes da mente consciente"; e "as funções adaptativas essenciais do lado direito do cérebro – interdependência, conexão social e regulação da emoção – surgem a partir das primeiras experiências de apego". SCHORE, Allan. *The Development of the Unconscious Mind*. Nova York: W. W. Norton, 2019, p. 33, 57.
8   GREENSPAN, Stanley I. et al. "The Emotional Architecture of the Mind". Em: CAVOUKIAN, Raffi et al. *Child Honouring: How to Turn This World Around*. Homeland Press, 2006, p. 5.
9   Meus motivos para usar o adjetivo "supostas" serão abordados nos capítulos 17 e 18.
10  NEUFELD, Gordon. "The Keys to Well-Being in Children and Youth: The Significant Role of Families", discurso proferido no Parlamento Europeu, Bruxelas, 13 nov. 2012. Disponível em: <https://neufeldinstitute.org/wp-content/uploads/2017/12/Neufeld_Brussels_address.pdf>.
11  SZALAVITZ, Maia & PERRY, Bruce D. *Born for Love: Why Empathy Is Essential – and Endangered*. Nova York: William Morrow, 2011, p. 5.
12  MASELKO, J. et al. "Mother's Affection at 8 Months Predicts Emotional Distress in Adulthood". *Journal of Epidemiology and Community Health*, vol. 65, n. 7, 2011, pp. 621-5
13  O mundialmente renomado Panksepp distingue sete desses principais sistemas cerebrais responsáveis por nossos padrões emocionais de base. Ele grafava o nome de cada um em letras maiúsculas. Além do CUIDAR e do PÂNICO/LUTO, os outros são MEDO, RAIVA, BUSCAR, DESEJAR e BRINCAR.

14  A formulação de Neufeld, por acaso, espelha exatamente as exigências básicas proporcionadas pelas práticas de criação de filhos dos pequenos grupos de caçadores-coletores, segundo pesquisas reunidas por Darcia Narvaez. Ver capítulo 12.
15  Capítulo 7.
16  PETERSON, Jordan. *12 Regras para a vida: Um antídoto para o caos*. Rio de Janeiro: Alta Books, 2018.
17  PANKSEPP, Jaak & BIVEN, Lucy. *The Archaeology of Mind: Neuroevolutionary Origins of Human Emotions*. Nova York: W. W. Norton, 2012, p. 386.

## 10. PROBLEMAS NO LIMIAR: ANTES DE VIRMOS AO MUNDO

1  VERNY, Thomas. *Pre-Parenting*. Nova York: Simon and Schuster, 2003, pp. 159-60.
2  No documentário *Zeitgeist III: Moving Forward*, de 2011, com direção de Peter Joseph.
3  No documentário *In Utero*, de 2016, dirigido por Kathleen Man Gyllenhaal.
4  TARKIAN, Laurie. "Tracking Stress and Depression Back to the Womb". *The New York Times*, 4 dez. 2004.
5  LEBEL, Catherine et al. "Prepartum and Postpartum Maternal Depressive Symptoms Are Related to Children's Brain Structure in Preschool". *Biological Psychiatry*, vol. 80, n. 11, 1º dez. 2016, pp. 859-68.
6  BUSS, Claudia et al. "High Pregnancy Anxiety During Mid-Gestation Is Associated With Decreased Gray Matter Density in 6-9-Year-Old Children". *Psychoneuroimmunology*, vol. 35, n. 1, jan. 2010, pp. 141-53.
7  KINNEY, D. et al. "Prenatal Stress and Risk for Autism". *Neuroscience and Biobehavioral Reviews*, vol. 32, n. 8, out. 2008, pp. 1519-32.
8  ENTRINGER, Sonja et al. "Fetal Programming of Body Composition, Obesity, and Metabolic Function: The Role of Intrauterine Stress and Stress Biology". *Journal of Nutrition and Metabolism*, vol. 2012, publicado na internet em 10 maio 2012. Disponível em: <https://doi.org/10.1155/2012/632548>.
9  ENTRINGER, Sonja et al. "Prenatal Stress, Development, Health and Disease Risk: A Psychobiological Perspective". *Psychoneuroendocrinology*, vol. 62, dez. 2015, pp. 366-75.
10  ENTRINGER, Sonja et al. "Stress Exposure in Intrauterine Life Is Associated With Shorter Telomere Length in Young Adulthood". *Proceedings of the National Academy of Sciences*, vol. 108, n. 33, 16 ago. 2011.
11  GOLDSTEIN, Jill M. "Impact of Prenatal Maternal Cytokine Exposure on Sex Differences in Brain Circuitry Regulating Stress in Offspring 45 Years Later". *Proceedings of the National Academy of Sciences*, vol. 118, n. 15, 13 abr. 2021. Disponível em: <https://doi.org/10.1073/pnas.2014464118>.
12  ZIJLMAN, Maartie et al. "Maternal Prenatal Stress Is Associated With the Infant Intestinal Microbiota". *Psychoneuroendocrinology*, vol. 53, mar. 2015, pp. 233-45.
13  LIU, C. et al. "Prenatal Parental Depression and Preterm Birth: A National Cohort Study". *BJOG: An International Journal of Obstetrics and Gynecology*, vol. 123, n. 12, nov. 2016, pp. 1973-82. Disponível em: <https://doi.org/10.1111/1471-0528.13891>.

14  FETAL Scans Confirm Maternal Stress Affects Babies' Brains. *MediBulletin Bureau*, 27 mar. 2018. Disponível em: <https://medibulletin.com/fetal-scans-confirm-maternal-stress-affects-babies-brains/>.

15  PERERA, Frederica P. et al. "Prenatal Polycyclic Aromatic Hydrocarbon (PAH) Exposure and Child Behavior at Age 6-7 Years". *Environmental Health Perspectives*, vol. 120, n. 6, 1º jun. 2012, pp. 921-6.

16  ALLEN, Jane E. "Prenatal Pollutants Linked to Later Behavioral Ills". *ABC News*, 12 mar. 2012. Disponível em: <https://abcnews.go.com/Health/w_ParentingResource/prenatal-pollutants-linked-childhood-anxiety-adhd/story?id=15974554>.

17  É claro que a poluição afeta praticamente todo mundo, por meio de substâncias químicas em nossos alimentos e no entorno cotidiano cujos efeitos ainda não foram adequadamente investigados, quando foram. As notícias das quais dispomos estão longe de ser tranquilizadoras, uma vez que um grande número de substâncias químicas potencialmente prejudiciais foi identificado em amostras de sangue de cordões umbilicais tanto no Canadá quanto nos EUA, assim como na Europa e na Ásia. Além disso, numa sociedade sã, não caberia a pesquisadores subfinanciados provar que determinadas substâncias químicas são prejudiciais para fetos, crianças e adolescentes: caberia a quem introduz essas substâncias em nosso ar, solo, cadeia alimentar e na própria corrente sanguínea das gestantes mostrar que não.

18  Ver, por exemplo, SOMÉ, Malidoma Patrice. *Ritual, Magic and Initiation in the Life of an African Shaman*. Nova York: G. P. Putnam's Sons, 1994, p. 20. Ver também o documentário *What Babies Want*. Disponível em: <https://www.youtube.com/watch?v=-3mtFRjEVWc>.

## 11. QUAL É A MINHA ESCOLHA? O PARTO NUMA CULTURA MEDICALIZADA

1  Comunicação pessoal do célebre obstetra francês autor de *Childbirth and the Evolution of Homo Sapiens* (O parto e a evolução do *Homo sapiens*), entre outros títulos.

2  MCDONALD, Susan J. et al. "Effect of Timing of Umbilical Cord Clamping of Term Infants on Maternal and Neonatal Outcomes". *Cochrane Database of Systemic Reviews*, vol. 7, 11 jul. 2013. Disponível em: <https://doi.org/10.1002/14651858.CD004074.pub3>.

3  FADIMAN, Anne. *The Spirit Catches You and You Fall Down: A Hmong Child, Her American Doctors, and the Collision of Two Cultures*. Nova York: Farrar, Straus and Giroux, 2012, p. 74.

4  Ver, por exemplo, KLEIN, Michael et al. "Relationship of Episiotomy to Perineal Trauma and Morbidity, Sexual Dysfunction, and Pelvic Floor Relaxation". *American Journal of Obstetrics and Gynecology*, vol. 171, n. 3, out. 1994, pp. 591-8.

5  BOERMA, Ties et al. "Global Epidemiology of Use of and Disparities in Caesarean Sections". *Lancet*, vol. 392, n. 10.155, out. 2018, pp. 1341-8.

6  Ibidem.

7  OBSTETRIC CARE CONSENSUS. "Safe Prevention of the Primary Cesarean Delivery". *Obstetrics and Gynecology*, vol. 123, n. 3, mar. 2014, pp. 693-711.

8  Citado por SUAREZ, Suzanne Hope. "Midwifery Is Not the Practice of Medicine". *Yale Journal of Law and Feminism*, vol. 5, n. 2, 1992.

9   BUCKLEY, Sarah J. "Hormonal Physiology of Childbearing: Evidence and Implications for Women, Babies, and Maternity Care", Childbirth Connection Programs, National Partnership for Women and Families, Washington, jan. 2015.
10  Além de um pânico em relação a processos e altas indenizações de seguro no litigioso sistema americano.
11  STANGER-ROSS, Ilana. *A Is for Advice: The Reassuring Kind*. Nova York: William Morrow, 2019, pp. 23-4.
12  BUCKLEY, Sarah J. "Hormonal Physiology of Childbearing": Evidence and Implications for Women, Babies, and Maternity Care", Childbirth Connection Programs, National Partnership for Women and Families, Washington, D.C., janeiro de 2015.
13  ORGANIZAÇÃO MUNDIAL DA SAÚDE. "Evidence Shows Significant Mistreatment of Women During Childbirth", release de imprensa, 9 out. 2019. Disponível em: <https://www.who.int/news/item/09-10-2019-new-evidence-shows-significant-mistreatment-of-women-during-childbirth>.
14  FEITH, Jesse. "Indigenous Woman Records Slurs by Hospital Staff Before Her Death". *Montreal Gazette*, 30 set. 2020. Disponível em: <https://montrealgazette.com/news/local-news/indigenous-woman-who-died-at-joliette-hospital-had-recorded-staffs-racist-comments>.
15  LIEDLOFF, Jean. *The Continuum Concept: In Search of Happiness Lost*, ed. rev. Boston: Da Capo Press, 1985 [1975], p. 58.
16  Essa enfermeira ansiosa e eu nos tornamos anos depois colegas muito chegados na sala de trabalho de parto do Hospital da Mulher da Colúmbia Britânica.

## 12. UMA HORTA NA LUA: A CRIAÇÃO DOS FILHOS SABOTADA

1   OSTER, Emily. "The Data All Guilt-Ridden Parents Need". *The New York Times*, 19 abr. 2019. Disponível em: <https://www.nytimes.com/2019/04/19/opinion/sunday/baby-breastfeeding-sleep-training.html>. (Publicado como "Baby's First Data" na edição impressa de 20 de abril.)
2   DEMAUSE, Lloyd (org.). *The History of Childhood: The Untold Story of Child Abuse*. Nova York: Peter Bedrick Books, 1988, p. 53.
3   PETERSON, Jordan B. *12 regras para a vida: Um antídoto para o caos*. Rio de Janeiro: Alta Books, 2018.
4   MONTAGU, Ashley. *Touching: The Human Significance of Skin*. Nova York: Harper and Row, 1986, p. 296.
5   WINNICOTT, D. W. *Da pediatria à psicanálise: Escritos reunidos*. São Paulo: Ubu Editora, 2021.
6   MONTAGU, Ashley. *Touching*, p. 42.
7   RICH, Adrienne. *Of Woman Born: Motherhood as Experience and Institution*. Nova York: W. W. Norton, 1995, p. 31.
8   STRATHEARN, Lane et al. "What's in a Smile? Maternal Brain Responses to Infant Facial Clues". *Pediatrics*, vol. 122, n. 1, jul. 2008, pp. 40-51.
9   KENNELL, John H. et al. "Maternal Behavior One Year After Early and Extended Post-Partum Contact". *Developmental Medicine and Child Neurology*, vol. 16, n. 2, abr. 1974, pp. 172-9.

10 NARVAEZ, Darcia. *Neurobiology and the Development of Human Morality: Evolution, Culture, and Wisdom*. Nova York: W. W. Norton, 2014, pp. 29-30.

11 Eu me retraí quando ela mencionou a circuncisão, procedimento que eu próprio costumava realizar e que, no contexto da América do Norte, não apresenta qualquer benefício para a saúde e demonstrou-se causar sofrimento para a criança, sobretudo na forma medicalizada que fui treinado para praticar.

12 LIEDLOFF, Jean. *The Continuum Concept: In Search of Happiness Lost*, ed. rev. Boston: Da Capo Press, 1985 [1975], p. 97.

13 Como documentado, por exemplo, por Charles C. Mann em seu livro campeão de vendas *1491: Novas revelações das Américas antes de Colombo*. Rio de Janeiro: Objetiva, 2007.

14 SCHIFF, Stacy. *As bruxas: Intriga, traição e histeria em Salem*. Rio de Janeiro: Zahar, 2019.

15 PETERSON, Jordan R. *12 regras para a vida*.

16 SAGE, Robert D. & SIEGEL, Benjamin S. "Effective Discipline to Raise Healthy Children". *Pediatrics*, vol. 142, n. 6, dez. 2018.

17 AGGARWAL-SCHIFELLITE, Manisha. "How Spanking May Affect Brain Development in Children". *Harvard Gazette*, 12 abr. 2021. Disponível em: <https://news.harvard.edu/gazette/story/2021/04/spanking-children-may-impair-their-brain-development/>.

18 BREASTFEEDING: Achieving the New Normal. *The Lancet*, vol. 387, 30 jan. 2016, p. 404.

19 Só para esclarecer, o comentário de Feldman-Winter relativo aos antivacina foi antes da pandemia de covid-19.

20 MCEWEN, Craig A. & MCEWEN, Bruce S. "Social Structure, Adversity, Toxic Stress, and Intergenerational Poverty: An Early Childhood Model". *Annual Review of Sociology*, vol. 43, n. 1, ago. 2017, pp. 445-72.

21 SCHORE, Allan. *Affect Regulation and the Origin of the Self: The Neurobiology of Emotional Development*. Mahwah, NJ: Lawrence Erlbaum Associates, 1994, p. 378.

22 MILLER, Claire Cain. "The Relentlessness of Modern Parenting". *The New York Times*, 25 dez. 2018, caderno A1.

23 OSTER, Emily. "Don't Worry, Baby". *The New Yorker*, 3 jun. 2019.

24 BRYANT, Miranda. "'I Was Risking My Life': Why One in Four US Women Return to Work Two Weeks After Childbirth". *The Guardian*, 27 jan. 2020.

25 Por exemplo, ratos desmamados apenas uma semana antes do período definido pela natureza têm mais probabilidade de se habituarem ao consumo de álcool quando adultos.

26 TURNBULL, Colin M. *The Forest People*. Londres: Chatto and Windus, 1961, p. 113.

27 NARVAEZ, Darcia. "Allomothers: Our Evolved Support Systems for Mothers". *Psychology Today*, 12 maio 2019. Disponível em: <hhttps://www.psychologytoday.com/ca/blog/moral-landscapes/201905/allomothers-our-evolved-support-system-mothers>.

28 NBC News, 15 maio 2020.

29 PUTNAM, Robert D. *Bowling Alone: The Collapse and Revival of the American Community*. Nova York: Simon and Schuster, 2000, p. 27.

30 RICH, Adrienne. *Of Woman Born*, pp. 53-4.

31 Por volta do final do seu mandato, "Ike" fez um famoso alerta sobre o "complexo militar-industrial".

## 13. FORÇAR O CÉREBRO NA DIREÇÃO ERRADA: A SABOTAGEM DA INFÂNCIA

1. Discurso do presidente sul-africano no lançamento do Fundo Nelson Mandela para Crianças, Pretória, 8 de maio de 1995.
2. GARBARINO, James. *Raising Children in a Socially Toxic Environment*. São Francisco: Jossey-Bass, 1995, p. 2.
3. Ibidem, p. 5.
4. O fenômeno de orientação dos pares está documentado extensamente no livro de Gordon Neufeld, do qual fui coautor, intitulado *Hold on to Your Kids: Why Parents Need to Matter More Than Peers* (Não larguem seus filhos: por que pais e mães devem ser mais importantes que os pares).
5. Pressupondo, naturalmente, que os próprios adultos sejam emocionalmente estáveis e estejam disponíveis para prover segurança. Para crianças que sofrem abuso, por mais inadequado que seja, o grupo de pares às vezes pode representar uma boia salva-vidas.
6. ANGIER, Natalie. "Ideas and Trends: The Sandbox; Bully for You – Why Push Comes to Shove". *The New York Times*, 20 maio 2001.
7. CLARK, D. "Frequency of Bullying in European Countries, 2018". *Statista*, 7 out. 2021. Disponível em: <https://www.statista.com/statistics/1092217/bullying-in-europe/>.
8. Citado em SINGHAM, Timothy. "Concurrent and Longitudinal Contribution of Exposure to Bullying in Childhood Mental Health: The Role of Vulnerability and Resistance". *JAMA Psychiatry*, publicado na internet em 4 out. 2017. Disponível em: <https://doi.org/10.1001/jamapsychiatry.2017.2678>.
9. Gíria para designar a droga psicoativa MDMA.
10. WATSON, Bridgette. "They Killed Him for Entertainment: Carson Crimeni's Father Speaks Out Against Bullying". CBC News, 26 fev. 2020. Disponível em: <https://www.cbc.ca/news/canada/british-columbia/darrel-crimeni-bullying-awareness-1.5477247>.
11. NEUFELD, Gordon. "The Keys to Well-Being in Children and Youth: The Significant Role of Families", discurso principal proferido diante do Parlamento Europeu, Bruxelas, 13 nov. 2012.
12. BAKAN, Joel. *Childhood Under Siege: How Big Business Targets Children*. Nova York: Free Press, 2011, p. 6.
13. Embora esses sejam números dos Estados Unidos, devido à influência pandêmica da cultura americana o impacto é global.
14. BAKAN, Joel. "Kids and the Corporation". Em: CAVOUKIAN, Raffi & OLFMAN, Sharna (org.). *Child Honouring: How to Turn This World Around*. Salt Spring Island, BC: Homeland Press, 2006, p. 190.
15. WELLS, Georgia et al. "Facebook Knows Instagram Is Toxic for Teen Girls, Company Documents Show". *The Wall Street Journal*, 14 set. 2021. Disponível em: <https://www.wsj.com/articles/facebook-knows-instagram-is-toxic-for-teen-girls-company-documents-show-11631620739>.
16. KANG, Shimi. *Tecnologia na infância: Criando hábitos saudáveis para crianças em um mundo digital*. São Paulo: Melhoramentos, 2021, cap. 1.
17. HUTTON, John S. et al. "Associations Between Screen-Based Media Use and Brain White Matter Integrity in Preschool-Aged Children". *JAMA Pediatrics*, vol. 174, n. 1, 2020.

18  SWINGLE, Mari. *i-Minds: How and Why Constant Connectivity Is Rewiring Our Brains and What to Do About It.* S.l.: New Society, 2019, p. 11, 185.

19  Sentimentos parecidos são evocados por executivos do Vale do Silício no documentário de sucesso da Netflix, *O dilema social*, de 2020.

20  AKHTAR, Allana. "The World Health Organization Just Released Screentime Guidelines for Kids. Here's How Some of the World's Most Successful CEOs Limit It at Home". *Business Insider*, 25 abr. 2019. Disponível em: <https://www.businessinsider.com/how-silicon-valley-ceos-limit-screen-time-at-home-2019-4>.

21  GARBARINO, James. *Children and Families in the Social Environment.* Nova York: Routledge, 1992, p. 11.

22  JACKSON, Jasper. "Children Spending More Time Online Than Watching TV for the First Time". *The Guardian*, 26 jan. 2012. Disponível em: <https://www.theguardian.com/media/2016/jan/26/children-time-online-watching-tv>.

23  DOYLE, William. "Why Finland Has the Best Schools". *The Los Angeles Times*, 18 mar. 2016. Disponível em: <https://www.latimes.com/opinion/op-ed/la-oe-0318-doyle-finnish-schools-20160318-story.html>.

24  KOHN, Alfie. *No Contest: The Case Against Competition: Why We Lose in Our Race to Win.* Boston: Houghton Mifflin, 1992, p. 25.

## 14. UM TEMPLATE PARA A ANGÚSTIA: COMO A CULTURA FORMA NOSSO CARÁTER

1  MUKHERJEE, Siddhartha. "How Epigenetics Can Blur the Line Between Nature and Nurture". *The New Yorker*, 2 maio 2016.

2  KERR, Michael E. & BOWEN, Murray. *Family Evaluation: An Approach Based on Bowen Theory.* Nova York: W. W. Norton, 1988, p. 30.

3  Aclamada série da HBO da qual Dunham foi tanto criadora quanto protagonista.

4  MERTON, Thomas. *A montanha dos sete patamares.* Rio de Janeiro: Petra, 2014.

5  FROMM, Erich. *The Sane Society.* Nova York: Henry Holt, 1955, p. 79.

6  HUXLEY, Aldous. *Admirável mundo novo.* Rio de Janeiro: Biblioteca Azul, 2014.

7  Citada em MCAFEE, Noelle. *Julia Kristeva.* Nova York: Routledge, 2004, p. 108.

8  MERTON, Thomas. *A montanha dos sete patamares.*

9  POSTMAN, Neil. *Amusing Ourselves to Death: Public Discourse in the Age of Show Business.* Nova York: Penguin Books, 2008, p. 128.

10  KLEIN, Ezra. "Noam Chomsky's Theory of the Good Life". The Ezra Klein Show, 23 abr. 2021. Disponível em: <https://www.nytimes.com/2021/04/23/opinion/ezra-klein-podcast-noam-chomsky.html>.

## 15. NÃO SENDO VOCÊ: A DESMISTIFICAÇÃO DA DEPENDÊNCIA

1  OVERDOSE Death Rates. National Institute on Drug Abuse. Disponível em: <https://www.drugabuse.gov/drug-topics/trends-statistics/overdose-death-rates>.

2 RABIN, Roni Caryn. "Overdose Deaths Reached Record High as the Pandemic Spread". *The New York Times*, 17 nov. 2021. Disponível em: <https://www.nytimes.com/2021/11/17/health/drug-overdoses-fentanyl-deaths.html>.

3 VOLKOW, Nora D. & LI, T. K. "Drug Addiction: The Neurobiology of Behavior Gone Awry". *Neuroscience*, vol. 5, dez. 2004, pp. 963-70.

4 ZHOU, F. et al. "Orbitofrontal Gray Matter Deficits as Marker of Internet Gaming Disorder: Converging Evidence From a Cross-Sectional and Prospective Longitudinal Design". *Addiction Biology*, vol. 24, n. 1, jan. 2019, pp. 100-9. Disponível em: <https://doi.org/10:1111/adb.12750>.

5 BURGER, Kyle S. & STICE, Eric. "Frequent Ice Cream Consumption Is Associated With Reduced Striatal Response to Receipt of an Ice Cream-Based Milkshake". *American Journal of Clinical Nutrition*, vol. 94, n. 4, abr. 2012, pp. 810-7. Disponível em: <https://doi.org/10.3945/ajcn.111.027003>.

6 A Sociedade Americana de Medicina da Dependência define "dependência" como "*doença* médica crônica e tratável que envolve interações complexas entre circuitos cerebrais, genética, o entorno e as experiências de vida do indivíduo. Pessoas dependentes usam substâncias ou praticam comportamentos que se tornam compulsivos, e com frequência persistem apesar de consequências prejudiciais" (2019).

7 DEFINITION of Addiction. Sociedade Americana de Medicina da Dependência. Disponível em: <https://www.asam.org/quality-care/definition-of-addiction>.

8 Segundo a Sociedade Americana de Medicina da Dependência e o relatório de 2016 do Ministério da Saúde dos EUA sobre uso de substâncias químicas, até 50% da "doença" se deve a fatores genéticos. Terei mais a dizer sobre as falhas dessa visão mais adiante neste capítulo.

9 A definição baseada em doença da Sociedade Americana de Medicina da Dependência, citada anteriormente, chega a apontar para as experiências de vida, mas sem explorá-las em detalhes; precisamos ir mais além e ser mais específicos.

10 Os métis são pessoas de etnia mista indígena e europeia, principalmente no contexto do Oeste do Canadá.

11 Das bandas Jane's Addiction e Red Hot Chili Peppers.

12 Rivotril é um dos nomes comerciais do clonazepam, um tranquilizante da classe das benzodiazepinas, à qual pertencem também substâncias químicas relacionadas como o Valium (diazepam) e o Lorax (lorazepam).

13 RICHARDS, Keith por FOX, James. *Vida*. Rio de Janeiro: Globo Livros, 2010.

14 HARRISON, P. A. et al. "Multiple Substance Use Among Adolescent Physical and Sexual Abuse Victims". *Child Abuse and Neglect*, vol. 21, n. 6, jun. 1997, pp. 529-39.

15 CARLINER, Hannah et al. "Childhood Trauma and Illicit Drug Use in Adolescence: A Population-Based National Comorbidity Survey Replication". *Journal of the American Academy of Child and Adolescent Psychiatry*, vol. 55, n. 8, ago. 2016, pp. 701-8.

## 16. QUEM SE IDENTIFICAR LEVANTE A MÃO: UMA NOVA VISÃO DA DEPENDÊNCIA

1 Trecho de um artigo publicado no *The New York Times* por essa prolífica jornalista e editora, ela mesma ex-dependente. SZALAVITZ, Maia. "Can You Get Over an Addiction?". *The New York Times*, 25 jun. 2016.

2   É claro que essa investigação não precisa se dedicar exclusivamente a identificar as origens da dependência: qualquer pessoa que manifeste alguns dos sinais de ferida do desenvolvimento abordados neste livro, dos brandos aos severos, sejam eles mentais ou físicos, pode se beneficiar de uma autoinvestigação compassiva das próprias histórias perturbadoras.

3   As marcas de uísque do Tennessee George Dickel, Jack Daniel's e Jim Beam.

4   FELITTI, Vincent J. et al. "The Relationship of Adult Health Status to Childhood Abuse and Household Dysfunction". *American Journal of Preventive Medicine*, vol. 14, 1998, pp. 245-58.

5   FELITTI, Vincent J. & ANDA, Robert. "The Lifelong Effects of Adverse Childhood Experiences", cap. 10. Em: *Chadwick's Child Maltreatment: Sexual Abuse and Psychological Maltreatment*, vol. 2. St. Louis, MO: STM Learning, 2014, p. 207.

6   BRODY, Gene H. et al., "Parenting Moderates a Genetic Vulnerability Factor in Longitudinal Increases in Youths' Substance Use". *Journal of Consulting and Clinical Psychology Association*, vol. 77, n. 1, fev. 2009, pp. 1-11; entre outros estudos, como SOLINAS, Marcello et al. "Prevention and Treatment of Drug Addiction by Environmental Enrichment". *Progress in Neurobiology*, vol. 92, n. 4, dez. 2010, pp. 572-92.

7   Ou o que Jaak Panksepp identificou como o aparato cerebral do BUSCAR.

8   Citei essa afirmação de Perry pela primeira vez no meu livro sobre dependência, *In the Realm of Hungry Ghosts*.

9   DINES, Gail. *Pornland: How Porn Has Hijacked Our Sexuality*. Boston: Beacon Press, 2010, p. 57.

10  PANKSEPP, Jaak et al. "The Role of Brain Emotional Systems in Addictions: A Neuro--Evolutionary Perspective and New 'Self-Report' Animal Model". *Addiction*, vol. 97, n. 4, maio 2002, pp. 459-69.

11  COZOLINO, Louis. *The Neuroscience of Human Relationships: Attachment and the Developing Social Brain*. Nova York: W. W. Norton, 2006, p. 115.

## 17. UM MAPA IMPRECISO DA NOSSA DOR: ONDE ERRAMOS EM RELAÇÃO À DOENÇA MENTAL

1   Historiadora da ciência na Universidade Harvard e autora de *Mind Fixers: Psychiatry's Troubled Search for the Biology of Mental Illness* (Reparadores da mente: a difícil busca da psiquiatria pela biologia da doença mental). Entrevista à CBC Radio, out. 2019.

2   O documentário de sucesso do Netflix, *Cracked Up*, dirigido por Michelle Esrick, mostra o show de horror da vida real que Hammond suportou quando menino. Korbi é um dos entrevistados do filme.

3   JAMISON, Kay Redfield. *Touched With Fire: Manic-Depressive Illness and the Artistic Temperament*. Nova York: Free Press, 1994, p. 193.

4   Os traços podem ser transmitidos de geração em geração sem a participação das sequências de DNA; e nos gêmeos idênticos é impossível separar os efeitos genéticos dos efeitos do entorno, já que gêmeos idênticos foram gestados no mesmo útero e a maioria criada na mesma família. Se adotados por duas famílias distintas, eles ainda assim

terão compartilhado o mesmo ambiente intrauterino e o mesmo trauma de separação da mãe biológica. Não vou cansar o leitor com uma extensa avaliação dos estudos sobre adoção, tema que abordei extensamente em dois de meus livros anteriores, respectivamente sobre TDAH e dependência. Ver, em especial, *In the Realm of Hungry Ghosts: Close Encounters With Addiction*, apêndice 1: "Adoption and Twin Study Fallacies". Para resumir, apesar de toda a atenção que lhes foi dedicada, os estudos sobre gêmeos e adoção provam muito pouca coisa, se é que alguma. Para uma refutação exaustiva dos "achados" dos estudos sobre gêmeos, ver *The Trouble With Twin Studies*, do psicólogo Jay Joseph.

5   Tratei integralmente essa questão dos estudos sobre gêmeos e adoção num apêndice ao meu livro sobre dependência. Para resumir, argumento que esses casos ostensivamente imaculados de "ambientes distintos, mesmos problemas de saúde" são tão cegos em relação aos fatores ambientais contidos no seu modelo experimental – estresse materno durante a gestação e o trauma da separação da mãe biológica, para citar dois exemplos óbvios – a ponto de serem inválidos, seja qual for o transtorno mental ou físico em pauta. Um link para esse apêndice está no site deste livro, https://drgabormate.com/book/the-myth-of-normal, para os curiosos ou quem não estiver convencido. O leitor profissional pode consultar ainda o extenso trabalho do psicólogo Jay Joseph. *The Trouble With Twin Studies: A Reassessment of Twin Research in the Social and Behavioral Sciences*. Abingdon: Routledge, 2016.

6   "Como a mente perturbada foi percebida de acordo com as crenças religiosas, científicas e sociais de culturas distintas, as formas de loucura de um local e momento da história com frequência parecem notavelmente distintas das formas de loucura em outros", observa Ethan Watters em seu livro *Crazy Like Us: The Globalization of the American Psyche*. Nova York: Free Press, 2020, p. 5

7   Citado em WHITAKER, Robert. *Anatomy of an Epidemic: Magic Bullets, Psychiatric Drugs, and the Astonishing Rise of Mental Illness in America*. Nova York: Broadway Books, 2010, p. 274.

8   ASSOCIAÇÃO AMERICANA DE PSIQUIATRIA. "Chair of *DSM-5* Task Force Discusses Future of Mental Health Research", release, 3 maio 2013.

9   Como, por exemplo, pelo psicólogo Irvin Kirsch, recentemente diretor-associado do programa de estudos com placebo e palestrante na Escola de Medicina de Harvard. "Hoje parece inquestionável que a explicação tradicional da depressão como desequilíbrio químico no cérebro está simplesmente equivocada", escreveu Kirsch em seu próprio e extenso exame da literatura científica, *The Emperor's New Drugs: Exploding the Antidepressant Myrh*, citado em ANGELL, Marcia. "The Epidemic of Mental Illness: Why?". *The New York Review of Books*, 23 jun. 2011. (Angell é ex-editora do *The New England Journal of Medicine*.)

10  MORROW, Richard L. et al. "Influence of Relative Age on Diagnosis and Treatment of Attention-Deficit/ Hyperactivity Disorder in Children". *Canadian Medical Association Journal*, vol. 184, n. 7, 17 abr. 2012, pp. 755-62.

11  OPPOSITIONAL Defiant Disorder, Mayo Clinic. Disponível em: <https://www.mayoclini.org/diseases-conditions/oppositional-defiant-disorder/symptoms-causes/syc-20375831>.

12  Atualmente membro sênior da Academia de Trauma Infantil de Houston, Texas, professor-adjunto de psiquiatria e ciências comportamentais na Feinberg School of Medicine de Chicago, e mais recentemente coautor, com Oprah Winfrey, do sucesso de vendas *O que aconteceu com você?*.

13　KHOURY, J. E. Khoury et al. "Relations Among Maternal Withdrawal in Infancy, Borderline Features, Suicidality/Self-Injury, and Adult Hippocampal Volume: A 30-Year Longitudinal Study". *Behavioral Brain Research*, vol. 374, 18 nov. 2019. Disponível em: <https://doi.org/10.1016/j.bbr.2019.112139>.

14　READ, John et al. "Child Maltreatment and Psychosis: A Return to a Genuinely Integrated Bio-Psycho-Social Model". *Clinical Schizophrenia and Related Psychoses*, vol. 2, n. 3, out. 2008, pp. 235-54.

15　BAILEY, Thomas et al. "Childhood Trauma Is Associated With Severity of Hallucinations and Delusions in Psychotic Disorders: A Systematic Review and Meta-Analysis". *Schizophrenia Bulletin*, vol. 44, n. 5, 2018, pp. 1.111-22.

16　BENTALL, Richard. "Mental Illness Is a Result of Misery, Yet Still We Stigmatize It". *The Guardian*, 26 fev. 2016.

17　TEICHER, Martin H. & SAMSON, Jacqueline A. "Annual Research Review: Enduring Neurobiological Effects of Childhood Abuse and Neglect". *Journal of Child Psychology and Psychiatry*, vol. 57, n. 3, mar. 2016, pp. 241-66.

18　LEWONTIN, R. C. *Biology as Destiny: The Doctrine of DNA*. Nova York: Harper Perennial, 1991, p. 30.

19　BOYCE, W. Thomas. *A criança orquídea: Por que algumas crianças têm dificuldade e o que fazer para que todas floresçam*. Rio de Janeiro: Objetiva, 2020.

20　FOX, E. & BEEVERS, C. B. "Differential Sensitivity to the Environment: Contribution of Cognitive Biases and Genes to Psychological Wellbeing". *Molecular Psychiatry*, vol. 21, n. 12, 2016, pp. 1.657-62.

21　Referências completas: doutora, membro da Academia Canadense de Ciências da Saúde e da Canadian Global Care Society; professora e titular da cátedra de pesquisa nos departamentos de psiquiatria e genética médica da Universidade da Colúmbia Britânica; diretora-executiva do Instituto de Pesquisa dos Serviços de Saúde Mental e Uso de Substâncias da UCB.

22　MENAND, Louis. "Acid Reflux: The Life and High Times of Timothy Leary". *The New Yorker*, 26 jun. 2006.

## 18. A MENTE É CAPAZ DE COISAS INCRÍVEIS: DA LOUCURA AO SIGNIFICADO

1　ALMAAS, A. H. *The Freedom to Be*. Berkeley, CA: Diamond Books, 1989, p. 85.

2　Por outro lado, lembre que nascemos com circuitos de RAIVA e LUTO evolutivamente programados no cérebro.

3　WATT, Douglas F. & PANKSEPP, Jaak. "Depression: An Evolutionarily Conserved Mechanism to Terminate Separation Distress? A Review of Aminergic, Peptidergic, and Neural Network Perspectives". *Neuropsychoanalysis*, vol. 11, n. 1, 1º jan. 2009, pp. 7-51.

4　HUNTER, Noël. *Trauma and Madness in Mental Health Services*. Nova York: Palgrave Macmillan, 2018, p. 5.

5　O psicólogo e cientista de pesquisa Stephen Porges sugere o conceito de neurocepção, a avaliação inconsciente de segurança feita pelo cérebro. "Esse processo automático", escreve ele, "envolve áreas do cérebro que avaliam sinais de segurança, perigo e ameaça à vida." "A percepção de segurança", sugere ele, "é o ponto de virada no desenvolvimento dos relacionamentos para a maioria dos mamíferos." Isso se aplica particularmente a nós, seres humanos, com nosso longo período formativo de dependência impotente. PORGES, Stephen W. *The Pocket Guide to the Polyvagal Theory: The Transformative Power of Feeling Safe*. Nova York: W. W. Norton, 2017, p. 19; e id. *The Polyvagal Theory: Neurophysiological Foundations of Emotions, Attachment, Communication, Self-Regulation*. Nova York: W. W. Norton, 2011, ver em especial o capítulo 1.

6   KNOTT, Helen. *In My Own Moccasins: A Memoir of Resilience*. Saskatchewan, Canada: University of Regina Press, 2019, p. 96.

7   Essa citação de Robin Williams foi mencionada como tendo sido extraída de uma entrevista em vídeo à qual não tive acesso. Mas ele revela muito sobre a solidão na infância e seus tormentos internos com palavras quase semelhantes em uma entrevista para James Lipton no YouTube. Disponível em: <https://www.dailymotion.com/video/x64ojf8>.

8   Um adendo científico à história de Williams é que as pessoas hoje vincularam a ocorrência da doença de Parkinson – um parente próximo da demência por corpos de Lewy – à depressão e ao estresse crônicos. Ver nota 9 deste capítulo.

9   Num estudo sueco com milhares de pessoas, o risco de desenvolver doença de Parkinson era quase três vezes maior em pessoas que tinham tido depressão, e maior ainda naquelas com depressão grave. GUSTAFSSON, Helena et al. "Depression and Subsequent Risk of Parkinson Disease". *Neurology*, vol. 84, n. 24, 16 jun. 2015, pp. 2.422-9. Outro estudo concluiu que o estresse emocional crônico também aumenta o risco da doença, possivelmente por danificar as células de dopamina em determinadas partes do cérebro: DJAMSHIDIAN, Atbin & LEES, Andrew. "Can Stress Trigger Parkinson's Disease?". *Journal of Neurology, Neurosurgery, and Psychiatry*, vol. 85, n. 8, ago. 2014, pp. 879-82.

10  SCHIZOPHRENIA WORKING GROUP. "Biological Insights From 108 Schizophrenia-Associated Genetic Loci". *Nature*, vol. 511, 2014, pp. 421-7.

11  "A dissociação", escreve o psiquiatra Mark Epstein, "oferece uma proteção imediata contra os traumas da vida." EPSTEIN, Mark. *The Trauma of Everyday Life*. Nova York: Penguin, 2014, p. 84.

12  KNOTT, Helen. *In My Own Moccasins*, p. 24.

13  FLEURY, Theo. *Playing With Fire*. Nova York: HarperCollins, 2010, p. 25.

14  Conhecido também como DDA, para assinalar que a hiperatividade pode nem sempre estar presente. Na prática, e de modo um tanto confuso, as duas siglas são com frequência usadas de forma intercambiável.

15  Um estudo recente mostrou que o uso prolongado de medicamentos antipsicóticos em adultos tem como resultado um espessamento do córtex cerebral, o aparato executivo do cérebro. "O córtex pré-frontal não recebe os estímulos de que precisa, e está sendo desativado pelos remédios", disse um importante pesquisador ao *The New York Times*. "Isso reduz os sintomas psicóticos. E faz também o córtex pré-frontal ir se atrofiando aos poucos." VOINESKOS, Aristotle N. et al. "Effects of Antipsychotic Medication on Brain Structure in Patients With Major Depressive Disorder and Psychotic Features: Neuroimaging Findings in the Context of a Randomized Placebo-Controlled Clinical Trial". *JAMA Psychiatry*, vol. 77, n. 7, 1º jul. 2020, pp. 674-83.

16  BARKLEY, Russell A. *TDAH: guia completo para pais, professores e profissionais da saúde*. Porto Alegre: Penso, 2002.

17  PANKSEPP, Jaak. "Can PLAY Diminish ADHD and Facilitate the Construction of the Social Brain?". *Journal of the Canadian Academy of Child and Adolescent Psychiatry*, vol. 16, n. 2, maio 2007, pp. 57-66.

18  Por exemplo, LENGUA, Liliana J. et al. "Pathways From Early Adversity to Later Adjustment: Tests of the Additive and Bidirectional Effects of Executive Control and Diurnal Cortisol in Early Childhood". *Development and Psychopathology*, 2019. Disponível em: <https://doi.org/10.1017/S0954579419000373>; também PRUESSNER, Jens C. et al. "Dopamine Release in Response to a Psychological Stress in Humans and Its Relationship to Early Maternal Care: A Positron Emission Tomography Study Using [11C] Raclopride". *Journal of Neuroscience*, vol. 24, n. 11, 17 mar. 2004, pp. 2.825-31.

19  PERRY, Bruce D. & SZALAVITZ, Maia. *O menino criado como cão: o que as crianças traumatizadas podem nos ensinar sobre perda, amor e cura*. São Paulo: nVersos, 2020.

20  O estudo, conduzido por Nicole M. Brown e colegas, analisou dados da Pesquisa Nacional sobre Saúde Infantil de 2011, e foi apresentado em 6 de maio de 2014 na reunião anual das Sociedades Acadêmicas de Pediatria em Vancouver, na Colúmbia Britânica. Ele foi objeto de matéria no *ScienceDaily* em 6 de maio de 2014: "Study Finds ADHD and Trauma Often Go Hand in Hand."

21  Embora eu não seja categoricamente contrário ao uso de medicações em casos de TDAH, reprovo o recurso automático, generalizado, prolongado e quase exclusivo a eles. Para saber mais, ver meu livro *Scattered Minds: The Origins and Healing of Attention Deficit Disorder* (Mentes dispersas: origens e cura do transtorno do déficit de atenção).

22  COREN, Stanley. "Can Dogs Suffer From ADHD?". *Psychology Today*, 9 jan. 2018. Disponível em: <https://www.psychologytoday.com/us/blog/canine-corner/201801/can-dogs-suffer-adhd>.

23  BOWLBY, John. *Apego: A natureza do vínculo*. São Paulo: Martins Fontes, 2002.

24  ETAIN, Bruno et al. "Childhood Trauma Is Associated With Severe Clinical Characteristics of Bipolar Disorders". *Journal of Clinical Psychiatry*, vol. 74, n. 10, out. 2013, pp. 991-8. O estudo não infere, e eu tampouco, que adversidade na infância "causa" transtorno bipolar. Mas ela é um fator que contribui, em especial para a severidade do transtorno.

## 19. DA SOCIEDADE PARA A CÉLULA: INCERTEZA, CONFLITO E PERDA DE CONTROLE

1  SELYE, János. *The Stress of Life*, ed. rev. Nova York: McGraw-Hill, 1978, p. 370.

2  Capítulos 2 e 3.

3  HARVANEK, Zachary M. et al. "Psychological and Biological Resilience Modulates the Effects of Stress on Epigenetic Aging". *Translational Psychiatry*, vol. 11, 2021. Disponível em: <https://doi.org/10.1038/s41398-021-01735-7>.

4  DE KLOET, E. R. "Corticosteroids, Stress, and Aging". *Annals of the New York Academy of Sciences*, vol. 663, 1992, pp. 357-71.

5  HARARI, Yuval Noah. *Sapiens: Uma breve história da humanidade*. São Paulo: Companhia das Letras, 2020.

6  Entrevista para a BBC, "Blair Calls for Lifestyle Change", 2006, citada em SCHRECKER, Ted & BAMBRA, Clare. *How Politics Makes Us Sick: Neoliberal Epidemics*. Nova York: Palgrave Macmillan, 2015, p. 29.

7   INMAN, Phillip. "IMF Boss Says Global Economy Risks Return of Great Depression". *The Guardian*, 17 jan. 2020.

8   LAO, David. "Almost 9 out of 10 Canadians Feel Food Prices Are Rising Faster Than Income: Survey". *Global News*, 16 dez. 2019.

9   VANCITY, "Report: B.C. Women Are Financially Stressed, Stretched and Under-Resourced", release, 17 mar. 2018, baseado no estudo feito na província "Money Troubled: Inside B.C.'s Financial Health Gender Gap".

10  Embora o termo "neoliberalismo" seja hoje empregado sobretudo pelos críticos da erosão dos programas sociais, do poder crescente das corporações, de sua ideologia do laissez-faire e de sua influência sobre os governos no capitalismo avançado, ele foi cunhado nos anos 1930 por destacados defensores dessas políticas. Meu uso desse termo não é por si só nem crítico, nem elogioso: ele remete a uma realidade objetiva cujos impactos sobre a saúde estamos investigando.

11  SCHRECKER, Ted & BAMBRA, Clare. *How Politics Makes Us Sick*, p. 42.

12  SAUL, John Ralston. "The Collapse of Globalism". *Harper's*, mar. 2004.

13  FARESJÖ, Ashild et al. "Higher Perceived Stress But Lower Cortisol Levels Found Among Young Greek Adults Living in a Stressful Social Environment in Comparison With Swedish Young Adults". *PLoS ONE*, vol. 8, n. 9, 16 dez. 2013. Disponível em: <https://doi.org/10.1371/journal.pone.0073828>.

14  Para deixar bem claro: tanto níveis de cortisol cronicamente aumentados *quanto* reduzidos assinalam um esforço excessivo do aparato de estresse do corpo; o primeiro revela sua ativação excessiva, o segundo seu enfraquecimento.

15  LUPIEN, Sonia J. et al. "Child's Stress Hormone Levels Correlate With Mother's Socioeconomic Status and Depressive State". *Biological Psychiatry*, vol. 48, n. 10, 15 nov. 2000, pp. 976-80.

16  BERNARD, Tara Siegel & RUSSELL, Karl. "The Middle-Class Crunch: A Look at 4 Family Budgets". *The New York Times*, 3 out. 2019.

17  DAVIS, Wade. "The Unravelling of America". *Rolling Stone*, 6 ago. 2020. Disponível em: <https://www.rollingstone.com/politics/political-commentary/covid-19-end-of-american-era-wade-davis-1038206/>.

18  BERMAN, Morris. *The Twilight of American Culture*. Nova York: W. W. Norton, 2001, pp. 64-5.

19  BERNARD, Tara Siegel & RUSSELL, Karl. "The Middle-Class Crunch".

20  GALLO, William T. et al. "Involuntary Job Loss as a Risk Factor for Subsequent Myocardial Infarction and Stroke: Findings From the Health and Retirement Survey". *American Journal of Industrial Medicine*, vol. 45, n. 5, maio 2004, pp. 408-16; e GALLO, William T. et al. "The Impact of Late Career Job Loss on Myocardial Infarction and Stroke: A 10 Year Follow Up Using the Health and Retirement Survey". *Journal of Occupational and Environmental Medicine*, vol. 63, n. 10, out. 2006, pp. 683-7.

21  DUPRE, Matthew E. et al. "The Cumulative Effect of Unemployment on Risks for Acute Myocardial Infarction". *Archives of Internal Medicine*, vol. 172, n. 22, dez. 2012, pp. 1.731-7.

22  UCHITELLE, Louis. "Job Insecurity of Workers Is a Big Factor in Fed Policy". *The New York Times*, 27 fev. 1997.

23  SCHRECKER, Ted & BAMBRA, Clare. *How Politics Makes Us Sick*, p. 53.

24   STEIN, Ben. "In Class Warfare, Guess Which Class Is Winning". *The New York Times*, 26 nov. 2006. Disponível em: <https://www.nytimes.com/2006/11/26/business/yourmoney/26every.html>.

25   MARCHESE, David. "Ben and Jerry's Radical Ice Cream Dreams". *The New York Times*, 29 jul. 2020.

26   STIGLITZ, Joseph E. *The Price of Inequality: How Today's Divided Society Endangers Our Future*. Nova York: W. W. Norton, 2013, pp. xlviii–xlix.

27   NEATE, Rupert. "Billionaires' Wealth Rises to $10.2 Trillion Amid Covid Crisis". *The Guardian*, 7 out. 2020.

28   Conselho editorial do *Star*, "Billionaires Get Richer While Millions Struggle. There's a Lot Wrong With This Picture", *The Toronto Star*, 21 set. 2020.

29   Extensamente divulgada, por exemplo, no *The New York Times*, na *The New Yorker* e em muitas outras publicações, sem falar na literatura acadêmica.

30   GILENS, Martin & PAGE, Benjamin I. "Testing Theories of American Politics: Elites, Interest Groups, and Average Citizens", *Perspectives on Politics*, vol. 12, n. 3, set. 2014, pp. 564-81.

31   KRUGMAN, Paul. "Why Do the Rich Have So Much Power?", *The New York Times*, 8 jul. 2020.

32   Um amigo escocês opinou que, ao publicar isso, o *The New York Times* estava fazendo um elogio ao presidente americano.

33   REID, James. *Alienation*. University of Glasgow Publications, 1972, p. 5.


## 20. O ESPÍRITO HUMANO ROUBADO: A DESCONEXÃO E SEUS DESCONTENTES

1   BROOKS, David. "Our Pathetic Herd Immunity Failure". *The New York Times*, 6 maio 2021.

2   MARX, Karl. *Economic and Philosophical Manuscripts*. Em: FROMM, Erich. *Marx's Concept of Man*. Londres: Continuum, 2004, p. 83.

3   ALEXANDER, Bruce. *The Globalization of Addiction: A Study in Poverty of the Spirit*. Nova York: Oxford University Press, 2008, p. 58.

4   Alexander reconhece o economista húngaro-americano Karl Polanyi como o primeiro a ter usado o conceito de deslocamento social, em sua obra *A grande transformação*, de 1944.

5   Como no muito elogiado livro de 2020 da dupla, *Deaths of Despair and the Future of Capitalism* (Mortes por desespero e o futuro do capitalismo).

6   SCHWARTZ, Tony & PORATH, Christine. "Why You Hate Work". *The New York Times*, 1º jun. 2014.

7   DUHIGG, Charles. "Wealthy, Successful, and Miserable". *The New York Times*, 21 fev. 2019. Disponível em: <https://www.nytimes.com/interactive/2019/02/21/magazine/elite-professionals-jobs-happiness.html>.

8   AFTAB, Awais. "Meaning in Life and Its Relationship With Physical, Mental, and Cognitive Functioning: A Study of 1,042 Community-Dwelling Adults Across the Lifespan". *Journal of Clinical Psychiatry*, vol. 81, n. 1, 2020.

9   CACIOPPO, John T. & CACIOPPO, Stephanie. "The Growing Problem of Loneliness", *The Lancet*, vol. 391, n. 100.119, 3 fev. 2018, pp. 426-7.

10  ASSOCIAÇÃO AMERICANA DE PSICOLOGIA. "Social Isolation, Loneliness, Could Be Greater Threat to Public Health Than Obesity". *ScienceDaily*, 5 ago. 2015. Disponível em: <www.sciencedaily.com/releases/2017/08/170805165319.htm>.

11  AYDINONAT, Denise et al. "Social Isolation Shortens Telomeres in African Gray Parrots". *PLoS ONE*, vol. 9, n. 4, 2014. Disponível em: <https://doi.org/10.1371/journal.pone.0093839>.

12  VALTORTA, Nicole K. et al. "Loneliness and Social Isolation as Risk Factors for Coronary Heart Disease and Stroke: Systematic Review and Meta-Analysis of Longitudinal Observational Studies". *Heart*, vol. 102, n. 13, 2016. Disponível em: <https://heart.bmj.com/content/102/13/1009>.

13  Por ironia, essa matéria anterior à covid-19 tinha na versão on-line o seguinte título: "Como o isolamento social está nos matando."

14  KULLUR, Dhruv. "Loneliness Is a Health Hazard, But There Are Remedies". *The New York Times*, 22 dez. 2016.

15  MURTHY, Vivek H. *O poder curativo das relações humanas*. Rio de Janeiro: Sextante, 2022.

16  KASSER, Tim et al. "Some Costs of American Corporate Capitalism: A Psychological Exploration of Value and Goal Conflicts". *Psychological Inquiry*, vol. 18, n. 1, mar. 2007, pp. 1-22.

## 21. ELES NÃO ESTÃO NEM AÍ SE VOCÊ MORRER: A SOCIOPATIA COMO ESTRATÉGIA

1   Professor emérito da Universidade da Colúmbia Britânica e especialista mundialmente reconhecido em psicopatia.

2   Como documenta Lustig em seu livro *The Hacking of the American Mind: The Science Behind the Corporate Takeover of Our Bodies and Brains* (A invasão da mente americana: a ciência por trás da tomada corporativa de nossos corpos e cérebros).

3   Série de TV a cabo aclamada pela crítica sobre a indústria publicitária em meados do século XX.

4   Ou, conforme o caso, outras substâncias viciantes como cafeína: por exemplo na bebida dopamino-estimulante Red Bull, cuja propaganda, se fosse honesta, poria uma advertência no rótulo identificando-a como "bebida energética *não renovável*".

5   BRAND, Russell. "Edward Snowden: The Worst Conspiracies Are in Plain Sight", vídeo no YouTube, 16 abr. 2021. Disponível em: <https://www.youtube.com/watch?v=e0zA-JfbP3gg&t=23s>.

6   A personalidade social foi tema do capítulo 14.

7   LENNERZ, Belinda S. et al. "Effects of Dietary Glycemic Index on Brain Regions Related to Reward and Craving in Men". *American Journal of Clinical Nutrition*, vol. 98, n. 3, set. 2013, pp. 641-7.

8   AFSHIN, Ashkan et al. "Health Effects of Dietary Risks in 195 Countries, 1990-2017: A Systemic Analysis for the Global Burden of Disease Study 2017", *The Lancet*, vol. 393, n. 10.184, 11 maio 2019, pp. 1.958-2.017.

9   ASSOCIAÇÃO AMERICANA DO CORAÇÃO. "180,000 Deaths Worldwide May Be Associated With Sugary Soft Drinks, Research Suggests". *ScienceDaily*, 19 mar. 2013. Disponível em: <https://www.sciencedaily.com/releases/2013/03/130319202144.htm>.

10  MEXICO Obesity: Oaxaca Bans Sales of Junk Food to Children. BBC News, 6 ago. 2020. Disponível em: <https://www.bbc.com/news/world-latin-america-53678747>.

11  MEXICO Takes Title of "Most Obese" From America. Global Post, 28 jul. 2013. Disponível em: <https://www.cbsnews.com/news/mexico-takes-title-of-most-obese-from-america>.

12  Numa tentativa desesperada e decerto ineficaz de reduzir as altas taxas de obesidade e diabetes, o estado mexicano de Oaxaca proibiu a venda de junk food e refrigerantes para crianças.

13  GREENHALGH, Susan. "Making China Safe for Coke: How Coca-Cola Shaped Obesity Science and Policy in China". *British Medical Journal*, vol. 364, 9 jan. 2019. Disponível em: <https://doi.org/10.1136/bmj.k5050>.

14  STATISTICS on Obesity, Physical Activity, Diet, England, 2020. National Health Service, 5 maio 2020. Disponível em: <https://digital.nhs.uk/data-and-information/publications/statistical/statistics-on-obesity-physical-activity-and-diet /england-2020>.

15  SCHRECKER, Ted & BAMBRA, Clare. *How Politics Makes Us Sick: Neoliberal Epidemics*. Nova York: Palgrave Macmillan, 2015, p. 32.

16  KRISTOF, Nicholas. "Drug Dealers in Lab Coats". *The New York Times*, 18 out. 2017.

17  Esse acordo foi desde então derrubado em recurso, e no momento em que este livro está indo para o prelo a saga continua. Mais sobre os Sackler no capítulo 33.

18  Em 2014, no 50º aniversário do seminal relatório do Ministério da Saúde dos EUA que expôs os efeitos nocivos do tabaco manufaturado, o mesmo órgão emitiu uma atualização. "A epidemia de tabaco foi iniciada e sustentada pelas estratégias agressivas da indústria do tabaco, que deliberadamente enganou o público em relação aos riscos de fumar."

19  SMOKING and Tobacco Use: Fast Facts. Centers for Disease Control and Prevention. Disponível em: <https://www.cdc.gov/tobacco/data_statistics/fact_sheets/fast_facts/index.htm>.

20  KAPLAN, Sheila. "Biden Plans to Ban Cigarettes With Menthol". *The New York Times*, 29 abr. 2021.

21  Ver capítulo 13.

22  Reisner é apresentador de *Madness: The Podcast*, um olhar fascinante sobre "onde a psicologia e o capitalismo se esbarram".

23  FRIEDMAN, Milton. "Your Greed or Their Greed?". Phil Donahue Show, YouTube, publicado em 14 jul. 2007. Disponível em: <https://www.youtube.com/watch?v=R-Wsx1X8PV_A>.

24  Id. "The Social Responsibility of Business Is to Increase Its Profits". *The New York Times*, 13 set. 1970.

25  WULF, Andrea. *A invenção da natureza: A vida e as descobertas de Alexander von Humboldt*. São Paulo: Crítica, 2019.

26  RIPPLE, William J. et al. "World Scientists' Warning of a Climate Emergency". *BioScience*, vol. 70, n. 1, jan. 2020, pp. 8-12.

27  WATTS, Nick et al. "The 2018 Report of *The Lancet* Countdown on Health and Climate Change: Shaping the Health of Nations for Centuries to Come". *The Lancet*, vol. 392, n. 10.163, 8 dez. 2018, pp. 2.479-514.

28  MORE Than 200 Health Journals Call for Urgent Action on Climate Crisis. *The Guardian*, 6 set. 2021; e HOLTZ, Robert Lee. "Action on Climate Change Is Urged by Medical Journals in Unprecedented Plea". *The Wall Street Journal*, 6 set. 2021.

## 22. A NOÇÃO DE SI SOB ATAQUE: COMO RAÇA E CLASSE SE ENTRANHAM NA PELE

1  X, Malcolm, contado a Alex Haley, *The Autobiography of Malcolm X*. Nova York: Ballantine Books, 2015 [1964], p. 56.
2  Até sua morte prematura, aos 59 anos, Hertzman era professor do Departamento de Saúde e Epidemiologia da Universidade da Colúmbia Britânica e ocupava a cátedra de pesquisa na área de saúde populacional e desenvolvimento humano. Era internacionalmente reconhecido por suas explorações sobre os fatores sociais determinantes na saúde.
3  Vimalasara se identifica com o pronome neutro. Os termos raciais pejorativos são citados com a sua expressa autorização.
4  SARTRE, Jean-Paul. *Anti-Semite and Jew: An Exploration of the Etiology of Hate*. Nova York: Schocken Books, 1995 [1948], pp. 53-4.
5  Kenneth V. Hardy é presidente da Academia Eikenberg para a Justiça Social e professor de terapia de casal e de família na Universidade Drexel na Filadélfia.
6  KEN Hardy on the Assaulted Sense of Self. *Psychotherapy Networker*, vídeo no YouTube, 2016. Disponível em: <https://www.youtube.com/watch?v=i26A5oecUWM>.
7  KNOTT, Helen. *In My Own Moccasins: A Memoir of Resilience*. Saskatchewan, Canadá: University of Regina Press, 2019, pp. 200-1.
8  CHAE, David H. et al. "Racial Discrimination and Telomere Shortening Among African-Americans: The Coronary Artery Risk Development in Young Adults (CARDIA) Study". *Health Psychology*, vol. 39, n. 3, mar. 2020, pp. 209-19.
9  COATES, Ta-Nehisi. *Entre o mundo e eu*. Rio de Janeiro: Objetiva, 2015.
10  HERTZMAN, Clyde & BOYCE, Tom. "How Experience Gets Under the Skin to Create Gradients in Developmental Health". *Annual Review of Public Health*, vol. 31, n. 1, abr. 2010, pp. 329-47.
11  LACKLAND, David T. "Racial Differences in Hypertension: Implications for High Blood Pressure Management". *American Journal of the Medical Sciences*, vol. 348, n. 2, ago. 2014, pp. 135-8.
12  AMERICAN ACADEMY OF ALLERGY, ASTHMA, AND IMMUNOLOGY. "Black Children Six Times More Likely to Die of Asthma", release, 4 mar. 2017. Disponível em: <https://www.aaaai.org/about-aaaai/newsroom/news-releases/black-children-asthma>.
13  A citação de Baldwin é de uma mesa-redonda moderada por Nat Hentoff e transmitida em 1961 na estação de rádio WBAI-FM, subsequentemente publicada com o título "The Negro in American Culture", em *CrossCurrents*, vol. 11, n. 3, verão de 1961, pp. 205-24.
14  ROEDER, Amy. "America Is Failing Its Black Mothers". Escola de Saúde Pública T. H. Chan, de Harvard, inverno de 2019. Disponível em: <https://www.hsph.harvard.edu/magazine/magazine_article/america-is-failing-its-black-mothers>.
15  GREENWOOD, Brad N. et al. "Physician-Patient Racial Concordance and Disparities in Birthing Mortality for Newborns". *Proceedings of the National Academy of Sciences*,

vol. 117, n. 35, 1º set. 2020, pp. 21.194-200. Disponível em: <https://doi.org/10.1073/pnas.1913405117>.

16   NOVA, Cristina & TAYLOR, Jamila. "Exploring African Americans' High Maternal and Infant Death Rates". Center for American Progress, 1º fev. 2018. Disponível em: <https://www.americanprogress.org/issues/early-childhood/reports/2018/02/01/445576/exploring-african-americans-high-maternal-infant-death-rates>.

17   GERONIMUS, Arline et al. "'Weathering' and Age Patterns of Allostatic Load Scores Among Blacks and Whites in the United States". *American Journal of Public Health*, vol. 96, n. 5, maio 2006, pp. 826-33.

18   Entre as detentas mulheres, a proporção é de 50%.

19   Na realidade, o fenômeno perdurou no mínimo até a década de 1980.

20   LIFESPAN of Indigenous People 15 Years Shorter Than That of Other Canadians, Federal Documents Say". *Canadian Press*, 23 jan. 2018. Disponível em: <https://www.cbc.ca/news/health/indigenous-people-live-15-years-less-philpott-briefing-1.4500307>.

21   DYCK, Roland et al. "Epidemiology of Diabetes Mellitus Among First Nations and Non-First Nations Adults". *Canadian Medical Association Journal*, vol. 182, n. 3, 23 fev. 2010, pp. 249-56.

22   KIRMAYER, L. "Suicide Among Canadian Aboriginal People". *Transcultural Psychiatric Research Review*, vol. 31, 1994, pp. 3-57.

23   A província da Colúmbia Britânica, por sua vez, com uma população de 5 milhões de pessoas, teve 170 mortes por overdose em julho de 2020, a mais alta taxa já registrada. Proporcionalmente à tragédia na reserva de Blood Tribe, a Colúmbia Britânica teria perdido mais de 4 mil pessoas em um mês.

24   RCMP: sigla em inglês para Polícia Montada Real Canadense, a venerada organização policial cujas tarefas, desde a sua criação até hoje, incluíram reprimir a resistência dos povos originários ao confisco de suas terras e recursos e, durante a era dos colégios internos, até de seus filhos.

25   Sir Michael Marmot é professor de epidemiologia e saúde pública no University College, em Londres, e foi presidente da Associação Mundial de Medicina em 2015.

26   MARMOT, Michael. *The Health Gap: The Challenge of an Unequal World*. Nova York: Bloomsbury, 2015, p. 12.

27   LUPIEN, Sonia J. et al. "Child's Stress Hormone Levels Correlate With Mother's Socioeconomic Status and Depressive State". *Biological Psychiatry*, vol. 48, n. 10, 15 nov. 2000, pp. 976-80.

28   Em: RAPHAEL, Dennis (org.). *Social Determinants of Health: Canadian Perspectives*. S. l.: Canadian Scholars Press, 2016, p. xiii.

29   SOTH, Alex. "The Great Divide". *The New York Times*, 5 set. 2020. Disponível em: <https://www.nytimes.com/interactive/2020/09/05/opinion/inequality-life-expectancy.html>.

30   LEMSTRA, M. et al. "Health Disparity by Neighborhood Income". *Canadian Journal of Public Health*, vol. 97, n. 6, nov. 2006, pp. 435-9.

31   Por exemplo, LUBY, Joan et al. "The Effects of Poverty on Childhood Brain Development: The Mediating Effect of Caregiving and Stressful Life Events". *JAMA Pediatrics*, vol. 167, n. 12, dez. 2013, pp. 1.135-42.

32   SWARTZ, J. R. et al. "An Epigenetic Mechanism Links Socioeconomic Status to Changes in Depression-Related Brain Function in High-Risk Adolescents". *Molecular Psychiatry*, vol. 22, n. 2, fev. 2017, pp. 209-24.

33  RAPHAEL, Dennis et al. *Social Determinants of Health*, p. 13. (Raphael está reciclando conselhos humorísticos que vêm circulando há alguns anos.) Disponível em: <https://thecanadianfacts.org/The_Canadian_Facts-2nd_ed.pdf>.

34  MARMOT, Michael & BRUNNER, Eric. "Cohort Profile: The Whitehall II Study". *International Journal of Epidemiology*, vol. 34, n. 2, abr. 2005, pp. 251-6; e DUGRAVOT, Aline et al. "Social Inequalities in Multimorbidity, Frailty, Disability, and Transitions to Mortality: A 24-Year Follow-Up of the Whitehall II Cohort Study". *The Lancet Public Health*, vol. 5, n. 1, 1º jan. 2020, pp. e42-50.

35  WILKINSON, Richard. *The Impact of Inequality: How to Make Sick Societies Healthier*. Nova York: New Press, 2005, p. 58.

36  SAPOLSKY, Robert. "The Health-Wealth Gap". *Scientific American*, nov. 2018. Disponível em: <https://www.scientificamerican.com/index.cfm/_api/render/file/?method=inline&fileID=123ECD96-EF81-46F6-983D2AE9A45FA354>.

## 23. OS AMORTECEDORES DA SOCIEDADE: POR QUE AS MULHERES SOFREM MAIS

1  WARRAICH, Haider J. "Why Men and Women Feel Pain Differently". *The Washington Post*, 15 maio 2021.

2  FEMALE Smokers Are Twice as Likely as Male Smokers to Develop Lung Cancer. *ScienceDaily*, 2 dez. 2003. Disponível em: <https://www.sciencedaily.com/releases/2003/12/031202070515.htm>.

3  ALTEMUS, Margaret et al. "Sex Differences in Anxiety and Depression Clinical Perspectives". *Frontiers in Neuroendocrinology*, vol. 35, n. 3, ago. 2014, pp. 320-30.

4  MAUVOIS-JARVIS, Franck et al. "Sex and Gender: Modifiers of Health, Disease, and Medicine". *The Lancet*, vol. 396, n. 10.250, 22 ago. 2020, pp. 565-82.

5  Nos Estados Unidos, por exemplo, ser do sexo feminino e pertencer ao grupo dos pretos ou hispânicos gera mais riscos de doença autoimune do que qualquer um dos dois fatores isolado. Um estudo de 1964 sobre lúpus eritematoso sistêmico em Nova York, publicado no *American Journal of Public Health*, constatou que "as taxas de morbidade e mortalidade eram mais elevadas entre os negros, seguidos em ordem decrescente pela taxa dos porto-riquenhos e outros brancos". SIEGEL, Morris. "Epidemiology of Systemic Lupus Erythematosus: Time Trend and Racial Differences". *American Journal of Public Health*, vol. 54, n. 1, jan. 1964, pp. 33-43. Cinquenta anos depois, esse fator racial persiste. "O lúpus eritematoso sistêmico é mais frequente e mais severo, com maior atividade da doença e maior aumento de danos em populações não caucasianas (hispânicos, afrodescendentes e asiáticos) do que em caucasianos." GONZALEZ, L. A. et al. "Ethnicity in Systemic Lupus Erythematosus (SLE): Its Influence on Susceptibility and Outcomes". *Lupus*, vol. 22, n. 12, out. 2013, pp. 1.214-24. Ser mulher e indígena de um lado ou de outro do Paralelo 49 também aumenta o risco no Canadá: por exemplo, a artrite reumatoide afeta pessoas indígenas numa taxa três vezes superior à média nacional. HUNT, Stephen. "Arthritis Affects Indigenous People at a Rate Three Times Higher Than Average". CBC News, 5 nov. 2018. Disponível em: <https://www.cbc.ca/news/canada/calgary/indigenous-rates-arthritis-higher-than-average-1.4892319>. As mulheres, é claro, são predominantes nessas estatísticas: nas mulheres aborígines, a taxa de artrite reumatoide é não três, mas seis vezes mais alta que a dos homens. RHEUMATOID Arthritis and the Aboriginal Population – What the Research Shows".

*JointHealth Insight*, set. 2006. Disponível em: <https://jointhealth.org/programs-jh-monthly-view.cfm?id=19&locale=en-CA>.

6 Um estudo de 2021 da Organização Mundial da Saúde revelou que uma em cada quatro mulheres e meninas do mundo já foi agredida por um parceiro homem. Se contabilizarmos também a violência de não parceiros, a OMS estima que "cerca de um terço das mulheres de 15 anos ou mais, entre 736 e 852 milhões, serão submetidas a alguma forma de violência sexual ou física no decorrer da vida". Segundo o artigo da OMS, essas taxas seriam significativamente mais altas caso incluíssem também outras formas de abuso, como a violência na internet ou o assédio sexual. FORD, Liz. "Quarter of Women and Girls Have Been Abused by a Partner, Says WHO". *The Guardian*, 9 mar. 2021.

7 HOM, Melanie A. et al. "Women Firefighters and Workplace Harassment: Associated Suicidality and Mental Health Sequelae". *Journal of Nervous and Mental Disease*, vol. 205, n. 12, dez. 2017, pp. 910-7.

8 HARNOIS, Catherine E. & BASTOS, João L. "Discrimination, Harassment, and Gendered Health Inequalities: Do Perceptions of Workplace Mistreatment Contribute to the Gender Gap in Self-Reported Health?". *Journal of Health and Social Behavior*, vol. 59, n. 2, 2018, pp. 283-99.

9 A identificação dos sistemas emocionais cerebrais do CUIDAR, PÂNICO/TRISTEZA, MEDO, BRINCAR, DESEJAR, BUSCAR e RAIVA pelo neurocientista Jaak Panksepp foi apresentada no capítulo 9.

10 HOLLAND, Julie. *Moody Bitches*. Nova York: Penguin Press, 2015, p. 30.

11 EAKER, Elaine D. et al. "Marital Status, Marital Strain, and Risk of Coronary Heart Disease or Total Mortality: The Framingham Offspring Study". *Psychosomatic Medicine*, vol. 69, n. 6, jul.-ago. 2007, pp. 509-13.

12 HAYNES, Suzanne G. et al. "Women, Work and Coronary Heart Disease: Prospective Findings From the Framingham Heart Study". *American Journal of Public Health*, vol. 70, n. 2, fev. 1980, pp. 133-41.

13 Como de hábito, nenhum dos médicos que trataram a doença de Crohn de Liz jamais lhe perguntaram sobre seus traumas de infância, seus estresses atuais ou sobre a relação dela com ela mesma.

14 "Levei anos de terapia para sequer admitir que tivesse havido qualquer tipo de vitimização minha", diz Morrissette no documentário *Jagged*. "Eu sempre dizia que tinha consentido, e depois me lembrava, 'Ué, você tinha 15 anos... não se pode consentir aos 15 anos'. Hoje eu digo: 'Ah, sim, eram todos pedófilos. Foi tudo estupro de vulnerável.'"

15 FRIEDMAN, Gillian. "Jobless, Selling Nudes Online, and Still Struggling". *The New York Times*, 12 jan. 2021. Disponível em: <https://www.nytimes.com/2021/01/13/business/onlyfans-pandemic-users.html>.

16 DINES, Gail. *Pornland: How Porn Has Hijacked Our Sexuality*. Boston: Beacon Press, 2010, p. xi.

17 O'HANLON, Emer. "Porn Lies Behind Cuts and Bruises of Rough Sex Fad". *Irish Independent*, 2 ago. 2020. Disponível em: <https://www.independent.ie/opinion/comment/porn-lies-behind-cuts-and-bruises-of-rough-sex-fad-39416367.html>.

18 Wollstonecraft, Mary. *Reivindicação dos direitos da mulher*. São Paulo: Edipro, 2015.

19 DWORKIN, Andrea. *Intercourse*. Nova York: Basic Books, 2007 [1987], p. 112.

20 KIECOLT-GLASER, Janice K. et al. "Spousal Caregivers of Dementia Victims: Longitudinal Changes in Immunity and Health". *Psychosomatic Medicine*, vol. 53, 1991, pp. 345-62.

21 RADIN, Rachel M. et al. "Maternal Caregivers Have Confluence of Altered Cortisol, High Reward-Driven Eating, and Worse Metabolic Health". *PLoS ONE*, vol. 14, n. 5, 10 maio 2019. Disponível em: <https://doi.org/10.1371/journal.pone.0216541>.

22 GROSE, Jessica. "Mothers Are the 'Shock Absorbers' of Our Society". *The New York Times*, 14 out. 2020. Disponível em: <https://www.nytimes.com/2020/10/14/parenting/working-moms-job-loss-coronavirus.html>.

23 PEREZ, Caroline Criado. *Mulheres invisíveis: O viés dos dados em um mundo projetado para homens*. Rio de Janeiro: Intrínseca, 2022.

24 MANNE, Kate. *Down Girl: The Logic of Misogyny*. Nova York: Oxford University Press, 2018, p. 130.

25 Pesquisas recentes mostram que mais de 30 mil veteranos americanos das guerras pós-Onze de Setembro no Iraque e no Afeganistão se suicidaram, mais de quatro vezes o número de mortos em combate. Disponível em: <https://coloradonewsline.com/2021/07/08/report-veteran-suicides-far-outstrip-combat-deaths-in-post-9-11-wars/>.

## 24. NÓS SENTIMOS A DOR DELES: NOSSA POLÍTICA IMPREGNADA DE TRAUMA

1 BROOKS, Anthony & TATTER, Grace. "Surviving Family Politics at Thanksgiving". WBUR, 27 nov. 2019. Disponível em: <https://www.wbur.org/onpoint/2019/11/27/family-politics-thanksgiving>.

2 SMITH, Kevin B. et al. "Friends, Relatives, Sanity, and Health: The Costs of Politics". *PLoS One*, vol. 14, n. 9, set. 2019. Disponível em: <https://journals.plos.org/plosone/article?id=10.1371/journal.pone.0221870>.

3 EPEL, Elissa. "Stressed Out by Politics? It Could Be Making Your Body Age Faster, Too". *Quartz*, 16 mar. 2017. Disponível em: <https://qz.com/931355/telomeres-and-cell-aging-nobel-prize-for-medicine-winner-elizabeth-blackburn-and-elissa-epel-explain-how-trump-is-aging-our-cells/>.

4 STOSNY, Steven. "He Once Called It 'Election Stress Disorder.' Now the Therapist Says We're Suffering From This". *The Washington Post*, 6 fev. 2017. Disponível em: <https://www.washingtonpost.com/news/inspired-life/wp/2017/02/06/suffering-from-headline-stress-disorder-since-trumps-win-youre-definitely-not-alone/?noredirect=on>.

5 MILLER, Alice. *For Your Own Good: Hidden Cruelty in Child-Rearing and the Roots of Violence*. Nova York: Farrar, Straus and Giroux, 1990 [1983], p. 65.

6 GERHARDT, Sue. *The Selfish Society*. Londres: Simon and Schuster, 2011, p. 46.

7 COYLE, Jim. "For Stephen Harper, a Stable Upbringing and an Unpredictable Path to Power". *The Toronto Star*, 8 out. 2015. Disponível em: <https://www.thestar.com/news/insight/2015/10/04/for-stephen-harper-a-stable-upbringing-and-an-unpredictable-path-to-power.html>.

8 AN EMOTIONAL Justin Trudeau Cries Discussing the Death of Gord Downie. *Global News*, YouTube, 18 out. 2017. Disponível em: <https://www.youtube.com/watch?v=YMCaDvah6N0>.

9   Foi em 30 de setembro de 2021, a primeira comemoração do Dia Nacional da Verdade e Reconciliação no Canadá.
10  KAY, Jonathan. "The Justin Trudeau I Can't Forget". *Walrus*, 29 set. 2015.
11  WALLIS, Claudia. "Of Psychopaths and Presidential Candidates". *Scientific American Mind*, colunista convidada, 12 ago. 2016. Disponível em: <https://blogs.scientificamerican.com/mind-guest-blog/of-psychopaths-and-presidential-candidates/>.
12  MAYER, Jane. "Trump's Boswell Speaks". *The New Yorker*, 26 jul. 2016.
13  CHOZIK, Amy. "Clinton Father's Brusque Style, Mostly Unspoken But Powerful". *The New York Times*, 20 jul. 2015.
14  TWOHEY, Megan. "Her Husband Accused of Affairs, a Defiant Clinton Fought Back". *The New York Times*, 3 out. 2016.
15  BROOKS, David. "The Avalanche of Distrust". *The New York Times*, 13 set. 2016.
16  LAKOFF, George. *The Political Mind*. Nova York: Penguin Books, 2008, p. 76.
17  RAINBOW, Randy (@randyrainbow). "G'night, mom and dad. See you in the morning". Twitter, 11 ago. 2020, 22h17. Disponível em: <https://twitter.com/randyrainbow/status/1293386210388381696>.
18  Ver, por exemplo, "Stephen Kicks Off a Late Show's Obama-Rama Extravagama With a Special Obamalogue". *The Late Show with Stephen Colbert*, CBS. Disponível em: <https://www.youtube.com/watch?v=RmtCV-U8wwo>.

## 25. A MENTE NO COMANDO: A POSSIBILIDADE DE CURA

1  O Animas Valley Institute de Plotkin, com sede no Colorado, oferece poderosos retiros, workshops e "buscas" que usam a própria natureza como uma espécie de modelo e professora da inteireza humana.
2  A história de doença e cura da própria Rankin foi abordada no capítulo 5.
3  ÉSQUILO. *Agamêmnon*. Em: *Oréstia*. Rio de Janeiro: Zahar, 1991.
4  O estudo da rede neural do pericárdio, a membrana fibrosa que recobre o coração, e de suas conexões com o sistema nervoso e o cérebro é abarcado pela disciplina da neurocardiologia.
5  PEARCE, Joseph Chilton. *The Heart-Mind Matrix: How the Heart Can Teach the Mind New Ways to Think*. Rochester: Park Street Press, 2012.
6  EGER, Edith Eva. *A bailarina de Auschwitz*. Rio de Janeiro: Sextante, 2017.

## 26. QUATRO DISPOSIÇÕES E CINCO COMPAIXÕES: ALGUNS PRINCÍPIOS DE CURA

1  Ver capítulo 7.
2  TURNER, Kelly. *Radical Remission: Surviving Cancer Against All Odds*. Nova York: HarperOne, 2014, p. 45.
3  KRAMPE, Henning et al. "The Influence of Personality Factors on Disease Progression and Health-Related Quality of Life in People with ALS". *Amyotrophic Lateral Sclerosis*, vol. 9, n. 2, maio 2008, pp. 99-107.

4   VAN MIDDENDORP, Henriët et al. "Effects of Anger and Anger Regulation Styles on Pain in Daily Life of Women With Fibromyalgia: A Diary Study". *European Journal of Pain*, vol. 14, n. 2, fev. 2010, pp. 176-82.

5   Autor do sucesso de vendas *Into the Magic Shop: A Neurosurgeon's Quest to Discover the Mysteries of the Brain and the Secrets of the Heart* (A loja de mágicas: a busca de um neurocirurgião para descobrir os mistérios do cérebro e os segredos do coração).

6   Um curto trecho dessa conversa pode ser visto no vídeo "A Neurosurgeon Talks of Vulnerability Gabor Maté and James Doty", 12 jul. 2019. Disponível em: <https://www.youtube.com/watch?v=WiAXbZmA2dU>.

7   KNOTT, Helen. *In My Own Moccasins: A Memoir of Resilience*. Saskatchewan: University of Regina Press, 2019, p. 240.

8   MERTON, Thomas. *A montanha dos sete patamares*. Rio de Janeiro: Petra, 2018.

## 27. UM PRESENTE TERRÍVEL: A DOENÇA COMO PROFESSORA

1   De uma entrevista da cantora e compositora ao jornal *The Guardian*, 10 jul. 2021.

2   SHADICK, Nancy A. et al. "A Randomized Controlled Trial of an Internal Family Systems-Based Psychotherapeutic Intervention on Outcomes in Rheumatoid Arthritis: A Proof-of-Concept Study". *Journal of Rheumatology*, vol. 40, n. 11, nov. 2013, pp. 1.831-41.

3   SOLJENÍTSYN, Aleksandr. *Pavilhão de cancerosos*. Rio de Janeiro: Expressão e Cultura, 1975.

4   Instrutor de psiquiatria na Escola de Medicina de Harvard e diretor de medicina dos Programas de Psiquiatria Adulta no hospital psiquiátrico McLean SouthEast.

5   Único motivo secular, digo.

6   Mesmo com o diagnóstico geralmente fatal da ELA, existem na literatura neurológica dezenas de casos publicados com documentação médica e revisão de pares sobre reversões parciais ou completas, ou sobre décadas de sobrevida após prognósticos terminais, mesmo depois de longos anos de dependência de cadeiras de rodas ou respiradores artificiais. O físico Stephen Hawking ficou conhecido por superar em mais de 50 anos seu prognóstico de dois.

7   Quando este livro estava entrando no último estágio de editoração, em dezembro de 2021, Pye relatou estar se reabilitando/recuperando de outra cirurgia, feita em outubro de 2021 devido à reincidência do tumor diagnosticado pela primeira vez em 2011. O tempo médio de sobrevida ao seu diagnóstico original é de cinco a 10 anos.

## 28. ANTES DE O CORPO DIZER NÃO: PRIMEIROS PASSOS NO RETORNO A SI

1   "Born This Way", de Lady Gaga, 2011.

2   SCHWARTZ, Richard C. *Introduction to the Internal Family Systems Model*. S. l.: Trailheads Publications, 2001, p. 54.

3   ALMAAS, A. H. *The Freedom to Be*. S. l.: Diamond Books, 1989, p. 12.

4   Referência ao título do clássico contemporâneo sobre trauma de Bessel van der Kolk, *O corpo guarda as marcas*.

5 Mais sobre as origens adaptativas do ódio por si mesmo no capítulo 30.
6 Travar amizade com nossos sentimentos de culpa compulsivos é um assunto tratado no capítulo 30.
7 Citado em: HAHN, Thich Nhat. *A essência dos ensinamentos de Buda*. Petrópolis: Vozes, 2019.
8 Na verdade, Gauthier expressou isso no título de seu livro recente, *Saved by a Song: The Art and Healing Power of Songwriting* (Curada por uma canção: a arte e o poder de cura da composição musical).
9 SELYE, János. *The Stress of Life*. Nova York: McGraw-Hill, 1978, p. 419.

## 29. VER PARA DESACREDITAR: COMO DESFAZER CRENÇAS AUTOLIMITANTES

1 LIPTON, Bruce H. & BHAERMAN, Steve. *Evolução espontânea*. São Paulo: Butterfly Editions, 2013.
2 SCHWARTZ, Jeffrey M. & BEGLEY, Sharon. *The Mind and the Brain: Neuroplasticity and the Power of Mental Force*. Nova York: ReganBooks, 2002.

## 30. INIMIGOS QUE VIRAM AMIGOS: COMO LIDAR COM OS OBSTÁCULOS À CURA

1 SCHWARTZ, Richard. *Introduction to the Internal Family Systems Model*. Trailheads Publications, 2001, pp. 67-8.
2 A psilocibina é a substância encontrada nos chamados "cogumelos mágicos". Terei mais a dizer sobre as modalidades psicodélicas no capítulo 31.
3 Do poema de 1919 de W. B. Yeats "The Second Coming" (A segunda vinda).
4 Já citei o livro de Knott ao longo deste volume: *In My Own Moccasins: A Memoir of Resilience*.
5 EGER, Edith. *A liberdade é uma escolha*. Rio de Janeiro: Sextante, 2021.
6 Ilustradas aqui na prática com a participação sem rodeios do apresentador de podcast Tim Ferriss: "Dr. Gabor Maté on How to Reframe a Challenging Moment and Feel Empowered", The Tim Ferriss Show, 4 nov. 2019, YouTube. Disponível em: <https://www.youtube.com /watch?v=__JLFw2FtEQ>.

## 31. JESUS NA TENDA: PSICODÉLICOS E CURA

1 Em geral, os do segundo tipo são lugares de que se ouve falar em notícias por vezes sensacionalistas, mas infelizmente verídicas sobre os perigos dos psicodélicos. Na verdade, porém, essas manchetes tratam do que acontece quando tradições potentes da medicina são cooptadas pela sede de lucro, coisa que, nem é preciso dizer, não tem uma origem particularmente amazônica.

2 Palavra em quéchua que designa os cânticos de cura entoados nas cerimônias da ayahuasca.
3 Eu em geral penso e inclusive sonho em inglês.
4 Outra palavra – cunhada mais recentemente e aplicável apenas a remédios à base de plantas – é "enteogênico", que significa literalmente "tornar-se divino com".
5 Por exemplo, sobre a ayahuasca: BOUSO, José Carlo et al. "Ayahuasca, Technical Report 2021". International Center for Ethnobotanical Education, Research and Service, dez. 2021. Disponível em: <https://www.iceers.org/ayahuasca-technical-report/>.
6 Mandy era a versão anglicizada do nome de Mee Ok. Parte da sua recuperação de si mesma teve a ver com resgatar seu nome coreano original. Ela agora adotou o sobrenome Icaro em homenagem à sua conexão com o remédio.
7 Por mais desesperada que Mee Ok estivesse, e por mais útil que tenha se revelado a sua experiência, *eu nunca recomendo a ninguém ingerir a planta sozinho*. A experiência da ayahuasca, mais até do que a da maioria das plantas psicodélicas, é melhor se realizada num contexto cerimonial, com praticantes de confiança. É uma questão tanto de segurança quanto de integridade da própria tradição, em que a planta é vista como parte de um rico conjunto de práticas, não algo a ser consumido ad hoc, sobretudo não por iniciantes.
8 THIESSEN, Michelle S. et al. "Psychedelic Use and Intimate Partner Violence: The Role of Emotion Regulation". *Journal of Psychopharmacology*, 2018. Disponível em: <https://doi.org/10.1177/02698811187>.
9 Como muitos outros, estou confiante de que os estudos atualmente em andamento provem que, mesmo por motivos estritamente econômicos, esses tratamentos podem ter um bom custo-benefício: pense, por exemplo, no custo ao longo da vida de uma pessoa que precise tomar remédios para algo como TEPT.
10 GWYNNE, S. C. *Empire of the Summer Moon: Quanah Parker and the Rise and Fall of the Comanches*. Nova York: Scribner, 2010, p. 314.

## 32. MINHA VIDA COMO UMA COISA GENUÍNA: TOCAR O ESPÍRITO

1 Ato I, cena 5. Na época de Shakespeare, "filosofia" podia se referir ao pensamento racional, científico.
2 Em sua canção de 1965 "Mr. Tambourine Man".
3 ALMAAS, A. H. *Elements of the Real in Man*. S. l.: Diamond Books, 1987, p. 26.
4 Ex-diretor de medicina no Centro de Medicina Complementar do Centro Médico da Universidade de Pittsburgh, e atualmente docente do programa de residência em medicina de família do Centro Médico do Maine Oriental, ligado à Universidade da Nova Inglaterra.
5 MEHL-MADRONA, Lewis. *Coyote Medicine: Lessons From Native American Healing*. Nova York: Simon and Schuster, 1997, pp. 16-7.
6 REICH, Wilhelm. *O assassinato de Cristo*. São Paulo: Martins Fontes, 1999.
7 Primeiro Reis 19,12.
8 Por exemplo, CONKLIN, Quinn A. et al. "Meditation, Stress Processes, and Telomere Biology". *Current Opinion in Psychology*, vol. 28, 2019, pp. 92-101; BERGEN-CICO, D. et al. "Reductions in Cortisol Associated With Primary Care Brief Mindfulness Programs With Veterans With PTSD". *Med Care*, n. 12, supl. 5, dez. 2014, pp. S25-31;

e GALLEGOS, A. M. et al. "Mindfulness-Based Stress Reduction to Enhance Psychological Functioning and Improve Inflammatory Biomarkers in Trauma-Exposed Women: A Pilot Study". *Psychological Trauma*, vol. 7, n. 6, nov. 2015, pp. 525-32.

9  PAGNINI, Francesco et al. "Mindfulness, Physical Impairment and Psychological Well-Being in People With Amyotrophic Lateral Sclerosis". *Psychology and Health*, vol. 30, n. 5, out. 2014, pp. 503-17. Disponível em: <https://doi.org/10.1080/08870446.2014.982652>.

10  BERGER, Rony et al. "Reducing Israeli-Jewish Pupils' Outgroup Prejudice With a Mindfulness and Compassion-Based Social Emotional Program". *Mindfulness*, vol. 9, n. 2, dez. 2018. Disponível em: <https://doi.org/10.1007/s12671-018-0919-y>.

11  Cuja obra mais famosa é *O cérebro de Buda: Neurociência prática para a felicidade*. São Paulo: Alaúde Editorial, 2012.


## 33. UM MITO DESFEITO: VISÃO DE UMA SOCIEDADE MAIS SÃ

1  Antonio Gramsci, filósofo, linguista e ativista antifascista italiano.
2  A música é "Thank U", de 1998.
3  Para quem porventura se surpreender com essa afirmação, recomendo os trabalhos de historiadores israelenses como Ilan Pappé, Simha Flapan, Benny Morris, Tom Segev e Avi Shlaim, ou de estudiosos judeus americanos como Norman Finkelstein. Por exemplo, a obra seminal de Pappé, *The Ethnic Cleansing of Palestine*. Oxford: Oneworld, 2006. Ou então as matérias do indomável Gideon Levy no jornal israelense *Haaretz*. Ou ainda, para uma visão palestina, o esclarecedor livro de memórias pessoais e história de Rashid Khalidi, *One Hundred Years' War on Palestine: A History of Settler Colonialism and Resistance, 1917-2017*. Nova York: Picador, 2020.
4  BALDWIN, James. "As Much Truth as One Can Bear". *The New York Times Book Review*, 14 jan. 1962.
5  Ibid.
6  As citações de Joan Didion são de um obituário da falecida escritora: CAIN, Sian & HELMORE, Edward. "Joan Didion, American Journalist and Author, Dies at 87". *The Guardian*, 23 dez. 2021.
7  KOLK, Bessel van der. *O corpo guarda as marcas: Cérebro, mente e corpo na cura do trauma*. Rio de Janeiro: Sextante, 2020.
8  O filme pode ser visto em: <https://wisdomoftrauma.com/pt>.
9  Como por exemplo um estudo que caiu na minha mesa exatamente quando eu estava escrevendo este capítulo: ROGERS, Nina T. et al. "Child Maltreatment, Early Life Socioeconomic Disadvantage and All-Cause Mortality: Findings From a Prospective British Cohort". *BMJ Open*, vol. 11, 2021. Disponível em: <https://doi.org/10.1136/bmjopen-2021-050914>.
10  THISTLE, Jesse. *From the Ashes*. Toronto: Simon & Schuster Canada, 2019, p. 260.
11  KLINE, Maggie. *Brain-Changing Strategies to Trauma-Proof Our Schools*. Berkeley, CA: North Atlantic Books, 2020, p. 2.
12  ROURKE, Alison. "Greta Thunberg Responds to Asperger's Critics: 'It's a Superpower'". *The Guardian*, 2 set. 2019.

13. HICKMAN, Caroline et al. "Young People's Voices on Climate Anxiety, Government Betrayal and Moral Injury: A Global Phenomenon", pré-artigo apresentado à *The Lancet*, set. 2021. Disponível em: <https://papers.ssrn.com/sol3/papers.cfm?abstract_id=3918955>.
14. CARRINGTON, Damian. "'Blah, Blah, Blah': Greta Thunberg Lambasts Leaders Over Climate Crisis". *The Guardian*, 28 set. 2021.
15. ARENDT, Hannah. "Eichmann in Jerusalem – I". *The New Yorker*, 16 fev. 1963.
16. Segundo um editorial do *The New York Times* de 11 de abril de 2021, 500 mil crianças iraquianas foram mortas em consequência dos embargos dos EUA nos anos 1990.
17. A entrevista na qual Albright fez essa declaração foi transmitida no programa *60 Minutes*, da CBS, em 12 de maio de 1996. Mais tarde, Albright escreveu: "Eu caí numa armadilha e disse algo que não queria dizer", se arrependendo de ter parecido "fria e cruel". Tirando o arrependimento pela forma como foi interpretada, nem ela nem qualquer representante governamental dos Estados Unidos responsável pelos embargos jamais se desculpou pela morte das crianças.
18. Morta em março de 2022, Albright mais tarde se arrependeria publicamente de ter feito essa afirmação. Mas nunca abriu mão das políticas por ela justificadas.
19. MASLOW, Abraham. "Resistance to Acculturation". *Journal of Social Issues*, vol. 1, outono 1951, pp. 26-9.

CONHEÇA OUTRO TÍTULO DA EDITORA SEXTANTE

*O corpo guarda as marcas*
Bessel van der Kolk, M.D.

O trauma é um dos grandes problemas de saúde pública atual, afetando não apenas sobreviventes de guerras e desastres naturais como vítimas de violência doméstica, crimes urbanos, agressões, maus-tratos, abuso sexual, abandono e negligência.

Um dos principais especialistas no assunto, o Dr. Van der Kolk mostra como o trauma reformula o funcionamento do corpo e do cérebro, comprometendo a capacidade das vítimas de ter prazer, criar laços saudáveis, confiar nos outros e se sentirem seguras.

Com base em descobertas científicas recentes e em mais de 30 anos de trabalho clínico, ele apresenta tratamentos inovadores que oferecem novos caminhos para a recuperação de adultos e crianças ativando a neuroplasticidade natural do cérebro.

Pontuado por impressionantes casos de coragem e superação, este livro expõe o tremendo poder de nossos relacionamentos tanto para ferir quanto para curar e oferece uma nova esperança para recuperar vidas.

## CONHEÇA ALGUNS DESTAQUES DE NOSSO CATÁLOGO

- Augusto Cury: Você é insubstituível (2,8 milhões de livros vendidos), Nunca desista de seus sonhos (2,7 milhões de livros vendidos) e O médico da emoção
- Dale Carnegie: Como fazer amigos e influenciar pessoas (16 milhões de livros vendidos) e Como evitar preocupações e começar a viver
- Brené Brown: A coragem de ser imperfeito – Como aceitar a própria vulnerabilidade e vencer a vergonha (600 mil livros vendidos)
- T. Harv Eker: Os segredos da mente milionária (2 milhões de livros vendidos)
- Gustavo Cerbasi: Casais inteligentes enriquecem juntos (1,2 milhão de livros vendidos) e Como organizar sua vida financeira
- Greg McKeown: Essencialismo – A disciplinada busca por menos (400 mil livros vendidos) e Sem esforço – Torne mais fácil o que é mais importante
- Haemin Sunim: As coisas que você só vê quando desacelera (450 mil livros vendidos) e Amor pelas coisas imperfeitas
- Ana Claudia Quintana Arantes: A morte é um dia que vale a pena viver (400 mil livros vendidos) e Pra vida toda valer a pena viver
- Ichiro Kishimi e Fumitake Koga: A coragem de não agradar – Como se libertar da opinião dos outros (200 mil livros vendidos)
- Simon Sinek: Comece pelo porquê (200 mil livros vendidos) e O jogo infinito
- Robert B. Cialdini: As armas da persuasão (350 mil livros vendidos)
- Eckhart Tolle: O poder do agora (1,2 milhão de livros vendidos)
- Edith Eva Eger: A bailarina de Auschwitz (600 mil livros vendidos)
- Cristina Núñez Pereira e Rafael R. Valcárcel: Emocionário – Um guia lúdico para lidar com as emoções (800 mil livros vendidos)
- Nizan Guanaes e Arthur Guerra: Você aguenta ser feliz? – Como cuidar da saúde mental e física para ter qualidade de vida
- Suhas Kshirsagar: Mude seus horários, mude sua vida – Como usar o relógio biológico para perder peso, reduzir o estresse e ter mais saúde e energia

sextante.com.br